Lewis S. Chafer | John F. Walvoord

Grundlagen biblischer Lehre

Lewis S. Chafer | John F. Walvoord

GRUNDLAGEN
biblischer Lehre

Lewis S.Chafer | John F. Walvoord
Grundlagen biblischer Lehre

Best.-Nr. 271 550
ISBN 978-3-86353-550-6
Christliche Verlagsgesellschaft Dillenburg

Best.-Nr. 180141
ISBN 978-3-85810-474-8
Verlag Mitternachtsruf, www.mnr.ch

Originaltitel: Major Bible Themes
by Lewis Sperry Chafer and John F Walvoord

Published by arrangement with Thomas Nelson,
a division of HarperCollins Christian Publishing, Inc.

3. Auflage 2021

Übersetzung: Eva Weyandt, Rösrath
Satz und Umschlaggestaltung: Christliche Verlagsgesellschaft Dillenburg
Umschlagmotiv: © Shutterstock.com/Arak Rattanawijittakorn

Druck: GGP Media GmbH, Pößneck
Printed in Germany

Inhaltsverzeichnis

Vorwort des dt. Herausgebers

1927 erschien erstmalig dieses grundlegende Werk zu biblischen Lehrfragen in englischer Sprache, und 1994 erstmals dann auch in Deutsch. Mehr als 20 Jahre später hat sich der Verlag entschlossen, es erneut aufzulegen, denn zuverlässige biblische Lehre ist weiterhin grundlegend für alle Arbeit in der Gemeinde und mit der Bibel. Der moderne Trend zur Instant-Theologie, der schnellen Adaption möglichst leicht verständlichen Stoffs, mag leider heute vorherrschend sein, aber letztlich funktioniert Theologie nur auf der Grundlage einer gründlichen Untersuchung der Heiligen Schrift. Deshalb sind wir überzeugt davon, das eine solche auch weiterhin angeregt und Hilfen dazu angeboten werden müssen.

Das nun wieder vorliegende, sprachlich leicht überarbeitete Werk schafft einen guten Kompromiss zwischen gründlicher Theologie und gefragter Kürze. Die Autoren bieten mit ihren 52 Lektionen eine ausgezeichnete Grundlage zum Verständnis biblischer Lehre und einen doch sehr komplexen Überblick, durch den man sich in einem überschaubaren Umfang ein sehr solides Fundament verschaffen kann. Vielen Irrtümern beugen Sie vor, indem sie in kontroversen Fragen jeweils versuchen, ein Gleichgewicht zwischen den verschiedenen Standpunkten auszuloten. Dadurch wird der Leser geschult, sich in seinen Lehrüberzeugungen nicht gleich sofort einseitig festzulegen, sondern genau zu prüfen und vielleicht auch manches offen zu halten.

Der konsequent dispensationalistische Ansatz der Autoren muss dabei kein Nachteil sein. Im Gegenteil, er bietet ein hilfreiches Gerüst, durch das Zusammenhänge der Schrift deutlich und plausibel werden. Gerade in einer Zeit, in der bei der Bibelauslegung hermeneutisch manches drunter und drüber geht und in der es scheint, als könne man ohne jegliche theologische Gewichtung und Strukturierung auskommen, ist es mehr denn je notwendig und vernünftig, die Heilszeiten zu unterscheiden, um nicht in den Sog endzeitlicher Verführung zu geraten.

Zu den Autoren: *Lewis Sperry Chafer* lebte von 1871–1952 und war ein weithin bekannter Vertreter einer prämillenialistischen Theologie und Hermeneutik. Er war über Jahrzehnte hinweg eng verbunden mit so prominenten Evangelikalen wie C. I. Scofield, G. Campbell Morgan, F. B. Meyer und A. C. Gaebelein sowie der Bibel-Konferenz-Bewegung ausgehend vom späten 19. Jh. Im Jahr 1924 gründete er das *Dallas Theological Seminary (DTS)*, das sich unter seiner Leitung zu einer starken Säule dispensationalistischer Bibelauslegung entwickelte. Über den an evangelikalen Ausbildungsstätten üblichen Lehrplan hinaus war er bemüht, die Absolventen zu einem neuen geistlichen Aufbruch zu verhelfen, indem er viel Gewicht auf Heiligung und Gnadenwerke im Leben des Gläubigen legte als Grundlage für ein kraftvolles Wirken des Heiligen Geistes im Dienst. Sein literarisches Hauptwerk ist seine achtbändige „Systematische Theologie“, die er 1948, vier Jahre vor seinem Tod, vollendete. Es bildet in gewisser Weise eine systematische Ergänzung der heilszeitlichen Skizzen Scofields zur Bibel, die sich in der weithin bekannten „Scofield Bibel“ (1909, 1917) niedergeschlagen hatten. Chafer war auch stark von der englischen Brüderbewegung beeinflusst, was sich in seiner Lehre von den Heilszeiten sowie der Vorentrückungslehre niederschlug. Er blieb jedoch im Herzen ein echter Verkünder des Evangeliums (er war mehr als ein Jahrzehnt als Evangelist im Reisedienst tätig), weshalb in seinem Denken und in seiner Verkündigung stets Christus und die in ihm geoffenbarte Gnade Gottes eine zentrale Rolle spielte.

John Flipse Walvoord war der Nachfolger Chafers als Leiter des DTS. Er lebte von 1910–2002 und gehörte von seiner Familie her der Presbyterianischen Kirche an. Seine Ausbildung zum Theologen erhielt er am Wheaton College. Nach seinem 1931 mit Auszeichnung abgeschlossenen Studium setzte er am DTS seine Ausbildung fort und lernte Chafer als herausragenden Bibellehrer kennen und schätzen. 1936 wurde er nach erfolgreichem Abschluss dort Professor für Systematische Theologie und damit Assistent Chafers. 1952 übernahm er nach Chafers Tod die Leitung des Seminars bis zu seiner Pensionierung im Jahr 1986. Unter seiner Präsidentschaft entwickelte sich das DTS zum größten unabhängigen Theologischen Seminar der Evangelikalen weltweit. 1961 war er als führender Prämillenialist an der Herausgabe der „Neuen Scofield Bibel“ beteiligt. Er entwickelte im Laufe seines Dienstes eine umfangreiche schriftstellerische Tätigkeit (unzählige Artikel, bis in die 90er-Jahre hinein zahlreiche Bücher). Sein Spezialgebiet war die biblische Eschatologie. 1974 erschien unter seiner Federführung eine Revision von Chafers *Major Bible Themes*, auf der die dt. Ausgabe dieses Werkes unter dem Titel „Grundlagen biblischer Lehre“ beruht. Walvoord blieb theologisch seinem Ziehvater Chafer verbunden und entwickelte sich neben Charles C. Ryrie und J. Dwight Pentecost, die ebenfalls am DTS lehrten, zu einem der herausragendsten Vertreter des modernen Prämillennialismus und Dispensationalismus.

Weitere Informationen zu beiden Autoren und ihren Lehrauffassungen findet man im „Lexikon zur Endzeit“, hrsg. von Mal Couch, Christliche Verlagsgesellschaft, Dillenburg, [2]2019 (siehe S. 439).

Dillenburg, im Dezember 2018

Vorwort

Mehr als ein halbes Jahrhundert lang sind die *Grundlagen biblischer Lehre* Tausenden von Lesern in der ganzen Welt zum Segen geworden. Das Ziel seines Verfassers, Lewis Sperry Chafer, war es, in diesem Buch in einfachen und knappen Begriffen die Hauptthemen der biblischen Offenbarung darzulegen. Auf diese Weise hat es vielen Bibellesern die umfassenden Wahrheiten von Gottes Wort eröffnet.

Ein Vierteljahrhundert nach Entstehung der *Grundlagen biblischer Lehre* schrieb Lewis Sperry Chafer seine monumentale achtbändige *Systematische Theologie.* Dieses Werk bot in einer ausgedehnten Abhandlung biblische Lehre auf umfassende und systematische Weise dar. Es erscheint deshalb völlig angemessen, dass diese Früchte des lebenslangen Schriftstudiums Lewis Sperry Chafers in gewissem Umfang in seine *Grundlagen biblischer Lehre* aufgenommen werden sollten.

In der überarbeiteten Fassung unseres Buches wurde ausgiebiger Gebrauch von den späteren Schriften Lewis Sperry Chafers gemacht. Einige Kapitel wurden miteinander verbunden und eine Anzahl neuer Kapitel hinzugefügt. In dieser neuen Ausgabe präsentieren die *Grundlagen biblischer Lehre* in vereinfachter Gestalt die ausgereiften Ergebnisse der lebenslangen Studien ihres Autors. Während einige Kapitel der überarbeiteten Fassung der ursprünglichen Ausgabe sehr ähneln, sind etwa 75 Prozent des Werkes neu. Viele zusätzliche Schriftstellen wurden hinzugefügt, und Themen, die in der ursprünglichen Ausgabe ausgelassen wurden, sind nun einbezogen worden.

Der Zweck der überarbeiteten Fassung ist es, die Grundlagen biblischer Lehre umfassend und leicht verständlich darzubieten. Das Buch ist für das Selbststudium entworfen und enthält am Ende jedes Kapitels entsprechende Fragen. Die neue Ausgabe sieht 52 Kapitel vor, ein Kapitel für jede Woche des Jahres. Auf diese Weise ist sie ein geeigneter Text für das persönliche Studium, für Hausbibelkreise und das Bibelstudium in Gemeinden. Sie ist zugleich als einführende Studie in die biblische Wahrheit für Bibelschulen gedacht. Die überarbeitete Fassung wird herausgegeben in der Hoffnung, dass sie für eine neue Generation von Bibellesern die Nützlichkeit dieses Werkes steigern und erweitern wird.

John F. Walvoord

Einleitung

Dieses Buch soll keinesfalls eine Abhandlung in systematischer Theologie sein. Während seiner Vorbereitung wurde eine begrenzte Anzahl der wesentlichsten und für die Praxis relevantesten Lehrthemen ausgewählt, und es wurde versucht, deren kurze Besprechung den Bedürfnissen eines Christen ohne biblische Schulung anzupassen.

Jedes Kapitel wurde durch eine Liste von Fragen ergänzt, die, so hoffen wir, das Lernen sowohl für den Einzelnen als auch für Gruppen effektiver gestalten wird. Der Lernende, der gerne in diesen Themen bewandert sein möchte, sollte jede zitierte Stelle nachschlagen und das Studium jedes Themas so lange fortsetzen, bis er alle Fragen aus dem Gedächtnis beantworten kann.

Die Lehren der Bibel sind das Gerüst jeder Offenbarung, und der aufmerksame Bibelschüler sollte durchdrungen sein von dem Nachdruck, den das Neue Testament auf die „gesunde Lehre" legt (Mt 7,28; Joh 7,16-17; Apg 2,42; Röm 6,17; Eph 4,14; 1Tim 1,3; 4,6.16; 6,1; 2Tim 3,10.16; 4,2-3; 2Jo 9-10). Wenn ein Kind Gottes die Lehren der Bibel nicht kennt, wird es, selbst wenn es aufrichtig ist, „hin- und hergeworfen und umhergetrieben von jedem Wind der Lehre, durch die Betrügerei der Menschen, durch ihre Verschlagenheit zu listig ersonnenem Irrtum" (Eph 4,14). Die vielen gutmeinenden Gläubigen, die in moderne Sekten und Irrlehren hineingezogen werden, sind hierfür ein hinreichender Beweis. Auf der anderen Seite ist es die göttliche Absicht, dass ein Diener Christi voll ausgerüstet sein soll. Er wird aufgefordert: „Predige das Wort, stehe bereit zu gelegener und ungelegener Zeit; überführe, weise zurecht, ermahne mit aller Langmut und Lehre!" (2Tim 4,2).

Die folgenden Kapitel werden veröffentlicht mit dem Gebet, dass sie Ihn ehren mögen, dessen Herrlichkeit und Gnade alles überragen, und dass einigen unter den Kindern Gottes geholfen werden möge zu reden, „was der gesunden Lehre entspricht" (Tit 2,1).

Lewis S. Chafer

Kapitel 1

Die Bibel: Das Wort Gottes

Selbst jemand, der die Bibel nur flüchtig liest, entdeckt bald, dass er es mit einem höchst ungewöhnlichen Buch zu tun hat. Obwohl es Tausende Jahre menschlicher Geschichte in sich birgt und von mehr als vierzig menschlichen Autoren geschrieben wurde, ist die Bibel nicht einfach eine Sammlung von Schriften, sondern ein einziges Buch mit einer erstaunlichen Kontinuität. Sie heißt „Die Bibel" nach dem griechischen Wort *biblos*, das „Buch" bedeutet. Ihre außergewöhnliche Wesensart beruht auf der Tatsache, dass sie in Wahrheit das Wort Gottes ist, obwohl sie von menschlichen Autoren geschrieben wurde.

Für gewöhnlich werden zwei Arten von Beweisen angeführt, die den Schluss unterstützen, dass die Bibel Gottes Wort ist:

1. die internen Beweise, die in der Bibel selbst zu findenden Tatsachen und der eigene Anspruch der Bibel, dass sie göttlichen Ursprungs ist;

2. die externen Beweise, das Wesen der in der Heiligen Schrift gegebenen Tatsachen, die ihren übernatürlichen Charakter belegen.

A. Interne Beweise

In Hunderten von Stellen behauptet die Bibel von sich selbst oder nimmt es als gegeben an, das Wort Gottes zu sein (5Mo 6,6-9; 17-18; Jos 1,8; 8,32-35; 2Sam 22,31; Ps 1,2; 12,6; 19,7-11; 93,5; 119,9.11.18.89-93.97-100.104-5.130; Spr 30,5-6; Jes 55,10-11; Jer 15,16; 23,29; Dan 10,21; Mt 5,17-19; 22,29; Mk 13,31; Lk 16,17; Joh 2,22; 5,24; 10,35; Apg 17,11; Röm 10,17; 1Kor 2,13; Kol 3,16; 1Thes 2,13; 2Tim 2,15; 3,15-17; 1Petr 1,23-25; 2Petr 3,15-16; Offb 1,2; 22,18). Die Schriften verkünden auf so vielfältige Weise, dass die Bibel Gottes Wort ist, dass ihre Aussagen jedermann klar sind. Die Autoren des Alten Testaments, die Autoren des Neuen Testaments und Christus selbst gehen ständig von der Tatsache aus, dass die Bibel das inspirierte Wort Gottes ist. Zum Beispiel erklärt Psalm 19,7-11, dass die Bibel wirklich das Wort des Herrn ist, und nennt sechs Vollkommenheiten des Wortes, verbunden mit sechs entsprechenden Veränderungen des menschlichen Charakters, die das Wort vollbringt. Jesus Christus erklärt, dass das Gesetz erfüllt werden musste (Mt 5,17-18). Hebräer 1,1-2 bestätigt nicht nur, dass Gott im Alten Testament durch die Propheten in Seinem Wort sprach, sondern auch, dass Er im Neuen Testament durch Seinen Sohn sprach. Die Bibel wird verworfen, wenn man ihre beständige Aussage, Gottes Wort zu sein, verwirft.

B. Externe Beweise

Die Bibel behauptet nicht nur, das Wort Gottes zu sein, sondern unterstützt diese Behauptung durch eine Fülle von Beweisen, die oft selbst die skeptischsten Leser überzeugt haben.

1. Die Kontinuität der Bibel: Eine der erstaunlichsten Eigenschaften der Heiligen Schrift besteht darin, dass sie, obwohl sie von mehr als 40 Autoren geschrieben wurde, die in einem Zeitraum von etwa 1600 Jahren lebten, dennoch *ein* Buch ist und nicht nur eine Ansammlung von 66 Büchern. Ihre Autoren kamen aus allen Schichten: Sie waren Könige, Kleinbauern, Philosophen, Fischer, Ärzte, Staatsmänner, Gelehrte, Dichter und Viehzüchter. Sie lebten in verschiedenen Kulturen, in verschiedenen Erfahrungsbereichen und hatten oft recht unterschiedliche Charaktere. Dennoch: Die Bibel hat eine Kontinuität, die vom 1. Buch Mose bis zur Offenbarung verfolgt werden kann.

Diese Kontinuität der Bibel kann ersehen werden aus der historischen Reihenfolge der in ihr berichteten Ereignisse, die mit der Schöpfung der gegenwärtigen Welt beginnen und bis zur Schöpfung des neuen Himmels und der neuen Erde reichen. Das Alte Testament entfaltet Lehrthemen wie das der Natur Gottes, der Lehre über Sünde und Errettung sowie die Pläne Gottes für die Welt als Ganzes sowie für Israel und für die Heidenvölker. Die Lehre wird fortschreitend dargelegt von ihrer ersten oder elementaren Einführung bis hin zu ihrer komplexeren Entwicklung. Dem Typus folgt der Antitypus, der Prophezeiung die Erfüllung. Eines der durchgängigen Themen der Bibel ist die Vorausschau, Darstellung, Erkenntnis und Verherrlichung der vollkommensten Person auf Erden oder im Himmel, des Herrn Jesus

Christus. Solch ein erstaunliches Buch mit seiner Kontinuität der Entfaltung auf natürliche Weise erklären zu wollen, würde ein größeres Wunder nötig machen, als es selbst die göttliche Eingebung ist. Deshalb haben diejenigen, die der Heiligen Schrift glauben, ihre Kontinuität durch die Führung und göttliche Eingebung der Heiligen Schrift erklärt, während sie zugleich die menschliche Autorschaft der verschiedenen Bücher anerkannten.

2. Der Umfang der biblischen Offenbarung: In ihrer Entfaltung der Wahrheit ist die Bibel unerschöpflich. Wie ein Fernrohr durchdringt sie das Universum von den Höhen des Himmels bis zu den Tiefen der Hölle und verfolgt die Werke Gottes vom Anfang bis zu ihrem Ende. Wie ein Mikroskop enthüllt sie die winzigsten Einzelheiten des Planes und der Absicht Gottes sowie die Vollkommenheit Seiner Schöpfung. Wie ein Stereoskop setzt sie alle Lebewesen und Dinge, sei es im Himmel oder auf Erden, zueinander in die richtige Beziehung. Obwohl viele Bücher der Bibel in der Frühzeit menschlichen Wissens geschrieben wurden, als ihre Autoren noch keine unserer modernen Entdeckungen kannten, steht doch nichts von dem, was sie schrieben, im Widerspruch zu späteren Entdeckungen, und es ist erstaunlich, wie die antiken Bücher der Heiligen Schrift auf moderne Situationen zutreffen. Was die Reichweite ihrer Offenbarung betrifft, geht die biblische Wahrheit weit über menschliche Entdeckungen hinaus, indem sie von Ewigkeit zu Ewigkeit reicht und Tatsachen enthüllt, die nur Gott wissen konnte. Kein anderes Buch in der ganzen Welt unternimmt auch nur den Versuch, die umfassende Wahrheit darzubieten, so wie es die Bibel tut.

3. Der Einfluss und die Verbreitung der Bibel: Kein anderes Buch ist jemals in so vielen Sprachen und für so viele verschiedene Menschen und Kulturen verbreitet worden wie die Bibel. Ihre Seiten waren unter den ersten, die gedruckt wurden, als die Druckerpresse erfunden wurde. Millionen Exemplare der Heiligen Schrift wurden in allen Weltsprachen veröffentlicht, und in jeder geschriebenen Sprache existieren zumindest gedruckte Auszüge aus der Bibel. Obwohl Skeptiker, wie z. B. der französische Gottesleugner Voltaire, oft vorhergesagt haben, die Bibel werde innerhalb einer Generation verschwunden sein, und obwohl selbst Autoren des 20. Jahrhunderts vorausgesagt haben, die Bibel werde bald ein vergessenes Buch sein, wird sie doch weiterhin mit zunehmenden Auflagen in mehr Sprachen veröffentlicht als je zuvor. Andere Religionen haben das Christentum in der Zahl ihrer Anhänger übertroffen, aber sie waren nicht in der Lage, irgendeine der Heiligen Schrift vergleichbare schriftliche Offenbarung anzubieten. Auch in unserer heutigen, modernen Zeit hat der Einfluss der Bibel immer noch verwandelnde Kraft. Den Unerretteten ist sie das „Schwert des Geistes" (Eph 6,17), und den Erretteten ist sie eine reinigende, heiligende und wirkende Kraft (Joh 17,17; 2Kor 3,17.18; Eph 5,25-26). Die Bibel bleibt die einzige göttliche Grundlage für Gesetz und Moral.

4. Der Themenkreis der Bibel: Der übernatürliche Charakter der Bibel zeigt sich in der Tatsache, dass sie sich ebenso ungezwungen mit dem Unbekannten und auf andere Art nicht zu Erkennenden beschäftigt wie mit dem Bekannten. Sie beschreibt die vergangene Ewigkeit einschließlich der Schöpfung, bevor der Mensch überhaupt existierte. Die Natur und die Werke Gottes werden offenbart. In der biblischen Prophetie wird das gesamte Programm für die Welt, für Israel und für die Gemeinde entfaltet, gipfelnd in dem, was ewig ist. Zu jedem behandelten Thema ist ihre Aussage endgültig, genau und zeitlos. Ihr umfassendes Wesen macht ihre Leser weise in einer Wahrheit, die Zeit und Ewigkeit umfasst.

5. Der literarische Stellenwert der Bibel: Auch literarisch betrachtet ist die Bibel überragend. Sie enthält nicht nur anschaulich dargestellte Geschichte, sondern auch detaillierte Prophezeiungen, wunderschöne Gedichte und Dramen, Liebes- und Kriegsgeschichten sowie die Gegenüberstellung von philosophischen Spekulationen und der Endgültigkeit der biblischen Wahrheit. Der Vielfalt ihrer Autoren kommt die Vielfalt der behandelten Themen gleich. Kein anderes Buch aus dem Bereich der Literatur hat Leser aller Zeitalter und Bildungsgrade so angesprochen und für sich gewonnen wie die Bibel.

6. Die unvoreingenommene Autorität der Bibel: Die menschliche Autorschaft der Bibel hat keine Vorurteile zugunsten des Menschen zur Folge. Die Bibel verzeichnet ohne falsche Rücksichtnahme die Sünde und Schwachheit der größten und hervorragendsten Menschen und warnt diejenigen, die sich auf ihre eigenen Tugenden verlassen, eindringlich vor ihrem endgültigen Verderben. Obwohl sie von menschlichen Federn aufgezeichnet wurde, ist sie doch eine Botschaft Gottes an den Menschen und nicht etwa eine Botschaft des Menschen an den

Menschen. Obwohl sie manchmal von irdischen Dingen und menschlicher Erfahrung spricht, beschreibt sie ebenso mit Klarheit und Autorität Himmlisches und Irdisches, Sichtbares und Unsichtbares. Sie offenbart Tatsachen über Gott, die Engel, den Menschen, über Zeit und Ewigkeit, Leben und Tod, über Sünde und Errettung, Himmel und Hölle. Ein solches Buch konnte nicht von Menschen geschrieben werden, auch wenn sie es gewollt hätten; und selbst wenn sie es gekonnt hätten, hätten sie es gar nicht schreiben wollen, außer auf göttliche Weisung hin. Folglich ist die Bibel, obwohl von Menschen geschrieben, eine Botschaft Gottes mit der Gewissheit, der Zusicherung und dem Frieden, den nur Gott geben kann.

7. Die Einzigartigkeit der Bibel: Vor allem anderen ist die Bibel ein übernatürliches Buch, das die Person und die Herrlichkeit Gottes offenbart, wie sie in Seinem Sohn erschienen ist. Eine solche Person wie der Herr Jesus Christus konnte niemals die Erfindung eines sterblichen Menschen gewesen sein, denn Seine Vollkommenheit hätten auch die weisesten und heiligsten Menschen dieser Erde nie begreifen können. Die Einzigartigkeit der Bibel wird gestützt durch ihre Offenbarung der überragenden Persönlichkeit der Geschichte: Jesus Christus.

Aufgrund der Verknüpfung, die menschliche und übernatürliche Eigenschaften in der Bibel eingehen, kann eine Ähnlichkeit beobachtet werden zwischen der Bibel als dem geschriebenen Wort und dem Herrn Jesus Christus als dem lebendigen Wort. Sie sind beide ihrem Ursprung nach übernatürlich und stellen eine unerforschliche und vollkommene Verschmelzung des Göttlichen und Menschlichen dar. Beide üben sie eine verändernde Kraft aus auf diejenigen, die glauben, und Gott lässt es bei beiden gleichermaßen zu, dass sie in den Wind geschlagen und abgelehnt werden von denen, die nicht glauben. Die unbeeinträchtigte, ungeschmälerte göttliche Vollkommenheit ist in jedem von beiden verkörpert. Die Offenbarungen, die sie enthüllen, sind gleichzeitig so einfach wie das geistige Fassungsvermögen eines Kindes und so komplex wie die unendlichen Schätze göttlicher Weisheit und göttlichen Wissens und so dauerhaft wie der Gott, den sie beide offenbaren.

? Fragen

1. Was bedeutet das Wort „Bibel“?
2. Welche sind die beiden hauptsächlichen Beweisarten dafür, dass die Bibel Gottes Wort ist?
3. Nennen Sie fünf Stellen im Alten und fünf Stellen im Neuen Testament, in denen die Bibel erklärt oder von sich selbst voraussetzt, dass sie das Wort Gottes ist.
4. Nennen Sie sechs Vollkommenheiten und sechs korrespondierende Veränderungen des menschlichen Charakters, die das Wort Gottes gemäß Psalm 19,7-11 bewirkt.
5. Warum ist die Kontinuität der Bibel ein Beweis für ihre göttliche Inspiration?
6. Nennen Sie einige der Beweise für Kontinuität in der Bibel.
7. Wie unterscheidet sich die Bibel von anderen Büchern, was das Ausmaß ihrer Offenbarung von Wahrheit angeht?
8. In welcher Beziehung steht die weit verbreitete Veröffentlichung der Bibel zu ihrer verändernden Kraft?
9. Setzen Sie den übernatürlichen Charakter der Bibel zu ihrem Themenkreis in Beziehung.
10. Bewerten Sie den literarischen Stellenwert der Bibel.
11. Wie kann die menschliche Autorschaft der Bibel zu ihrer unvoreingenommenen Autorität in Beziehung gesetzt werden?
12. Setzen Sie die Bibel als ein übernatürliches Buch in Beziehung zu dem Herrn Jesus Christus als einer übernatürlichen Person.

Kapitel 2

Die Bibel: Von Gott inspiriert

Die Bibel ist das einzige jemals geschriebene Buch, das von Gott in der Weise inspiriert wurde, dass er persönlich ihre Schreiber leitete. Die Inspiration der Bibel wird als Lehre so definiert, dass Gott die menschlichen Schreiber, ohne ihre eigene Individualität, ihren literarischen Stil oder ihre persönlichen Interessen zu zerstören, dergestalt leitete, dass sie Seine an die Menschen gerichteten Gedanken vollständig und zusammenhängend aufzeichneten. Es ist wahr, dass Gott bei der Entstehung der Heiligen Schrift menschliche Schreiber einsetzte; aber diese Männer erstellten, auch wenn sie nicht alles von dem, was sie schrieben, verstanden haben mögen, dennoch unter der führenden Hand Gottes die 66 Bücher, die die Bibel bilden, in der es eine erstaunliche Einheit gibt und ständige Beweise für das Werk des Heiligen Geistes bei der Führung der Niederschrift.

Folglich ist die Bibel, obwohl sie von Menschen geschrieben wurde, Gottes Botschaft an die Menschen und nicht etwa eine Botschaft von Menschen an ihre Mitmenschen. Ganz gleich, ob es sich in der Heiligen Schrift um Worte handelt, die Gott tatsächlich diktierte, um das Kopieren alter Aufzeichnungen, die Resultate der Forschung des menschlichen Autors oder um die Gedanken, Hoffnungen und Ängste des Schreibers: In allen Einzelheiten führte Gott diese Männer, sodass sie genau das schrieben, was Er ihnen zugedacht hatte, mit dem Ergebnis, dass die Bibel wirklich Gottes Wort ist. Auch wenn einzelne Stellen der Bibel sich in ihrer Eigenart erheblich voneinander unterscheiden mögen, so ist doch jedes Wort der Schrift gleichermaßen von Gott inspiriert.

Die Lehre von der Inspiration stellt das menschliche Verstehen aufgrund ihres übernatürlichen Charakters vor einige Probleme: Wie kann ein menschlicher Autor, der seine eigenen Gedanken und sein eigenes Wissen aufzeichnet, von Gott so geführt werden, dass er genau das schreibt, was Gott ihn zu schreiben leitet? Um solche Fragen zu beantworten, sind verschiedene Auffassungen in Bezug auf das Ausmaß der göttlichen Kontrolle über die menschlichen Autoren vorgebracht worden. Diese Meinungen wurden „Theorien der Inspiration" genannt, und alle Ausleger der Bibel folgen einer oder mehreren dieser Theorien. Diejenige Sicht der Inspiration, die akzeptiert wird, ist die Grundlage, auf der alle Bibelauslegung aufbaut; folglich muss der wahren Sicht der Inspiration sorgfältige Beachtung geschenkt werden.

A. Theorien der Inspiration

1. *Die wörtliche, vollständige Inspiration:* In der Geschichte der Gemeinde wurde die orthodoxe Sicht der Inspiration als wörtlich und vollständig bezeichnet. Mit wörtlicher Inspiration ist gemeint, dass der Geist Gottes die Wahl der Worte leitete, die in den Originalen der Heiligen Schriften gebraucht wurden. Die Heilige Schrift lässt jedoch eine menschliche Autorschaft erkennen. Verschiedene Bücher der Bibel spiegeln Merkmale der Schreiber in Stil und Wortwahl wider, und ihre Persönlichkeit drückt sich oft in ihren Gedanken, Meinungen, Gebeten oder Ängsten aus. Obwohl die menschlichen Elemente in der Bibel offensichtlich sind, bedeutet Inspiration dennoch, dass Gott führte, sodass alle benutzten Wörter gleichermaßen von Ihm inspiriert sind. Dies wird ausgedrückt durch den Gebrauch des Wortes „vollständig", das eine uneingeschränkte Inspiration meint im Gegensatz zu Ansichten, die für die Bibel nur eine teilweise Inspiration in Anspruch nehmen.

Zusätzliche beschreibende Wörter werden oft hinzugefügt, um zu verdeutlichen, worin die orthodoxe Lehre besteht. Die Heilige Schrift wird für unfehlbar erklärt in dem Sinne, dass sie in allem zutreffend ist. Ebenso wird erklärt, die Schrift könne sich nicht irren, was bedeutet, dass die Bibel keinerlei als Tatsache dargestellten Fehler enthält. Auch wenn die Bibel gelegentlich die unwahren Aussagen von Menschen wiedergeben mag oder sogar die falsche Lehre Satans wie in 1. Mose 3,4, so ist es doch in all diesen Fällen klar, dass, obwohl die Satan oder den Menschen zugeschriebenen Aussagen wortgetreu aufgezeichnet wurden, Gott damit nicht ihre Wahrheit bestätigt. Mit der Feststellung, dass die Bibel wörtlich und vollständig inspiriert ist, unfehlbar und irrtumslos in ihrer Darstellung der Wahrheit, wird die Überzeugung ausgedrückt, dass Gottes übernatürliche und vollkommene

Führung für jedes Wort der Schrift gilt, sodass wir uns auf die Bibel als eine genaue Darstellung der göttlichen Wahrheit verlassen können.

Der Anspruch der Inspiration trifft natürlich nur auf die originalen Schriften zu und nicht auf Kopien, Übersetzungen oder Zitate. Da kein Originalmanuskript existiert, haben Gelehrte sich sehr bemüht, die Genauigkeit unseres heutigen Bibeltextes zu bestimmen. Zum Zweck des Erlernens der Wahrheit können wir davon ausgehen, dass unsere gegenwärtigen Bibelausgaben genaue Wiedergaben der originalen Schriften sind. Obwohl es viele unbedeutende Variationen im Text gibt, berühren sie doch nur sehr selten irgendeine Lehre der Bibel; diese Schlussfolgerung wird durch neu entdeckte Manuskripte im Großen und Ganzen bestätigt.

Für alle praktischen Zwecke können das Alte Testament (geschrieben in Hebräisch) und das Neue Testament (geschrieben in Griechisch) als das genaue Wort Gottes und als eine wahre Wiedergabe dessen, was Gott den Menschen mitteilen wollte, akzeptiert werden.

2. Die mechanische oder Diktattheorie: Im Gegensatz zu der wahren Lehre der Inspiration, die eine menschliche Autorschaft und Persönlichkeit der Schreiber unter der Führung Gottes in Betracht zieht, ist verschiedentlich die Meinung vertreten worden, Gott habe die Heilige Schrift direkt diktiert und die Schreiber der Bibel seien nur Stenotypisten gewesen. Wenn Gott jedoch die Bibel diktiert hätte, wären der Schriftstil und das Vokabular der Bibel überall dasselbe. In vielen Fällen drückten die Autoren der Heiligen Schrift ihre eigenen Ängste und Gefühle aus oder ihre Gebete um Gottes Errettung und brachten auf anderen Wegen Persönliches in die göttlichen Aussagen ein. Das von Herzen kommende Gebet des Paulus in Römer 9,1-3 z. B. würde seine Bedeutung verlieren, wenn es von Gott diktiert wäre.

Obwohl also die Inspiration sich auf jedes Wort der Heiligen Schrift erstreckt, schließt sie doch die menschliche Persönlichkeit, den literarischen Stil oder persönlichen Anteil nicht aus. Die Bibel bestätigt ihre menschliche Autorschaft ebenso sehr wie die göttliche. Gott erreichte die Worttreue, die Er wünschte, indem Er die menschlichen Autoren leitete, aber ohne den mechanischen Prozess des Diktierens. Einige Teile der Bibel wurden von Gott diktiert und als solche aufgezeichnet, aber ihr Großteil wurde von menschlichen Autoren geschrieben, ohne dass ein Beweis für ein unmittelbares Diktat vorläge.

3. Die Theorie des inspirierten Gedankens: Verschiedentlich wurde versucht, die vollständige Inspiration der Bibel abzuschwächen und die menschliche Autorschaft zu berücksichtigen, indem gesagt wurde, dass Gott den Grundgedanken inspirierte, aber nicht die genauen Worte. Diese Ansicht führt jedoch insofern zu ernsten Problemen, als die menschlichen Autoren dann möglicherweise nur teilweise verstanden haben könnten, was Gott ihnen offenbarte, und bei einer Wiedergabe in ihren eigenen Worten hätten sie beträchtliche Fehler hineinbringen können.

Die Bibel widerspricht ausdrücklich der Idee, dass den menschlichen Autoren nur die Gedanken gegeben wurden. Wieder und wieder wird betont, dass die Worte der Heiligen Schrift inspiriert sind. Die Wichtigkeit der Worte selbst wird häufig erwähnt (2Mo 20,1; Joh 6,63; 17,8; 1Kor 2,13). In Zitaten aus dem Alten Testament wird oft vorausgesetzt, dass jedes einzelne Wort von Gott inspiriert ist, wie z. B. Johannes 10,34-35 und Galater 3,16, und häufig wird die Bibel als das Wort Gottes bezeichnet, wie z. B. in Epheser 6,17, Jakobus 1,21-23 und 1. Petrus 2,2. Ein feierlicher Fluch wird gegen jeden ausgesprochen, der etwas vom Wort Gottes fortnimmt (Offb 22,18-19). Die Theorie des inspirierten Gedankens bleibt also weit hinter dem zurück, was die Schriften die wahre Lehre der Inspiration nennen.

4. Teilweise Inspiration: Es werden auch verschiedene Theorien vorgebracht, die nur Teile der Bibel als inspiriert betrachten. Zum Beispiel haben einige behauptet, dass die offenbarenden Abschnitte in der Bibel, die von der göttlichen Wahrheit handeln, wortgetreu seien, dass wir aber die historischen, geografischen oder wissenschaftlichen Behauptungen in der Schrift nicht akzeptieren könnten. Mit der teilweisen Inspiration verknüpft ist der Gedanke, dass einige Abschnitte der Schrift mehr inspiriert seien als andere, sodass Wahrheit und Irrtum eine Frage des Grades der Erkenntnis werden. Dieser Gedanke wird manchmal angewendet auf das, was als „mystische Inspiration" bekannt ist oder als die Vorstellung, dass Gott den Autoren bei dem, was sie schrieben, verschieden stark geholfen habe, ohne ihnen jedoch die Fähigkeit zu geben, die Schrift ohne Irrtümer abzufassen. Alle Arten der teilweisen Inspiration überlassen dem Leser das endgültige Urteil, und somit wird die Autorität der Schrift zu der Autorität des Menschen, der die Schrift liest, sodass keine zwei Leser genau darin übereinstimmen werden, was die Wahrheit ist und was nicht.

5. Die neoorthodoxe Sicht der Inspiration: Im 20. Jahrhundert kam, beginnend mit Karl Barth, eine neue Sicht der göttlichen Offenbarung auf, die neoorthodox genannt wird. Obwohl sie nicht notwendigerweise leugnet, dass übernatürliche Elemente in der Heiligen Schrift existieren, gesteht sie doch zu, dass in der Bibel angeblich Fehler enthalten sind und sie deshalb nicht im wörtlichen Sinne für wahr gehalten werden kann. Die Neoorthodoxie behauptet, dass Gott durch die Schrift spricht und sie als ein Mittel dafür gebraucht, uns Wahrheit mitzuteilen. Folglich wird die Bibel zu einem ebensolchen Kanal göttlicher Offenbarung wie eine schöne Blume oder ein lieblicher Sonnenuntergang, die uns einen Begriff davon vermitteln, dass Gott der Schöpfer ist. Die Bibel wird dieser Theorie zufolge nur dadurch wahr, dass sie durch den einzelnen Leser verstanden und ihre Wahrheit von ihm erkannt wird. Die Geschichte dieser Ansicht zeigt deutlich, dass nicht zwei ihrer Vertreter genau darin übereinstimmen, was die Bibel nun tatsächlich lehrt; und wie die Theorie der teilweisen Inspiration überlässt sie dem Einzelnen als letzter Autorität die Entscheidung darüber, was wahr und was falsch ist.

6. Die naturalistische Inspiration: Hierbei handelt es sich um die extremste Sichtweise des Unglaubens; sie behauptet, dass die Bibel lediglich ein Buch wie jedes andere sei. Wenngleich Gott ihren Autoren auch eine ungewöhnliche Fähigkeit gegeben haben mag, Gedanken auszudrücken, so sei sie doch im Grunde ein menschliches Produkt ohne übernatürliche, göttliche Führung. Die Bibel wird in dieser Sichtweise bloß zu einem unter vielen Büchern über Religion, das altertümliche Anschauungen über geistliche Erfahrungen der Menschen in der Vergangenheit ausdrückt. Diese Sichtweise zerstört jeden erkennbaren Anspruch der Bibel auf göttliche Autorität und lässt die erstaunliche sachliche Richtigkeit der Bibel ungeklärt.

Letztlich muss der Leser der Heiligen Schrift eine Entscheidung treffen. Entweder ist die Bibel das, was sie zu sein behauptet: das inspirierte Wort Gottes und ein Buch, auf das man sich so verlassen kann, als ob Gott selbst es ohne menschliche Autoren geschrieben hätte – oder sie muss als ein Buch betrachtet werden, das seine Behauptungen nicht beweist und tatsächlich nicht Gottes Wort ist. Obwohl viele Beweise zusammengetragen werden könnten, die die Inspiration der Bibel stützen, ist die Tatsache, dass die Schrift selbst ihre Behauptungen untermauert, der beste Beweis hierfür. Ihre Kraft hat sich in dem veränderten Leben von Millionen Menschen gezeigt, die auf die Worte und Verheißungen der Schrift vertraut haben.

B. Das Zeugnis Christi

Die Tatsache, dass die Bibel vom Heiligen Geist inspiriert ist, wird durch viele interne Beweise dafür, dass sie wirklich Gottes Wort ist, unterstützt und wird bestätigt durch die Kraft, mit der das Wort Gottes Menschen beeinflusst und verändert. Unter all diesen Beweisen ist jedoch einer der wichtigsten das Zeugnis von Jesus Christus selbst für die Tatsache, dass die Bibel von Gott inspiriert ist. Wann immer der Herr die Schriften zitierte – wie Er es häufig tat –, zitierte Er sie als solche, die Autorität haben, und in voller Anerkennung dessen, dass sie diese Autorität durch die Inspiration des Heiligen Geistes erlangten. In Matthäus 5,18 bekräftigt der Herr, dass auch nicht ein Jota (der kleinste Buchstabe des hebräischen Alphabets) oder ein Strichlein (der kleinste Teil eines Buchstabens, der die Bedeutung änderte) des Gesetzes unerfüllt bleiben würde. Wenn Genauigkeit und Inspiration sich bis hin zum einzelnen Buchstaben erstreckten, bestätigte der Herr damit offensichtlich die Inspiration des gesamten Alten Testamentes.

In Johannes 10,35 bekräftigte Er, dass „die Schrift (...) nicht aufgelöst werden [kann]". Wieder und wieder bestätigt das Neue Testament die genaue Erfüllung des Alten Testaments, wie z. B. in Matthäus 1,22-23 (vgl. Mt 4,14; 8,17; 12,17; 15,7-8; 21,4-5.42; 22,29; 26,31.56; 27,9-10.35). Diese Stellen aus dem Matthäusevangelium sind typisch für das, was sich über das ganze Neue Testament erstreckt. Sogar wenn der Wechsel von einem Heilszeitalter in der Geschichte zum nächsten oder eine Veränderung einer Lebensregel bestätigt wird, werden die Autorität und die Inspiration der ursprünglichen Aussage in der Schrift nicht infrage gestellt (Mt 19,7-12).

Zitate aus dem Alten Testament erstrecken sich auf jeden wichtigen Bereich und stammen oft aus Büchern, die von liberalen Kritikern am häufigsten angezweifelt werden, wie etwa das 5. Buch Mose, Jona und Daniel (5Mo 6,16 – vgl. Mt 12,40; Dan 9,27;12,11 – vgl. Mt 24,15). Es ist logisch unmöglich, die Inspiration des Alten Testamentes infrage zu stellen, ohne gleichzeitig den Charakter und die Aufrichtigkeit von Jesus Christus anzuzweifeln. Aus diesem Grund führt die Ablehnung des inspirierten Wortes Gottes zur Ablehnung des fleischgewordenen Wortes Gottes.

Der Herr Jesus Christus bestätigte nicht nur die Inspiration und unfehlbare Richtigkeit des Alten Testaments, sondern Er sagte auch die Abfassung des Neuen Testamentes voraus. Nach Johannes 16,12-13 sollten die Jünger vom Heiligen Geist Wahrheit empfangen, nachdem der Herr in den Himmel aufgefahren war. Er erklärte, dass die Jünger Zeugen der Wahrheit sein würden (Mt 28,19; Lk 10,22-23; Joh 15,27; Apg 1,8). Der Herr gab den Jüngern Vollmacht in ihrer Rede von der Wahrheit (Lk 10,16; Joh 13,19; 17,14.18; Hebr 2,3-4).

Als das Neue Testament geschrieben wurde, waren die Schreiber sich bewusst, dass sie vom Geist Gottes geleitet wurden, und erklärten freimütig, dass das Neue Testament ebenso inspiriert sei wie das Alte. Genau wie David durch den Geist schrieb (Mt 22,43) und genau wie der Psalmist inspiriert war (Hebr 3,11-17; vgl. Ps 95,7-11), so nimmt auch das Neue Testament in gleicher Weise für sich Inspiration in Anspruch. In 1. Timotheus 5,18 werden sowohl 5. Mose 25,4 als auch Lukas 10,7 als gleichermaßen inspirierte Teile der Heiligen Schrift zitiert. In 2. Petrus 3,15-16 werden die Briefe des Paulus als Schriften eingestuft, die wie alle anderen Teile der Heiligen Schrift als Wort Gottes aufgenommen werden sollten. Das Neue Testament erklärt offensichtlich von sich selbst, die gleiche Inspiration zu haben wie das Alte Testament.

C. Wichtige Stellen zur Inspiration

Eine der zentralen Stellen zur Inspiration der Bibel finden wir in 2. Timotheus 3,16, wo bestätigt wird: „Alle Schrift ist von Gott eingegeben und nützlich zur Lehre, zur Überführung, zur Zurechtweisung, zur Unterweisung in der Gerechtigkeit." Mit „Schrift" verweist der Apostel auf „die heiligen Schriften", die in 2. Timotheus 3,15 erwähnt werden und sowohl das Alte als auch das Neue Testament umfassen. Der Ausdruck „von Gott eingegeben" ist im griechischen Neuen Testament ein einzelnes Wort, *theopneustos*, das „gottgehaucht, von Gott eingehaucht" bedeutet.

Damit ist gemeint, dass die Schrift von Gott herrührt und aufgrund dieser Tatsache dieselben vollkommenen Eigenschaften annimmt, die Gott selbst charakterisieren. Es wäre für Gott unmöglich, der Urheber von Irrtum zu sein. Die Inspiration bezieht sich nicht so sehr auf die Schreiber als vielmehr auf das Wort Gottes selbst. Obwohl die Schreiber fehlbar und Irrtümern unterworfen waren, hauchte Gott durch sie Sein unfehlbares Wort aus und leitete die menschlichen Schreiber durch göttliche Macht und Führung dergestalt, dass das, was sie schrieben, tatsächlich das unfehlbare Wort Gottes war. Weil es das Wort Gottes ist, ist es nütze zur Lehre oder zum Unterricht und zur Überführung, zur Zurechtweisung und zur Unterweisung in der Gerechtigkeit.

Eine der wichtigen Fragen, die oft aufgeworfen werden, ist die: Wie konnte Gott die Schrift inspirieren, indem Er einerseits menschliche Autorschaft und Individualität berücksichtigte und andererseits Sein inspiriertes Wort ohne Fehler hervorbrachte? Die Frage, wie Gott eine übernatürliche Handlung durchführte, ist immer unerforschlich; aber in 2. Petrus 1,21 wird etwas Licht auf diese Frage geworfen, wo in Verbindung mit der Erörterung der Prophetie in der Schrift erklärt wird: „Denn niemals wurde eine Weissagung durch den Willen eines Menschen hervorgebracht, sondern von Gott her redeten Menschen, getrieben von Heiligem Geist." Ganz gleich, ob sie nun Propheten waren, die die Botschaft mündlich oder schriftlich weitergaben, die Erklärung ist die, dass sie es „getrieben von Heiligem Geist" taten. Das mit „getrieben" übersetzte Wort bedeutet auch „eine Last tragen". Diese Aussage bedeutet also, dass die menschlichen Autoren zu dem von Gott beabsichtigten Ziel fortgetragen werden, so wie ein Schiff seine Passagiere zu seinem letzten Ziel bringt. Obwohl die Reisenden auf einem Schiff eine gewisse menschliche Freiheit besitzen und sich auf ihm frei bewegen können, werden sie dennoch auf jeden Fall und zwangsläufig zum Bestimmungsort des Schiffes gebracht.

Wenn diese Erklärung auch nicht vollständig ist, da das Wirken der Inspiration jenseits des menschlichen Verstandes oder menschlicher Erklärung liegt, so macht sie doch klar, dass die menschlichen Autoren nicht sich selbst überlassen waren und lediglich mit ihren eigenen Kräften ans Werk gingen. Gott wirkte durch sie, indem Er Sein Wort durch sie als Seine Kanäle aushauchte. Einige Teile der Schrift wurden sicher ausdrücklich von Gott diktiert, wie zum Beispiel die Gesetzgebung in 2. Mose 20,1-7. Immer wieder verkündet das Alte Testament, dass „Gott sprach“ (1Mo 1,3). Eine andere häufige Formulierung ist die, dass „das Wort des Herrn“ zu einem der Propheten „geschah“ (vgl. Jer 1,2; Hos 1,1; Jon 1,1; Mi 1,1; Zef 1,1; Hag 1,1; Sach 1,1). In anderen Fällen sprach Gott durch Visionen oder Träume (Dan 2,1) oder erschien in einer Vision (Dan 7,1). Obwohl die Art und die Umstände göttlicher Offenbarungen wechselten, spricht Gott in ihnen allen doch autoritativ, genau und irrtumsfrei. Das Wort Gottes hat also an derselben Eigenschaft der absoluten Wahrheit teil, die in der Person und dem Charakter Gottes selbst liegt.

D. Einschränkende Überlegungen

Wenn man erklärt, dass die ganze Bibel wahr und von Gott inspiriert ist, muss die Tatsache berücksichtigt werden, dass sie manchmal eine Lüge als Lüge aufzeichnet, wie im Falle der Lüge Satans in 1. Mose 3,4. Die Bibel kann auch die Erfahrungen und Überlegungen von Menschen aufzeichnen, wie es im Buch Hiob und Prediger veranschaulicht wird. Hier muss das, was die Schrift tatsächlich von ihrem Denken und Reden zitiert, geprüft werden anhand der klaren Aussagen zur Wahrheit an anderen Stellen in der Bibel. Demzufolge sind einige der Behauptungen von Hiobs Freunden falsch, und einiges im Philosophieren des Predigers geht nicht über menschliche Weisheit hinaus. Wo immer die Bibel jedoch eine Tatsache auch wirklich zur Tatsache erklärt, muss sie auch wahr sein, sei es, dass sie in einer Offenbarung von Gottes eigenem Wesen, Seiner moralischen Normen oder Seines prophetischen Programmes enthalten ist, oder sei es, dass sie Geschichte, Geografie oder mit der Wissenschaft im Zusammenhang stehende Fragen berührt. Es ist ein erstaunliches Zeugnis für die Richtigkeit des Wortes Gottes, dass, obwohl die Autoren moderne wissenschaftliche Entdeckungen nicht vorhersehen konnten und auch keine technische Sprache gebrauchten, sie dennoch zu nichts im Widerspruch stehen, was der Mensch als wirklich wahr entdeckt hat.

Es gibt Probleme in der Bibel, die Fragen aufwerfen mögen. Manchmal scheint sich die Bibel wegen unseres Mangels an Informationen selber zu widersprechen, wie zum Beispiel in der Darstellung der Blindenheilung nahe Jericho, wo unterschiedliche Darstellungen auf einen oder zwei blinde Männer hindeuten (Mt 20,30; Mk 10,46; Lk 18,35) und wo der Vorfall auf dem Wege nach Jericho hinein (Lk 18,35) oder aus Jericho hinaus (Mk 10,46; Lk 19,1) spielt. Probleme dieser Art weichen jedoch vor beharrlichem Studium, und die Schwierigkeit könnte gelöst werden, wenn alle Fakten bekannt wären. So gab es zum Beispiel zwei Städte mit Namen Jericho, eine alte und eine neuere. Der Herr hätte die eine verlassen und die andere betreten können. Viele der Bibel unterstellte Fehler konnten durch archäologische Entdeckungen geklärt werden.

Tatsächlich weiß niemand genug, um Aussagen der Bibel widersprechen zu können, ob sie sich nun auf die Erschaffung der Welt oder auf die des Menschen beziehen oder sich auf gewisse Einzelheiten der Erzählung erstrecken. Richtig verstanden steht die Bibel fest als das Denkmal von Gottes eigener Aufrichtigkeit und Wahrheit da, und ihr kann genauso vertraut werden, als ob Gott selbst direkt zu dem einzelnen Leser der Schrift sprechen würde. Obwohl jeder denkbare Versuch gemacht worden ist, die Bibel zu untergraben und zu zerstören, bleibt sie für diejenigen, die die Wahrheit über Gott suchen, die einzige autoritative und irrtumslose Quelle der göttlichen Offenbarung.

? Fragen

1. Erklären Sie, was mit der Inspiration der Bibel gemeint ist.
2. Inwieweit ist die Bibel inspiriert?
3. Was ist gemeint mit wörtlicher, vollständiger Inspiration?
4. Inwieweit ist die Bibel unfehlbar und irrtumsfrei, und was bedeuten diese Begriffe?
5. Wie können Sie erklären, dass die Bibel unwahre Aussagen von Menschen wiedergibt?
6. Inwieweit erstreckt sich die Inspiration auf Kopien und Übersetzungen der Bibel?
7. Erklären Sie die mechanische oder Diktattheorie der Inspiration, und zeigen Sie auf, warum sie unangemessen ist.
8. Welches sind die Probleme der Theorie des inspirierten Gedankens?

9. Welches sind die Probleme der Theorie der teilweisen oder graduellen Inspiration?
10. Wie unterscheidet sich die neoorthodoxe Sicht der Inspiration von der orthodoxen Sicht?
11. Warum muss die naturalistische Sicht der Bibel verworfen werden?
12. Was lehrte Christus über die Inspiration der Bibel?
13. Wie bestätigen Zitate aus dem Alten Testament die Inspiration des Alten Testaments?
14. Welche Hinweise werden im Neuen Testament dafür gegeben, dass es ebenso von Gott inspiriert ist?
15. Erörtern Sie den Beitrag von 2. Timotheus 3,16.
16. Welchen Beitrag leistet 2. Petrus 1,21, was die Methode der Inspiration anlangt?
17. Zeigen Sie auf, inwieweit die Bibel ihre eigene Inspiration bestätigt.
18. In welcher Beziehung steht die Inspiration zu der Wahrheit menschlicher Erfahrungen und Überlegungen, wie sie im Buch Hiob und Prediger dargestellt werden?
19. Was sollte unsere Antwort auf scheinbare Widersprüche in der Bibel sein?
20. Wenn man das Thema der Inspiration insgesamt betrachtet, warum ist es so wichtig?

Kapitel 3

Die Bibel: Ihr Thema und ihr Zweck

A. Jesus Christus als das zentrale Thema der Heiligen Schrift

Der Herr Jesus Christus ist das Hauptthema der Bibel. Wenn man jedoch die Bibel liest, so werden die vollkommenen Eigenschaften der Person und der Werke Christi auf viele verschiedene Arten dargestellt.

1. Jesus Christus als der Schöpfer: Die ersten Kapitel des 1. Buches Mose dokumentieren die Schöpfung der Welt, wie Gott sie vollbracht hat. Das dort gebrauchte Wort *elohim* schließt in seiner Bedeutung Gott den Vater, Gott den Sohn und Gott den Heiligen Geist, ein. Erst im Neuen Testament wird klar offenbart, dass alle Dinge durch Christus geschaffen wurden (Joh 1,3): „Denn in ihm ist alles in den Himmeln und auf der Erde geschaffen worden, das Sichtbare und das Unsichtbare, es seien Throne oder Herrschaften oder Gewalten oder Mächte: Alles ist durch ihn und zu ihm hin geschaffen" (Kol 1,16). Das bedeutet nicht, dass Gott der Vater und Gott der Heilige Geist keinen Anteil an der Schöpfung hatten, sondern es weist Christus die Rolle des hauptsächlich Handelnden bei der Schöpfung des Universums zu. Dementsprechend spiegeln die vollkommenen Eigenschaften des Universums Sein persönliches Werk wider.

2. Jesus Christus als der oberste Herrscher der Welt: Weil Er der Schöpfer ist, deswegen kommt Jesus Christus auch der Rang des obersten Herrschers des Universums zu. Auch wenn die Schrift Gott dem Vater die höchste Herrschaft zuspricht, ist es doch klar erkennbar Seine Absicht, dass Christus über die Welt herrschen soll (Ps 2,8-9). Es ist Gottes Absicht, dass jede Zunge bekennen soll, dass Christus der Herr ist, und dass jedes Knie sich vor Ihm beugen wird (Jes 45,23; Röm 14,11; Phil 2,9-11). Die Geschichte des Menschen offenbart, obwohl sie seine Rebellion gegen Gott berichtet (Ps 2,1-2), dass Christus auf den Tag wartet, an dem sich Seine völlige Herrschaft über die ganze Welt zeigen wird (Ps 110,1). Der Tag wird kommen, an dem Christus der Herr über alles sein wird, der Tag, an dem die Sünde gerichtet werden und Seine Herrschaft offenbart werden wird (Offb 19,15-16).

In Übereinstimmung mit Seinen Zielen hat Gott menschlichen Herrschern erlaubt, ihre Throne zu besteigen. Große Nationen sind aufgestiegen und gefallen, wie Ägypten, Assyrien, Babylonien, Medien-Persien, Griechenland und Rom, aber das endgültige Königreich wird das Königreich aus dem Himmel sein, über das Christus herrschen wird (Dan 7,15-16).

Christus ist nicht nur der König über die Nationen, sondern Er wird auf dem Thron Davids regieren als Davids Sohn und wird insbesondere der König Israels sein (Lk 1,31-33). Dies wird offenbar werden bei Seiner Wiederkunft, wenn Er Sein Tausendjähriges Reich aufrichten und über die ganze Welt einschließlich des Königreiches Israel regieren wird.

Seine Herrschaft äußert sich ebenfalls in Seiner Beziehung zu der Gemeinde, deren Haupt Er ist (Eph 1,22-23). Als der oberste Herrscher über die ganze Welt, über Israel und über die Gemeinde (Eph 1,20-21) ist Christus der oberste Richter aller Menschen (Joh 5,27; vgl. Jes 9,6-7; Ps 72,1-2.8.11).

3. Jesus Christus als das fleischgewordene Wort: Im Neuen Testament wird Christus besonders als das fleischgewordene Wort offenbart, als die physische Verkörperung dessen, was Gott ist, und als eine Offenbarung der Natur und des Wesens Gottes. In Christus werden all die Eigenschaften, die zu Gott gehören, offenbart, besonders Seine Weisheit, Macht, Heiligkeit und Liebe. Jesus Christus ist das Wort (Joh 1,1), der Ausdruck dessen, was Gott ist. Durch den Herrn Jesus Christus können die Menschen Gott besser und genauer kennenlernen als durch irgendeine andere Art göttlicher Offenbarung. Nach Hebräer 1,3 ist Christus derjenige, „der Ausstrahlung seiner Herrlichkeit und Abdruck seines Wesens ist und alle Dinge durch das Wort seiner Macht trägt", und „hat sich, nachdem er die Reinigung von den Sünden bewirkt hat, zur Rechten der Majestät in der Höhe gesetzt." Es ist ein wesentliches Ziel Gottes, dass Er sich Seinen Geschöpfen durch Jesus Christus offenbart.

4. Jesus Christus als der Erretter: In dem Drama der Geschichte, das mit der Schöpfung und dem Sündenfall des Menschen beginnt und in dem neuen Himmel und der neuen Erde endet, ist das Werk Jesu Christi als Erretter ein hervorstechendes Thema der Heiligen Schrift.

Christus ist der verheißene Same, der Satan besiegen wird (1Mo 3,15). Im Alten Testament wird Christus als der Knecht des HERRN dargestellt, der die Sünden der ganzen Welt tragen wird (Jes 53,4-6; vgl. Joh 1,29). Als Opfer für die Sünde musste Er am Kreuz sterben und die Strafe für die Sünde der ganzen Welt erleiden (1Kor 15,3-4; 2Kor 5,19-21; 1Petr 1,18-19; 1Jo 2,2; Offb 1,5). Als Erretter ist Er nicht nur das Opfer für die Sünde, sondern auch unser Hoherpriester (Hebr 7,25-27).

Eine der zentralen in der Schrift geoffenbarten Absichten Gottes ist es, durch Jesus Christus einem verlorenen Geschlecht Errettung möglich zu machen. Entsprechend wird Jesus Christus vom 1. Buch Mose bis zur Offenbarung vornehmlich als der einzige Erretter dargestellt (Apg 4,1).

B. Die Geschichte des Menschen in der Bibel

Wenn die Bibel auch hauptsächlich dazu bestimmt ist, Gott zu verherrlichen, zeichnet sie doch zugleich diesem Zweck entsprechend die menschliche Geschichte auf. Der Schöpfungsbericht in den ersten Kapiteln des 1. Buches Mose gipfelt in der Schöpfung Adams und Evas. Die Schrift als Ganzes entfaltet Gottes Plan und Absicht mit dem menschlichen Geschlecht.

Spätere Kapitel werden zeigen, dass sich Gottes oberste Ziele für die Nationen der Welt in der Menschheitsgeschichte majestätisch entfalten. Die unmittelbaren Nachkommen Adams und Evas werden zur Zeit Noahs durch die Sintflut ausgelöscht. 1. Mose 10 berichtet, wie aus den Nachfahren Noahs die drei Hauptzweige des menschlichen Geschlechts hervorgingen. Dann, als die Nachkommen Noahs ebenfalls sündigten und beim Turmbau zu Babel bestraft wurden, erwählte Gott Abraham, um Seine Absicht zu erfüllen, sich selbst durch das Volk Israel zu offenbaren. Ab 1. Mose 12 ist das Auftauchen und die Geschichte des Volkes Israel ein dominierendes Thema der Bibel. Der größte Teil des Alten Testamentes beschäftigt sich mit diesem Volk, das doch verglichen mit der großen Menge an Heiden um es herum recht klein ist. Nach Gottes Plan gipfelt dies im Neuen Testament in der Ankunft Jesu Christi, der das ursprünglich Abraham gegebene

Versprechen, dass durch seinen Samen alle Völker der Erde gesegnet werden würden, vollkommen erfüllte.

Im Neuen Testament taucht eine weitere Hauptgruppe der Menschheit auf, nämlich die Gemeinde als der Leib Christi, die sowohl Juden als auch Heiden umfasst, die an den Herrn Jesus Christus als ihren Retter glauben. So beschäftigt sich das Neue Testament besonders in der Apostelgeschichte und in den Briefen mit dem Handeln Gottes an der Gemeinde. Die Offenbarung des Johannes ist der großartige Höhepunkt, auf den alles zuläuft. Die Abfolge der großen Weltreiche – beginnend mit Ägypten und Assyrien und gefolgt von Babylon, Persien, Griechenland und Rom – wird zum Höhepunkt gebracht mit dem Königreich aus den Himmeln beim zweiten Kommen des Herrn. Juden und Heiden werden in diesem Tausendjährigen Reich gleichermaßen vertreten sein, wobei Israel seine Erfüllung darin finden wird, das Land unter der Herrschaft seines Messias zu besitzen, und die Nationen der Welt ebenfalls die Segnungen des Tausendjährigen Reiches genießen werden.

So können wir, obwohl die Schrift ihren Mittelpunkt in Jesus Christus hat und die Weltgeschichte mit dem Ziel Gottes verbindet, sich selbst zu verherrlichen, Gottes hauptsächliches Handeln in der Demonstration Seiner Souveränität gegenüber den Nationen, Seiner Treue gegenüber Israel und Seiner Gnade gegenüber der Gemeinde sehen. Die Vollendung des Ganzen findet sich in den neuen Himmeln, der neuen Erde und dem neuen Jerusalem, wenn die Geschichte aufhören und die Ewigkeit beginnen wird.

C. Der Zweck der Bibel

Gemäß Gottes geschriebenem Wort wird ein höchstes Ziel in all dem offenbart, was Er getan hat oder noch tun wird, vom Anbeginn der Schöpfung bis zu den entferntesten Bereichen der Ewigkeit. Dieses Hauptziel ist die Offenbarung der Herrlichkeit Gottes. Wegen dieses einen Zieles wurden Engel geschaffen; das materielle Universum wurde entworfen, um diese Herrlichkeit widerzuspiegeln, und der Mensch wurde geschaffen als Bild und Gleichnis Gottes. In Seiner unerforschlichen Weisheit ließ Gott sogar die Sünde zu und bereitete die Erlösung im Hinblick auf die Verwirklichung dieses höchsten Zieles.

Dass Gott Seine Herrlichkeit offenbart, entspricht Seinen unendlichen Eigenschaften der Vollkommenheit. Wenn der Mensch sich zu verherrlichen sucht, ist dies immer fragwürdig, weil er so unvollkommen ist. Wenn Gott hingegen Seine Herrlichkeit offenbart, bedeutet das, dass Er eine Wahrheit zum Ausdruck bringt und enthüllt, die einen unendlichen Segen für das Geschöpf darstellt. Weil Gott in Seinem Wesen unendlich ist und absolut in Seiner Vollkommenheit, steht Ihm auch unendliche Ehre zu, und es wäre eine grenzenlose Ungerechtigkeit, würde Ihm Seine Schöpfung den vollständigen Ausdruck dieser Ehre und dieses Ruhmes vorenthalten, die doch rechtmäßig Sein sind. Indem Er Seine Herrlichkeit offenbart, ist Gott nicht selbstsüchtig, sondern vielmehr gibt Er ihr zum Nutzen Seiner Schöpfung Ausdruck. Die Offenbarung Gottes an Seine Geschöpfe hat ihnen ein würdiges Objekt für ihre Liebe und Hingabe gegeben, einen festen Grund für ihren Glauben und inneren Frieden; ja, sie gab dem Menschen die Gewissheit der Errettung für Zeit und Ewigkeit. Je mehr der Mensch die Herrlichkeit Gottes erfasst, desto größer ist der Segen, der ihm daraus erwächst.

Da die Bibel Gottes Botschaft an die Menschen ist, ist ihr höchstes Ziel zugleich Sein höchstes Ziel, nämlich dass Er verherrlicht werde. Die Bibel sagt hierzu:

1. „Denn in ihm ist alles in den Himmeln und auf der Erde geschaffen worden, das Sichtbare und das Unsichtbare, es seien Throne oder Herrschaften oder Gewalten oder Mächte: Alles ist durch ihn und zu ihm hin geschaffen" (d. h.: zu Seiner Ehre; Kol 1,16). Engel und Menschen, das materielle Universum und jedes Geschöpf, alles ist zu Seinem Ruhm geschaffen. „Die Himmel erzählen die Herrlichkeit Gottes" (Ps 19,1).

2. Das Volk Israel existiert für die Herrlichkeit Gottes (Jes 43,7.21.25; 60,1.3.21; 62,3; Jer 13,11).

3. Die Errettung geschieht für die Herrlichkeit Gottes (Röm 9,23), genauso wie sie ein Erweis der Gnade Gottes sein wird (Eph 2,7) und jetzt ein Ausdruck Seiner Weisheit ist (Eph 3,10).

4. Aller Dienst sollte zur Verherrlichung Gottes geschehen (Mt 5,16; Joh 15,8; 1Kor 10,31; 1Petr 2,12; 4,11.14). Die Bibel selbst ist

Gottes Werkzeug, durch das Er den Menschen Gottes vorbereitet zu jedem guten Werk (2Tim 3,16-17).

5. Das neue Verlangen des Christen ist es, dass Gott verherrlicht werde (Röm 15,6; 16,27; Jud 24-25).

6. Sogar vom Tod des Gläubigen wird gesagt, dass er diesem einen Zweck dient (Joh 21,19; Phil 1,20).

7. Der Errettete ist dazu berufen, die Herrlichkeit Christi zu teilen (Joh 17,22; Kol 3,4).

Als Ganzes genommen unterscheidet sich die Bibel in ihrem Thema und Ziel von jedem anderen Buch in der Welt. Sie ist deshalb einzigartig, weil sie die Stellung des Menschen und die Möglichkeit seiner Errettung, den einzigartigen Charakter und das einzigartige Werk Jesu Christi als des alleinigen Retters darstellt und bis ins Einzelne die zahllosen Herrlichkeiten Gottes beschreibt. Sie ist das Buch, das dem Geschöpf den Schöpfer offenbart und den Plan enthüllt, durch den der Mensch in all seiner Unvollkommenheit mit Ihm versöhnt werden und in ewiger Gemeinschaft mit dem ewigen Gott leben kann.

? Fragen

1. Welche Beweise gibt es dafür, dass Christus an der Schöpfung mitgewirkt hat?
2. Inwiefern ist Christus der oberste Herrscher der Welt, und wie zeigt sich das?
3. Erklären Sie, inwiefern Christus die höchste Offenbarung Gottes ist.
4. Zeigen Sie den Zusammenhang von Schriftstellen auf, die Christus als den Retter darstellen, einschließlich der Erwähnung einiger Stellen aus dem Neuen Testament.
5. Was berichtet die Bibel von der Geschichte des Menschen in 1. Mose 1-11?
6. Zu welchem Zweck erwählte Gott Abraham?
7. Auf welche Weise gipfelt die Geschichte Israels in Christus?
8. Welche neue Absicht wird im Neuen Testament offenbart?
9. Welche großen Nationen kennzeichnen die Geschichte?

10. Unterscheiden Sie die Absichten Gottes mit den Nationen, Israel und der Gemeinde.
11. In welcher Hinsicht zeigt die Bibel, dass die Herrlichkeit Gottes ihr oberstes Ziel ist?

Kapitel 4

Die Bibel: Eine göttliche Offenbarung

A. Formen göttlicher Offenbarung

Die Bibel ist gedacht als eine Offenbarung des Wesens, der Werke und des Heilsplanes Gottes. Dass ein unendlicher Gott versuchen würde, sich selbst Seinen Geschöpfen zu offenbaren, ist einsichtig und erforderlich für die Erfüllung Seiner Zwecke mit der Schöpfung. Es ist nur natürlich, dass vernunftbegabte Lebewesen versuchen sollten, etwas über ihren Schöpfer zu erfahren. Wenn der Mensch das am höchsten stehende Geschöpf ist, das die Fähigkeit besitzt, zu erkennen und Gemeinschaft mit dem Schöpfer zu haben, dann ist es vernünftig zu erwarten, dass der Schöpfer mit Seinem Geschöpf in Verbindung treten und ihm Seine Absicht und Seinen Willen offenbaren wird. Gott gebrauchte drei Hauptwege, sich selbst zu offenbaren.

1. Die Offenbarung Gottes in der Schöpfung: Die ewige Kraft und der Charakter Gottes werden durch die geschaffenen Dinge offenbart (Röm 1,20). Die natürliche Welt als Werk Gottes enthüllt, dass Gott ein Gott unendlicher Macht und Weisheit ist und die materielle Welt zu einem bestimmten Zweck geschaffen hat. Die Offenbarung Gottes durch die Natur hat jedoch ihre Grenzen, da in ihr weder die Liebe Gottes noch Seine Heiligkeit deutlich sichtbar werden. Zwar reicht sie dazu aus, dass Gott die heidnische Welt richten kann, weil sie Ihn nicht als ihren Schöpfer anbetet, aber sie offenbart keinen Weg der Erlösung, durch die Sünder mit einem heiligen Gott versöhnt werden können.

2. Die Offenbarung in Christus: Die höchste Offenbarung Gottes wurde in der Person und dem Werk Christi dargeboten, der zu der von Gott festgesetzten Zeit geboren wurde (Gal 4,4). Der Sohn Gottes kam in die Welt, um Gott den Menschen zu offenbaren in Begriffen, die sie verstehen konnten. Durch Seine Menschwerdung werden in der Inkarnation Tatsachen über Gott, die auf andere Weise nur schwer für den Menschen zu verstehen gewesen wären, in die eingeschränkte

Reichweite des menschlichen Begreifens übertragen. So werden also in Christus nicht nur die Macht und Weisheit Gottes offenbart, sondern auch Seine Liebe, Güte, Heiligkeit und Gnade. Christus erklärte: „Wer mich gesehen hat, hat den Vater gesehen" (Joh 14,9). Deshalb kennt jemand, der Jesus Christus kennt, auch Gott den Vater.

3. Die Offenbarung im geschriebenen Wort: Das geschriebene Wort Gottes ist jedoch in der Lage, Ihn ausführlicher zu offenbaren als in der Person und den Werken Christi. Wie bereits ausgeführt, ist es die Bibel, die uns den Herrn Jesus Christus sowohl als Gegenstand der Prophezeiungen als auch als deren Erfüllung vorstellt. Doch die Bibel geht weit darüber hinaus, uns Einzelheiten über Christus mitzuteilen; sie enthüllt Gottes Plan für Israel, für die Nationen und die Gemeinde und beschäftigt sich mit vielen verwandten Themen, indem sie die Geschichte der Menschheit und des Universums entfaltet. Die Bibel präsentiert nicht nur Gott als ihren höchsten Gegenstand, sondern enthüllt auch Seine Absichten. Die geschriebene Offenbarung ist allumfassend. Sie hält noch einmal alle Gott betreffenden Tatsachen fest, die durch die Natur offenbart werden, und bietet die einzige Aufzeichnung über Gottes Erscheinen in Christus. Sie erweitert auch die göttliche Offenbarung bis in Einzelheiten über Gott, den Vater, den Sohn und den Heiligen Geist, über Engel, Dämonen, den Menschen, die Sünde, die Erlösung, die Gnade und die Herrlichkeit. Die Bibel kann folglich als Vervollständigung der beabsichtigten göttlichen Offenbarung gesehen werden, wie sie teilweise in der Natur gegeben ist, ausführlicher in Christus und vollständig im geschriebenen Wort.

B. Besondere Offenbarungen

Während der ganzen Menschheitsgeschichte hat Gott besondere Offenbarungen gegeben. Im Wort Gottes sind viele Beispiele dafür berichtet, wie Er direkt zu den Menschen spricht, z. B. im Garten Eden oder zu den Propheten des Alten Testamentes oder zu den Aposteln im Neuen Testament. Einige dieser besonderen Offenbarungen wurden in der Bibel aufgezeichnet und bilden die einzigen maßgeblichen und inspirierten Zeugnisse solcher besonderen Offenbarungen.

Nach der Vollendung der 66 Bücher der Bibel scheinen besondere Offenbarungen im üblichen Sinne aufgehört zu haben. Niemand ist je erfolgreich in der Lage gewesen, der Schrift auch nur einen Vers als normativ gültige, wahre Aussage hinzuzufügen. Apokryphe Zusätze sind eindeutig von untergeordneter Bedeutung und haben nicht die Inspiration, die alle Schriften der Bibel selbst aufweisen.

An die Stelle von besonderen Offenbarungen ist im gegenwärtigen Zeitalter ein besonderes Werk des Heiligen Geistes getreten. Da der Heilige Geist die Schrift erhellt bzw. Licht auf sie wirft, kann dies als eine legitime Form gegenwärtiger Offenbarung Gottes bezeichnet werden, durch die die Lehre der Bibel verdeutlicht und auf das individuelle Leben und die individuellen Umstände angewendet wird. Verbunden mit dem Werk der Erhellung ist das Werk der Führung durch den Heiligen Geist, wenn allgemeine Schriftwahrheiten auf die besonderen Bedürfnisse eines Einzelnen angewandt werden. Obwohl Führung und Erleuchtung echte Werke Gottes sind, garantieren sie doch nicht, dass ein Einzelner die Bibel vollkommen verstehen oder in jedem Fall Gottes Führung richtig erkennen wird. Obgleich also die Erleuchtung und Führung ein Werk des Geistes sind, ist ihnen doch nicht die Unfehlbarkeit der Schrift eigen, da sie von fehlbaren, menschlichen Wesen empfangen werden.

Unabhängig von diesem Werk des Geistes Gottes, der uns die Bedeutung der Schrift offenbart, gibt es jedoch kein wirkliches Verstehen der Wahrheit, wie in 1. Korinther 2,10 erklärt wird. Die Wahrheit des Wortes Gottes muss uns durch Seinen Geist geoffenbart werden, und wir müssen vom Geist gelehrt werden (1Kor 2,13). Nach 1. Korinther 2,14 nimmt ein „ natürlicher Mensch aber nicht an, was des Geistes Gottes ist, denn es ist ihm eine Torheit, und er kann es nicht erkennen, weil es geistlich beurteilt wird." Folglich ist die Bibel, was ihre wahre Bedeutung angeht, ein verschlossenes Buch für jemanden, der kein Christ ist und nicht vom Geist gelehrt wird. Darüber hinaus ist für jeden Bibelleser eine enge Gemeinschaft mit Gott unerlässlich, damit der Geist Gottes in der Lage ist, Seine Wahrheit zu offenbaren.

C. Schriftdeutung

Wenn ein Gläubiger in Christus auch durch den Heiligen Geist Offenbarung erhält, wenn Er ihn das Wort Gottes lehrt, ergeben sich doch einige offensichtliche Probleme bei der Auslegung der Bibel. Sichere Grundregeln sind notwendig, wenn jemand die „Wissenschaft" der Auslegung verstehen will, die auch „Hermeneutik" genannt wird. Wenn wir uns auch auf den Heiligen Geist bei der Unterweisung im Wort Gottes verlassen wollen, so sollen hier doch gewisse Prinzipien aufgelistet werden.

1. Der Zweck der Bibel als Ganzes: Bei der Deutung der Bibel muss jeder Text im Licht der Gesamtaussage der Bibel gesehen werden, da die Bibel sich nicht selbst widerspricht.

2. Die besondere Botschaft jedes einzelnen Buches der Bibel: Die Deutung einer Schriftstelle muss immer die Absicht des jeweiligen Buches in Betracht ziehen, aus dem die Stelle stammt. Eine Untersuchung des Buches Prediger wird also ganz anders ausfallen als eine solche der Offenbarung oder der Psalmen, und die Deutung muss übereinstimmen mit der Absicht des Buches.

3. Der Adressat: Auch wenn die gesamte Schrift durch die gleiche Inspiration Gottes gegeben wurde, so ist doch nicht die ganze Schrift auf die gleiche Weise anwendbar. Viele falsche Lehren sind dadurch entstanden, dass die Schrift falsch angewendet wurde. Deshalb muss die Frage gestellt werden, an wen eine bestimmte Stelle sich richtet. Hier muss zwischen der primären und sekundären Anwendung unterschieden werden. Die primäre Anwendung darf sich nur auf das Individuum oder die Gruppe beziehen, an die dieser Teil der Schrift gerichtet ist, z. B. der Brief an die Galater oder ein Psalm Davids. Es gibt aber fast immer eine zweite Anwendungsmöglichkeit, da sich zeigt, dass die einzelnen im Schrifttext zugänglich gemachten Wahrheiten eine allgemeine Anwendung über den tatsächlichen Adressaten hinaus zulassen. So können z. B., obwohl das Gesetz im Alten Testament an Israel gerichtet war, auch Christen in diesem Heilszeitalter es mit Gewinn studieren als eine Offenbarung der Heiligkeit Gottes, jedoch unter entsprechender Berücksichtigung der Einzelheiten, die sich in ihrer Anwendung auf uns ändern können.

4. Der Kontext: Es ist bei der Auslegung jedes Textes wichtig, seinen unmittelbaren Kontext zu beachten. Oft erhält man hierdurch den

Schlüssel zu dem, was mit einer einzelnen Aussage gemeint ist. Der vorangehende und nachfolgende Text zu jedem beliebigen Vers helfen dem Leser dabei, den Vers selbst zu verstehen.

5. Ähnliche Lehren an anderer Stelle im Wort Gottes: Weil die Bibel sich selbst nicht widersprechen kann, sollte eine an einer Stelle getroffene theologische Aussage in Einklang gebracht werden mit anderen ähnlichen Aussagen an anderer Stelle. Dies ist die besondere Aufgabe der systematischen Theologie, die versucht, die gesamte göttliche Offenbarung in einer lehrmäßigen Form neu zu fassen, die keinem Teil der Schrift widerspricht. Vielfach ergänzen einzelne Bücher einander. Z. B. hängt die Offenbarung des Johannes in ihrer Deutung oft vom Buch Daniel oder anderen alttestamentarischen Prophezeiungen ab. Wenn der Heilige Geist der Autor des gesamten Wortes Gottes ist, sollte das, was an einer Stelle gesagt wird, uns helfen zu verstehen, was an einer anderen Stelle der Schrift gesagt wird.

6. Genaue Auslegung der Worte des einzelnen Textes: Die Bibel wurde ursprünglich in Hebräisch und Griechisch geschrieben, und oft ist die genaue Übersetzung schwierig. Deshalb hilft uns die Kenntnis der Originalsprache dabei, genau zu bestimmen, was der Text sagt. Schülern der Schrift, die nicht über diese technischen Hilfsmittel verfügen, kann oft durch Kommentare und Auslegungen von Autoren geholfen werden, die in der Lage sind, zusätzliches Licht auf einen bestimmten Text zu werfen.

Weiterhin nimmt eine angemessene Deutung an, dass jedes Schriftwort seine normale buchstäbliche Bedeutung hat, wenn nicht gute Gründe dafür vorliegen, es als bildhafte Sprache zu betrachten. Z. B. sollte das Israel versprochene Land nicht als Hinweis auf den Himmel, sondern als Hinweis auf das Heilige Land betrachtet werden. Ebenso sollten Israel gegebene Verheißungen nicht vergeistlicht werden, damit sie auf nichtjüdische Gläubige in Christus zutreffen. Die Auslegungsregel ist also die, dass Schriftworte in ihrer normalen Bedeutung genommen werden sollten, wenn der Kontext nicht klar anzeigt, dass eine bildhafte Sprache beabsichtigt ist.

7. Wachsamkeit gegenüber Vorurteilen: Wenn es auch für jeden Ausleger der Schrift durchaus zulässig ist, eine Stelle mit theologischen Überzeugungen anzugehen, die aus einem Studium der gesamten Bibel erwachsen, sollte man doch sorgfältig darauf achten, dass man den Sinn eines Textes nicht verdreht, nur um ihn mit vorgefassten Meinungen in Einklang zu bringen. Jeder Text sollte für sich selbst sprechen dürfen, selbst wenn dabei zeitweilig einige ungeklärte Probleme der Harmonisierung mit anderen Schriftstellen bestehen bleiben.

Bei der Auslegung der Bibel ist es wichtig, die Schrift als eine umfassende Offenbarung zu betrachten, deren Zweck es ist, von allen verstanden zu werden, die der Geist lehrt. Ihr Ziel ist es, Wahrheit mitzuteilen; und wenn sie angemessen gedeutet wird, ergibt sich daraus ein System der Lehre, das harmonisch und nicht widersprüchlich ist.

? Fragen

1. Warum ist es vernünftig anzunehmen, dass Gott sich den Menschen offenbaren möchte?
2. Welchen Umfang und welche Grenzen hat die Offenbarung Gottes in der Natur?
3. Inwieweit ist Christus eine Offenbarung Gottes?
4. Warum war das geschriebene Wort notwendig, um Gott vollständig zu offenbaren?
5. Was sind einige der Hauptthemen göttlicher Offenbarung, die wir nicht aus der Natur lernen können?
6. Was ist mit besonderer Offenbarung gemeint?
7. Welches Werk des Heiligen Geistes hat heute besondere Offenbarungen ersetzt, und warum ist dies notwendig?
8. Warum muss der Zweck der Bibel als Ganzes, ebenso wie die spezielle Botschaft der einzelnen Bücher der Bibel, mit in Erwägung gezogen werden?
9. Welches sind die Gefahren einer falschen Anwendung der Schrift, und warum muss zwischen einer primären und sekundären Anwendung unterschieden werden?
10. Was trägt der Kontext zum Verständnis einer Schriftstelle bei?
11. Warum muss die Deutung einer Schriftstelle im Einklang mit anderen Bibelstellen stehen?
12. Inwieweit ist eine genaue Auslegung erforderlich?
13. Inwieweit sollte die normale Bedeutung der Worte die Bedeutung einer Schriftstelle bestimmen?
14. Welches sind die Gefahren von Vorurteilen bei der Schriftdeutung?

Kapitel 5

Der dreieinige Gott

A. Der Glaube an die Existenz Gottes

Der Glaube, dass ein göttliches Wesen existiert, das größer als der Mensch ist, wird von allen Kulturen und Zivilisationen geteilt. Dies ist teilweise darauf zurückzuführen, dass der Mensch folgert, es müsse eine Erklärung für unsere Welt und für das, was dem Menschen geschieht, geben, und annimmt, ein Wesen, das größer ist als er selbst, könne diese Erklärung sein. Der Mensch scheint sich intuitiv, allein schon aufgrund seiner religiösen Natur, nach einer Art höherem Wesen auszustrecken. Das kann zum Teil auch durch das Wirken des Heiligen Geistes in der Welt erklärt werden, das sich auf jedes Geschöpf erstreckt, ein Wirken, das in der Theologie gewöhnlich als allgemeine Gnade bezeichnet wird im Gegensatz zu dem speziellen Wirken des Geistes in Bezug auf die Errettung des Menschen. Das moderne Phänomen, dass sich viele als Atheisten bezeichnen, erwächst aus der Perversion des menschlichen Geistes und der Leugnung jeder rationalen Erklärung des Universums. Entsprechend erklärt die Bibel, dass ein Atheist ein Tor ist (Ps 14,1).

Für gewöhnlich fragen die Menschen weder nach Beweisen für ihre eigene Existenz noch nach solchen für die der materiellen Dinge, die sie durch ihre Sinne erkennen. Obwohl Gott als Person unsichtbar ist, ist Seine Existenz doch so offensichtlich, dass die Menschen im Allgemeinen keine Beweise dafür verlangen. Zweifel an Seiner Existenz entstehen augenscheinlich durch die eigene Verderbtheit und Blindheit des Menschen sowie durch den Einfluss Satans. Die Beweise für die Existenz Gottes, die in der Schöpfung vorliegen, sind so eindeutig, dass ihre Leugnung der Grund für die Verdammung der heidnischen Welt ist, die das Evangelium nicht vernommen hat. Nach Römer 1,19-20 sind sie verdammt, „weil das von Gott Erkennbare unter ihnen offenbar ist, denn Gott hat es ihnen offenbart. Denn sein unsichtbares Wesen, sowohl seine ewige Kraft als auch seine Göttlichkeit, wird seit Erschaffung der Welt in dem Gemachten wahrgenommen und geschaut – damit sie ohne Entschuldigung sind".

Die Offenbarung Gottes durch die Propheten, bevor die Bibel geschrieben wurde, und die Offenbarung, die aus der Schrift kommt, sind bis zu einem gewissen Grad in das allgemeine Bewusstsein des heutigen Menschen vorgedrungen. Obwohl die Welt im Allgemeinen die Schriftoffenbarung nicht kennt, sind doch einige Begriffe von Gott in das Denken der gesamten Welt eingedrungen, sodass der Glaube an eine Art höheres Wesen selbst unter Menschen allgemein anerkannt wird, die nicht direkt mit der Schrift in Berührung gekommen sind.

Obwohl die griechischen Philosophen des Altertums nicht mit der biblischen Offenbarung vertraut waren, unternahmen sie doch einige Versuche, unser Universum auf der Grundlage eines höheren Wesens zu erklären. Verschiedene Gedankensysteme entstanden:

1. der Polytheismus, der Glaube an viele Götter;
2. der Hylozoismus, der das in der gesamten Schöpfung zu findende Lebensprinzip mit Gott selbst identifiziert;
3. der Materialismus, der die Meinung vertritt, dass die Materie selbständig aufgrund von Naturgesetzen funktioniert und dass kein Gott hierfür erforderlich ist – eine Theorie, die den modernen Evolutionismus unterstützt;
4. der Pantheismus, der behauptet, dass Gott unpersönlich und mit der Natur identisch, also immanent statt transzendent sei.

Es existieren viele Variationen dieser Gottesbegriffe.

Wenn man für die Existenz Gottes auf der Grundlage der Schöpfungstatsachen argumentiert, unabhängig von der Schriftoffenbarung, lassen sich vier grundsätzliche Argumentationsklassen oder -stränge unterscheiden:

1. Das ontologische Argument behauptet, dass Gott existieren muss, weil die Menschen weltumfassend an Ihn glauben. Es wird auch manchmal ein A-priori-Argument genannt.
2. Das kosmologische Argument behauptet, dass jede Wirkung eine zureichende Ursache haben muss und dass deshalb das Universum, das eine Wirkung ist, einen Schöpfer als Ursache haben muss. In das Argument einbezogen ist die Komplexität eines geordneten Universums, das nicht zufällig entstanden sein kann.

3. Das teleologische Argument stellt heraus, dass jeder Entwurf einen Konstrukteur haben muss und dass die gesamte Schöpfung komplex konstruiert und miteinander verknüpft ist, sodass sie einen überragenden Konstrukteur haben müsse. Die Tatsache, dass alle Dinge zusammenhängen, zeigt, dass dieser Konstrukteur unendliche Macht und Weisheit besitzen muss.
4. Das anthropologische Argument argumentiert vom Wesen und der Existenz des Menschen her, die sich nicht erklären lassen, es sei denn mit einer Schöpfung durch Gott, der ein ähnliches, aber größeres Wesen als der Mensch besitzt. Einbezogen ist hier die Tatsache, dass der Mensch einen Intellekt hat (das Vermögen zu denken), Sinnlichkeit (das Vermögen zu fühlen) und Willen (das Vermögen, moralische Entscheidungen zu treffen). Solch außergewöhnliche Fähigkeiten deuten auf den, der ähnliche, aber größere Fähigkeiten besitzt und der den Menschen geschaffen hat.

Obwohl diese Argumente für die Existenz Gottes eine beträchtliche Stichhaltigkeit aufweisen und der Mensch zu Recht von Gott verdammt werden kann, wenn er sie zurückweist (Röm 1,18-20), waren sie doch nicht hinreichend, den Menschen in eine wirkliche Gemeinschaft mit Gott zu führen oder ohne Hilfe der Schriftoffenbarung wirklichen Glauben an Gott hervorzubringen. Erst in der Bibel ist die vollständige Offenbarung Gottes gegeben, die all die Fakten bestätigt, die wir in der Natur finden, aber darüber hinaus zur natürlichen Offenbarung noch viele Wahrheiten hinzufügt, die die natürliche Offenbarung nicht enthüllt hätte.

B. Die Einheit der göttlichen Trinität

Insgesamt gesehen betont das Alte Testament die Einheit Gottes (2Mo 20,3; 5Mo 6,4; Jes 44,6), eine Tatsache, die ebenfalls im Neuen Testament gelehrt wird (Joh 10,30; 14,9; 17,11.22.23; Kol 1,15). Sowohl das Alte Testament als auch in größerem Umfang das Neue Testament weisen jedoch auch darauf hin, dass Gott als eine Trinität oder Dreieinheit existiert: Gott Vater, Sohn und Heiliger Geist. Viele glauben, dass die Lehre von der Dreieinheit im Gebrauch des Wortes *elohim* impliziert sei, ein Name Gottes, der im Plural steht und sich auf den dreieinigen Gott zu beziehen scheint. Schon am Anfang des 1. Buches Mose gibt es Hinweise auf den Geist Gottes, und die Personalpronomen für Gott werden im Plural gebraucht, wie z. B. in 1. Mose 1,26; 3,22; 11,7. Häufig gibt es im Alten Testament Unterscheidungen innerhalb von Gottes Wesen durch die Begriffe Gott der Vater, der Sohn und der Heilige Geist. Jesaja 7,14 spricht vom Sohn als dem „Immanuel", Gott mit uns, der unterschieden werden sollte vom Vater und dem Heiligen Geist. Dieser Sohn wird in Jesaja 9,5 „starker Gott, Vater der Ewigkeit, Fürst des Friedens" genannt.

In Psalm 2,7 gibt Gott der Vater, auf den mit dem Wort „Ich" Bezug genommen wird, zu erkennen, dass es Seine Absicht ist, Seinen Sohn als obersten Herrscher über die Welt einzusetzen. So wie der Sohn und der Vater unterschieden werden, so auch der Heilige Geist, wie z. B. in Psalm 104,30, wo Gott, der Herr Seinen Geist sendet. Zu diesen Belegen können all die Verweise auf den Engel des Herrn hinzugefügt werden, die das Auftauchen von Gottes Sohn im Alten Testament als einen vom Vater Gesandten anzeigen, sowie die Verweise auf den Geist des Herrn, der als Heiliger Geist vom Vater unterschieden wird.

Diesen Belegen aus dem Alten Testament fügt das Neue Testament zusätzliche Offenbarungen hinzu. Hier wird Gott in der Person Jesu Christi leibhaftig, empfangen vom Heiligen Geist und doch der Sohn Gottes, des Vaters. Bei der Taufe Jesu sind die Unterscheidungen in der Dreieinheit klar, da Gott der Vater aus dem Himmel spricht, der Heilige Geist einer Taube gleich niedergeht und auf Ihn kommt und Jesus selbst getauft wird (Mt 3,16-17). Diese Unterscheidungen in der Dreieinheit lassen sich auch beobachten an Stellen wie Johannes 14,16, wo der Vater und der Tröster von Christus selbst unterschieden werden, und in Matthäus 28,19, wo die Jünger angewiesen werden, Gläubige „auf den Namen des Vaters und des Sohnes und des Heiligen Geistes" zu taufen.

Die vielen Anzeichen im Alten und Neuen Testament dafür, dass Gott als dreieiniges Wesen existiert, haben die Lehre von der Dreieinheit zu einem zentralen Punkt aller orthodoxen Glaubensbekenntnisse von der Frühkirche bis zu unserer Zeit gemacht. Jedes Abweichen hiervon wird als Abweichen von der biblischen Wahrheit aufgefasst. Obwohl das Wort „Dreieinheit" in der Bibel nicht vorkommt, lassen doch die Fakten der Offenbarung in der Schrift keine andere Erklärung zu.

Auch wenn die Lehre von der Dreieinheit eine zentrale Tatsache des christlichen Glaubens ist, so steht sie doch zugleich jenseits des menschlichen Fassungsvermögens und hat keine Parallele im Erfahrungsbereich des Menschen. Sie wird am besten in die Definition gefasst, dass Gott, obwohl Er Einer ist, als drei Personen existiert. Diese drei Personen sind gleichwertig, haben die gleichen Eigenschaften und verdienen gleichermaßen Verehrung, Zuneigung und Glauben. Doch die Lehre von der Einheit der Gottheit verdeutlicht, dass es sich nicht um drei separate Götter handelt, gleich drei verschiedenen menschlichen Wesen wie etwa Petrus, Jakobus und Johannes. Folglich handelt es sich beim wahren christlichen Glauben nicht um einen Tritheismus oder Glauben an drei Götter. Andererseits darf die Dreieinheit nicht erklärt werden als drei Existenzzustände, d. h. als ein Gott, der sich selbst auf drei Arten manifestiert. Die Dreieinheit ist wesentlich für das Wesen Gottes und ist mehr als nur eine Form der göttlichen Offenbarung.

Die Personen der Dreieinheit unterscheiden sich, auch wenn sie gleiche Attribute haben, in gewissen Eigenschaften. Deshalb wird die erste Person der Dreieinheit der Vater genannt. Die zweite Person wird der Sohn genannt und ist vom Vater ausgesandt. Die dritte Person ist der Heilige Geist und wird von dem Vater und dem Sohn ausgesandt. Dies wird in der Theologie die Lehre der Abfolge genannt; die Reihenfolge kann niemals umgekehrt werden, d. h. der Sohn sendet niemals den Vater und der Geist niemals den Sohn. In der Natur oder in der menschlichen Erfahrung gibt es keine Illustration oder Parallele zu der Einzigartigkeit der Gottheit. So sollte diese Lehre einfach im Glauben auf der Grundlage der Schriftoffenbarung akzeptiert werden, selbst wenn sie jenseits des menschlichen Auffassungsvermögens und Begreifens steht.

C. Die Namen Gottes

Im Alten Testament werden Gott drei Hauptnamen zugeschrieben. Der erste dieser Namen, „*Jehova*“ oder „*Jahwe*“, ist der Name Gottes, der nur für den wahren Gott verwendet wird. Dieser Name taucht zuerst auf in Verbindung mit der Schöpfung in 1. Mose 2,4; und die

Bedeutung des Namens wird in 2. Mose 3,13-14 definiert als „Ich bin, der ich bin", d. h. als der aus sich selbst existierende, ewige Gott.

Der gebräuchlichste Name Gottes im Alten Testament ist *„Elohim"*, ein Wort, das sowohl für den wahren Gott als auch für Götter der heidnischen Welt gebraucht wird. Dieser Name wird in 1. Mose 1,1 eingeführt. Seine Bedeutung ist umstritten, scheint aber die Vorstellung zu enthalten, dass Gott der „Starke" ist und jemand, der gefürchtet und verehrt wird. Weil dieser Name im Plural steht, scheint er sich auf die ganze Dreieinheit zu beziehen, obwohl er auch für einzelne Personen der Dreieinheit gebraucht werden kann.

Der dritte Name für Gott im Alten Testament ist *„Adonai"* und bedeutet gewöhnlich „Meister" oder „Herr". Er wird nicht nur für Gott als unseren Herrn gebraucht, sondern auch für Menschen, die Herren über ihre Diener sind. Er ist häufig verbunden mit *„Elohim"*, wie z. B. in 1. Mose 15,2, und betont, wenn er auf diese Weise verwendet wird, die Tatsache, dass Gott unser Herr und Meister ist. Viele Kombinationen dieser Namen Gottes finden sich im Alten Testament. Die häufigsten sind *„Jahwe Elohim"* oder *„Adonai Elohim"*.

Zu diesen Kombinationen der drei Hauptnamen Gottes finden sich im Alten Testament viele andere Zusammensetzungen, wie z. B. *„Jahwe-jireh"*, das „der HERR wird ersehen" bedeutet (1Mo 22,13-14); *„Jahwe-rapha"*, „der HERR, der heilt" (2Mo 15,16); *„Jahwe-nissi"*, „der HERR, mein Panier" (2Mo 17,8-15); *„Jahwe-shalom"*, „der HERR, unser Frieden" (Ri 6,24); *„Jahwe- tsidkenu"*, „der HERR, unsere Gerechtigkeit" (Jer 23,6); *„Jahwe-shammah"*, „hier ist der HERR" (Hes 48,35).

Im Neuen Testament finden sich zusätzliche Titel Gottes: Die erste Person wird gekennzeichnet als „der Vater", die zweite Person als „der Sohn" und die dritte Person als „der Heilige Geist". Diese Titel finden sich natürlich auch im Alten Testament, sind aber im Neuen Testament gebräuchlicher. Eine Besprechung dieser Ausdrücke wird in den Kapiteln folgen, die sich mit den drei Personen der Dreieinheit beschäftigen.

D. Die Eigenschaften Gottes

Im Wesen Gottes gibt es bestimmte Ihm innewohnende Eigenschaften (Attribute) oder Wesensqualitäten. Diese Eigenschaften werden von dem dreieinigen Gott auf ewig beibehalten und sind für jede Person der Gottheit gleich. Zu diesen Eigenschaften gehört u. a., dass Gott Geist ist (Joh 4,24), Leben (Joh 5,26), aus sich selbst existierend (2Mo 3,14), unendlich (Ps 145,3), unwandelbar oder unveränderlich (Ps 102,27; Mal 3,6; Jak 1,17), dass Gott die Wahrheit ist (5Mo 32,4; Joh 17,3), Liebe (1Jo 4,8), ewig (Ps 90,2), heilig (1Petr 1,16; 1Jo 1,5), allgegenwärtig (Ps 139,8; Jer 23,23-24), allwissend (Ps 147,4-5) und allmächtig (Mt 19,26).

Variationen dieser Eigenschaften können darin gesehen werden, dass Gott gut, gnädig und unfehlbar ist. Alle Vollkommenheiten werden Gott bis ins Unendliche zugeschrieben; und Seine Werke sind ebenso wie Sein Wesen vollkommen. Die große Fülle und die Konstruktion des Universums zeugen von Seiner Herrschaft, Macht und Weisheit; Sein Heilsplan, wie er in der Schrift offenbart wird, ist ein Beweis Seiner Liebe, Gerechtigkeit und Gnade. Kein Bereich der Schöpfung ist zu groß für Ihn, als dass Er ihn nicht völlig beherrschen könnte, und keine Einzelheit, nicht einmal ein Spatz, der zu Boden fällt, ist zu klein für Ihn, als dass sie nicht in Seinem vollmächtigen Plan enthalten wäre.

E. Gott als oberster Herrscher

Die Wesenseigenschaften Gottes machen klar, dass Gott über allem und jedem steht und über alles herrscht. Er weicht keiner anderen Macht, Autorität oder Herrlichkeit und ist von niemandem abhängig, der größer wäre als Er selbst. Er verkörpert grenzenlose Vollkommenheit in jedem Bereich Seines Wesens. Er kann niemals überrascht, besiegt oder unsicher gemacht werden. Es hat Gott jedoch gefallen, den Menschen eine gewisse Entscheidungsfreiheit zu geben, ohne dabei Seine Autorität zu opfern oder die endgültige Verwirklichung Seines vollkommenen Willens zu gefährden. Für die Ausübung dieser Entscheidungsfreiheit macht Gott den Menschen verantwortlich.

Aus der Schrift geht klar hervor, dass die Menschen, weil sie in ihrem verderbten Zustand blind und nicht empfänglich für das Werk Gottes sind, nicht zu Gott umkehren, ohne von Seinem Geist in ihren Herzen bewegt zu werden (Joh 6,44; 16,7-11). Andererseits wird der Mensch jedoch für seinen Unglauben verantwortlich gemacht, und es wird ihm geboten, an den Herrn Jesus Christus zu glauben, um errettet zu werden (Apg 16,31). Es stimmt zwar, dass Gott in den Angelegenheiten der Menschen, besonders der Christen, daran wirkt, Seinen Willen zu erfüllen (Phil 2,13). Aber Er zwingt die Menschen nicht, sich Ihm hinzugeben, sondern Er ruft sie vielmehr eindringlich dazu auf (Röm 12,1-2).

Die Tatsache, dass Gott dem Menschen eine gewisse Freiheit gegeben hat, bringt nun aber keinen Unsicherheitsfaktor in das Universum, da Gott alles vorhersieht und bis in Ewigkeit alles weiß, was die Menschen tun werden als Antwort auf die göttlichen und menschlichen Einflüsse in ihrem Leben. Seine Oberhoheit erstreckt sich deshalb auf jede Tat, und sei es auch das zeitweilige Zulassen des Bösen, damit letztendlich Gott verherrlicht werde.

F. Der Ratschluss Gottes

Die souveräne Absicht Gottes wird in der Theologie als Ratschluss Gottes bezeichnet und bezieht sich auf den umfassenden Plan, der alle Ereignisse jeder Art, die geschehen werden, mit einbezieht. Der Ratschluss Gottes umfasst also jene Ereignisse, die Gott selbst bewirkt, und auch alles, was Gott im Rahmen der Naturgesetze wirkt, über denen Er vollmächtig steht. Schwieriger zu verstehen ist die Tatsache, dass Sein oberster Ratschluss sich auch auf alle Handlungen der Menschen erstreckt, die in Seinen ewigen Plan einbezogen sind.

Wenn uns dies auch unverständlich ist, so ist doch offensichtlich, dass der allwissende Gott, der das umfassende Wissen darüber besitzt, was der Mensch in seiner Freiheit tun wird, mit Seinem Entschluss, dem Menschen Entscheidungsfreiheit zu geben, keinen Unsicherheitsfaktor einführt. Der göttliche Plan schließt folglich ein, dass Gott es zuließ, dass der Mensch sündigte, wie es bei Adam und Eva dann geschah, samt all den daraus folgenden Taten der Sünde. Er schließt das göttliche Heilsmittel, dass Christus am Kreuz für uns starb, mit ein, ebenso das Wirken des Heiligen Geistes, Menschen zu Buße und Glauben zu bringen.

Obwohl Gottes Wirken in den menschlichen Herzen unerforschlich ist, äußert sich die Bibel klar und deutlich darüber, dass einerseits das, was der Mensch tut, in Gottes ewigen Ratschluss einbezogen ist, und dass der Mensch andererseits in Freiheit seiner Entscheidung handelt und für seine Entscheidungen verantwortlich gemacht wird. Gottes Ratschluss ist kein Fatalismus, eine blinde, mechanische Kontrolle über alle Ereignisse, sondern ein vernünftiger, liebender und weiser Plan, in dem der Mensch, der für seine Entscheidungen verantwortlich ist, zur Rechenschaft gezogen wird für das, was er tut, und belohnt wird für seine guten Werke.

Gottes Ratschluss kann untergliedert werden in Unterpunkte, wie Seinen Ratschluss, die Schöpfung ins Leben zu rufen, Seinen Ratschluss, die Welt zu erhalten, Seinen Ratschluss der Vorsehung oder Seiner weisen Leitung des Universums. Sein Ratschluss umfasst die Verheißungen oder Bundesschlüsse Gottes, die Zeitalter der Heilsgeschichte oder Verwirklichungsstufen Seiner Absichten und zuoberst Seine Gnade, die Er den Menschen erweist. Vor solch einem Gott kann der Mensch nur in Unterwerfung, Liebe und Verehrung die Knie beugen.

? Fragen

1. Wie können wir den allgemeinen Glauben an die Existenz Gottes erklären?
2. Warum ist der Atheismus unvernünftig?
3. Wie deutlich ist die Offenbarung Gottes in der Natur?
4. Beschreiben Sie vier Gedankensysteme, die versuchen, das Universum auf der Grundlage eines höheren Wesens zu erklären.
5. Wie lautet das ontologische Argument für die Existenz Gottes?
6. Wie lautet das kosmologische Argument für die Existenz Gottes?
7. Wie lautet das teleologische Argument für die Existenz Gottes?
8. Wie lautet das anthropologische Argument für die Existenz Gottes?

9. Inwieweit betonen das Alte und das Neue Testament die Einheit Gottes?
10. Inwieweit lehrt das Alte Testament die Lehre der Dreieinheit?
11. Inwieweit lehrt das Neue Testament die Lehre der Dreieinheit?
12. Unterscheiden Sie die Lehre der Dreieinheit vom Tritheismus.
13. Warum darf die Dreieinheit nicht als drei Existenzweisen Gottes erklärt werden?
14. Erklären Sie, wie die Personen der Dreieinheit durch gewisse Eigenschaften voneinander unterschieden sind.
15. Nennen und erklären Sie die drei wichtigsten Namen Gottes im Alten Testament.
16. Nennen Sie einige der zusammengesetzten Namen für Gott im Alten Testament.
17. Welches sind die unterscheidenden Titel der drei Personen der Dreieinheit im Neuen Testament?
18. Nennen Sie einige der wichtigen Wesenseigenschaften Gottes, die in der Schrift offenbart werden.
19. Was ist damit gemeint, dass Gott der oberste Herrscher ist?
20. Wie kann der Ratschluss Gottes untergliedert werden?
21. Wie unterscheidet sich der Ratschluss Gottes vom Fatalismus?
22. Warum verlangt die biblische Offenbarung Gottes, dass wir uns Ihm unterwerfen, Ihn lieben und verehren?

Kapitel 6

Gott der Vater

A. Der Vater, die erste Person

In der Offenbarung der drei Personen, die die Heilige Dreieinheit darstellen – der Vater, der Sohn und der Heilige Geist –, wird die erste Person als Vater bezeichnet. Als solche ist der Vater nicht die ganze Dreieinheit, so wie auch der Sohn oder der Heilige Geist für sich genommen nicht die ganze Dreieinheit ausmachen. Die Dreieinheit umfasst alle drei Personen. Obwohl die Lehre von dem Vater, dem Sohn und dem Heiligen Geist im Alten Testament eingeführt wird und diese Namen den Personen der Dreieinheit gegeben werden, definiert und offenbart erst das Neue Testament die ganze Lehre. Der Vater wird dargestellt als der, der erwählt, liebt und schenkt. Der Sohn wird dargestellt als der, der leidet, erlöst und das Universum erhält. Der Heilige Geist wird dargestellt als der, der von Neuem zeugt, der in uns wohnt, uns tauft, kräftigt und heiligt. Die Offenbarung des Neuen Testaments konzentriert sich auf den Herrn Jesus Christus, aber indem es den Christus als den Sohn Gottes darstellt, wird gleichermaßen die Wahrheit über Gott den Vater offenbart. Wegen der unumkehrbaren Abfolge, bei der der Vater den Sohn sendet und beauftragt und der Sohn wiederum den Heiligen Geist, wird der Vater in der Theologie zu Recht als die erste Person bezeichnet, ohne damit in irgendeiner Weise die erhabene Gottheit der zweiten und der dritten Person zu mindern.

In der Offenbarung über die Vaterschaft Gottes können wir vier verschiedene Aspekte erkennen: 1. Gott als der Vater der gesamten Schöpfung, 2. Gott der Vater aufgrund enger Gemeinschaft, 3. Gott als der Vater unseres Herrn Jesus Christus und 4. Gott als der Vater all derer, die an Jesus Christus als Herrn und Retter glauben.

B. Die Vaterschaft über die Schöpfung

Obwohl alle drei Personen Anteil an der Schöpfung hatten und das physikalische Universum und die in ihm lebenden Kreaturen erhalten, ist die erste Person, d. h. Gott der Vater auf eine besondere Weise der Vater der gesamten Schöpfung. Paulus schreibt in Epheser 3,14-15: „Deshalb beuge ich meine Knie vor dem Vater, von dem jede Vaterschaft in den Himmeln und auf Erden benannt wird." Hier wird von der ganzen Familie der sittlichen Geschöpfe einschließlich den Engeln und Menschen gesagt, dass sie eine Familie darstellen, deren Vater Gott ist. Auf ähnliche Weise bezieht sich Hebräer 12,9 auf die erste Person der Gottheit als den „Vater der Geister", was wiederum alle sittlichen Wesen wie Engel und Menschen einzubeziehen scheint.

Nach Jakobus 1,17 ist die erste Person der Gottheit der „Vater der Lichter", eine eigentümliche Bezeichnung, die anzudeuten scheint, dass Er der Urheber alles geistlichen Lichtes ist. In Hiob 38,7 werden die Engel als Söhne Gottes beschrieben (vgl. Hiob 1,6; 2,1). Adam wird in Lukas 3,38 als durch Schöpfung von Gott stammend, folglich als Sohn Gottes bezeichnet. Maleachi 2,10 stellt die Frage: „Haben wir nicht alle einen Vater? Hat nicht ein Gott uns geschaffen?" Paulus wandte sich auf dem Areopag an die Athener unter anderem mit dem Argument: „Da wir nun Gottes Geschlecht sind" (Apg 17,29). In 1. Korinther 8,6 wird erklärt: „So ist doch für uns ein Gott, der Vater, von dem alle Dinge sind und wir auf ihn hin, und ein Herr, Jesus Christus, durch den alle Dinge sind und wir durch ihn." Auf der Grundlage dieser Texte haben wir ausreichenden Grund, um zu folgern, dass die erste Person der Dreieinheit als der Schöpfer der Vater aller Schöpfung ist und dass alle Geschöpfe, die physisches Leben haben, ihre Herkunft Ihm verdanken. Nur in diesem Sinne ist es angemessen, von der allumfassenden Vaterschaft Gottes zu sprechen. Alle Geschöpfe nehmen in diesem Sinne teil an der universalen Bruderschaft der Schöpfung. Dies rechtfertigt jedoch nicht den Missbrauch dieser Lehre durch liberale Theologen, die die allumfassende Rettung lehren oder behaupten, dass jeder Mensch Gott im geistlichen Sinn zum Vater habe.

C. Vaterschaft durch enge Gemeinschaft

Der Gedanke einer Beziehung zwischen Vater und Sohn wird im Alten Testament an mehreren Stellen gebraucht, um Gott mit Israel in Verbindung zu bringen. Nach 2. Mose 4,22 belehrte Mose den Pharao: „So spricht der HERR: Mein Sohn, mein Erstgeborener, ist Israel.“ Das bedeutete mehr, als dass Gott nur ihr Schöpfer war, aber es wurde damit auch nicht gesagt, dass sie wiedergeboren seien, denn nicht ganz Israel hatte geistliches Leben. Es bekräftigt ein besonderes Verhältnis göttlicher Obhut und Fürsorge für Israel ähnlich dem eines Vaters zu seinem Sohn.

Indem Er dem Hause Davids Seine besondere Gnade voraussagte, offenbarte Gott David, dass Seine Beziehung zu Salomo wie die eines Vaters zu seinem Sohn sein würde. Er sagte zu David: „Ich will ihm Vater sein, und er soll mir Sohn sein“ (2Sam 7,14). Grundsätzlich erklärt Gott, dass Seine Fürsorge als Vater sich auf all die erstrecken werde, die auf Ihn als ihren Gott vertrauen. In Psalm 103,13 wird gesagt: „Wie sich ein Vater über Kinder erbarmt, so erbarmt sich der HERR über die, die ihn fürchten.“

D. Der Vater unseres Herrn Jesus Christus

Die wichtigste und umfassendste Offenbarung bezüglich der Vaterschaft Gottes betrifft die Beziehung der ersten Person der Gottheit zu der zweiten Person. Die erste Person wird beschrieben als „der Gott und Vater unseres Herrn Jesus Christus“ (Eph 1,3). Die umfassendste theologische Offenbarung des Neuen Testamentes besagt, dass Gott der Vater die erste Person, der Vater unseres Herrn Jesus Christus, der zweiten Person der Gottheit, ist. Dass Jesus Christus im Neuen Testament häufig als der Sohn Gottes bezeichnet wird und dass Ihm ständig die Wesenseigenschaften und Werke Gottes zugeschrieben werden, stellt den Beweis der Gottheit Jesu Christi dar und beweist zugleich die Lehre der Dreieinheit als Ganze, bei der Christus als zweite Person in einer Beziehung zur ersten Person steht wie ein Sohn zu seinem Vater.

Seit dem 1. Jahrhundert haben Theologen immer wieder um eine präzise Definition dafür gerungen, in welcher Weise Gott der Vater der zweiten Person der Gottheit ist. Augenscheinlich werden die Begriffe „Vater" und „Sohn" von Gott gebraucht, um die enge Beziehung zwischen der ersten und der zweiten Person zu beschreiben, ohne notwendigerweise all die Aspekte zu erfüllen, die auf eine menschliche Beziehung zwischen Vater und Sohn zutreffen würden. Das wird besonders an der Tatsache deutlich, dass sowohl der Vater als auch der Sohn ewig sind. Der Irrtum des Arius im 4. Jahrhundert, dass der Sohn das erste aller Geschöpfe sei, wurde von der frühen Kirche als Häresie angeprangert im Hinblick auf die Tatsache, dass die zweite Person ebenso ewig ist wie die erste Person.

Einige Theologen haben, obwohl sie die Präexistenz der zweiten Person bejahen, versucht, seine Rolle als *Sohn* zu einem Zeitpunkt entweder während der Schöpfung, bei der Fleischwerdung oder zu einem noch späteren Zeitpunkt mit einer speziellen Anerkennung der zweiten Person beginnen zu lassen, wie z. B. während Seiner Taufe, bei Seinem Tod, Seiner Auferstehung oder Seiner Himmelfahrt. All diese wechselnden Ansichten sind jedoch irrtümlich, da die Schrift klar darauf hindeutet, dass die zweite Person in ihrer Beziehung zur ersten seit aller Ewigkeit Sohn gewesen ist. Als solcher ist Er der „eingeborene [od. einziggeborene] Sohn" (Joh 3,16), den Gott als Seinen Sohn der Welt „gab", als der Sohn Fleisch wurde. Jesaja 9,5 sagt: „Denn ein Kind ist uns geboren, ein Sohn uns gegeben." Dies wird besonders herausgestellt in Kolosser 1,15, wo von Christus gesagt wird, dass Er „das Bild des unsichtbaren Gottes [ist], der Erstgeborene aller Schöpfung". Wenn Christus der Erstgeborene aller Schöpfung war, d. h. ein Sohn, bevor irgendein Geschöpf geschaffen wurde, dann ist klar, dass Er Sohn war seit aller Ewigkeit.

Die Beziehung von Vater und Sohn bezieht sich deshalb auf die Gottheit und die Einheit der Heiligen Trinität seit aller Ewigkeit im Unterschied zur Fleischwerdung, in der der Vater in Verbindung gebracht wurde mit der Menschengestalt Christi, die in der Zeit begann. Folglich erklärt das orthodoxe (d. h. rechtgläubige) Glaubensbekenntnis von Nizäa (325 n. Chr.) als Antwort auf die Häresie des Arian im 4. Jahrhundert: „Der eingeborene Sohn vom Vater, vor Anbeginn der Welten; Gott von Gott, Licht von Licht, wahrer Gott vom wahren Gott; seiend, nicht geschaffen, eines Wesens mit dem Vater." In gleicher Weise sagt das Glaubensbekenntnis des Athanasius: „Der Sohn stammt einzig vom Vater; weder gemacht noch geschaffen, sondern seiend (...) existierend von Ewigkeit an aus dem Wesen des Vaters."

Wenn man die Begriffe „Vater" und „Sohn" gebraucht, um die erste und zweite Person der Gottheit zu beschreiben, werden diese Begriffe auf ihre höchste Ebene gehoben, indem sie das Einssein des Lebens, das Einssein des Wesens und der Eigenschaften anzeigen und doch zugleich auch eine Beziehung, in der der Vater den Sohn hingeben und senden kann, obwohl das letztlich den Gehorsam des Sohnes bis zu Seinem Tod am Kreuz bedeutet. Der Gehorsam Christi ist gegründet in Seinem Sohnsein, nicht in irgendeiner Verschiedenheit von Gott dem Vater in der Einheit der Trinität.

Obwohl die Beziehung zwischen der ersten und der zweiten Person der Dreieinheit wirklich die eines Vaters zu seinem Sohn und eines Sohnes zu seinem Vater ist (2Kor 1,3; Gal 4,4; Hebr 1,2), so ist doch diese Art der Beziehung die Illustration dieser wesentlichen Wahrheit, die sich der Denkweise eines endlichen Geistes anpasst. Die Wahrheit, dass der Vater der Vater unseres Herrn Jesus Christus ist, stellt, wenn sie auch bereits an einigen wenigen Stellen im Alten Testament erwähnt wird (Ps 2,7; Jes 7,14; 9,6-7), eine der wichtigsten allgemeinen Lehren des Neuen Testaments dar.

1. Der Sohn Gottes ist gesandt vom Vater (Ps 2,7; Joh 1,14.18; 3,16.18; 1Jo 4,9).
2. Der Vater bestätigt den Herrn Jesus Christus als Seinen Sohn (Mt 3,17; 17,5; Lk 9,35).
3. Der Vater wird vom Sohn anerkannt (Mt 11,27; 26,63-64; Lk 22,29; Joh 8,16-29.33-44; 17,1).
4. Dass Gott, der Vater, der Vater unseres Herrn Jesus Christus ist, wird von Menschen anerkannt (Mt 16,16; Mk 15,39; Joh 1,34.49; Apg 3,13).
5. Der Sohn erkennt den Vater dadurch an, dass Er sich Ihm unterordnet (Joh 8,29.49).
6. Selbst die Dämonen erkennen diese Beziehung zwischen dem Vater und dem Sohn (Mt 8,29).

E. Der Vater all derer, die an Christus glauben

Die Auffassung von Gott dem Vater als Schöpfer, die sich auf alle Geschöpfe erstreckt, ist unterschieden von der Wahrheit, dass Gott in einem besonderen Sinn der Vater derjenigen ist, die an Christus glauben und das ewige Leben empfangen haben. Dass Gott der Vater aller Schöpfung ist, sichert nicht die Rettung aller Menschen und gibt ihnen auch kein ewiges Leben. Die Schrift sagt klar, dass es nur Rettung für diejenigen gibt, die Christus im Glauben als ihren Retter aufgenommen haben. Die Behauptung, dass Gott der Vater der Vater der ganzen Menschheit sei und dass es deshalb eine universale Bruderschaft zwischen allen Menschen gebe, bedeutet nicht, dass alle gerettet sind und in den Himmel kommen werden. Die Schrift lehrt stattdessen, dass nur diejenigen in einem geistlichen Sinne Söhne Gottes sind, die an Christus glauben zur Errettung. Und dies weder aufgrund ihrer natürlichen Geburt in das Geschlecht der Menschen noch aufgrund dessen, dass Gott ihr Schöpfer ist, sondern vielmehr aufgrund ihrer zweiten, geistlichen Geburt in die Familie Gottes (Joh 1,12; Gal 3,26; Eph 2,19; 3,15; 5,1).

Durch die Wiedergeburt aufgrund des Wirkens des Heiligen Geistes wird der Gläubige zu einem rechtmäßigen Kind Gottes. Weil Gott wirklich sein Vater ist, wird er durch den Geist getrieben zu sagen: „Abba, Vater." Aus Gott geboren, ist er Teilhaber an der göttlichen Natur, und auf der Grundlage dieser Geburt ist er Erbe Gottes und Miterbe des Christus (Joh 1,12-13; 3,3-6; Röm 8,16-17; Tit 3,4-7; 1Petr 1,4). Die Mitteilung der göttlichen Natur ist ein dermaßen wirksamer Eingriff, dass die solchermaßen verliehene Natur aus keinem Grund je wieder entfernt wird.

Wenn man die Lehren der Schrift über die gegenwärtige Macht und den Einfluss Satans betrachtet, finden wir zusätzliche Beweise dafür, dass nicht alle Menschen durch ihre natürliche Geburt bereits Kinder Gottes sind. Das bezeugen einige sehr direkte und offene Aussprüche Christi. Als Er über diejenigen sprach, die nicht glaubten, sagte Er: „*Ihr* seid aus dem Vater, dem Teufel" (Joh 8,44). Desgleichen sagte er, als er die nicht Wiedergeborenen beschrieb: „Das Unkraut aber sind die Söhne des Bösen" (Mt 13,38). Der Apostel Paulus schrieb von den nicht Erretteten als „den Söhnen des Ungehorsams" und den „Kinder[n] des Zorns" (Eph 2,2.3).

Wir möchten die Tatsache unterstreichen, dass es in niemandes Macht liegt, sich selbst zu einem Kind Gottes zu machen. Gott allein kann eine solche Verwandlung vornehmen, und Er vollzieht sie nur unter der Bedingung, die Er selbst auferlegt hat, dass wir an Christus glauben und Ihn als Retter annehmen (Joh 1,12).

Die Vaterschaft Gottes ist eine wichtige Lehre des Neuen Testamentes (Joh 20,17; 1Kor 15,24; Eph 1,3; 2,18; 4,6; Kol 1,12-13; 1Petr 1,3; 1Jo 1,3; 2,1.22; 3,1). Die Zusicherung der Liebe und Fürsorge unseres himmlischen Vaters ist ein großer Trost für Christen und eine Ermutigung für ihren Glauben und ihr Gebet.

? Fragen

1. Wie werden die Werke des Vaters, des Sohnes und des Heiligen Geistes im Neuen Testament einander gegenübergestellt?
2. Was sind die vier verschiedenen Aspekte der Vaterschaft Gottes?
3. Fassen Sie die Beweise dafür, dass Gott der Vater der ganzen Schöpfung ist, zusammen.
4. Was ist gemeint mit der Vaterschaft Gottes durch enge Gemeinschaft?
5. Erörtern Sie die Frage der ewigen Vater-Sohn-Beziehung zwischen Gott, dem Vater, und Jesus Christus.
6. Nennen Sie einige der Beweise, die den Begriff von Gott, dem Vater, in Verbindung mit Jesus Christus, dem Sohn, unterstützen.
7. Was ist damit gemeint, dass Gott der Vater all derer ist, die an Christus glauben?
8. Wie wird ein Mensch ein Kind Gottes?
9. Nennen Sie einige der Folgen, wenn man ein Kind Gottes wird.
10. Was ist falsch an der Behauptung, dass alle Menschen Kinder Gottes seien?
11. Inwiefern gibt die Vaterschaft Gottes einem Gläubigen in Christus Trost?

Kapitel 7

Gott der Sohn: Seine Gottheit und Ewigkeit

Die Bibel stellt den Herrn Jesus Christus als gleichzeitig vollkommen menschlich und vollkommen göttlich dar. Deswegen war Er einerseits so wie andere Menschen und andererseits wiederum nicht. Nach Johannes 1,14, 1. Timotheus 3,16 und Hebräer 2,14-17 wurde Jesus offenbart als Mensch unter Menschen, der geboren wurde, lebte, litt und starb. Die Schrift zeigt ebenso klar, dass Er nicht wie die Menschen war im Hinblick darauf, dass Er von Ewigkeit her präexistent war, dass Er in Seinem menschlichen Leben völlig sündlos war, dass Sein Tod ein Opfer für die Sünden der ganzen Welt darstellt und dass Er Seine göttliche Macht in Seiner glorreichen Auferstehung und Himmelfahrt erwies.

Von der menschlichen Seite her hatte Er einen Anfang, wurde gezeugt durch den Heiligen Geist und geboren von der Jungfrau Maria. Von der göttlichen Seite her hatte Er keinen Anfang, weil Er seit aller Ewigkeit ist. In Jesaja 9,6 wurde vorhergesagt: „Denn ein Kind ist uns geboren, ein Sohn uns gegeben." Es wird offensichtlich unterschieden zwischen einem Kind, das *geboren* wurde, und dem Sohn, der uns *gegeben* wurde. In gleicher Weise wird in Galater 4,4 gesagt: „Als aber die Fülle der Zeit kam, sandte Gott seinen Sohn, geboren von einer Frau, geboren unter Gesetz." Also wurde der ewige Sohn in Seiner Fleischwerdung „geboren von einer Frau".

Obwohl die Präexistenz Christi nur besagt, dass Er existierte, bevor Er geboren wurde, sagt man damit doch praktisch auch, dass Er von aller Ewigkeit her existiert. Die Vorstellung, dass Er nur in dem Sinne präexistent sei, das erste aller geschaffenen Wesen zu sein (die sogenannte arianische Häresie im 4. Jahrhundert), ist keine moderne Lehre. Somit können die Beweise für Seine Präexistenz und für Seine ewige Existenz zusammengefasst werden. Es ist ebenfalls offensichtlich, dass, wenn Christus Gott ist, Er auch ewig ist, und wenn Er ewig ist, dann auch Gott ist. Beweise für die Gottheit Christi und Seine ewige Existenz stützen sich gegenseitig.

Die ewige Existenz und die Gottheit Jesu Christi werden durch zwei Linien der Offenbarung begründet: 1. durch direkte Aussagen und 2. durch Schlussfolgerungen aus der Schrift.

A. Direkte Aussagen über die ewige Existenz und Gottheit des Sohnes Gottes

Die ewige Existenz und die Gottheit Jesu Christi werden in einer umfangreichen Sammlung von Schriftstellen dargelegt, die die unendliche Größe Seiner Person sowie Seine ewige Existenz als gleichrangig mit der der anderen Personen der Gottheit bestätigen. Diese Tatsache wird durch Seine Fleischwerdung nicht beeinträchtigt.

Die Schrift sagt in Johannes 1,1-2: „Im Anfang war das Wort, und das Wort war bei Gott, und das Wort war Gott. Dieses war im Anfang bei Gott." In Micha 5,1 wird geoffenbart: „Und du, Bethlehem Efrata, das du klein unter den Tausendschaften von Juda bist, aus dir wird mir der hervorgehen, der Herrscher über Israel sein soll; und seine Ursprünge sind von der Urzeit, von den Tagen der Ewigkeit her." Jesaja 7,14 bestätigt Seine jungfräuliche Geburt und gibt Ihm den Namen Immanuel, der „Gott mit uns" bedeutet. Nach Jesaja 9,6-7 wurde uns Jesus, obwohl Er als Kind geboren wurde, auch als ein Sohn gegeben, und er wird ausdrücklich „starker Gott" genannt. Als Christus in Johannes 8,58 sagte: „Wahrlich, wahrlich, ich sage euch: Ehe Abraham war, bin ich", verstanden das die Juden als eine Behauptung der Gottheit und der ewigen Existenz (vgl. 2Mo 3,14; Jes 43,13). In Johannes 17,5 sagte Christus in Seinem Gebet: „Und nun verherrliche du, Vater, mich bei dir selbst mit der Herrlichkeit, die ich bei dir hatte, ehe die Welt war" (vgl. Joh 13,3). Philipper 2,6-7 sagt, dass Christus vor Seiner Fleischwerdung „in Gestalt Gottes" war. Eine deutlichere Aussage wird in Kolosser 1,15-19 gemacht, wo erklärt wird, dass Jesus Christus vor aller Schöpfung, ja, der Schöpfer selbst ist und das Bild des unsichtbaren Gottes. In 1. Timotheus 3,16 wird von Jesus Christus gesagt, dass er „Gott (...) geoffenbart (...) im Fleische" ist. In Hebräer 1,2-3 wird wiederum erklärt, dass der Sohn der Schöpfer und das Bild Gottes ist, und Seine ewige Existenz wird in Hebräer 13,8 bestätigt (vgl. Eph 1,4; Off 1,18). Die Schrift sagt also oft, dass Christus ewig ist und dass Er

Gott ist. Soweit die Gelehrten unserer Zeit die Bibel als verbindlich anerkennen, bestätigen sie – ein paar Sekten ausgenommen – die ewige Existenz und Gottheit Christi.

B. Schlussfolgerungen daraus, dass der Sohn Gottes ewig ist

Das Wort Gottes beinhaltet durchgängig die Präexistenz und ewige Existenz des Herrn Jesus Christus. Einige der einleuchtenden Beweise werden hier genannt:

1. Die Werke der Schöpfung werden Christus zugeschrieben (Joh 1,3; Kol 1,16; Hebr 1,10). Er geht deshalb zeitlich aller Schöpfung voraus.

2. Der Engel des Herrn, dessen Erscheinen im Alten Testament oft verzeichnet wird, ist niemand anderes als der Herr Jesus Christus. Auch wenn Er manchmal als ein Engel oder sogar als ein Mensch erscheint, trägt Er doch die unmissverständlichen Zeichen der Gottheit. Er erschien Hagar (1Mo 16,7), Abraham (1Mo 18,1; 22,11-12; vgl. Joh 8,58), Jakob (1Mo 48,15-16; vgl. a. 1Mo 31,11-13; 32,24-32), Moses (2Mo 3,2.14), Josua (Jos 5,13-14) und Manoah (Ri 13,19-22). Er ist es, der für die Seinen kämpft und sie verteidigt (2Kö 19,35; 1Chr 21,15-16; Ps 34,7; Sach 14,1-4).

3. Die Titel des Herrn Jesus Christus weisen auf Sein ewiges Sein hin. Er ist genau das, was Seine Namen beinhalten. Er ist „der Sohn Gottes", „der eingeborene Sohn", „der Erste und der Letzte", „das Alpha und das Omega", „der Herr", „der Herr aller", „der Herr der Herrlichkeit", „der Christus", „Wunderbarer", „Berater", „starker Gott", „Vater der Ewigkeit", „Gott", „Gott mit uns", „unser großer Gott" und „Gott, gepriesen in Ewigkeit".

Diese Titel bringen Ihn in Verbindung mit der alttestamentlichen Offenbarung des Jahwe-Gottes (vgl. Mt 1,23 mit Jes 7,14; Mt 4,7 mit 5Mo 6,16; Mk 5,19 mit Ps 66,16; und Mt 22,42-45 mit Ps 110,1).

Die Namen für den Sohn Gottes im Neuen Testament sind so mit den Titeln des Vaters und des Heiligen Geistes verbunden, dass Seine Gleichheit mit ihnen deutlich wird (Mt 28,19; Joh 14,1; 17,3; Apg 2,38; 1Kor 1,3; 2Kor 13,14; Eph 6,23; Offb 20,6; 22,3), und Er wird ausdrücklich Gott genannt (Joh 1,1; Röm 9,5; Tit 2,13; Hebr 1,8).

4. Die Präexistenz und ewige Existenz des Sohnes Gottes sind darin beinhaltet, dass Er die Wesenseigenschaften Gottes hat: Leben (Joh 1,4), Existenz aus sich selbst (Joh 5,26), Unveränderlichkeit (Hebr 13,8), Wahrheit (Joh 14,6), Liebe (1Jo 3,16), Heiligkeit (Hebr 7,26), Ewigkeit (Kol 1,17; Hebr 1,11), Allgegenwärtigkeit (Mt 28,20), Allwissenheit (1Kor 4,5; Kol 2,3) und Allmacht (Mt 28,18; Offb 1,8).

5. Auf gleiche Weise sind die Präexistenz und ewige Existenz Christi in der Tatsache enthalten, dass Er als Gott angebetet wird (Joh 20,28; Apg 7,59-60; Hebr 1,6). Daraus folgt, dass der Herr Jesus Christus, weil Er Gott ist, auch von Ewigkeit zu Ewigkeit existiert.

Das Thema der Gottheit und ewigen Existenz des Sohnes Gottes sollte in engem Zusammenhang mit dem Menschsein Christi durch die Inkarnation gesehen werden, was der Gegenstand des nächsten Kapitels sein wird.

? Fragen

1. Stellen Sie die Beweise für die menschliche und göttliche Natur Christi einander gegenüber.
2. Welches sind einige der Beweise für die ewige Existenz des Sohnes Gottes?
3. Wie beweist die ewige Existenz Gottes Seine Gottheit?
4. Welche zusätzlichen Andeutungen finden sich in Seinen Werken dafür, dass der Sohn Gottes ewig ist?
5. Wie beweisen die Werke des Sohnes Gottes Seine Gottheit?
6. Wie wird die ewige Existenz Christi durch Seine Titel erhärtet?
7. Wie wird die ewige Existenz Christi durch Seine anderen Wesenseigenschaften erhärtet?
8. Wie beweisen die Wesenseigenschaften Christi Seine Gottheit?
9. Wie wichtig ist für unseren christlichen Glauben die Lehre von der Gottheit und ewigen Existenz Jesu Christi?

Kapitel 8

Gott der Sohn: Seine Fleischwerdung

Wenn man über die Fleischwerdung (Inkarnation) nachdenkt, sollte man zwei wichtige Wahrheiten erkennen: 1. Christus war zur gleichen Zeit und im wahrsten Sinne des Wortes wahrer Gott und wahrer Mensch, und 2. obwohl Er mit Seiner Fleischwerdung Seine Herrlichkeit ablegte, legte Er in keiner Weise Seine Gottheit ab. In Seiner Fleischwerdung behielt Er jede wesentliche Eigenschaft der Gottheit. Seine völlige Gottheit und Sein vollständiges Menschsein sind wesentlich für Sein Werk am Kreuz. Wenn Er nicht Mensch gewesen wäre, hätte Er nicht sterben können; wäre Er nicht Gott gewesen, hätte Sein Tod nicht jenen unendlichen Wert besessen.

Johannes bezeugt (Joh 1,1), dass Christus, der eins war mit Gott und Gott von Ewigkeit war, Fleisch wurde und unter uns wohnte (Joh 1,14). Paulus sagt ebenfalls, dass Christus, der in Gestalt Gottes war, in Gleichheit der Menschen geworden ist (Phil 2,6-7). Gott ist „geoffenbart worden (…) im Fleisch“ (1Tim 3,16); und Er, der die vollständige Offenbarung der Herrlichkeit Gottes war, war der Abdruck Seines Wesens (Hebr 1,3). Lukas stellt die historische Tatsache Seiner Fleischwerdung in Bezug auf Seine Empfängnis und Seine Geburt genauer dar (Lk 1,26-38; 2,5-7).

Die Bibel bietet viele Gegensätze, aber keinen eindrucksvolleren als den, dass Christus in Seiner Person zugleich wahrer Gott und wahrer Mensch ist. Wir finden in der Schrift zahlreiche Veranschaulichungen dieses Gegensatzes: Er war müde (Joh 4,6) und rief doch die Mühseligen zu sich, um ihnen Ruhe zu geben (Mt 1,28). Er war hungrig (Mt 4,2) und war doch das „Brot des Lebens“ (Joh 6,35). Er war durstig (Joh 9,28) und doch zugleich das Wasser des Lebens (Joh 7,37). Er war im Todeskampf (Lk 22,44), und doch heilte Er alle Arten von Krankheiten und stillte jeden Schmerz. Er „wuchs und erstarkte, erfüllt mit Weisheit“ (Lk 2,40), und doch war Er von aller Ewigkeit her (Joh 8,58). Er wurde versucht (Mt 4,1) und konnte doch als Gott nicht dazu verleitet werden zu sündigen. Er nahm zu an Weisheit (Lk 2,52) und war doch die Weisheit Gottes. Er sagte (mit Bezug auf Seine Erniedrigung, indem Er für eine kleine Weile niedriger als die Engel wurde – Hebr 2,6-7): „[Mein] Vater ist größer als ich“ (Joh 4,28) und doch ebenso: „Wer mich gesehen hat, hat den Vater gesehen“ (Joh 14,9) und: „Ich und der Vater sind eins“ (Joh 10,30). Er betete selbst (Lk 6,12) und antwortete doch auf Gebete (Apg 10,31). Er vergoss Tränen am Grab (Joh 11,35) und rief doch den Toten, herauszukommen (Joh 11,43). Er fragte: „Was sagen die Menschen, wer der Sohn des Menschen ist?“ (Mt 16,13) und bedurfte doch nicht, „dass jemand Zeugnis gebe von dem Menschen; denn er selbst wusste, was in dem Menschen war“ (Joh 2,25). Er sagte: „Mein Gott, mein Gott, warum hast du mich verlassen?“ (Mk 15,34), und doch war es eben dieser Gott, zu dem Er rief, der auch in diesem Moment „in Christus war und die Welt mit sich selbst versöhnte“ (2Kor 5,19). Er starb, und doch ist Er das ewige Leben. Er war Gottes vollkommener Mensch und ist der vollkommene Gott der Menschen.

Hieraus mögen wir erkennen, dass der Herr Jesus Christus manchmal im Bereich dessen tätig war, was völlig menschlich ist, und manchmal im Bereich dessen, was vollkommen göttlich ist. Sein göttliches Sein wurde niemals in irgendeiner Weise durch Seine Menschlichkeit begrenzt, noch stillte Er Seine menschlichen Bedürfnisse mithilfe Seiner göttlichen Möglichkeiten. Er hätte Steine in Brot verwandeln können, um Seinen menschlichen Hunger zu stillen, aber Er tat es niemals.

A. Die Tatsache des Menschseins Christi

1. Das Menschsein Christi war bereits vor Grundlegung der Welt beabsichtigt (Eph 1,4-7; 3,11; Offb 13,8). Die Bedeutung dessen, dass Christus als Lamm bezeichnet wurde, liegt darin, die Aufmerksamkeit auf Sein Opfer und Blutvergießen zu lenken, was einen physischen Leib erforderte.
2. Jede Vorschattung und Prophezeiung des Alten Testamentes, die Christus betrifft, war eine Vorausschau auf den fleischgewordenen Sohn Gottes.
3. Das Menschsein Christi ist aus Seiner Ankündigung und Geburt ersichtlich (Lk 1,31-35).

4. Sein Leben hier auf Erden enthüllte Sein Menschsein: a) durch Seine menschlichen Namen: „der Sohn des Menschen“, „der Mensch Christus Jesus“, „der Sohn Davids“ usw.; b) durch Seine menschliche Abstammung: Er wird erwähnt als „Frucht der Lenden“, „ihr Erstgeborener“, „von dieses Mannes Samen“, „Same Davids“, „Same Abrahams“, „geboren von einer Frau“, „entsprungen aus dem Stamme Juda“; c) dadurch, dass Er einen menschlichen Leib, eine Seele und einen Geist besaß (Mt 26,38; Joh 13,21; 1Jo 4,2.9); und d) durch Seine selbst auferlegten menschlichen Einschränkungen.
5. Das Menschsein Christi kann aus Seinem Tod und Seiner Auferstehung ersehen werden. Es war ein menschlicher Leib, der den Tod am Kreuz erlitt; und es war derselbe Leib, der aus dem Grab emporstieg in der Herrlichkeit der Auferstehung.
6. Christi Menschsein kann daraus ersehen werden, dass Er in den Himmel auffuhr und nun in Seinem verherrlichten menschlichen Leib für die Seinen Fürsprache hält.
7. Wenn Er wiederkommt, wird „dieser Jesus“ kommen (Apg. 1,11), so wie Er ging, in demselben Leib (wenn auch verherrlicht), in dem Er Fleisch wurde.

B. Gründe für die Fleischwerdung

1. Er kam, um Gott den Menschen zu offenbaren (Mt 11,27; Joh 1,18; 14,9; Röm 5,8; 1Jo 4,16). Durch Seine Fleischwerdung wird der unbegreifliche Gott in einer Art dargestellt, die für die Menschen verständlich ist.
2. Er kam, um den Menschen ihre Sündhaftigkeit zu offenbaren. Er ist Gottes vollkommener Mensch und als solcher ein Beispiel für die Gläubigen (1Petr 2,21); aber den Unerretteten ist Er niemals ein Beispiel, da Gott in dieser Zeit die Unerretteten nicht bessern, sondern sie vielmehr retten möchte.
3. Er kam, um sich als Opfer für die Sünden hinzugeben. Aus diesem Grund sehen wir Ihn Gott für Seinen menschlichen Leib danken, und zwar in Bezug auf das wahre Sühnopfer für die Sünde (Hebr 10,1-10).

4. Er kam im Fleisch, auf dass Er die Werke des Teufels zerstörte (Joh 12,31; 16,11; Kol 2,13-15; Hebr 2,14; 1Jo 3,8).
5. Er kam in die Welt, auf dass Er ein barmherziger und treuer Hoherpriester in den Gott betreffenden Dingen wäre (Hebr 2,16-17; 8,1; 9,11-12.24).
6. Er kam im Fleisch, auf dass Er die David gegebene Verheißung erfüllte (2Sam 7,16; Lk 1,31-33; Apg 2,30.31.36; Röm 15,8). In Seinem verherrlichten Körper wird Er erscheinen und regieren als „König der Könige und Herr der Herren", und Er wird sitzen auf dem Thron Seines Vaters David (Lk 1,32; Offb 19,16).
7. Als fleischgeworden wird Er als Haupt über alles der Gemeinde gegeben, die die neue Schöpfung ist, die neue Menschheit (Eph 1,22).

In der Fleischwerdung nahm der Sohn Gottes nicht nur einen menschlichen Leib an, sondern auch eine menschliche Seele und einen menschlichen Geist. So wurde Er, indem Er sowohl die materielle als auch die immaterielle Seite der menschlichen Existenz annahm, völlig Mensch und so eng und dauerhaft mit dem Geschlecht der Menschen verbunden, dass Er zu Recht „der letzte Adam" genannt wird (1Kor 15,45), und sein „Leib der Herrlichkeit" (Phil 3,21) ist nun eine beständige Tatsache.

Er, der ewige Sohn, Jahwe-Gott, war auch der Sohn Marias, der Junge aus Nazareth, der Lehrer und Heiler aus Judäa, der Gast in Bethanien, das Lamm auf Golgatha. Er wird einst der König der Herrlichkeit sein, wie Er jetzt der Retter der Menschen ist, der Hohepriester, der kommende Bräutigam und Herr.

? Fragen

1. Welche zwei wichtigen Wahrheiten müssen erkannt werden, um die Fleischwerdung des Sohnes Gottes verstehen zu können?
2. Warum ist es wichtig, sowohl an der völligen Gottheit als auch an dem völligen Menschsein Christi festzuhalten?
3. Welche Beweise gibt es für Christi völliges Menschsein?

4. Welche Beweise gibt es dafür, dass Christus normale menschliche Erfahrungen hatte?
5. Wie wird die Tatsache Seiner Gottheit, als Christus auf der Erde war, zusätzlich bestätigt?
6. Wie hängt die Fleischwerdung mit Gottes Offenbarung an die Menschen zusammen?
7. Wie hängt die Fleischwerdung mit dem Sühnopfer Christi für die Sünde zusammen?
8. Was ist die Verbindung zwischen der Zerstörung der Werke des Teufels und der Fleischwerdung?
9. Wie hängt die Fleischwerdung zusammen mit dem Amt des Christus als Hoherpriester?
10. Was ist die Verbindung zwischen der David gegebenen Verheißung und der Fleischwerdung?
11. Wie hängt die Stellung des Christus als Haupt der Gemeinde mit der Fleischwerdung zusammen?

Kapitel 9

Gott der Sohn: Sein stellvertretender Tod

In der Schrift wird der Tod unseres Herrn Jesus Christus als Opfer für die Sünden der ganzen Welt geoffenbart. Dementsprechend stellte Johannes der Täufer Jesus mit den Worten vor: „Siehe, das Lamm Gottes, welches die Sünde der Welt wegnimmt" (Joh 1,29). Jesus war in Seinem Tod wirklich der Stellvertreter für alle Menschen. Obwohl „stellvertretend" kein speziell biblisches Wort ist, wird doch der Gedanke, dass Christus der Stellvertreter des Sünders ist, beständig in der Schrift bekräftigt. Durch Seinen stellvertretenden Tod wurden die unzähligen gerechten Urteile Gottes über die Sünder von Christus getragen. Das Ergebnis dieser Stellvertretung ist so einfach und endgültig wie ihr Ablauf. Der Retter hat bereits die göttlichen Urteile über die Sünder zur vollsten Zufriedenheit und Genugtuung Gottes getragen. Damit Menschen die von Gott dargebotene Rettung annehmen, werden sie aufgefordert, an diese gute Nachricht zu glauben, indem sie erkennen, dass Christus für ihre Sünden starb, und Ihn dadurch als ihren persönlichen Retter in Anspruch nehmen.

Das Wort „Stellvertretung" drückt nur teilweise das aus, was durch den Tod Christi alles vollbracht wurde. Tatsächlich wird kein umfassender Ausdruck hierfür in der Bibel gebraucht. Häufig wird in der Theologie das Wort „Sühne" als umfassender Ausdruck verwendet, aber es gibt hierfür weder im Alten noch im Neuen Testament ein entsprechendes Wort. Im Alten Testament wird der Gedanke der Sühne für Sünde auf die zeitweilige Bedeckung der Sünde durch die Opfergaben bezogen. Dies stellte eine Grundlage dar für das zeitweilige „Hingehenlassen ... der vorher geschehenen Sünden unter der Nachsicht Gottes" (Röm 3,25.26). Wenn Gott zur Zeit des Alten Testamentes Sünden vergab, handelte Er vollkommen gerecht, weil Er das Kommen Seines eigenen Sohnes als eines Opferlammes voraussah, das die Sünde nicht etwa zeitweilig übergehen oder zudecken, sondern für immer hinwegnehmen würde (Joh 1,9).

A. Was der Tod des Sohnes vollbrachte

Wenn wir versuchen, den vollen Wert des Todes Jesu Christi in Betracht zu ziehen, wird uns eine Reihe von wichtigen Tatsachen in der Schrift offenbart.

1. Der Tod Christi versichert uns der Liebe Gottes gegenüber dem Sünder (Joh 3,16; Röm 5,8; 1Jo 3,16; 4,9). Dass Gott uns liebt, sollte an Christus Gläubige dazu führen, nach einem hohen moralischen Standard zu leben, der für einen Ungläubigen nicht erreichbar ist (2Kor 5,15; 1Petr 2,11-25).

2. Der Tod Christi wird als Tilgungszahlung oder Lösegeld bezeichnet, das für die heiligen Forderungen Gottes an den Sünder gezahlt wird, um den Sünder aus der gerechten Verdammnis zu befreien. Es ist bezeichnend, dass das hinweisende Wort „für", das „anstelle von" oder „zugunsten von" bedeutet, an jeder Stelle im Neuen Testament verwendet wird, wo eine Erwähnung des Todes Christi als Lösegeld auftaucht (Mt 20,28; Mk 10,45; 1Tim 2,6). Der Tod Christi war eine notwendige Strafe, die Er für die Sünder auf sich nahm (Röm 4,25; 2Kor 5,21; Gal 1,4; Hebr 9,28).

Indem Er den Preis für unsere Auslösung bezahlte, kaufte Christus uns frei. Im Neuen Testament werden drei wichtige griechische Wörter gebraucht, um diesen Gedanken auszudrücken:

1. *agorazo,* „auf dem Markt kaufen" (*agora* bedeutet „Markt"). Der Mensch in seiner Sünde steht unter der Strafe des Todes (Joh 3,18-19; Röm 6,23); er ist ein Sklave, „unter die Sünde verkauft" (Röm 7,14), er wird aber in dem Akt der Erlösung von Christus durch das Vergießen Seines Blutes freigekauft (1Kor 6,20; 7,23; 2Petr 2,1; Offb 5,9; 14,3-4).

2. *exagorazo,* „aus dem Markt herauskaufen" fügt zur Bedeutung des Kaufens noch die des Herausnehmens aus dem Verkaufsangebot hinzu (Gal 3,13; 4,5; Eph 5,15; Kol 4,5), womit angezeigt wird, dass der Freikauf ein für alle Mal gilt.

3. *lytroo,* „loslassen" oder „freilassen" (Lk 24,21; Tit 2,14; 1Petr 1,18). Die gleiche Vorstellung findet sich in dem Hauptwort *lytrosis* (Lk 2,38; Hebr 9,12), in einem anderen ähnlichen Ausdruck *epoiesen lytrosin* (Lk 1,68) und einer weiteren häufig gebrauchten Form, *apolytrosis,* die auf das Loskaufen eines Sklaven verweist (Lk 21,28; Röm 3,24; 8,23; 1Kor 1,30; Eph 1,7.14; 4,30; Kol 1,14; Hebr 9,15; 11,35).

Der Begriff der Erlösung beinhaltet also das Kaufen, das Herausnehmen aus dem Verkaufsangebot und die vollständige Freiheit des losgekauften Einzelnen durch den Tod Christi sowie das Unterpfand auf die Erlösung in dem Heiligen Geist.

Der Tod Christi war eine Opfergabe für die Sünde, nicht wie die Tieropfer im Alten Testament, die die Sünde nur in dem Sinne bedecken konnten, dass der Augenblick des gerechten Urteils hinausgezögert wurde. In Seinem Opfer trug Christus unsere Sünden für immer (Jes 53,7-12; Joh 1,29; 1Kor 5,7; Eph 5,2; Hebr 9,22.26; 10,14).

3. Der Tod Christi bedeutet von Seiner Seite aus einen Akt des Gehorsams dem Gesetz gegenüber, das die Sünder gebrochen haben. Dieser Akt stellt eine Sühne oder Genugtuung für alle rechtmäßigen Forderungen Gottes an den Sünder dar. Das griechische Wort *hilasterion* wird gebraucht für den „Versöhnungsdeckel" (Hebr 9,5), den Deckel der Bundeslade im Allerheiligsten, der das Gesetz in der Lade zudeckte. Am Versöhnungstag (3Mo 16,14) wurde der Versöhnungs- oder Sühnedeckel mit Blut vom Altar besprengt, und dies machte aus dem Richterstuhl einen Gnadenstuhl (Hebr 9,11-15). Auf die gleiche Art wird der Thron Gottes zu einem Thron der Gnade (Hebr 4,14-16) durch das Sühneopfer des Todes Christi. Das verwandte griechische Wort *hilasmos* bezieht sich auf den Vollzug des Sühneopfers (1Jo 2,2; 4,10); es bedeutet, dass Christus, indem Er am Kreuz starb, alle gerechten Forderungen Gottes nach Verurteilung der Sünde des Menschen vollständig zufriedenstellte.

4. Der Tod Christi bewirkte nicht nur Genugtuung und Sühnung bei einem heiligen Gott, sondern stellte auch die Grundlage her, auf der die Welt mit Gott versöhnt wurde. Das griechische Wort *katallasso*, das „versöhnen" bedeutet, beinhaltet den Gedanken, dass Gott und der Mensch zusammengebracht werden, indem der Mensch grundlegend verändert wird. Es erscheint in verschiedenen Formen häufig im Neuen Testament (Röm 5,10-11; 11,15; 1Kor 7,11; 2Kor 5,18-20; Eph 2,16; Kol 1,20-21). Der Begriff der Versöhnung beinhaltet nicht, dass Gott sich verändert, sondern dass sich aufgrund des versöhnenden Werkes Christi Seine Beziehung zum Menschen ändert. Dem Menschen ist vergeben, er ist gerechtfertigt und geistlich auf eine Ebene gehoben, auf der er mit Gott versöhnt ist. Dieser Gedanke bedeutet nicht, dass Gott mit dem Sünder versöhnt, d. h. dessen sündigem Zustand angepasst wird, sondern vielmehr, dass der Sünder an Gottes heiliges Wesen

angepasst wird. Die Versöhnung geschieht vorläufig für die ganze Welt, weil Christus die Welt erlöste und das Sühnopfer für die Sünden der ganzen Welt ist (2Kor 5,19; 1Jo 2,1-2). So vollständig und weitreichend ist diese wunderbare Vorsorge Gottes in der Erlösung, Sühne und Versöhnung, dass die Schrift sagt, Gott rechne der Welt ihre Übertretungen jetzt nicht zu (2Kor 5,18-19; Kol 1,20).

5. Durch den Tod Christi gibt es für Gott keine moralischen Hindernisse mehr gegen die Errettung von Sündern, denn durch ihn wurde die Sünde gesühnt, Gott wurde zufriedengestellt und der Mensch mit Gott versöhnt. Es gibt für Gott keinen weiteren Hinderungsgrund, jeden, der an Jesus Christus als an seinen Retter glaubt, frei anzunehmen und zu rechtfertigen (Röm 3,26). Weil Gottes unendliche Liebe und Macht von jeder Einschränkung befreit sind durch den Tod Christi, in dem jedes Urteil vollstreckt wurde, das Seine Gerechtigkeit gegen einen Sünder fordern konnte, ist der Tod Christi für Gott kostbarer als die ganze Welt zusammengenommen.

6. Christus wurde in Seinem Tod der Stellvertreter, der die Strafe des Sünders trug (3Mo 16,21; Jes 53,6; Mt 20,28; Lk 22,37; Joh 10,11; Röm 5,6-8; 1Petr 3,18). Diese Tatsache ist Grundlage der Gewissheit für alle, die sich an Gott wenden, um gerettet zu werden. Diese Tatsache muss jeder einzelne *im Glauben* für sich persönlich annehmen, in Bezug auf seine persönliche Beziehung zu Gott und auf seine eigene Schuld. Ein allgemeiner Glaube, dass Christus für die ganze Welt starb, ist nicht hinreichend; eine persönliche Überzeugung, dass die eigene Sünde vollkommen von Christus als Stellvertreter getragen wurde, wird verlangt – ein Glaube, der ein Gefühl der Erleichterung, Freude und Dankbarkeit bewirkt (Röm 15,13; Hebr 9,14;10,2). Die Errettung ist ein mächtiges Werk Gottes, das unmittelbar für den gewirkt wird, der an Christus *glaubt.*

B. Irrtümer im Hinblick auf den Tod des Sohnes

Der Tod Christi wird oft falsch gedeutet. Jeder Christ wird gut daran tun, den Irrtum dieser falschen Meinungen gründlich zu durchschauen, die heutzutage so weit verbreitet sind.

1. Es wird behauptet, dass die Lehre von der Stellvertretung unmoralisch sei, weil ein gerechter Gott nicht die Sünden der Schuldigen

einem unschuldigen Opfer auferlegen konnte. Diese Behauptung könnte erwogen werden, wenn bewiesen werden könnte, dass Christus ein unfreiwilliges Opfer war; aber die Schrift zeigt, dass Er in vollster Übereinstimmung mit dem Willen Seines Vaters und getrieben von derselben unendlichen Liebe handelte (Joh 13,1; Hebr 10,7). Entsprechend des unerforschlichen Geheimnisses der Gottheit war es zugleich Gott selbst, der in Christus die Welt mit sich versöhnte (2Kor 5,19). Weit entfernt davon, dass der Tod Christi eine unmoralische Strafverhängung gewesen wäre, war es Gott selbst, der gerechte Richter, der in unendlicher Liebe und Opferbereitschaft die volle Strafe trug, die Seine eigene Heiligkeit vom Sünder verlangen musste.

2. Es wird behauptet, dass Christus als ein Märtyrer starb; der Wert Seines Todes bestünde demnach in dem Vorbild an Mut und Loyalität gegenüber Seinen Überzeugungen selbst bis zum Tod. Die hinreichende Antwort auf diesen Irrtum ist die, dass kein Mensch Sein Leben von Ihm nahm, weil Er das von Gott vorgesehene Lamm war (Joh 10,18; Apg 2,23).

3. Es wird behauptet, dass Christus starb, um eine moralische Wirkung zu erzielen. Da das Kreuz die göttliche Beurteilung der Sünde zeige, würden sich Menschen, die das Kreuz bedenken, gezwungen fühlen, sich von einem Leben der Sünde abzuwenden. Diese Theorie, die keine Grundlage in der Schrift hat, nimmt an, dass Gott heute die *Besserung* der Menschen suche, wohingegen das Kreuz in Wirklichkeit die Grundlage der *Wiedergeburt* ist.

? Fragen

1. Was ist gemeint mit der Behauptung, dass Christus der Stellvertreter des Sünders ist?
2. Was ist die alttestamentarische Lehre der Sühne?
3. Wie steht der Tod Christi in Verbindung mit der Liebe Gottes?
4. Was sind die drei grundlegenden Vorstellungen, die in der Lehre der Erlösung enthalten sind?
5. Definieren Sie die Lehre der Sühnung und erklären Sie, was durch sie geleistet wird.

6. Definieren Sie die Lehre der Versöhnung, und erklären Sie, was durch sie geleistet wird.
7. Wenn die ganze Welt mit Gott versöhnt wird, warum sind dann einige verloren?
8. Wie ermöglichen es Erlösung, Sühne und Versöhnung Gott, den Sünder zu retten?
9. Warum betont das Neue Testament, dass Errettung allein durch den Glauben geschieht?
10. Nennen Sie einige der falschen Deutungen des Todes Christi und erklären Sie, warum sie falsch sind.

Kapitel 10

Gott der Sohn: Seine Auferstehung

A. Auferstehung im Alten Testament

Die Lehre von der Auferstehung aller Menschen wird ebenso wie die Auferstehung des Christus im Alten Testament gelehrt. Die Lehre erscheint schon zur Zeit Hiobs, vermutlich einem Zeitgenossen Abrahams, und wird ausgedrückt in seiner Glaubensaussage in Hiob 19,25-27: „Doch *ich* weiß: Mein Erlöser lebt, und als der Letzte wird er über dem Staub stehen. Und nachdem man meine Haut so zerschunden hat, werde ich doch aus meinem Fleisch Gott schauen. Ja, *ich* werde ihn für mich sehen, und meine Augen werden ihn sehen, aber nicht als Fremden." Hier bekräftigt Hiob nicht nur seine eigene persönliche Auferstehung, sondern auch die Wahrheit dessen, dass sein Erlöser bereits lebt und später auf der Erde stehen wird. Dass alle Menschen letztendlich auferweckt werden, wird in Johannes 5,28-29 und Offenbarung 20,4-6.12-13 gelehrt.

Besondere Prophezeiungen im Alten Testament erwarten die Auferstehung des menschlichen Leibes (Hi 14,13-15; Ps 16,9-10; 17,15; 49,15; Jes 26,19; Dan 12,2; Hos 13,14; Hebr 11,17-19). Die Auferstehung Christi wird speziell in Psalm 16,9-10 gelehrt, wo der Psalmist David erklärt: „Darum freut sich mein Herz und jauchzt meine Seele. Auch mein Fleisch wird in Sicherheit ruhen. Denn meine Seele wirst du dem Scheol nicht lassen, wirst nicht zugeben, dass dein Frommer die Grube sehe." Hier bekräftigt David nicht nur, dass er persönlich auf die Auferstehung hofft, sondern dass auch Jesus Christus, als der „Fromme" beschrieben, die Verwesung nicht sehen werde, d. h. nicht lange genug im Grab sein werde, dass sein Leib verwese. Diese Stelle wird von Petrus in Apostelgeschichte 2,24-31 und von Paulus in Apostelgeschichte 13,34-37 angeführt als ein Hinweis auf die Auferstehung Christi.

Auf die Auferstehung Christi wird ebenfalls in Psalm 22,22 hingedeutet, wo Christus nach Seinem Tod erklärt, dass Er Seinen Namen

Seinen „Brüdern" verkündigen will. Die Erhebung Christi zum Eckstein in Psalm 118,22-24 bedeutet nach der Erklärung in Apostelgeschichte 4,10-11 die Auferstehung Christi. Seine Auferstehung scheint in der Typologie des Alten Testamentes auch in der Priesterschaft Melchisedeks vorgebildet zu sein (1Mo 14,18; Hebr 7,15-17.23-25). Auf ähnliche Weise sprechen die Typologie der zwei Vögel (3Mo 14,4-7), wo der lebende Vogel freigelassen wird; durch das Fest der Erstlingsfrüchte (3Mo 23,10-11) wird angezeigt, dass Christus der Erstling der Ernte der Auferstehung ist; und ebenso spricht Aarons Stab, der spross-te (4Mo 17,8), von der Auferstehung. Die Lehre von der Auferstehung aller Menschen, ebenso wie die Auferstehung Christi, ist also im Alten Testament gut bezeugt.

B. Christi Voraussagen Seiner eigenen Auferstehung

Christus sagt in den Evangelien häufig Seinen Tod und Seine Auferstehung voraus (Mt 16,21; 17,23; 20,17-19; 26,12.28-29.31-32; Mk 9,30-32; 14,28; Lk 9,22; 18,31-34; Joh 2,19-22; 10,17-18). Die Voraussagen sind so häufig, so deutlich und in so vielen verschiedenen Situationen gegeben, dass kein Zweifel darüber bestehen kann, dass Christus Seinen eigenen Tod und Seine Auferstehung voraussagte; und die Erfüllung dieser Voraussagen bestätigt die Genauigkeit der Prophezeiung.

C. Beweise für die Auferstehung Christi

Das Neue Testament bietet überwältigende Beweise für die Auferstehung Christi. Mindestens 17 Erscheinungen Christi nach Seiner Auferstehung finden wir in der Bibel – und zwar folgende:

1. Christus erscheint Maria Magdalena (Joh 20,11-17; vgl. Mk 16,9-11);
2. Er erscheint den Frauen (Mt 28,9-10);
3. Er erscheint Petrus (Lk 24,34; 1Kor 15,5);
4. Er erscheint den Jüngern auf der Straße nach Emmaus (Mk 16,12-13; Lk 24,13-35);

5. Er erscheint den Jüngern, die zusammengefasst als die „Elf" bezeichnet werden, als Thomas abwesend war (Mk 16,14; Lk 24,36-43; Joh 20,19-24);
6. Er erscheint den elf Jüngern eine Woche nach Seiner Auferstehung (Joh 20,26-29);
7. Er erscheint den sieben Jüngern am See von Tiberias (Joh 21,1-23);
8. Er erscheint den fünfhundert (1Kor 15,6);
9. Er erscheint Jakobus, dem Bruder des Herrn (1Kor 15,7);
10. Er erscheint den elf Jüngern an einem Berg in Galiläa (Mt 28,16-20; 1Kor 15,7);
11. Er erscheint Seinen Jüngern bei Seiner Himmelfahrt auf dem Ölberg (Lk 24,44-53; Apg 1,3-9);
12. Er erscheint Stephanus vor seinem Martyrium (Apg 7,55-56);
13. Er erscheint Paulus auf der Straße nach Damaskus (Apg 9,3-6; vgl. Apg 22,6-11; 26,13-18; 1Kor 15,8);
14. Er erscheint Paulus in Arabien (Apg 20,24; 26,17; Gal 1,12.17);
15. Er erscheint Paulus im Tempel (Apg 22,17-21; vgl. 9,26-30; Gal 1,18);
16. Er erscheint Paulus im Gefängnis in Cäsarea (Apg 23,11);
17. Er erscheint dem Apostel Johannes (Offb 1,12-20).

Die Anzahl dieser Erscheinungen, die große Vielfalt der Umstände und die bestätigenden Beweise, die diese Erscheinungen umgeben, bilden den überzeugendsten historischen Beweis dafür, dass Christus wirklich von den Toten auferstand.

Zusätzlich zu den durch Seine Erscheinungen gelieferten Beweisen können noch viele unterstützende Tatsachen zitiert werden. Das Grab war nach Seiner Auferstehung leer (Mt 28,6; Mk 16,6; Lk 24,3.6.12; Joh 20,2.5-8). Es ist offensichtlich, dass die Zeugen der Auferstehung Christi keine leichtgläubigen, einfach zu überzeugenden Leute waren. Tatsächlich begriffen sie die Beweise nur langsam (Joh 20,9.11-15.25). Einmal überzeugt von der Realität Seiner Auferstehung waren sie bereit, für ihren Glauben an Christus zu sterben. Es ist ebenso offensichtlich, dass nach der Auferstehung eine große Veränderung in den Jüngern vorging. Ihre Trauer verwandelte sich in Freude und Glauben.

Ferner übermittelt die Apostelgeschichte deutliche Hinweise auf die göttliche Kraft des Heiligen Geistes in den Jüngern nach der Auferstehung Christi, auf die Kraft des Evangeliums, das sie verkündigten, und auf die das Zeugnis unterstützenden Wunder. Der Pfingsttag ist ein weiterer wichtiger Beweis: Es wäre unmöglich gewesen, 3000 Leute von der Auferstehung Christi zu überzeugen, wenn sie nur eine Erfindung gewesen wäre, denn alle hatten die Möglichkeit, die Fakten zu überprüfen.

Der Brauch in der Urgemeinde, den ersten Wochentag zu begehen als Zeitpunkt für die Feier des Herrenmahls und für die Sammlung ihrer Gaben, ist ein weiterer historischer Beweis (Apg 20,7; 1Kor 16,2). Dass die frühe Gemeinde trotz Verfolgung und trotz des Todes der Apostel Bestand hatte und sich ausbreitete, bleibt ohne angemessene Erklärung, wenn Christus nicht von den Toten auferstanden ist. Es war eine tatsächliche und leibliche Auferstehung, die den Leib Christi passend machte für Seine himmlische Aufgabe.

C. Gründe für die Auferstehung Christi

Mindestens sieben wichtige Gründe können für die Auferstehung Christi genannt werden:

1. Christus ist auferstanden aufgrund dessen, wer Er ist (Apg 2,24).
2. Christus ist auferstanden, um die Verheißung Davids zu erfüllen (2Sam 7,12-16; Ps 89,20-37; Jes 9,6-7; Lk 1,31-33; Apg 2,25-31).
3. Christus ist auferstanden, um uns das Auferstehungsleben zu schenken (Joh 10,10-11; 11,25-26; Eph 2,6; Kol 3,1-4; 1Jo 5,11-12).
4. Christus ist auferstanden, damit Er die Quelle der Auferstehungskraft würde (Mt 28,18; Eph 1,19-21; Phil 4,13).
5. Christus ist auferstanden, um das Haupt der Gemeinde zu werden (Eph 1,20-23).
6. Christus ist auferstanden, weil unsere Rechtfertigung erreicht war (Röm 4,25).
7. Christus ist auferstanden, um der Erstling der Auferstehung zu sein (1Kor 15,20-23).

E. Die Bedeutung der Auferstehung Christi

Die Auferstehung Christi stellt wegen ihres historischen Charakters den bedeutendsten Beweis der Gottheit Jesu Christi dar. Weil sie ein großartiger Sieg über die Sünde und den Tod war, ist sie auch ein Beweis der Wirksamkeit göttlicher Macht, wie in Epheser 1,19-21 bezeugt wird. Weil die Auferstehung eine so außerordentlich wichtige Lehre ist, wurde der erste Tag der Woche in diesem Heilszeitalter ausgesondert zur Erinnerung an die Auferstehung Jesu Christi; er tritt damit an die Stelle des Sabbatgesetzes, das den siebten Tag für Israel reserviert hatte. Die Auferstehung ist deshalb der Eckstein unseres christlichen Glaubens, wie Paulus es in 1Kor 15,17 ausdrückt: „Wenn aber Christus nicht auferweckt ist, so ist euer Glaube nichtig, so seid ihr noch in euren Sünden." Weil Christus auferstanden ist, ist unser christlicher Glaube gewiss, ist der endgültige Sieg Christi sicher, und unser Glaube ist vollkommen gerechtfertigt.

? Fragen

1. Lehrt die Bibel, dass alle Menschen, die sterben, auferweckt werden?
2. Fassen Sie die Lehre des Alten Testamentes über die Auferstehung des menschlichen Leibes zusammen.
3. Inwieweit weist das Alte Testament auf die Auferstehung Jesu Christi hin?
4. Inwieweit sagte Christus Seine eigene Auferstehung voraus?
5. Wie viele Erscheinungen Christi geschahen zwischen Seiner Auferstehung und Himmelfahrt?
6. Welche Erscheinungen Christi geschahen nach Seiner Himmelfahrt?
7. Warum sind die vielen Erscheinungen Christi und die sie betreffenden Umstände eine überzeugende Bestätigung der Tatsache Seiner Auferstehung?
8. Welche Bestätigung liefern das leere Grab, der Ruf der Zeugen Seiner Auferstehung und der Grad ihrer Überzeugung für die Lehre Seiner Auferstehung?

9. Welche Veränderungen geschahen in den Jüngern nach der Auferstehung Christi, und wie wurden sie als Zeugen Seiner Auferstehung eingesetzt?
10. Welche Beweise können im Pfingsttag für die Auferstehung Christi gefunden werden?
11. Wie bekräftigen der Brauch in der Urgemeinde, den ersten Tag der Woche zu feiern, und ihr Fortbestand trotz Verfolgung die Lehre der Auferstehung?
12. Nennen Sie mindestens sieben Gründe dafür, warum Christus von den Toten auferstand.
13. Warum ist die Auferstehung Christi wichtig für den christlichen Glauben?
14. Wieso ist die Auferstehung Christi ein Beweis der Wirksamkeit göttlicher Macht?

Kapitel 11

Gott der Sohn: Seine Himmelfahrt und Sein priesterlicher Dienst

A. Die Tatsache der Auferstehung Christi

Da die Auferstehung Christi die erste einer Reihe von Erhöhungen Christi ist, kann Seine Himmelfahrt als der zweite wichtige Schritt betrachtet werden. Dies wird in Markus 16,19; Lukas 24,50-51 und Apostelgeschichte 1,9-11 berichtet.

Die Frage wurde aufgeworfen, ob Christus bereits vor Seiner offiziellen Himmelfahrt zum Himmel auffuhr. Das Wort Christi zu Maria Magdalena in Johannes 20,17 wird oft zitiert, in dem Christus sagt: „Ich fahre auf zu meinem Vater und eurem Vater und zu meinem Gott und eurem Gott." Die Typologie des Alten Testamentes, bei der der Priester nach dem Opfer Blut in das Heiligtum brachte, wird ebenfalls zitiert (Hebr 9,12.23-24). Obwohl es hier verschiedene Meinungen gibt, interpretieren die meisten Ausleger das Präsens in Johannes 20,17 „ich fahre auf" als anschauliches Futur. Die Ausdrücke im Hebräerbrief, dass Christus den Himmel mit Seinem Blut betrat, werden besser übersetzt durch „vermittels Seines Blutes" oder „durch Sein Blut". Das physische Sichtbarwerden des Blutes geschah nur einmal am Kreuz. Die Segnungen des vollendeten Werkes werden weiterhin auf die Gläubigen heutzutage angewendet (1Jo 1,7).

Ferner wurde die Frage aufgeworfen, ob die Himmelfahrt in Apostelgeschichte 1 ein tatsächlicher Vorgang war. Die entsprechende Bibelstelle belegt eindeutig, dass Christus tatsächlich zum Himmel fuhr, so wie Er auch tatsächlich auf die Erde kam, als Er empfangen und geboren wurde. Apostelgeschichte 1 gebraucht vier griechische Wörter, um die Himmelfahrt zu beschreiben: „wurde er (…) emporgehoben" (V. 9); „eine Wolke nahm ihn auf von ihren Augen weg" (V. 9); „wie er auffuhr" (V. 10); und „der von euch weg in den Himmel aufgenommen worden ist“ (V. 11). Diese vier Aussagen sind wichtig, weil in V. 11 vorausgesagt wird, dass Seine zweite Ankunft auf die gleiche Weise geschehen wird, d. h. wie Seine Himmelfahrt wird Seine zweite Ankunft zuverlässig geschehen, sichtbar, leiblich und auf den Wolken (Apg 1,9-11). Dies bezieht sich auf Sein Kommen, um Sein Königreich aufzurichten, und nicht auf die Entrückung der Gemeinde.

B. Beweise für die Ankunft Christi im Himmel

Wie die Beweise für Sein Auffahren von der Erde in den Himmel vollständig sind, bestätigen auch wiederholte Aussagen, dass Er im Himmel angekommen ist, Seine Himmelfahrt. Viele Stellen bezeugen, dass Christus nach Seiner Himmelfahrt im Himmel gesehen wird (Apg 2,33-36; 3,21; 7,55-56; 9,3-6; 22,6-8; 26,13-15; Röm 8,34; Eph 1,20-22; 4,8-10; Phil 2,6-11; 3,20; 1Thes 1,10; 4,16; 1Tim 3,16; Hebr 1,3.13; 2,7; 4,14; 6,20; 7,26; 8,1; 9,24; 10,12-13; 12,2; 1Jo 2,1; Offb 1,7.13-18; 5,5-12; 6,9-17; 7,9-17; 14,1-5; 19,11-16).

C. Die Bedeutung der Himmelfahrt

Die Himmelfahrt kennzeichnet das Ende des irdischen Dienstes Christi. Wie Er gekommen war, in Bethlehem geboren wurde, so war Er nunmehr zum Vater zurückgekehrt. Sie kennzeichnet ebenfalls die Rückkehr zu Seiner offenbar gewordenen Herrlichkeit, die in Seinem irdischen Leben selbst nach Seiner Auferstehung verborgen war. Sein Eingang in den Himmel war ein großer Triumph, der die Vollendung Seines Werkes auf Erden krönte, und war der Eintritt in Seinen neuen Wirkungskreis zur Rechten des Vaters.

Im Himmel nimmt Christus nun Seine Stellung als Herr über alles ein und wartet auf Seinen endgültigen Triumph und Sein zweites Kommen. Häufig wird Christus zur Rechten des Vaters dargestellt (Ps 110,1; Mt 22,44; Mk 12,36; 16,19; Lk 20,42-43; 22,69; Röm 8,34; Eph 1,20; Kol 3,1; Hebr 1,3-13; 8,1; 10,12; 12,2; 1Petr 3,22). Der Thron, den Christus im Himmel einnimmt, ist der des Vaters, nicht zu verwechseln mit dem Thron Davids, der irdisch ist. Die Erde wartet noch auf die Zeit, wenn sie zu Seinem Fußschemel gemacht und Sein Thron auf der Erde aufgerichtet werden wird (Mt 25,31). Seine gegenwärtige Stellung ist natürlich eine solche der Ehre und Autorität und steht im Einklang mit Seiner Stellung als Haupt der Gemeinde.

D. Das gegenwärtige Wirken Christi im Himmel

In Seiner Stellung zur Rechten des Vaters erfüllt Christus die sieben Bilder, in denen Er zur Gemeinde in Beziehung gesetzt wird:

1. Christus als der letzte Adam und das Haupt der neuen Schöpfung;
2. Christus als das Haupt des Leibes Christi;
3. Christus als der große Hirte Seiner Schafe;
4. Christus als der wahre Weinstock in Verbindung mit den Reben;
5. Christus als der Eckstein in Verbindung mit der Gemeinde als den Steinen eines geistlichen Gebäudes;
6. Christus als unser Hoherpriester in Beziehung zu der Gemeinde als einem königlichen Priestertum;
7. Christus als der Bräutigam in Verbindung mit der Gemeinde als der Braut.

All diese Bilder sind bedeutungsvoll im Hinblick auf die Beschreibung Seines gegenwärtigen Wirkens. Sein hauptsächlicher Dienst ist jedoch der, als unser Hoherpriester die Gemeinde vor dem Thron Gottes zu vertreten.

Vier wichtige Wahrheiten werden in Seinem Wirken als Hoherpriester offenbart.

1. Als Hoherpriester über das wahre Heiligtum in der Höhe ist der Herr Jesus Christus in den Himmel eingegangen, um dort priesterlich denjenigen zu dienen, die in dieser Welt Sein Eigentum sind (Hebr 8,1-2). Dass Er bei Seiner Himmelfahrt von Seinem Vater in den Himmel aufgenommen wurde, ist der Beweis dafür, dass Sein irdischer Dienst angenommen wurde. Dass Er sich hinsetzte, zeigt an, dass Sein Werk für die Welt vollendet war.

Dass Er sich auf dem Thron Seines Vaters niedersetzte und nicht auf Seinem eigenen, offenbart die fortwährend und übereinstimmend in der Schrift gelehrte Wahrheit, dass Er bei Seiner ersten Ankunft auf

Erden kein Königreich errichtete, sondern dass Er jetzt auf die Zeit wartet, wann jenes Königreich auf Erden kommen und der Wille Gottes auf Erden ausgeführt werden wird, wie er im Himmel getan wird. Die „Reiche der Welt" müssen erst noch „unseres Herrn und seines Christus" werden, „und er wird regieren von Ewigkeit zu Ewigkeit" (Offb 11,15, Luther 1912). Der königliche Sohn wird erst noch Seinen Vater bitten, und Er wird Ihm die Nationen zu Seinem Erbe geben und die Enden der Erde zu Seinem Besitztum (Ps 2,8).

Die Schrift zeigt jedoch klar, dass Er diese königliche Herrschaft nicht zum jetzigen Zeitpunkt auf Erden errichtet (Mt 25,31-46), sondern vielmehr aus den Juden wie auch aus den Heiden ein himmlisches Volk herausruft, das mit Ihm als Sein Leib und Seine Braut verbunden ist. Nachdem das gegenwärtige Ziel erreicht sein wird, wird Er zurückkehren und „wieder aufbauen die Hütte Davids, die verfallen ist" (Apg 15,16; vgl. V. 13-18). Obwohl Er ein Priester-König nach dem Vorbild Melchisedeks ist (Hebr 5,10; 7,1), dient Er nun als Priester und nicht als König. Er, der wiederkommen und dann König aller Könige sein wird, ist nun aufgestiegen, um „Haupt über alles der Versammlung ..., welche sein Leib ist" (Eph 1,22-23), zu sein.

2. Als unser Hoherpriester ist Christus der Geber geistlicher Gaben. Dem Neuen Testament zufolge ist eine Gabe eine göttliche Befähigung, gewirkt in und bestätigt durch den Gläubigen mittels des Geistes, der in ihm wohnt. Es ist der Geist, der wirkt, um bestimmte göttliche Absichten zu erreichen, und dafür denjenigen, in dem Er wohnt, gebraucht. Auf keinen Fall handelt es sich um ein menschliches Unterfangen, das lediglich vom Geist unterstützt würde.

Wenn auch bestimmte allgemeine Gaben in der Schrift erwähnt werden (Röm 12,3-8; 1Kor 12,4-11), so ist doch die mögliche Vielfalt unerschöpflich, da keine zwei Leben unter genau den gleichen Bedingungen gelebt werden. Jedenfalls erhält jeder Gläubige eine Gabe; aber die Segnung und Kraft der Gabe wird nur erfahren werden, wenn das Leben vollständig Gott übergeben wird (vgl. Röm 12,1-2.6-8). Derjenige, der vom Geist erfüllt ist, wird nur wenig Ermahnung nötig haben, durch seinen Dienst Gott zu ehren, denn der Geist wird in ihm sowohl das Wollen als auch das Wirken nach Seinem Wohlgefallen wirken (Phil 2,13).

In gleicher Weise werden bestimmte Menschen gegeben, die als Seine „Gaben für die Menschen" bezeichnet und durch den erhöhten

Christus an ihrem Platz in den Dienst gestellt werden (Eph 4,7-11). Der Herr hat dieses Werk nicht dem unsicheren und unzureichenden Urteil der Menschen überlassen (1Kor 12,11.18).

3. Der erhöhte Christus lebt als Priester immer, um sich für die Seinen zu verwenden. Dieser Dienst begann, bevor Er die Erde verließ (Joh 17,1-26); er ist für die Erretteten, nicht für die Unerretteten (Joh 17,9) und wird im Himmel fortgesetzt, solange die Seinen auf der Welt sind. Sein Werk der Fürsprache hat mit der Schwachheit, der Hilflosigkeit und der Unreife der Heiligen auf Erden zu tun – Dinge, im Hinblick auf die sie in keiner Weise schuldig sind. Er kennt die Begrenzungen der Seinen sowie die Macht und Vorgehensweise des Widersachers, mit dem sie zu kämpfen haben, und ist für sie der Hirte und Aufseher ihrer Seelen (1Petr 2,25). Seine Fürsorge für Petrus ist ein Beispiel für diese Wahrheit (Lk 22,31-32).

Die priesterliche Fürsprache Christi ist nicht nur wirksam, sondern ohne Ende. Die früheren Priester versagten, weil sie sterben mussten; aber Christus hat, weil Er für immer lebt, eine unveränderliche Priesterschaft. „Daher vermag er auch völlig zu erretten, die durch ihn Gott nahen, indem er immerdar lebt, um sich für sie zu verwenden" (Hebr 7,25). David erkannte eben diese Fürsorge des göttlichen Hirten und ihre Gewähr für ewige Sicherheit (Ps 23,1).

4. Christus erscheint nun für die Seinen in der Gegenwart Gottes. Ein Kind Gottes ist oft einer wirklichen Sünde schuldig, die es von Gott trennen würde, wäre nicht sein Anwalt und das, was Er durch Seinen Tod bewirkt hat. Die Wirkung der Sünde eines Christen auf ihn selbst ist die, dass er seine Gemeinschaft mit Gott verliert, seine Freude, seinen Frieden und seine Kraft. Andererseits werden diese Erfahrungen aus unendlicher Gnade wiederhergestellt einzig aufgrund der Tatsache, dass er seine Sünde bekennt (1Jo 1,9); aber es ist wichtiger, die Sünde eines Christen in Beziehung zu der Heiligkeit Gottes zu betrachten.

Durch die gegenwärtige priesterliche Anwaltschaft Christi im Himmel gibt es absolute Sicherheit und Schutz für das Kind des Vaters, selbst während es sündigt. Ein Anwalt ist jemand, der die Sache eines anderen vor Gericht unterstützt und verteidigt. Als Anwalt erscheint Christus nun im Himmel für die Seinen (Hebr 9,24), wenn sie sündigen (1Jo 2,1). Es heißt, dass Seine Verteidigung vor dem Vater geschieht und dass Satan auch dort ist, der nicht aufhört, die Brüder

Tag und Nacht vor Gott zu verklagen (Offb 12,10). Für den Christen mag die Sünde bedeutungslos erscheinen; aber ein heiliger Gott kann sie niemals leicht nehmen. Auf der Erde mag die Sünde im Verborgen geschehen sein, aber im Himmel ist sie ein offener Skandal. In wunderbarer Gnade und ohne das Drängen von Menschen vertritt der Anwalt das schuldige Kind Gottes. Was der Anwalt tut, indem Er auf diese Weise die Sicherheit des Gläubigen gewährleistet, entspricht so vollkommen der unendlichen *Gerechtigkeit,* dass Er in diesem Zusammenhang als „Jesus Christus, der Gerechte" bezeichnet wird. Er beruft sich auf Sein eigenes wirksames Blut, und der Vater kann Sein Kind vor jeder Anschuldigung des Satans oder der Menschen beschützen und vor genau dem Gericht, das die Sünde anderenfalls nötig machen würde, denn Christus wurde durch Seinen Tod die Sühnung für unsere Sünden (1Jo 2,2).

Die Wahrheit über den priesterlichen Dienst Christi im Himmel macht es Christen nicht einfach zu sündigen. Im Gegenteil, genau dies wurde geschrieben, *damit wir nicht sündigen* (1Jo 2,1); denn niemand kann sorglos sündigen, der das notwendige Plädoyer bedenkt, das seine Sünde dem Anwalt auferlegt. Die priesterlichen Dienste Christi als Fürsprecher und als Anwalt bewirken die ewige Sicherheit derer, die errettet sind (Röm 8,34).

E. Das gegenwärtige Wirken Christi auf Erden

Christus wirkt auch in Seiner Gemeinde auf Erden, während Er körperlich zur Rechten Gottes im Himmel ist. In zahlreichen Stellen wird von Christus gesagt, dass Er Seiner Gemeinde innewohnt und mit ihr ist (Mt 28,18-20; Joh 14,18.20; Kol 1,27). Er bleibt auch in dem Sinne in Seiner Gemeinde, dass Er der Geber ewigen Lebens für Seine Gemeinde ist (Joh 1,4; 10,10; 11,25; 14,6; Kol 3,4; 1Jo 5,12). Zusätzlich zu Seinem eigenen Dienst für die Gemeinde hat Er Seinen Heiligen Geist gesandt, um gegenwärtig ein Werk im Gläubigen zu vollbringen, und der Vater wohnt gleichermaßen in allen Gläubigen in diesem Zeitalter (Joh 14,23).

Es kann also geschlossen werden, dass das gegenwärtige Wirken Christi der Schlüssel ist, um Gottes gegenwärtiges Vorhaben zu verstehen, das darin besteht, ein Volk herauszurufen, das den Leib Christi bilden soll, und dieses Volk zu bevollmächtigen und zu heiligen, damit sie Zeugen Christi sein können bis an die Enden der Welt. Sein gegenwärtiges Wirken bereitet das zukünftige vor, das in den Geschehnissen bei Seinem zweiten Kommen offenbar werden wird.

? Fragen

1. Wie hängt die Himmelfahrt Christi mit Seiner Erhöhung zusammen?
2. Erörtern Sie die Frage, ob Christus am Tag Seiner Auferstehung zum Himmel auffuhr.
3. Welche Beweise können erbracht werden, um zu zeigen, dass die Himmelfahrt in Apostelgeschichte 1 wörtlich zu verstehen ist?
4. Inwieweit bezeugt die Schrift die Ankunft Christi im Himmel nach Seiner Himmelfahrt?
5. In welcher Beziehung steht die Himmelfahrt Christi zu Seinem irdischen Dienst?
6. In welchem Sinne war die Himmelfahrt Christi ein Triumph?
7. Unterscheiden Sie den Thron Christi im Himmel vom Thron Davids.
8. Nennen Sie die sieben Bilder, in denen Christus zur Gemeinde in Beziehung gesetzt wird.
9. Was ist die Bedeutung dessen, dass Christus nun auf dem Thron des Vaters sitzt?
10. In welcher Beziehung steht Christus als unser Hoherpriester zur Verleihung geistlicher Gaben an Menschen?
11. Stellen Sie die priesterliche Fürsprache Christi den Priestern des Alten Testaments gegenüber.
12. Beschreiben Sie das Werk Christi als unser Anwalt im Himmel.
13. Inwieweit wirkt Christus auch auf Erden in der gegenwärtigen Zeit?

Kapitel 12

Gott der Sohn: Sein Kommen für Seine Heiligen

A. Unerfüllte Prophezeiungen

Die für dieses Kapitel ausgewählte Lehre ist eines der wichtigsten Themen noch nicht erfüllter Prophetie. Der Bibelleser sollte daran erinnert werden, dass die Prophetie Gottes im Voraus geschriebene Geschichte und deshalb ebenso glaubwürdig wie andere Teile der Bibel ist. Beinahe ein Viertel der Bibel war, als sie geschrieben wurde, eine Vorhersage von Zukünftigem. Vieles hat sich inzwischen erfüllt, und in jedem Fall war die Erfüllung eine ganz buchstäbliche Verwirklichung all dessen, was prophezeit worden war. Wie viele Jahrhunderte vor der Geburt Christi bereits angekündigt, war Er, als Er kam, aus dem Stamme Juda, ein Sohn Abrahams, ein Sohn Davids, geboren von einer Jungfrau in Bethlehem. In gleicher Weise wurden die genauen Einzelheiten Seines Todes, die in Psalm 22 vorhergesagt sind, tausend Jahre später genau erfüllt.

Gottes Wort enthält auch viele Prophezeiungen, die gegenwärtig noch nicht erfüllt sind, und wir handeln vernünftig und ehren Gott, wenn wir glauben, dass sie einmal mit derselben Gewissenhaftigkeit erfüllt werden, die all Seine Werke bis zum gegenwärtigen Zeitpunkt ausgezeichnet hat.

Die Tatsache, dass Christus so auf diese Erde zurückkehren wird, wie Er ging – „dieser Jesus", in Seinem Auferstehungsleib und auf den Wolken des Himmels (Apg 1,11) – wird so klar und ausführlich in den prophetischen Schriften gelehrt, dass diese Wahrheit in alle großen Glaubensbekenntnisse der Christenheit aufgenommen worden ist. Dennoch verlangt die Lehre von der Wiederkunft Christi die sorgfältigste und genaueste Unterscheidung und Betrachtung.

Im Hinblick auf die Prophetie, die sich auf die zukünftige Wiederkehr Jesu Christi bezieht, unterscheiden viele Bibelleser die Wiederkunft Christi *für* Seine Gemeinde, die sich auf die Entrückung bezieht (die Aufnahme der Heiligen in den Himmel), von Seiner Wiederkunft *mit* Seinen Heiligen, um Sein Königreich zu errichten (Sein offizielles zweites Kommen auf die Erde) und tausend Jahre zu herrschen. Für die Zeit zwischen diesen zwei Ereignissen sind viele wichtige Entwicklungen vorausgesagt, wie das Aufkommen einer Weltkirche, die Bildung einer Weltregierung unter einem Weltdiktator und ein gigantischer Weltkrieg, der im Gange sein wird, wenn Christus kommen wird, um Sein Königreich aufzurichten. Christi Wiederkunft für Seine Gemeinde ist das erste Ereignis in dieser Reihe, wenn die Prophezeiungen wörtlich interpretiert werden.

Obwohl die Endzeitereignisse, die nach der Entrückung der Gemeinde geschehen werden, in vielen Prophezeiungen sowohl im Alten als auch im Neuen Testament vorausgesagt werden, wurde doch die Wahrheit, dass Christus zuerst für Seine Gemeinde kommen würde, nicht im Alten Testament offenbart, sondern ist eine eindeutig neutestamentliche Offenbarung.

B. Prophezeiungen über die Entrückung

Die erste Offenbarung darüber, dass Christus für Seine Heiligen kommen wird, bevor die Endzeitereignisse erfüllt sein werden, wurde den Jüngern im Obergemach in der Nacht vor der Kreuzigung Jesu gegeben. Nach Johannes 14,2-3 kündigte Christus Seinen Jüngern an: „Im Hause meines Vaters sind viele Wohnungen. Wenn es nicht so wäre, würde ich euch gesagt haben: Ich gehe hin, euch eine Stätte zu bereiten? Und wenn ich hingehe und euch eine Stätte bereite, so komme ich wieder und werde euch zu mir nehmen, damit auch ihr seid, wo ich bin."

Die Jünger waren völlig unvorbereitet auf diese Prophezeiung. Sie waren in Matthäus 24,26-31 über die herrliche Wiederkunft Christi, um Sein Königreich zu errichten, belehrt worden. Bis zu dieser Zeit hatten sie keinen Hinweis darauf, dass Christus zuerst kommen würde, um sie von der Erde mit in den Himmel zu nehmen und so von der Erde zu entfernen während der Zeit der Drangsal, die die Endzeit kennzeichnet. In Johannes 14 bezieht sich das Haus des Vaters klar auf den Himmel, und ebenso ist klar, dass Christus sie verlassen hat, um dort für Seine Jünger Wohnung zu machen. Er verspricht, dass Er, nachdem Er ihnen eine Stätte bereitet hat, wiederkommen werde, um sie aufzunehmen. Die Folgerung ist, dass es Seine Absicht ist, sie von der Erde in Seines Vaters Haus im Himmel zu nehmen. Diese Vorankündigung wird durch den Apostel Paulus weiter ausgeführt.

In seinem Brief an die Thessalonicher geht Paulus auf ihre Fragen in Bezug auf die Auferstehung der Heiligen und Christi Kommen für die auf Erden lebenden Heiligen ein und erläutert die Einzelheiten dieses wichtigen Ereignisses (1Thes 4,13-18). Er erklärt in Vers 16-17: „Denn der Herr selbst wird beim Befehlsruf, bei der Stimme eines Erzengels und bei dem Schall der Posaune Gottes herabkommen vom Himmel, und die Toten in Christus werden zuerst auferstehen, danach werden wir, die Lebenden, die übrigbleiben, zugleich mit ihnen entrückt werden in Wolken dem Herrn entgegen in die Luft; und so werden wir allezeit beim Herrn sein."

Die Reihenfolge der Ereignisse, wenn Christus für Seine Heiligen kommt, beginnt damit, dass der Herr Seinen Thron im Himmel verlässt und in die Luft über der Erde hinabsteigt. Er wird rufen – wörtlich: „mit gebietendem Zuruf". Dies wird begleitet werden von der triumphierenden Stimme eines Erzengels und dem Klang der Posaune Gottes. Dem Befehl Christi gehorsam (Joh 5,28-29) werden die Christen, die bereits gestorben sind, von den Toten auferstehen. Die Seelen der Toten haben Christus vom Himmel begleitet, wie es in 1. Thessalonicher 4,14 angedeutet wird („wird auch Gott ebenso die Entschlafenen durch Jesus mit ihm bringen"), und werden ihre Auferstehungsleiber erhalten. In einem Augenblick, nachdem die Toten in Christus auferstanden sind, werden die lebenden Christen „zugleich mit ihnen entrückt werden in Wolken dem Herrn entgegen in die Luft". Auf diese Weise wird die gesamte Gemeinde vom Schauplatz der Erde hinweggenommen werden, um in Erfüllung der Prophezeiung in Johannes 14 zusammen mit Christus im Hause des Vaters im Himmel zu sein.

Weitere Einzelheiten werden in 1. Korinther 15,51-58 berichtet. Hier wird erklärt, dass Christi Kommen für Seine Gemeinde ein „Geheimnis" sei, d. h. eine nicht im Alten, wohl aber im Neuen Testament geoffenbarte Wahrheit (vgl. Röm 16,25-26; Kol 1,26). Im Gegensatz zu der Wahrheit, dass Christus auf die Erde kommen wird, um Sein Königreich aufzurichten, die im Alten Testament geoffenbart wird, wird die Entrückung nur im Neuen Testament geoffenbart. Paulus weist in 1. Korinther 15 darauf hin, dass das Ereignis in einem Moment geschehen wird, „in einem Augenblick", dass die Auferstehungsleiber der Toten, die auferweckt werden, unverweslich sein, d. h. nicht altern und unsterblich sein werden, dem Tode nicht unterworfen (1Kor 15,53).

Es ist aus der Schrift klar ersichtlich, dass unsere neuen Leiber ebenfalls sündlos sein werden (Eph 5,27; vgl. Phil 3,20-21). Sowohl die Leiber derjenigen in den Gräbern als auch die der auf Erden Lebenden sind für den Himmel nicht geeignet. Deshalb erklärt Paulus, dass wir „alle verwandelt werden" (1Kor 15,51).

Im Gegensatz zu der Auferstehung und Entrückung der Gemeinde ist die Auferstehung derjenigen Heiligen, die vor Pfingsten gestorben sind oder nach der Entrückung sterben, anscheinend bis zu der Zeit aufgeschoben, wenn Christus kommen wird, um Sein Königreich aufzurichten (Dan 12,1-2; Offb 20,4). Die sündigen Toten werden jedoch erst nach der tausendjährigen Herrschaft Christi auferstehen (Offb 20,5-6.12-13).

C. Unterschiede zwischen Christi Kommen für Seine Heiligen und Seinem Kommen mit Seinen Heiligen

Die Sichtweise, dass die Entrückung vor den Endzeitereignissen geschieht, wird „prämillennialistische" Sicht genannt im Unterschied zu der „postmillennialistischen" Sicht, die aus Christi Kommen für Seine Heiligen und dem mit Seinen Heiligen ein einziges Ereignis macht. Die Frage, welche der beiden Sichtweisen die richtige ist, hängt davon ab, wie wörtlich die Prophetie interpretiert wird.

Es gibt eine Anzahl von Unterschieden zwischen den beiden Ereignissen:

1. Christi Kommen für Seine Heiligen, um sie zum Haus des Vaters im Himmel mitzunehmen, ist offensichtlich eine Bewegung von der Erde zum Himmel, wohingegen Sein Kommen mit Seinen Heiligen eine Bewegung vom Himmel zur Erde ist, nämlich dann, wenn Christus auf den Ölberg zurückkehren und Sein Königreich aufrichten wird.

2. Bei der Entrückung werden die lebenden Heiligen verwandelt, wohingegen beim zweiten Kommen Christi auf die Erde keine Heiligen verwandelt werden.
3. Bei der Entrückung gehen die Heiligen in den Himmel, wohingegen beim zweiten Kommen Christi die Heiligen auf der Erde bleiben, ohne verwandelt zu werden.
4. Bei der Entrückung bleibt die Welt unverändert, ungerichtet und fährt in ihren Sünden fort, wohingegen beim zweiten Kommen Christi die Welt gerichtet werden und Gerechtigkeit auf Erden hergestellt werden wird.
5. Die Entrückung der Gemeinde ist eine Errettung vor dem Tag des Zorns, der folgt, wohingegen das zweite Kommen eine Errettung derjenigen ist, die an Christus während der Zeit der Drangsal geglaubt und überlebt haben.
6. Die Entrückung wird immer als ein Ereignis beschrieben, das nahe bevorsteht, d. h. jeden Moment geschehen könnte, wohingegen dem zweiten Kommen Christi auf die Erde viele vorankündigende Zeichen und Ereignisse vorausgehen werden.
7. Die Entrückung der Heiligen ist eine Wahrheit, die nur im Neuen Testament offenbart wird, wohingegen Christi zweites Kommen auf Erden mit seinen vorhergehenden und folgenden Ereignissen eine wichtige Lehre beider Testamente ist.
8. Die Entrückung ist nur auf diejenigen bezogen, die errettet sind, wohingegen das zweite Kommen sowohl die Erretteten als auch die Unerretteten betrifft.
9. Bei der Entrückung wird Satan nicht gebunden, sondern ist in der darauffolgenden Periode sehr aktiv, wohingegen beim zweiten Kommen Satan gebunden und handlungsunfähig gemacht wird.
10. Nach den Aussagen des Neuen Testaments gibt es keine noch nicht erfüllte Prophezeiung, die zwischen der Entstehung der Gemeinde und dem Zeitpunkt ihrer Entrückung noch in Erfüllung gehen müsste; die Entrückung wird als jederzeit bevorstehendes Ereignis bezeichnet, wohingegen noch viele Zeichen erfüllt werden müssen vor dem zweiten Kommen Christi zur Errichtung Seines Königreichs.
11. Weder das Alte noch das Neue Testament erwähnen in Bezug auf die Auferstehung der Heiligen beim Kommen Christi zur Errichtung

Seines Königreichs jemals die gleichzeitige Verwandlung der lebenden Heiligen. Tatsächlich wäre eine solche Lehre unmöglich, weil die lebenden Heiligen ihre natürlichen Körper behalten müssen, damit sie im Tausendjährigen Königreich eingesetzt werden können.

12. In der Abfolge der Geschehnisse beim zweiten Kommen Christi auf Erden ist kein angemessener Platz für ein Ereignis wie die Entrückung. Nach Matthäus 25,31-46 sind die Gläubigen und Ungläubigen immer noch vermischt zum Zeitpunkt dieses Gerichts, das nach Christi Kommen auf Erden stattfinden wird, und es ist klar, dass bei der Wiederkunft Christi vom Himmel auf die Erde keine Entrückung oder Trennung der Erretteten von den Unerretteten stattgefunden hat.
13. Eine Untersuchung der Lehre der Wiederkunft Christi zur Errichtung Seines Königreichs und der Ereignisse, die vorausgehen und folgen, macht deutlich, dass diese Vorfälle sich nicht auf die Gemeinde beziehen, sondern vielmehr auf Israel und die gläubigen und ungläubigen Heiden. Das wird im nächsten Kapitel erklärt werden.

Die Wahrheit von der nahe bevorstehenden Wiederkunft Christi für Seine Gemeinde ist eine sehr praktische Wahrheit. Die Christen in Thessalonich werden in 1. Thessalonicher 1,10 angewiesen, „seinen Sohn aus den Himmeln zu erwarten, den er aus den Toten auferweckt hat – Jesus, der uns rettet von dem kommenden Zorn“. Ihre Hoffnung war nicht das Überleben während der Drangsal, sondern Errettung vor dem Zorn Gottes, der auf die Erde ausgegossen werden wird (vgl. 1Thes 5,9 und Offb 6,17). Wie es im Neuen Testament dargestellt wird, ist die Entrückung eine tröstende Hoffnung (Joh 14,1-3; 1Thes 4,18), eine reinigende Hoffnung (1Jo 3,1-3) und eine gesegnete oder glückselige Erwartung (Tit 2,13). Während die Welt Christus bis zu Seinem zweiten Kommen, um Sein Königreich aufzurichten, nicht sehen wird, werden die Christen Ihn in Seiner Herrlichkeit zur Zeit der Entrückung sehen. Dies wird für sie „die glückselige Hoffnung und Erscheinung der Herrlichkeit unseres großen Gottes und Retters Jesus Christus“ (Tit 2,13) sein.

? Fragen

1. Welcher Anteil der Bibel war bei seiner Niederschrift Prophetie?
2. Welche Bedeutung hat die Tatsache, dass viele Prophezeiungen sich bereits buchstäblich erfüllt haben?
3. Welchen Unterschied gibt es zwischen der Wiederkunft Christi für Seine Heiligen und Seiner Wiederkunft mit Seinen Heiligen?
4. Welche wichtigen Ereignisse werden zwischen diesen beiden Ereignissen stattfinden?
5. Wann hat Christus die Entrückung der Gemeinde zum ersten Mal angekündigt, und was hat Er darüber gesagt?
6. Warum fiel es den Jüngern so schwer, die erste Erwähnung der Entrückung zu verstehen?
7. Beschreiben Sie den Ablauf der Ereignisse nach 1. Thessalonicher 4,13-18, wenn Christus für Seine Heiligen wiederkommt.
8. Warum bringt Christus die Seelen der bereits entschlafenen Christen mit sich, wenn Er zur Zeit der Entrückung vom Himmel wiederkommt?
9. Warum wird die Wiederkunft Christi für Seine Gemeinde in 1. Korinther 15,51-52 ein Geheimnis genannt?
10. Welche zusätzlichen Informationen über die Entrückung erhalten wir in 1. Korinther 15,51-58?
11. Was für einen Leib erhalten diejenigen, die verwandelt worden oder von den Toten auferstanden sind?
12. Wenn die Heiligen des Alten Testaments nicht bei der Entrückung auferweckt werden, wann werden sie dann auferstehen?
13. Wann werden die in Sünden gestorbenen Toten auferstehen?
14. Warum muss aus der Sicht der biblischen Lehre von der Entrückung und Auferstehung die Annahme, alle Toten würden zur selben Zeit auferstehen, zurückgewiesen werden?
15. Nennen Sie einige der wichtigen Unterschiede zwischen der Entrückung der Gemeinde und dem zweiten Kommen Christi zur Errichtung Seines Königreiches.
16. Welche Argumente können im Licht dieser Unterschiede dafür angeführt werden, dass die Entrückung vor der großen Drangsal stattfindet statt nach der Drangsal?

17. Welche praktischen Konsequenzen zieht die Bibel aus der Wahrheit von der Entrückung für unser Leben?

Kapitel 13

Gott der Sohn: Sein Kommen mit Seinen Heiligen

Da das Thema dieses Kapitels so häufig mit dem Kommen Christi *für* Seine Heiligen verwechselt wird, ist es wichtig, diese beiden Ereignisse gemeinsam zu studieren, damit der Unterschied deutlich wird, der in fast jedem Punkt zwischen ihnen besteht.

A. Wichtige Ereignisse, die dem zweiten Kommen Christi vorausgehen

Wie später noch in Verbindung mit den Endzeit-Prophezeiungen zu zeigen sein wird, umfasst die Zeitspanne von der Entrückung der Gemeinde bis zum zweiten Kommen Christi zur Errichtung Seines Königreichs drei klar umrissene Zeitabschnitte.

1. Der Entrückung wird eine Zeit der Vorbereitung folgen, in der sich zehn Nationen zu einem Staatenbund zusammenschließen werden, ähnlich dem alten Römischen Reich. Aus diesem Staatenbündnis wird ein Diktator hervorgehen, der zuerst nur drei, dann alle zehn Nationen beherrschen wird.

2. Dieser Diktator wird durch ein auf sieben Jahre angelegtes Bündnis mit Israel (Dan 9,27) eine Zeit des Friedens im Mittelmeerbereich schaffen.

3. Nach den ersten dreieinhalb Jahren wird der Diktator sein Bündnis brechen. Eine Zeit der Verfolgung beginnt für Israel und alle Gläubigen in Christus. Gleichzeitig erhebt er sich zum Diktator über die ganze Welt, schafft alle Weltreligionen ab, um sich selbst anbeten zu lassen, und übernimmt die Kontrolle über alle geschäftlichen Transaktionen in der Welt, sodass ohne seine Erlaubnis niemand mehr etwas kaufen oder verkaufen kann. Diese Zeitspanne von dreieinhalb Jahren wird in der Bibel die große Drangsal genannt (Dan 12,1; Mt 24,21; Offb 7,14). Während dieser Zeit wird Gott gewaltige Gerichte über die Erde ausgießen (wie in Offb 6,1–18,24 beschrieben). Die große Drangsal wird in einen großen Weltkrieg münden (Offb 16,14-16).

Auf dem Höhepunkt dieses Krieges wird Christus wiederkommen, um Seine Heiligen, die noch nicht den Märtyrertod gestorben sind, zu befreien, die Erde zu richten und Seine gerechte Königsherrschaft einzuführen. Aus den vielen Bibelstellen, die diese Zeitspanne beschreiben, ist ersichtlich, dass diese großen und bewegenden Ereignisse dem zweiten Kommen Christi vorausgehen müssen. Das zweite Kommen Christi kann also noch nicht unmittelbar bevorstehen, denn diese Ereignisse haben noch nicht stattgefunden.

B. Wichtige Tatsachen in Verbindung mit dem zweiten Kommen Christi

1. Die Bibel sagt, dass der Herr Jesus Christus auf die Erde wiederkommen wird (Sach 14,4), in Person (Mt 25,31; Offb 19,11-16) und auf den Wolken (Mt 24,30, Apg 1,11; Offb 1,7). Allen biblischen Aussagen zufolge wird es ein großartiges Ereignis sein, das die ganze Welt miterleben wird (Offb 1,7).

2. Wie Christus selbst in Matthäus 24,26-29 offenbart, wird Seine herrliche Ankunft sein wie ein Blitz, der ausfährt vom Osten und scheint bis zum Westen. In den vorausgehenden Tagen, die beschrieben werden als die „Bedrängnis jener Tage“, wird sich die Sonne verfinstern und der Mond seinen Schein nicht geben, Sterne werden vom Himmel fallen und die Kräfte der Himmel erschüttert werden. Nähere Einzelheiten erfahren wir in Offenbarung 6,12-17 und 16,1-21. Die Wiederkunft Christi wird von allen Menschen auf der Erde wahrgenommen werden können (Mt 24,30; Offb 1,17), „und dann werden wehklagen alle Stämme des Landes“ (Mt 24,30), weil die Mehrheit von ihnen Ungläubige sind, die das große Gericht zu fürchten haben.

3. Bei Seinem zweiten Kommen auf diese Erde wird Christus von den Heiligen und Engeln begleitet sein. Dies wird ausführlich in Offenbarung 19,11-16 beschrieben. Hier schreibt Johannes: „Und ich sah den Himmel geöffnet, und siehe, ein weißes Pferd, und der darauf saß, heißt Treu und Wahrhaftig, und er richtet und führt Krieg in Gerechtigkeit. Seine Augen aber sind eine Feuerflamme, und auf seinem Haupt sind viele Diademe, und er trägt einen Namen geschrieben, den niemand kennt als nur er selbst; und er ist bekleidet mit einem in Blut getauchten Gewand, und sein Name heißt: Das Wort Gottes. Und die Truppen, die im Himmel sind, folgten ihm auf weißen Pferden, bekleidet mit weißer, reiner Leinwand. Und aus seinem Mund geht ein scharfes Schwert hervor, damit er mit ihm die Nationen schlägt; und er wird sie hüten mit eisernem Stab, und er tritt die Kelter des Weines des Grimmes des Zornes Gottes des Allmächtigen. Und er trägt auf seinem Gewand und auf seiner Hüfte einen Namen geschrieben: König der Könige und Herr der Herren."

Dass Christus bei diesem Zug von allen Heiligen und Engeln begleitet wird, lässt darauf schließen, dass er viele Stunden dauern kann. In dieser Zeit wird sich die Erde drehen, sodass die ganze Welt dieses Ereignis miterleben kann. Enden wird die Wiederkunft auf dem Ölberg, demselben Ort, von wo aus Christus in den Himmel aufgefahren ist (Sach 14,1-4; Apg 1,9-12). Sobald seine Füße den Ölberg berühren werden, wird er sich spalten, und ein tiefes Tal entsteht, das von Jerusalem ostwärts bis zum Jordan-Tal reicht.

4. Bei Seiner Wiederkunft wird Christus zuerst die Armeen der Welt richten, die in den Krieg verwickelt sind (Offb 18,15-21). Wenn Er Sein Reich aufrichtet, wird Er Israel sammeln und richten (Hes 20,34-38) und entscheiden, wer es wert ist, ins Tausendjährige Reich zu kommen. Ähnlich wird Er auch die Heiden, oder die „Nationen", sammeln und richten (Mt 25,31-46). Danach wird Er Sein Reich des Friedens und der Gerechtigkeit aufrichten. Der Satan wird in dieser Zeit gebunden sein. Weitere Einzelheiten werden spätere Kapitel enthalten.

C. Das zweite Kommen im Unterschied zur Entrückung

Wie im vorhergehenden Kapitel gesehen, gibt es viele Unterschiede zwischen dem Kommen Christi für Seine Heiligen und Seinem Kommen mit Seinen Heiligen.

Diese beiden Ereignisse – Christi Wiederkunft *für* Seine Heiligen und Seine Wiederkunft *mit* Seinen Heiligen – kann man folgendermaßen unterscheiden (der Einfachheit halber wird die Entrückung der Gemeinde mit *a*, die Wiederkunft Christi mit *b* bezeichnet):

(a) „Unserer Vereinigung mit ihm"; (b) „Ankunft unseres Herrn Jesus Christus" (2Thes 2,1).

(a) Er kommt als der „Morgenstern“ (Offb 2,28; 22,16; 2Petr 1,19); (b) als die „Sonne der Gerechtigkeit“ (Mal 3,20).

(a) Der „Tag Christi“ und „Tag unseres Herrn Jesus“ (1Kor 1,8; 2Kor 1,14; Phil 1,6.10; 2,16); (b) der „Tag des Herrn“ (2Petr 3,10).

(a) Ein Ereignis ohne Vorankündigung; (b) sein Herannahen kann beobachtet werden (1Thes 5,4; Hebr 10,25).

(a) Ein zeitlich nicht genau fixiertes Ereignis – kann jeden Augenblick geschehen; (b) zuvor müssen bestimmte Prophezeiungen erfüllt sein (2Thes 2,2.3).

(a) Kein Hinweis auf das Böse; (b) das Böse ist hinweggetan, der Satan gerichtet, der Mensch der Sünde vernichtet (2Thes 2,8; Offb 19,20; 20,1-4).

(a) Israel bleibt unverändert; (b) all seine Verheißungen werden erfüllt (Jer 23,5-8; 30,3-11; 31,27-37).

(a) Die Gemeinde wird von der Erde fortgenommen; (b) ihre Wiederkunft mit Christus zusammen (1Thes 4,17; Jud 14-15; Offb 19,14).

(a) Die Nationen bleiben unverändert; (b) werden gerichtet (Mt 25,31-46).

(a) Die Schöpfung bleibt unverändert; (b) wird von der Knechtschaft der Verderbtheit befreit (Jes 35; 65,17-25).

(a) Ein „Geheimnis“, das zuvor nicht geoffenbart wurde; (b) im Alten und Neuen Testament erkennbar (Dan 7,13-14; Mt 24,27-30; 1Kor 15,51-52).

(a) Die Hoffnung hat Christus zum Mittelpunkt – „der Herr ist nahe“ (Phil 4,5); (b) die Hoffnung ist das kommende Reich (Mt 6,10).

(a) Christus erscheint als der Bräutigam, Herr und Haupt der Gemeinde (Eph 5,25-27; Tit 2,13); (b) Er erscheint Israel als König, Messias und Immanuel (Jes 7,14; 9,6-7; 11,1-2).

(a) Sein Kommen bleibt unbemerkt von der Welt; (b) Sein Kommen erfolgt in Macht und großer Herrlichkeit (Mt 24,27.30; Offb 1,7).

(a) Christen werden im Hinblick auf ihren Lohn beurteilt; (b) die Nationen werden im Hinblick auf ihren Eingang in das Reich gerichtet (2Kor 5,10-11; Mt 25,31-46).

Wichtige Schriftstellen:

(a) Johannes 14,1-3; 1. Korinther 15,51-52; 1. Thessalonicher 4,13-18; Philipper 3,20-21; 2. Korinther 5,10; (b) 5. Mose 30,1-10; Psalm 72; alle Propheten; Matthäus 25,1-46; Apostelgeschichte 1,11; 15,13-18; 2. Thessalonicher 2,1-12; 2. Petrus 2,1–3,18; Offenbarung 19,11–20,6.

? Fragen

1. Beschreiben Sie die Zeit der Vorbereitung, die der Entrückung der Gemeinde folgen wird.
2. Wie lange wird die Friedenszeit dauern, die der Zeit der Vorbereitung folgen wird, und wie wird sie bewirkt werden?
3. Welches sind die Hauptmerkmale der Zeit der Verfolgung für Israel, der die Friedenszeit folgen wird?
4. Welches ist die genaue Bedeutung der Zeit der großen Drangsal, und wie wird diese Zeit beendet werden?
5. Warum wäre es Jesus Christus unmöglich, heute auf die Erde zu kommen, um Sein Reich aufzurichten?
6. Beschreiben Sie die äußere Erscheinung des zweiten Kommens Christi, wie sie von der Welt gesehen werden wird.
7. Was wird auf der Erde und im Himmel geschehen, wenn Christus auf die Erde wiederkommt?
8. Warum werden dann alle Stämme des Landes trauern?
9. Von wem wird Christus bei Seiner Wiederkunft begleitet?
10. Wie erklären Sie die Tatsache, dass die ganze Welt die Wiederkunft Christi wird sehen können?
11. Wohin wird Christus bei Seiner Wiederkunft zurückkehren, und was wird geschehen, wenn Seine Füße die Erde berühren werden?
12. Was wird das erste Gerichtshandeln Christi sein, wenn Er wiederkommt?
13. Was wird Christus bei seiner Wiederkunft mit Israel tun?
14. Was wird Christus bei Seiner Wiederkunft mit den Heiden tun?
15. Welche Unterschiede zwischen der Entrückung und dem zweiten Kommen machen deutlich, dass es sich um zwei unterschiedliche Ereignisse handelt?
16. Nennen Sie einige der wichtigen Bibelstellen, die sich auf die Entrückung und auf das zweite Kommen Christi beziehen.
17. Weshalb macht es eine wörtliche Auslegung der Prophetie unmöglich, aus der Entrückung der Gemeinde und dem Kommen Christi zur Errichtung Seines Königreiches ein und dasselbe Ereignis zu machen?

Kapitel 14

Gott der Heilige Geist: Seine Persönlichkeit

A. Die Bedeutung Seiner Persönlichkeit

Wenn man die fundamentalen Grundlagen in Bezug auf den Heiligen Geist lehrt, muss Seine Persönlichkeit besondere Beachtung finden, weil der Geist in der gegenwärtigen Zeit nicht aus sich selbst oder von sich selbst spricht (Joh 16,13; Apg 13,2); es heißt von Ihm, dass Er in die Welt gekommen ist, um Christus zu verherrlichen (Joh 16,14). Im Gegensatz dazu sprechen der Vater und der Sohn in der Schrift von sich selbst – und dies nicht nur mit der letzten Autorität und indem sie das Fürwort *ich* gebrauchen – die Schrift macht deutlich, dass sie in unmittelbarer Gemeinschaft, Zusammenarbeit und im Gespräch miteinander sind. Das alles führt dazu, dass die Persönlichkeit des Heiligen Geistes, der nicht für oder aus sich selbst spricht, weniger wirklich erscheint. Darum wurde in der Kirchengeschichte die Persönlichkeit des Geistes einige Jahrhunderte lang vernachlässigt; erst nachdem die Lehre von dem Vater und dem Sohn im Konzil von Nizäa (325 n. Chr.) definiert worden war, wurde der Geist in den kirchlichen Glaubensbekenntnissen als Persönlichkeit anerkannt.

In der späteren Definition der orthodoxen Lehre wurde die Wahrheit der Schrift allgemein anerkannt, dass die Gottheit aus drei Personen besteht – dem Vater, dem Sohn und dem Heiligen Geist. Die Bibel zeigt ganz eindeutig, dass der Heilige Geist genauso eine Person ist wie Gott der Vater und Gott der Sohn, und doch bilden diese drei Personen, wie wir in der Beschäftigung mit der Lehre von der Dreieinheit gesehen haben, einen Gott und nicht drei Götter.

B. Die Persönlichkeit des Heiligen Geistes in der Bibel

1. Von dem Geist wird gesagt, dass Er Dinge tut, die nur eine Person tun kann.

a) Er überführt die Welt: „Und wenn er gekommen ist, wird er die Welt überführen von Sünde und von Gerechtigkeit und von Gericht“ (Joh 16,8).

b) Er lehrt: „Der wird euch alles lehren“ (Joh 14,26; vgl. Neh 9,20; Joh 16,13-15; 1Jo 2,27).

c) Der Geist redet: „Weil ihr aber Söhne seid, sandte Gott den Geist seines Sohnes in unsere Herzen, der da ruft: Abba, Vater!“ (Gal 4,6).

d) Der Geist tritt für uns ein: „… aber der Geist selbst verwendet sich für uns in unaussprechlichen Seufzern“ (Röm 8,26).

e) Der Geist leitet: „Wenn ihr aber durch den Geist geleitet werdet“ (Gal 5,18; vgl. Apg 8,29; 10,19; 13,2; 16,6-7; 20,23; Röm 8,14).

f) Der Geist beruft den Menschen in einen bestimmten Dienst: „Während sie aber dem Herrn dienten und fasteten, sprach der Heilige Geist: Sondert mir nun Barnabas und Saulus zu dem Werk aus, zu welchem ich sie berufen habe!“ (Apg 13,2; vgl. Apg 20,28).

g) Der Geist wird auch selbst berufen (Joh 15,26).

h) Der Geist dient: Aus Ihm wird von neuem geboren (Joh 3,6), Er versiegelt (Eph 4,30), Er tauft (1Kor 12,13), Er erfüllt (Eph 5,18).

2. Er wird als Person von anderen Wesen beeinflusst.

a) Der Vater sendet Ihn in die Welt (Joh 14,16.26), und der Sohn sendet Ihn in die Welt (Joh 16,7).

b) Der Geist kann sich über Menschen entrüsten (Jes 63,10, Luther 1912), sie können Ihn betrüben (Eph 4,30), sie können Ihn auslöschen (Ihm widerstehen) (1Thes 5,19), sie können Ihn verlästern (Mt 12,31), sie können Ihn belügen (Apg 5,3), sie können Ihn schmähen (Hebr 10,29), sie können gegen Ihn reden (Mt 12,32).

3. Alle in der Bibel auf den Geist angewendeten Ausdrücke beziehen sich auf Ihn als Person.

a) Er wird „ein anderer Beistand“ (Sachwalter) genannt, was andeutet, dass Er genauso eine Person ist wie Christus (Joh 14,16-17.26; 16,7; 1Jo 2,1-2).

b) Er wird in derselben persönlichen Weise ein Geist genannt, wie von Gott als Geist gesprochen wird (Joh 4,24).
c) Die Fürwörter, die im Zusammenhang mit dem Geist verwendet werden, weisen auf Seine Persönlichkeit hin. Im Griechischen ist das Wort „Geist“ ein Neutrum, das natürlicherweise auch ein neutrales Fürwort erfordert, und in einigen Fällen wird auch tatsächlich das neutrale Fürwort verwendet (Röm 8,16.26); doch häufig wird die maskuline Form des Fürwortes gebraucht, wodurch die Persönlichkeit des Geistes besonders hervorgehoben wird (Joh 14,16-17; 16,7-15).

C. Als Teil der Gottheit steht der Heilige Geist auf einer Stufe mit dem Vater und dem Sohn

1. Er wird Gott genannt. Dies wird deutlich, wenn man Jesaja 6,8-9 mit Apostelgeschichte 28,25-26 vergleicht und Jeremia 31,31-34 mit Hebräer 10,15-17. (Lesen Sie auch 2. Korinther 3,18 und Apostelgeschichte 5,3.4 – „Warum hat der Satan dein Herz erfüllt, dass du den Heiligen Geist belogen ... hast? ... Nicht Menschen hast du belogen, sondern Gott.“) Obwohl das Gericht Gottes so drastisch über Menschen erging, die den Heiligen Geist belogen hatten (Apg 5,3) und obwohl den Menschen nicht erlaubt ist, im Namen des Heiligen Geistes zu schwören und obwohl Er *Der Heilige Geist* genannt wird, steht fest, dass Er nicht heiliger ist als der Vater oder der Sohn. Vollkommene Heiligkeit ist die Grundeigenschaft des Dreieinigen Gottes.

2. Er besitzt die Wesenseigenschaften Gottes (1Mo 1,2; Hi 26,13; 1Kor 2,9-11; Hebr 9,14).

3. Der Heilige Geist führt die Werke Gottes aus (Hi 33,4; Ps 104,30; Lk 12,11-12; Apg 1,5; 20,28; 1Kor 6,11; 2,8-11; 2Petr 1,21).

4. Wie schon erwähnt, bestätigt die Verwendung der persönlichen Fürwörter Seine Persönlichkeit.

5. Der Heilige Geist wird in der Schrift als Person dargestellt, die Gegenstand des Glaubens ist (Ps 51,13; Mt 28,19; Apg 10,19-21). Wir sollen nicht nur an Ihn glauben, sondern Ihm auch gehorchen. Der Gläubige in Christus, der in Gemeinschaft mit dem Geist seinen Weg geht, erfährt Seine Kraft, Seine Führung, Seine Unterweisung und

Seine Fülle und bestätigt aus Erfahrung die großen Lehren in Bezug auf die Persönlichkeit des Geistes, die in der Bibel geoffenbart werden.

? Fragen

1. Warum ist es notwendig, die Persönlichkeit des Heiligen Geistes hervorzuheben?
2. Nennen Sie einige der wichtigen Werke des Geistes, die Seine Persönlichkeit verdeutlichen.
3. Inwieweit zeigt die Schrift, dass der Heilige Geist von anderen Wesen als Person beeinflusst werden kann?
4. Welche biblischen Ausdrücke weisen auf die Persönlichkeit des Geistes hin?
5. In welcher Weise verdeutlicht die Tatsache, dass der Heilige Geist Gott genannt wird, Seine Wesensgleichheit mit dem Vater und dem Sohn?
6. Welche Belege erhärten die Schlussfolgerung, dass der Heilige Geist die Wesenseigenschaften Gottes besitzt?
7. Auf welche Weise zeigt sich die Göttlichkeit des Heiligen Geistes in Seinen Werken?
8. Inwiefern bestätigen die persönlichen Fürwörter, die für den Heiligen Geist verwendet werden, Seine Persönlichkeit?
9. Wieso bestätigen die Erfahrungen der Christen, die an den Heiligen Geist glauben und Ihm gehorchen, Seine Wesensgleichheit mit dem Vater und dem Sohn?

Kapitel 15

Gott der Heilige Geist: Seine Ankunft

Das Kommen des Geistes in die Welt am Pfingsttag muss gesehen werden in Verbindung zu Seinem Wirken in früheren Heilszeitaltern. Im Alten Testament war der Heilige Geist in der Welt als der allgegenwärtige Gott; und doch sagt man von Ihm, dass Er erst am Pfingsttag in die Welt gekommen ist. Gegenwärtig ist Er noch in der Welt, doch Er wird von der Welt genommen werden – auf dieselbe Weise, wie Er zu Pfingsten in die Welt gekommen ist –, wenn die Gemeinde entrückt wird. Um dies zu verstehen, müssen wir uns mit verschiedenen Aspekten der Beziehung des Geistes zu dieser Welt beschäftigen.

A. Der Heilige Geist im Alten Testament

In der Zeit vor dem ersten Kommen Christi auf diese Erde war der Geist in der Welt in demselben Sinne, wie Er überall gegenwärtig ist, und Er wirkte im Volk Gottes und durch das Volk Gottes nach Seinem göttlichen Willen (1Mo 41,38; 2Mo 31,3; 35,31; 4Mo 27,18; Hi 33,4; Ps 139,7; Hag 2,4-5; Sach 4,6). Im Alten Testament wird gezeigt, dass der Geist Gottes in Beziehung zu der Schöpfung der Welt steht. Er hatte teil an der Offenbarung der göttlichen Wahrheit an die Heiligen und Propheten. Er hat die heiligen Schriften inspiriert, die niedergeschrieben wurden, und Sein Dienst an der Welt bestand darin, der Sünde Einhalt zu gebieten, die Gläubigen zum Dienst zu befähigen und Wunder zu tun. Alle diese Wirkungen zeigen, dass der Geist im Alten Testament vielfach tätig war; doch gibt es keinen Beweis dafür, dass Er in allen Gläubigen wohnte. Wie in Johannes 14,17 angedeutet, war Er „bei“ ihnen, doch nicht „in“ ihnen. Auch wird die Versiegelung mit dem Heiligen Geist oder die Taufe des Heiligen Geistes vor dem Pfingsttag mit keinem Wort erwähnt. Man darf daher annehmen, dass nach Pfingsten das Wirken des Heiligen Geistes umfassender und größer war als vorher.

B. Der Heilige Geist während des Lebens Christi auf der Erde

Es ist sinnvoll anzunehmen, dass die menschgewordene, aktive Gegenwart der Zweiten Person der Dreieinheit in der Welt das Wirken des Geistes beeinflusste, und tatsächlich finden wir dies bestätigt.

1. In Bezug auf Christus war der Geist die Kraft, durch die der Gott-Mensch im Leib der Jungfrau sich bildete. Der Geist ist auch in der Gestalt einer Taube zu sehen, die bei der Taufe Christi aus dem Himmel auf Ihn herniederfährt. Auch wird geoffenbart, dass Christus sich *durch den ewigen Geist* Gott geopfert hat (Hebr 9,14).

2. Die Beziehung des Geistes zu den Menschen während Christi Wirken auf Erden war wachstümlich. Christus gab zuerst Seinen Jüngern die Zusicherung, dass sie den Geist bekämen, wenn sie darum bitten würden (Lk 11,13). Obwohl der Geist auch schon zuvor entsprechend dem souveränen Willen Gottes auf Menschen gekommen war, war Seine Gegenwart im Herzen des Menschen vorher niemals vom Bitten des Menschen abhängig, und dieses neue Vorrecht war zuvor von niemandem in Anspruch genommen worden, soweit uns berichtet wird. Am Ende Seines Wirkens auf der Erde und kurz vor Seinem Tod sagte Christus: „Und ich werde den Vater bitten, und er wird euch einen anderen Beistand geben, dass er bei euch ist in Ewigkeit, den Geist der Wahrheit“ (Joh 14,16-17). Gleichermaßen hauchte der Herr sie an und sagte: „Empfangt Heiligen Geist“ (Joh 20,22); doch trotz dieser zeitlich begrenzten Gabe des Geistes sollten sie in Jerusalem bleiben, bis sie ständig mit der Kraft aus der Höhe angetan werden würden (Lk 24,49; Apg 1,4).

C. Das Kommen des Heiligen Geistes zu Pfingsten

Wie vom Vater (Joh 14,16-17.26) und vom Sohn (Joh 16,7) verheißen, kam der Geist – der als der Allgegenwärtige schon immer in der Welt gewesen ist – am Pfingsttag in die Welt. Die Bedeutung dieser Aussage wird deutlich, wenn wir uns bewusst machen, dass das Kommen des Geistes am Pfingsttag geschah, damit Er auf der Erde *Wohnung nehmen* konnte. Gott der Vater, obwohl allgegenwärtig (Eph 4,6), ist doch, was Seine Wohnstätte angeht, „unser Vater, der du bist in den Himmeln“

(Mt 6,9). Gleichermaßen ist die jetzige Wohnstätte von Gott dem Sohn, obwohl Er allgegenwärtig ist (Mt 18,20; Kol 1,27), zur Rechten Gottes (Hebr 1,3; 10,12). So hat auch der Geist, obwohl allgegenwärtig, Seine Wohnstätte jetzt hier auf der Erde. In diesem Sinn kam Er am Pfingsttag auf die Erde. Er verlegte Seinen Wohnort vom Himmel auf die Erde. Die Jünger sollten auf dieses Kommen des Geistes in die Welt warten. Der neue Dienst in diesem Zeitalter der Gnade konnte ohne das Kommen des Geistes nicht beginnen.

In den folgenden Kapiteln wird das Wirken des Geistes im gegenwärtigen Heilszeitalter dargestellt werden. Der Geist Gottes wirkt vor allem in der Welt, wie in Johannes 16,7-11 dargestellt. Hier wird Er gezeigt als derjenige, der die Welt von der Sünde, der Gerechtigkeit und dem Gericht überführt. Dieses Wirken, das einen Menschen darauf vorbereitet, Jesus Christus bewusst anzunehmen, ist ein besonderes Wirken des Geistes, ein Wirken der Gnade, das den vom Satan verblendeten Verstand des ungläubigen Menschen erleuchtet, indem Er ihnen drei große Lehren aufschließt.

1. Der Ungläubige wird dahin gebracht zu verstehen, dass die Sünde des Unglaubens an Jesus Christus als seinen persönlichen Retter die eine Sünde ist, die zwischen ihm und der Rettung steht. Es ist keine Frage seiner Würdigkeit, seiner Gefühle oder irgendeines anderen Faktors. Die Sünde des Unglaubens ist die Sünde, die seine Rettung verhindert (Joh 3,18).

2. Der Ungläubige wird über die Gerechtigkeit Gottes aufgeklärt. Während Seiner Zeit auf der Erde war Christus die lebendige Verkörperung der Gerechtigkeit Gottes der Welt gegenüber; nachdem Er zum Himmel aufgefahren war, wurde der Geist gesandt, um der Welt Gottes Gerechtigkeit zu offenbaren. Dies schließt die Tatsache mit ein, dass Gott ein gerechter Gott ist, der viel mehr fordert, als irgendein Mensch aus sich selbst heraus leisten kann, wodurch wiederum jede Möglichkeit ausgeschlossen wird, dass die Werke des Menschen die Basis für seine Rettung sind. Viel wichtiger noch, der Geist Gottes zeigt, dass es eine Gerechtigkeit gibt, die durch den Glauben an Christus empfangen werden kann, und dass ein Mensch, wenn er an Jesus Christus glaubt, gerechtfertigt und angenommen ist durch seinen Glauben an Christus, der in Seiner Person die Gerechtigkeit ist und durch Sein Werk am Kreuz die Gerechtigkeit für uns geschaffen hat (Röm 1,16-17; 3,22; 4,5).

3. Der Geist offenbart, dass der Fürst dieser Welt, der Satan, am Kreuz gerichtet und zu ewiger Verdammnis verurteilt ist. Das Werk am Kreuz ist vollendet, das Gericht hat stattgefunden, der Satan ist besiegt und die Rettung denen zugänglich, die ihr Vertrauen auf Christus setzen. Es ist zwar zur Errettung nicht unbedingt notwendig, dass ein Ungläubiger alle diese Dinge umfassend versteht, aber der Heilige Geist muss ihm so viel offenbaren, dass er glauben und ganz bewusst Christus in Seiner Person und Seinem Werk annehmen kann.

In gewissem Sinne traf dies auch teilweise auf die vergangenen Zeitalter zu, denn selbst im Alten Testament war es einem Menschen unmöglich, ohne das Wirken des Heiligen Geistes zu glauben und errettet zu werden. In der Gegenwart jedoch, in der Zeit nach dem Tod und der Auferstehung Christi, sind diese Heilstatsachen viel klarer hervorgetreten, und die Aufgabe, sie Ungläubigen zu offenbaren, ist ein wichtiger Grund für Sein Kommen und Sein Wohnen auf der Erde.

Mit dem Kommen des Geistes auf die Erde am Pfingsttag bekam Sein Wirken an der Gemeinde viele neue Aspekte, auf die später noch näher eingegangen wird. Vom Heiligen Geist wird gesagt, dass jeder Gläubige durch Ihn von neuem geboren oder zur Wiedergeburt gebracht wird (Joh 3,3-7.36). Der Heilige Geist wohnt in jedem Gläubigen (Joh 7,37-39; Apg 11,15-17; Röm 5,5; 8,9-11; 1Kor 6,19-20). Als der innewohnende Geist ist Er unser Siegel auf den Tag der Erlösung (Eph 4,30). Außerdem ist jedes Kind Gottes durch den Geist hineingetauft in den Leib Christi (1Kor 12,13). Alle diese Dienste sind in der Gegenwart auf jeden wahren Gläubigen anwendbar. Zusätzlich zu diesen Wirkungen, die sich auf die Erlösung des Gläubigen beziehen, gibt es die Möglichkeit des Erfülltwerdens mit dem Heiligen Geist und des Wandelns durch den Geist, wodurch dem Gläubigen die Türen zu dem ganzen Wirken des Heiligen Geistes in unserer heutigen Zeit geöffnet werden. Diese großen Werke des Geistes sind der Schlüssel zu einem fruchtbaren christlichen Leben in dem gegenwärtigen Zeitalter.

Wenn die Absicht Gottes in diesem Heilszeitalter durch die Entrückung zur Vollendung gebracht sein wird, wird der Heilige Geist den Zweck Seines besonderen Kommens in die Welt erfüllt haben und die Welt wieder verlassen in dem Sinne, wie Er zu Pfingsten in die Welt gekommen ist. Dies kann verglichen werden mit dem Kommen Christi in die Welt, um Sein Werk zu vollenden und dann wieder aufzufahren in den Himmel. Wie Christus wird auch der Heilige Geist weiter allgegenwärtig sein und nach der Entrückung ein Werk fortsetzen, das dem ähnelt, wie Er es vor Pfingsten getan hat.

Die Gegenwart ist demnach in vieler Hinsicht das Zeitalter des Geistes, ein Zeitalter, in dem der Geist Gottes auf besondere Weise wirkt, um eine Gemeinschaft von Gläubigen sowohl aus den Juden als auch aus den Heiden herauszurufen und den Leib Christi zu bilden. Der Heilige Geist wird auch nach der Entrückung weiterwirken. Dasselbe gilt für das Tausendjährige Reich, in dem Sein Dienst einen besonderen Charakter annehmen wird und aller Wahrscheinlichkeit nach auch alle Seine Wirkungen im gegenwärtigen Zeitalter umfassen dürfte, ausgenommen die Taufe im Geist in den Leib Christi. Das Kommen des Geistes sollte als ein wichtiges Ereignis betrachtet werden, unerlässlich für das Werk Gottes im gegenwärtigen Heilszeitalter, so wie auch das Kommen Christi unerlässlich war, um Gottes höchste Absicht zu erfüllen und der ganzen Welt, d. h. ganz besonders denen, die bereit sind zu glauben, Erlösung zu bringen.

? Fragen

1. In welchem Sinn war der Heilige Geist vor Pfingsten in der Welt?
2. Welche wichtigen Werke des Heiligen Geistes sind im Alten Testament zu finden?
3. Stellen Sie den Unterschied zwischen dem Alten Testament, wo der Heilige Geist „bei“ den Heiligen war, und der Gegenwart, wo Er „in“ ihnen ist, heraus.
4. Welchen Anteil hatte der Heilige Geist an der Empfängnis und Geburt Christi?
5. Was war die Aufgabe des Heiligen Geistes zu der Zeit, von der die Evangelien berichten?
6. Warum mussten die Jünger bis Pfingsten warten, um den Heiligen Geist zu empfangen, obwohl der Herr sie angehaucht hatte (Joh 20,22)?
7. Inwieweit verheißt die Zusage Christi, einen anderen Tröster zu senden, der für immer mit den Jüngern sein würde, einen neuen Dienst des Geistes?

8. In welchem Sinn ist der Heilige Geist zu Pfingsten in die Welt gekommen, und in welchem Zusammenhang steht dies zu Seiner ständigen Allgegenwärtigkeit?
9. Welche drei Lehren werden der Welt vom Geist vermittelt, um sie zu überführen?
10. Welche wichtigen Werke des Heiligen Geistes beobachten wir bei Seinem Kommen zu Pfingsten?
11. Wo ist die Wohnstätte des Vaters und des Sohnes im gegenwärtigen Heilszeitalter?
12. Wo ist die Wohnstätte des Heiligen Geistes im gegenwärtigen Heilszeitalter?
13. Wie wird sich das Wirken des Geistes nach der Entrückung verändern?
14. Wird der Heilige Geist auch nach der Entrückung noch auf der Erde wirken?
15. Was darf von dem Wirken des Geistes im Tausendjährigen Reich erwartet werden?
16. Welche Bedeutung hat der Dienst des Heiligen Geistes für die gegenwärtigen Absichten Gottes?

Kapitel 16

Gott der Heilige Geist: Sein Werk der Wiedergeburt

Da das geistliche Leben eines Christen mit der Wiedergeburt beginnt, gehören Wiedergeburt und Erlösung untrennbar zusammen. Für eine wirksame Evangelisation und die Erreichung geistlicher Reife ist eine genaue Definition dieses Wirkens des Geistes und das Verständnis Seiner Beziehung zum ganzen Leben des Christen unerlässlich.

A. Die Definition von Wiedergeburt

In der Bibel ist das Wort „Wiedergeburt" nur zweimal zu finden. In Matthäus 19,28 bezieht es sich nicht auf die Erlösung des Menschen, sondern auf die Erneuerung der Erde im Tausendjährigen Reich. In Titus 3,5 wird jedoch gesagt: „... rettete er uns, nicht aus Werken, die, in Gerechtigkeit vollbracht, wir getan hätten, sondern nach seiner Barmherzigkeit, durch die Waschung der Wiedergeburt und Erneuerung des Heiligen Geistes." Aufgrund dieses Textes wurde das Wort „Wiedergeburt" von den Theologen gewählt, um den Gedanken eines neuen Lebens, einer neuen Geburt, einer geistlichen Auferstehung, der neuen Schöpfung auszudrücken und, ganz allgemein, das neue, übernatürliche Leben zu kennzeichnen, das Gläubige als Söhne Gottes erhalten. In der Kirchengeschichte ist der Begriff nicht immer korrekt verwendet worden, doch im ursprünglichen Sinne bedeutet er die Entstehung des ewigen Lebens, das einem Gläubigen in dem Moment geschenkt wird, wenn er glaubt – der unmittelbare Übergang vom Zustand des geistlichen Todes in den Zustand des geistlichen Lebens.

B. Wiedergeburt durch den Heiligen Geist

Die Wiedergeburt ist ihrem Wesen nach ein Werk Gottes. In vielen Bibelstellen finden wir Aspekte dieser Wahrheit belegt (Joh 1,13; 3,3-7;

5,21; Röm 6,13; 2Kor 5,17; Eph 2,5.10; 4,24; Tit 3,5; Jak 1,18; 1Petr 2,9). Nach Johannes 1,13 ist der Wiedergeborene nicht geboren „aus Geblüt, auch nicht aus dem Willen des Fleisches, auch nicht aus dem Willen des Mannes, sondern aus Gott". In mehreren Bibelstellen wird die Wiedergeburt verglichen mit der geistlichen Auferstehung (Joh 5,21; Röm 6,13; Eph 2,5). Sie wird auch mit der Schöpfung verglichen, da sie ein schöpferischer Akt Gottes ist (2Kor 5,17; Eph 2,10; 4,24).

Alle drei Personen der Dreieinheit sind an der Wiedergeburt eines Menschen beteiligt. In Jakobus 1,17-18 wird Bezug genommen auf den Vater. An vielen Stellen wird geoffenbart, dass Jesus Christus an der Wiedergeburt beteiligt ist (Joh 5,21; 2Kor 5,18; 1Jo 5,12). Es hat jedoch den Anschein, dass, wie bei anderen Werken Gottes, bei denen alle drei Personen beteiligt sind, der Heilige Geist im Besonderen derjenige ist, durch den die Wiedergeburt geschieht, wie auch Johannes 3,3-7 und Titus 3,5 belegen. Eine Parallele mag die Geburt Christi sein. Gott wurde Sein Vater, das Leben des Sohnes war in Christus, und doch wurde Er gezeugt durch den Heiligen Geist.

C. Die Vermittlung des ewigen Lebens durch die Wiedergeburt

Der wichtigste Gedanke bei der Wiedergeburt ist, dass ein Mensch, der vorher geistlich tot war, nun ewiges Leben empfangen hat. Dies wird mit drei Bildern beschrieben. Das eine ist der Gedanke, von neuem geboren zu werden, oder das Bild der Wiedergeburt. In Seiner Unterhaltung mit Nikodemus sagt Christus: „*Ihr* müsst von Neuem geboren werden", oder, wie es manchmal auch übersetzt wird: „Ihr müsst von oben her geboren werden." Dies steht im Gegensatz zur menschlichen Geburt, wie in Johannes 1,13 erklärt wird. Das zweite Bild ist die geistliche Auferstehung. Die Gläubigen sind demnach „Lebende aus den Toten" (Röm 6,13). In Epheser 2,5 wird gesagt, dass Gott „auch uns, die wir in den Vergehungen tot waren, mit dem Christus lebendig gemacht" hat. In dem dritten Bild, dem der Neuschöpfung, wird der Gläubige ermahnt, „den neuen Menschen" anzuziehen, „der nach Gott geschaffen ist in wahrhaftiger Gerechtigkeit und Heiligkeit"

(Eph 4,24). In 2.Korinther 5,17 wird der Gedanke klarer: „Daher, wenn jemand in Christus ist, so ist er eine neue Schöpfung; das Alte ist vergangen, siehe, Neues ist geworden." Alle drei Bilder sprechen von dem neuen Leben, das durch den Glauben an Christus empfangen wird.

Das Wesen des Vorgangs der Neugeburt, der geistlichen Auferstehung und Neuschöpfung macht deutlich, dass die Wiedergeburt nicht durch irgendwelche guten Werke des Menschen erreicht werden kann. Sie ist kein Vorgang des menschlichen Willens und wird nicht durch irgendwelche kirchlichen Bräuche oder Sakramente, wie z. B. die Wassertaufe, erreicht. Sie ist ein vollkommen übernatürlicher Akt Gottes als Antwort auf den Glauben des Menschen.

Ebenso sollte die Wiedergeburt unterschieden werden von den Erfahrungen, die ihr folgen. Die Wiedergeburt geschieht augenblicklich und ist nicht von der Erlösung zu trennen. Ein wirklich erretteter Mensch wird nach seiner Wiedergeburt geistliche Erfahrungen machen, doch die Erfahrungen sind der Beweis für die Wiedergeburt, nicht die Wiedergeburt an sich. In gewisser Weise ist es möglich zu sagen, dass wir die Wiedergeburt „erleben", doch was wir in Wahrheit erleben, sind die Auswirkungen der Wiedergeburt.

D. Die Auswirkungen der Wiedergeburt

In vieler Hinsicht ist die Wiedergeburt die Grundlage unserer völligen Erlösung. Ohne das neue Leben in Christus gibt es keine Möglichkeit, die anderen Aspekte der Errettung, wie das Innewohnen des Geistes, die Rechtfertigung oder all die anderen Auswirkungen, zu empfangen. Jedoch gibt es einige Merkmale, die bei einer Wiedergeburt sofort zutage treten.

Wenn ein Mensch Christus im Glauben annimmt, wird er wiedergeboren und empfängt durch diesen Vorgang eine neue Natur. Dies ist gemeint, wenn die Bibel von dem „neuen Menschen" spricht (Eph 4,24), den wir „anziehen" sollen in dem Sinne, dass wir Gebrauch machen von seinem Einfluss auf unsere Persönlichkeit. Aufgrund dieser neuen Natur kann ein an Christus gläubig gewordener Mensch oft eine drastische Veränderung in seinem Leben erfahren, in seiner Haltung

Gott gegenüber und in seiner Fähigkeit, den Sieg über die Sünde zu erringen. Die neue Natur ist nach dem Wesen Gottes gebildet und unterscheidet sich von der menschlichen Natur Adams vor dem Sündenfall, die vollkommen menschlich war, wenn auch sündlos. Die neue Natur hat göttliche Eigenschaften und trachtet nach den göttlichen Dingen. Obwohl sie aus sich heraus, ohne den Heiligen Geist, nicht die Kraft hat, ihre Wünsche zu erfüllen, gibt sie dem Leben doch eine neue Richtung und legt eine neue Sehnsucht in den Menschen hinein, den Willen Gottes zu tun.

Daher ist die Wiedergeburt an sich zwar keine Erfahrung, aber das neue Leben, das durch die Wiedergeburt entsteht, eröffnet dem Gläubigen neue Möglichkeiten, Erfahrungen zu sammeln. Früher war er blind, nun kann er sehen. Früher war er tot, nun ist er geistlichen Dingen gegenüber lebendig. Früher war er Gott entfremdet und fern von Ihm, nun hat er eine Grundlage für eine Gemeinschaft mit Gott und kann den Dienst des Heiligen Geistes empfangen. In dem Maße, in dem sich der Christ Gott weiht und Gottes Fürsorge für ihn in Anspruch nimmt, wird seine Erfahrung eine wundervolle und übernatürliche Demonstration dessen sein, was Gott im Leben eines Menschen tun kann, der Ihm ganz hingegeben ist.

Ein weiterer wichtiger Gesichtspunkt des ewigen Lebens ist, dass es der Grund für ewige Heilssicherheit ist. Obwohl einige gelehrt haben, dass man das ewige Leben wieder verlieren und dass ein Mensch, der einmal errettet ist, wieder verloren gehen könne, wenn er vom Glauben abfällt, so macht doch das Wesen des ewigen Lebens und der Neugeburt eine Umkehrung dieses Werkes Gottes unmöglich. Dabei ist entscheidend, dass es ein Werk Gottes ist, nicht das Werk eines Menschen und nicht abhängig von der Würdigkeit eines Menschen. Obwohl der Glaube notwendig ist, wird er nicht als ein gutes Werk gewertet, das die Rettung als Belohnung verdient, sondern der Glaube ist nur der Kanal, durch den Gott im Leben des Einzelnen wirken kann. So wie eine natürliche Geburt nicht mehr rückgängig gemacht werden kann, kann auch eine geistliche Geburt nicht mehr rückgängig gemacht werden; wenn sie einmal erfolgt ist, sichert sie dem Gläubigen zu, dass Gott immer sein himmlischer Vater sein wird.

Gleicherweise kann auch die Wiedergeburt nicht mehr rückgängig gemacht werden, da wir durch einen Akt Gottes zu einer neuen Art des

Seins erhoben worden sind. Die Neugeburt als Schöpfungsakt ist ein weiterer Beweis dafür, dass sie, sobald sie einmal vollzogen ist, auch in Ewigkeit Bestand hat. Der Mensch kann seine Schöpfung nicht wieder rückgängig machen. Die Lehre der ewigen Heilssicherheit beruht folglich auf der Frage, ob die Erlösung ein Werk Gottes oder des Menschen ist, ob sie vollkommen aus Gnade geschieht oder dem Verdienst des Menschen zuzuschreiben ist. Obwohl es sein kann, dass der bekehrte Gläubige in Christus den Erwartungen, die an ein Kind Gottes gestellt werden, nicht entspricht, ändert dies nichts an der Tatsache, dass er Leben empfangen hat, das ewig ist. Auch ist es so, dass das ewige Leben, das wir nun haben, sich nur teilweise in geistlicher Erfahrung ausdrückt. Erst im Himmel, in der Gegenwart Gottes, können wir es völlig genießen.

? Fragen

1. Was ist mit Wiedergeburt gemeint?
2. Welche wichtigen Bibelstellen über die Wiedergeburt sind im Neuen Testament zu finden, und was ist ihre allgemeine Lehre?
3. Wie sind die drei Personen der Dreieinheit an der Wiedergeburt des Menschen beteiligt?
4. Beschreiben Sie die Wiedergeburt im Bild des Neugeboren-Werdens.
5. Warum wird die Neugeburt eine geistliche Auferstehung genannt?
6. Inwiefern ist die Tatsache, dass ein an Christus gläubiger Mensch eine neue Kreatur ist, eine Auswirkung der Wiedergeburt?
7. Warum kann der menschliche Wille aus sich heraus keine Wiedergeburt hervorbringen?
8. In welchem Sinne ist die Wiedergeburt keine Erfahrung?
9. In welcher Beziehung steht die Erfahrung zur Wiedergeburt?
10. Wieso ist die neue Natur ein Ergebnis der Wiedergeburt?
11. Welche neuen Erfahrungen wird ein wiedergeborener Mensch machen?
12. In welcher Beziehung steht die Wiedergeburt zur Heilssicherheit?

Kapitel 17

Gott der Heilige Geist: Sein Werk der Innewohnung und Versiegelung

A. Ein neues Merkmal der gegenwärtigen Heilszeit

Obwohl der Geist Gottes auch schon bei den Menschen des Alten Testaments wirksam und die Quelle ihres neuen Lebens und das Mittel ihres geistlichen Sieges war, gibt es keinen Beweis dafür, dass in allen Gläubigen des Alten Testaments der Heilige Geist dauernd wohnte. Das wird durch das Schweigen des Alten Testamentes über diese Lehre deutlich und ebenso durch die ausdrückliche Aussage des Herrn Jesus Christus, der ganz klar die Situation des Alten Testaments der des gegenwärtigen Heilszeitalters gegenüberstellt, wenn Er sagt: „… denn er bleibt bei euch und wird in euch sein" (Joh 14,17). Das Innewohnen des Heiligen Geistes in jedem Gläubigen ist ein entscheidendes Merkmal der jetzigen Heilszeit, das sich auch im Tausendjährigen Reich wiederfinden wird, aber sonst in keinem anderen Zeitabschnitt.

B. Der Heilige Geist wohnt in allen Gläubigen

Obwohl es große Unterschiede zwischen Christen geben kann, was die geistliche Kraft und das Offenbarwerden der Frucht des Geistes betrifft, lehrt uns die Schrift ganz klar, dass der Geist Gottes seit Pfingsten in jedem Christen wohnt. Zeitlich begrenzte Verzögerungen beim Empfangen des Heiligen Geistes, wie sie in der Apostelgeschichte beschrieben werden (Apg 8,14-17; 19,1-6), waren Ausnahmesituationen und begründen keine Regel. Sie hängen zusammen mit der Übergangsphase zwischen dem Zeitalter des Gesetzes und dem der Gnade, wie sie in der Apostelgeschichte beschrieben wird. Das Wohnen des Heiligen Geistes in allen Gläubigen wird an so vielen Stellen der Bibel erwähnt, dass es von keinem, der die Autorität der Schrift anerkennt, infrage gestellt werden sollte (Joh 7,37-39; Apg 11,17; Röm 5,5; 8,9.11; 1Kor

2,12; 6,19-20; 12,13; 2Kor 5,5; Gal 3,2; 4,6; 1Jo 3,24; 4,13). Diese Bibelstellen machen klar, dass vor Pfingsten die Ordnung des Alten Testamentes in Kraft war, nach der nur einige die Innewohnung erfuhren, während es in der Zeit nach Pfingsten zum Wirken des Heiligen Geistes gehört, in jedem Christen zu wohnen.

Diese Tatsache wird belegt durch Römer 8,9, wo es heißt: „Wenn aber jemand Christi Geist nicht hat, der ist nicht sein." Gleichermaßen werden die Ungläubigen in Judas 19 beschrieben als „Menschen, die den Geist nicht haben". Auch von Christen, die nicht nach dem Willen Gottes leben und Gottes Züchtigung zu erwarten haben, wird gesagt, dass ihre Leiber Tempel des Heiligen Geistes sind. Paulus ermahnt die fleischlichen Korinther in 1. Korinther 6,19, nicht gegen Gott zu sündigen, weil ihr Leib heilig gemacht ist durch die Gegenwart des Heiligen Geistes.

Auch wird vom Heiligen Geist wiederholt gesagt, dass Er eine Gabe Gottes ist, und eine Gabe ist naturgemäß etwas, das der Empfänger nicht verdient hat (Joh 7,37-39; Apg 11,17; Röm 5,5; 1Kor 2,12; 2Kor 5,5). Gleichermaßen setzt der hohe Maßstab, der an das Leben von Christen angelegt wird, die mit dem Herrn wandeln wollen, die innewohnende Gegenwart des Heiligen Geistes voraus, der allein die göttliche Befähigung für ein solches Leben geben kann. Genau wie Priester und Könige für ihre geheiligten Aufgaben gesalbt und ausgesondert werden, so wird der Christ bei seiner Errettung durch den Heiligen Geist gesalbt und durch das Wohnen des Heiligen Geistes in ihm ausgesondert für sein neues Leben in Christus (2Kor 1,21; 1Jo 2,20.27). Die Salbung ist allgemein, sie geschieht in dem Augenblick der Errettung und ist lehrmäßig gleichbedeutend mit der Innewohnung des Heiligen Geistes. Die Behauptung, man werde erst nach der Errettung gesalbt und das sei ein zweites Werk der Gnade oder erst möglich, wenn man mit dem Geist erfüllt werde, ist nicht biblisch.

C. Schwierigkeiten bei der Lehre von der Innewohnung

Die Tatsache, dass der Heilige Geist in jedem Gläubigen wohnt, ist aufgrund von einigen schwierigen Bibelstellen angezweifelt worden. Drei Schriftstellen im Alten Testament und den Evangelien

(1Sam 16,14; Ps 51,11; Lk 11,13) sind für einige Anlass zu glauben, dass ein Mensch, der den Geist hat, Ihn auch wieder verlieren könnte. Davids Gebet (Ps 51,11), dass der Geist Gottes ihm nicht genommen werde, wie es bei Saul der Fall war (1Sam 16,14), beruht auf der Ordnung des Alten Testaments. Damals hatte nicht jeder den Heiligen Geist, und deshalb wurde der Geist souverän gegeben und konnte auch wieder genommen werden.

Auch drei Stellen in der Apostelgeschichte scheinen in Bezug auf das allgemeine Innewohnen des Geistes problematisch zu sein. In Apostelgeschichte 5,32 wird der Heilige Geist beschrieben als derjenige, „den Gott denen gegeben hat, die ihm gehorchen". Mit Gehorsam ist hier jedoch der Gehorsam dem Evangelium gegenüber gemeint, da die Schrift ganz deutlich sagt, dass auch diejenigen, die teilweise ungehorsam sind, den Geist immer noch haben. Dass diejenigen, die das Evangelium durch Philippus in Samaria hörten, den Geist erst später bekamen, lag begründet in der Notwendigkeit, dieses neue Werk des Geistes mit dem der Apostel in Jerusalem zu verbinden. Deshalb wurde der Empfang des Heiligen Geistes so lange hinausgeschoben, bis die Apostel ihnen die Hände auflegten (Apg 8,17). Doch dies war nicht die normale Situation, wie die Bekehrung des Kornelius zeigt, der den Geist auch ohne Handauflegung empfing. Die in Apostelgeschichte 19,1-6 beschriebene Situation scheint sich auf diejenigen zu beziehen, die an Johannes den Täufer, aber nicht an Christus geglaubt hatten. Sie empfingen den Geist, als Paulus ihnen die Hände auflegte, aber auch dies ist ein außergewöhnlicher Vorgang, der sich nie wiederholt hat. Die Salbung in 1. Johannes 2,20 und 1. Johannes 2,27 bezieht sich, wenn man diese Stellen richtig interpretiert, auf das Empfangen des Heiligen Geistes und nicht auf ein späteres Werk des Geistes. Wann immer die Salbung im Neuen Testament erwähnt wird, ob nun vor oder nach Pfingsten, ist sie ein Anfangsereignis (Lk 4,18; Apg 4,27; 10,38; 2Kor 1,21; 1Jo 2,20.27). Auf diese Weise können die Schwierigkeiten in dieser Lehre geklärt werden, wenn man die Stellen, in denen sie auftreten, sorgfältig studiert.

D. Das Innewohnen des Heiligen Geistes im Gegensatz zu anderen Diensten

Da bei der Wiedergeburt des Gläubigen eine Reihe von Werken des Geistes gleichzeitig geschehen, sollte man zwischen diesen verschiedenen Werken des Geistes sorgfältig unterscheiden. Das Wohnungnehmen des Geistes ist demgemäß nicht dasselbe wie die Wiedergeburt, obwohl sie gleichzeitig geschehen. Auch sind die Wiedergeburt und das Wohnungnehmen des Heiligen Geistes nicht dasselbe wie die Taufe mit dem Heiligen Geist, mit der wir uns als Nächstes beschäftigen wollen. Das Innewohnen des Geistes ist nicht dasselbe wie die Erfüllung mit dem Heiligen Geist, da der Geist zwar in allen Gläubigen wohnt, aber nicht alle Gläubigen mit dem Geist erfüllt sind. Auch geschieht das Wohnungnehmen des Geistes ein für alle Mal, während die Erfüllung mit dem Heiligen Geist im Leben eines Christen mehrmals geschehen kann. Allerdings ist das Innewohnen des Geistes sehr wohl gleichzusetzen mit der Salbung des Geistes und der Versiegelung mit dem Heiligen Geist.

Das Innewohnen des Geistes oder die Salbung mit dem Heiligen Geist ist ein Merkmal der gegenwärtigen Heilszeit (Joh 14,17; Röm 7,6; 8,9; 1Kor 6,19-20; 2Kor 1,21; 3,6; 1Jo 2,20.27). Durch das Innewohnen des Geistes wird der Mensch geheiligt oder für Gott abgesondert. Im Alten Testament ist das Salböl das Vorbild für die gegenwärtige Salbung mit dem Geist; Öl ist eines der sieben Symbole des Geistes.

1. Alles, was mit dem Salböl berührt wurde, war geheiligt (2Mo 40,9-15). Auf ähnliche Weise heiligt der Geist auch heute noch (Röm 15,16; 1Kor 6,11; 2Thes 2,13; 1Petr 1,2).
2. Der Prophet wurde durch Öl geheiligt (1Kö 9,16), ebenso war Christus ein Prophet durch den Geist (Jes 61,1; Lk 4,18), und der Gläubige ist ein Zeuge durch den Geist (Apg 1,8).
3. Der Priester wurde durch Öl geheiligt (2Mo 40,15), desgleichen auch Christus in Seinem Opfer durch den Geist (Hebr 9,14) und der Gläubige durch den Geist (Röm 8,26; 12,1; Eph 5,18-20).
4. Der König wurde mit Öl gesalbt (1Sam 16,12-13), gleichermaßen Christus durch den Geist (Ps 45,7), und durch den Geist wird der Gläubige herrschen.

5. Das Salböl wurde früher zur Heilung verwendet (Lk 10,34), ein Sinnbild für die Heilung der Seele in der Errettung durch den Geist.
6. Das Öl lässt als Freudenöl das Gesicht erstrahlen (Ps 45,8), wobei frisches Öl dazu erforderlich war (Ps 92,11). Die Frucht des Geistes ist Freude (Gal 5,22).
7. Unter dem Zubehör für die Stiftshütte ist Öl für die Lampen gesondert aufgeführt (2Mo 25,6). Das Öl verweist auf den Geist, der Docht auf den Gläubigen als einen Kanal und das Licht auf das Licht Christi, das aus ihm leuchtet. Der Docht muss im Öl bleiben; ebenso muss der Gläubige im Geist wandeln (Gal 5,15). Der Docht muss frei sein von jedem Hindernis; ebenso darf der Gläubige dem Geist nicht widerstehen (1Thes 5,19). Der Docht muss beschnitten werden; ebenso muss der Gläubige gereinigt werden durch das Bekennen seiner Schuld (1Jo 1,9).

Das heilige Salböl (2Mo 30,22-25) bestand aus vier Gewürzen, die dem Öl als Grundstoff zugegeben wurden. Diese Gewürze stehen für besondere Tugenden Christi. Diese Mischung ist also ein Symbol dafür, dass der Geist das Leben und das Wesen Christi aufnimmt und in dem Gläubigen anwendet. Dieses Öl könnte niemals auf das Fleisch des Menschen angewandt werden (Joh 3,16; Gal 5,17). Es kann nicht nachgemacht werden, was verdeutlicht, dass Gott nichts anderes akzeptieren kann als das Offenbarwerden des Lebens, das Christus selbst ist (Phil 1,21). Jeder Ausstattungsgegenstand der Stiftshütte musste gesalbt und somit für Gott abgesondert werden. So muss auch die Hingabe des Gläubigen eine völlige sein (Röm 12,1.2).

E. Die Versiegelung mit dem Heiligen Geist

Das Innewohnen des Heiligen Geistes wird an drei Stellen im Neuen Testament dargestellt als das Siegel Gottes (2Kor 1,22; Eph 1,13; 4,30). In jeder Hinsicht ist die Versiegelung mit dem Geist ein Werk Gottes. An keiner Stelle werden die Christen ermahnt, sich um die Versiegelung mit dem Heiligen Geist zu bemühen, da sie bereits versiegelt worden sind. Die Versiegelung mit dem Heiligen Geist ist daher genauso allgemein wirksam wie das Innewohnen des Heiligen Geistes und geschieht gleichzeitig mit der Errettung.

In manchen Bibelübersetzungen ist die Stelle in Epheser 1,13 etwas ungenau wiedergegeben, wenn es heißt: „In ihm seid auch ihr, nachdem ihr das Wort der Wahrheit, das Evangelium eures Heils, gehört habt und gläubig geworden seid, versiegelt worden mit dem Heiligen Geist der Verheißung." Wörtlich übersetzt lautet die Stelle: „Geglaubt habend (d. h. *indem* ihr glaubtet, *als* ihr glaubtet), seid ihr versiegelt worden durch den Geist der Verheißung." Das bedeutet, dass Glauben und Empfangen des Heiligen Geistes gleichzeitig geschehen. Daher ist das Empfangen des Geistes kein nachfolgendes Werk der Gnade oder eine Belohnung für eine geistliche Haltung. Die Christen in Ephesus wurden ermahnt: „Und betrübt nicht den Heiligen Geist Gottes, mit dem ihr versiegelt worden seid auf den Tag der Erlösung hin!" (Eph 4,30). Auch wenn sie sündigen und den Geist betrüben, sind sie dennoch versiegelt auf den Tag der Erlösung, das heißt, auf den Tag der Auferstehung oder Verwandlung, wenn sie einen neuen Leib erhalten und nicht mehr sündigen.

Wie das Innewohnen des Geistes ist auch die Versiegelung mit dem Geist keine Erfahrung, sondern eine Tatsache, die im Glauben angenommen werden muss. Die Versiegelung mit dem Geist ist ein ungemein bedeutungsvoller Teil der Erlösung des Christen und verdeutlicht, dass er sich seines Heils sicher sein kann, geborgen ist und zu Gott gehört. Gleichzeitig ist sie das Symbol einer abgeschlossenen, rechtskräftigen Handlung. Der Christ ist versiegelt auf den Tag der Erlösung seines Leibes und seiner Darstellung in der Herrlichkeit. Die Lehre, dass der Heilige Geist als unser Siegel gegenwärtig in uns Wohnung genommen hat, bringt jedem Gläubigen, der diese großartige Wahrheit versteht, große Gewissheit und Trost des Herzens.

? Fragen

1. Wodurch wird die Annahme gestützt, dass das Innewohnen des Geistes in jedem Gläubigen ein charakteristisches Merkmal der heutigen Heilszeit ist?
2. Welche wichtigen Bibelstellen im Neuen Testament belegen unzweifelhaft das Innewohnen des Heiligen Geistes in allen Gläubigen?
3. Warum ist es notwendig, dass der Heilige Geist in dem Gläubigen wohnt, wenn er ein geistliches Leben nach den hohen Maßstäben der Bibel führen will?
4. Wie kann die Salbung durch den Geist definiert werden?
5. Welche Schwierigkeiten in Bezug auf die Lehre vom Innewohnen des Heiligen Geistes werden durch Bibelstellen wie 1. Samuel 16,14, Psalm 51,11 und Lukas 11,13 aufgeworfen?
6. Welches ist die Erklärung von Apostelgeschichte 5,32 in Bezug auf das Innewohnen des Heiligen Geistes in allen Gläubigen?
7. Warum hatte sich nach Apostelgeschichte 8,17 das Empfangen des Heiligen Geistes verzögert?
8. Wie kann das Problem von Apostelgeschichte 19,1-6 in Bezug auf das Innewohnen des Heiligen Geistes in allen Gläubigen erklärt werden?
9. Wie kann das Innewohnen des Geistes von der Wiedergeburt unterschieden werden?
10. Wie kann das Innewohnen des Heiligen Geistes von der Taufe mit dem Heiligen Geist unterschieden werden?
11. Wie kann das Innewohnen des Heiligen Geistes von der Erfüllung mit dem Heiligen Geist unterschieden werden?
12. Wie versinnbildlicht das Salböl im Alten Testament das Werk des Heiligen Geistes?
13. Wofür stehen die vier Gewürze, die dem heiligen Salböl im Alten Testament beigemischt wurden?
14. In welchem Zusammenhang stehen Innewohnen des Heiligen Geistes und Versiegelung mit dem Geist?
15. Erklären Sie die genaue Bedeutung von Epheser 1,13.

16. In welcher Beziehung stehen die Versiegelung mit dem Heiligen Geist und geistliche Erfahrungen zueinander?
17. In welcher Beziehung stehen die Versiegelung mit dem Heiligen Geist und die Heilssicherheit zueinander?

Kapitel 18

Gott der Heilige Geist: Die Taufe mit dem Heiligen Geist

A. Die Bedeutung der Taufe mit dem Heiligen Geist

Kaum ein Begriff hat so viel Verwirrung gestiftet wie die Taufe mit dem Heiligen Geist. Der Grund hierfür ist wahrscheinlich die Tatsache, dass die Taufe mit dem Heiligen Geist gleichzeitig mit den anderen großen Werken des Geistes, wie der Wiedergeburt, dem Wohnungnehmen des Geistes und der Versiegelung mit dem Heiligen Geist, geschieht. In einigen Fällen geschah die Taufe mit dem Geist auch gleichzeitig mit der Erfüllung mit dem Heiligen Geist. Dies hat einige Ausleger dazu verleitet, die beiden Ereignisse gleichzusetzen. Dieser Widerspruch in der Deutung kann jedoch schnell behoben werden, wenn man sorgfältig die Schriftstellen studiert, die sich auf die Taufe mit dem Heiligen Geist beziehen. Im Neuen Testament gibt es insgesamt elf Stellen, in denen sie erwähnt wird (Mt 3,11; Mk 1,8; Lk 3,16; Joh 1,33; Apg 1,5; 11,16; Röm 6,1-4; 1Kor 12,13; Gal 3,27; Eph 4,5; Kol 2,12).

B. Die Taufe mit dem Heiligen Geist vor Pfingsten

Bei der Beschäftigung mit den Bibelstellen in den vier Evangelien und in Apostelgeschichte 1,5 wird deutlich, dass die Taufe mit dem Heiligen Geist in jedem Fall als ein zukünftiges Ereignis gesehen wurde, das noch nie zuvor geschehen war. Im Alten Testament wird sie nicht erwähnt, und die Stellen in den vier Evangelien und in Apostelgeschichte 1,5 sprechen von der Taufe mit dem Heiligen Geist als einem zukünftigen Ereignis.

In den Evangelien wird die Taufe mit dem Heiligen Geist dargestellt als ein Werk, das Christus mit dem Heiligen Geist als Seiner handelnden Kraft tun wird, wie zum Beispiel in Matthäus 3,11, wo Johannes der Täufer voraussagt, dass Christus „euch mit Heiligem Geist und

Feuer taufen“ wird. Der Hinweis auf die Taufe durch das Feuer scheint sich auf die Wiederkunft Christi zu beziehen und auf das Gericht, das zu jener Zeit zu erwarten ist. Auch in Lukas 3,16 ist diese Taufe erwähnt, aber nicht in Markus 1,8 oder Johannes 1,33. Manchmal wird die Tatsache, dass der Heilige Geist die wirkende Kraft bei der Taufe ist, im griechischen Urtext durch die Präposition *en* ausgedrückt, wie in Matthäus 3,11, Lukas 3,16 und Johannes 1,33. Ob diese Präposition nun verwendet wurde oder nicht, der Gedanke ist klar, dass Christus durch den Heiligen Geist taufte. Einige sind der Meinung, dies sei etwas anderes als die Taufe mit dem Geist, die die Apostelgeschichte und die Briefe beschreiben, doch es ist folgerichtiger anzunehmen, dass die Taufe mit dem Geist im ganzen Neuen Testament derselbe Vorgang ist. In jedem Fall geschieht diese Taufe mittels des Heiligen Geistes. Die Richtschnur dieser Lehre wird durch Christus selbst ausgedrückt, indem Er Seine Taufe durch Johannes der zukünftigen Taufe der Gläubigen durch den Geist gegenüberstellt, die nach Seiner Himmelfahrt geschehen sollte. Christus sagte: „Denn Johannes taufte mit Wasser, ihr aber werdet mit Heiligem Geist getauft werden nach diesen wenigen Tagen“ (Apg 1,5).

C. Alle Christen der gegenwärtigen Heilszeit werden mit dem Geist getauft

Wegen der Verwirrung in Bezug auf das Wesen und den Zeitpunkt der Taufe mit dem Geist ist nicht immer anerkannt worden, dass jeder Christ im Augenblick seiner Erlösung durch den Geist in den Leib Christi getauft wird. Diese Tatsache ist in der zentralen Aussage über die Taufe mit dem Heiligen Geist im Neuen Testament in 1. Korinther 12,13 belegt. Dort heißt es: „Denn wir sind durch einen Geist alle zu einem Leib getauft, wir seien Juden oder Griechen, Sklaven oder Freie, und sind alle mit einem Geiste getränkt“ (Luther 1984). Bei dieser Stelle ist das griechische Verhältniswort *en* korrekterweise mit „durch“ im handelnden Sinn übersetzt worden. Diese „handelnde“ Verwendung wird auch in Lukas 4,1 deutlich, wo es von Christus heißt, dass er „durch den Geist“ in die Wüste geführt wurde, und in dem Ausdruck „durch euch“ in 1. Korinther 6,2 und „durch ihn“ in Kolosser

1,16. Die Behauptung, diese Präposition werde in der Schrift nicht für Personen verwandt, ist falsch. Folglich stimmt es zwar, dass wir, wie in 1. Korinther 12,13 angedeutet, durch die Taufe mit dem Geist in eine neue Beziehung zu dem Geist eintreten, doch nicht so, dass wir in den Geist gebracht würden, sondern dass wir durch den Geist in den Leib Christi hineingebracht werden.

Der Ausdruck „wir alle" umschließt ganz klar alle Christen, nicht alle Menschen, und er sollte nicht auf eine bestimmte Gruppe von Christen beschränkt werden. Wahr ist vielmehr, dass jeder Christ vom Augenblick seiner Rettung an durch den Geist in den Leib Christi getauft ist. Deshalb steht in Epheser 4,5: „*ein* Glaube, *eine* Taufe, *ein* Gott". Zwar gibt es verschiedene Riten der Wassertaufe, doch es gibt nur eine Taufe mit dem Geist. Der umfassende Charakter dieses Wirkens des Geistes wird durch die Tatsache deutlich, dass die Christen an keiner Stelle der Heiligen Schrift ermahnt werden, sich mit dem Heiligen Geist taufen zu lassen, während sie durchaus ermahnt werden, sich mit dem Geist erfüllen zu lassen (Eph 5,18).

D. Die Taufe des Geistes in den Leib Christi

Das Ergebnis der Taufe mit dem Geist ist ein zweifaches. Das erste: Der Gläubige ist getauft oder in den Leib Christi eingegliedert; im Zusammenhang damit steht das zweite Merkmal der Taufe hinein in Christus selbst. Diese beiden gleichzeitigen Folgen der Taufe mit dem Geist sind äußerst bedeutsam.

Durch die Taufe mit dem Geist wird der Gläubige in den Leib Christi eingegliedert, in die lebendige Gemeinschaft aller wahren Gläubigen der gegenwärtigen Heilszeit. Hier hat die Taufe ihre Grundbedeutung, jemanden einzufügen, einzuführen in eine neue und bleibende Beziehung. Die Taufe mit dem Heiligen Geist bringt folglich alle Gläubigen in Beziehung zu dem großartigen Komplex von Wahrheiten, die in der Schrift über den Leib Christi geoffenbart werden.

Der Leib aus Gläubigen, der durch die Taufe des Geistes gebildet und durch das Hinzukommen neuer Glieder immer größer wird, wird häufig in der Schrift erwähnt (Apg 2,47; 1Kor 6,15; 12,12-14; Eph 2,16; 4,4-5.16; 5,30-32; Kol 1,24; 2,19). Christus ist das Haupt dieses

Leibes und derjenige, der sein Handeln steuert (1Kor 11,3; Eph 1,22-23; 5,23-34; Kol 1,18). Dieser Leib, der von Christus gebildet und geleitet wird, wird auch von Ihm genährt und gepflegt (Eph 5,29; Phil 4,13; Kol 2,19). Eines der Werke Christi ist die Heiligung des Leibes Christi in der Vorbereitung auf seine Darstellung in Herrlichkeit (Eph 5,25-27).

Als einem Glied am Leibe Christi werden dem Gläubigen auch besondere Gaben oder Funktionen in diesem Leib übertragen (Röm 12,3-8; 1Kor 12,27-28; Eph 4,7-16). Die Eingliederung des Gläubigen in den Leib Christi durch den Heiligen Geist sichert nicht nur die Einheit des Leibes ohne Ansehen von Rasse, Kultur oder Herkunft, sondern sie stellt auch sicher, dass jeder Gläubige einen besonderen Platz und eine besondere Funktion und Gelegenheit hat, Gott im Rahmen seiner Persönlichkeit und seiner Gaben zu dienen. Der Leib als ein Ganzes ist „zusammengefügt“ (Eph 4,16); das heißt, obwohl die Glieder unterschiedlich sind, ist der Leib als ein Ganzes gut geplant und organisiert.

E. Die Taufe des Geistes in Christus hinein

Neben seiner Beziehung zu seinen Mitgläubigen im Leib Christi bekommt derjenige, der durch den Geist getauft ist, eine neue Stellung: Die Schrift sagt von ihm, dass er *in Christus* ist. Das wurde angekündigt durch die Voraussage in Johannes 14,20, wo der Herr an dem Abend, bevor Er gekreuzigt wurde, zu den Jüngern sprach: „An jenem Tag werdet ihr erkennen, dass ich in meinem Vater bin, und ihr in mir und ich in euch.“ Der Ausdruck „ihr in mir“ deutet hin auf die spätere Taufe mit dem Geist.

Weil der Gläubige in Christus ist, wird er mit dem identifiziert, was Christus durch Seinen Tod, Seine Auferstehung und Verherrlichung tat. Dies wird in Römer 6,1-4 klar, wo es heißt, dass der Gläubige in Christus und in Seinen Tod hinein getauft worden ist (vgl. Interlinear-Übersetzung, Anmerkungen bei Menge und Schlachter). Die Taufe in den Tod Christi bedeutet für den Gläubigen auch, dass er mit Christus begraben und mit Ihm auferweckt worden ist. Diese Stelle wurde oft so gedeutet, dass sie sich auf die Wassertaufe beziehe, aber offensichtlich stellt sie das Werk des Heiligen Geistes dar, ohne das die Wassertaufe bedeutungslos wäre. Eine ähnliche Stelle findet sich in Kolosser 2,12. Unsere Identifizierung, unser Eins-gemacht-Werden mit Christus durch die Taufe des Geistes ist die wichtige Grundlage für alles, was Gott für den Gläubigen in Zeit und Ewigkeit tut.

Weil der Gläubige in Christus ist, hat er auch das Leben Christi, das das Haupt dem Leib mitteilt. Christus als das Haupt Seines Leibes beherrscht und leitet die Glieder des Leibes, wie der Verstand den menschlichen Körper leitet.

F. Die Taufe mit dem Heiligen Geist und geistliche Erfahrung

Angesichts der Tatsache, dass jeder Christ im Augenblick seiner Errettung mit dem Geist getauft wird, ist es klar, dass diese Taufe ein Werk Gottes ist, das durch den Glauben verstanden und angenommen wird. Obwohl die nachfolgenden geistlichen Erfahrungen die Taufe mit dem Heiligen Geist bestätigen mögen, ist die Taufe an sich keine Erfahrung. Die Taufe mit dem Geist ist, weil sie allen Gläubigen zukommt und mit unserer Stellung in Christus verbunden ist, ein augenblicklicher Akt Gottes und nicht ein Wirken des Geistes, das man nach der Wiedergeburt suchen müsste.

Sehr viel Verwirrung ist durch die Behauptung entstanden, die Christen sollten sich um die Taufe mit dem Geist in dem besonderen Sinn bemühen, wie sie sich durch Zungenreden in der ersten Gemeinde manifestiert habe. Tatsächlich haben bei drei Gelegenheiten in der Apostelgeschichte (Apg 2,4; 10,46; 19,6) Gläubige bei ihrer Taufe mit dem Geist in Zungen gesprochen, aber es ist offensichtlich, dass dies ungewöhnlich war und mit der Übergangssituation zusammenhing, von der die Apostelgeschichte berichtet. Bei allen anderen Beispielen, wo eine Wiedergeburt geschah, ist keine Rede von Zungenreden als einer Begleiterscheinung der Taufe mit dem Geist.

Auch ist klar, dass, obwohl alle Christen mit dem Geist getauft werden, nicht alle Gläubigen der Urgemeinde in Zungen geredet haben. Daher ist die Vorstellung, ein Christ müsse sich um eine „Geistestaufe" als Voraussetzung für ein besonderes Werk Gottes in seinem Leben bemühen, ohne biblische Grundlage. Auch die Erfüllung mit dem Geist zeigt sich nicht in Zungenreden, sondern vielmehr in den Früchten des Geistes (Gal 5,22-23). Tatsache ist, dass die Christen in Korinth in Zungen gesprochen haben, ohne mit dem Geist erfüllt zu sein.

Ein ähnlicher Irrtum ist die Behauptung, es gäbe zwei Taufen des Geistes, einmal die in Apostelgeschichte 2 beschriebene und die aus 1. Korinther 12,13. Ein Vergleich der Bekehrung des Kornelius in Apostelgeschichte 10-11 mit Apostelgeschichte 2 macht deutlich, dass das, was Kornelius, ein Heide, erlebte, genau dasselbe war wie das, was mit den Jüngern an Pfingsten geschah. Petrus sagt in Apostelgeschichte 11,15-17: „Während ich aber zu reden begann, fiel der Heilige Geist auf sie, so wie auch auf uns im Anfang. Ich erinnerte mich aber an das Wort des Herrn, wie er sagte: Johannes taufte zwar mit Wasser, *ihr* aber werdet mit Heiligem Geist getauft werden. Wenn nun Gott ihnen die gleiche Gabe gegeben hat wie auch uns, die wir an den Herrn Jesus Christus geglaubt haben, wer war *ich*, dass ich hätte Gott wehren können?" Die Geistestaufe, die den Gläubigen in den Leib Christi eingliedert, ist ein und dasselbe Werk des Geistes, das in Apostelgeschichte 2 begann und die gesamte gegenwärtige Heilszeit bleibt.

Die Taufe mit dem Heiligen Geist ist daher wichtig als ein Werk des Geistes, das uns in eine neue Gemeinschaft mit Christus und unseren Mitgläubigen hineinstellt, uns eine neue Stellung in Christus gibt und eine neue Verbindung in der Vertrautheit des Leibes Christi. Sie ist die Basis für unsere Rechtfertigung und für das ganze Werk Gottes, das den Gläubigen schließlich in vollkommener Herrlichkeit darstellen wird.

? Fragen

1. Wie würden Sie die Taufe mit dem Geist von dem Wirken des Geistes in der Wiedergeburt, dem Innewohnen und der Versiegelung unterscheiden?
2. Wie würden Sie die Taufe mit dem Geist von der Erfüllung mit dem Geist unterscheiden?
3. Warum werden die Taufe mit dem Geist und andere Werke des Geistes oft verwechselt?

4. Was bedeutet die Tatsache, dass die Taufe mit dem Geist in den vier Evangelien und in Apostelgeschichte 1 als ein zukünftiges Ereignis dargestellt wird?
5. Welchen Beweis gibt es dafür, dass in unserer Zeit alle Christen die Taufe mit dem Geist haben?
6. Warum werden die Christen niemals ermahnt, sich mit dem Geist taufen zu lassen?
7. Was bedeutet es, in den Leib Christi getauft zu sein?
8. Wie verdeutlicht das Bild vom Leib Christi, dass Christus die Gemeinde führt?
9. Wie werden durch das Bild des Leibes Christi besondere Gaben sichtbar, die einzelnen Gläubigen gegeben worden sind?
10. Welche besonderen Wahrheiten werden durch die Taufe mit dem Geist in Christus hinein erkennbar?
11. In welchem Zusammenhang steht die Taufe in Christus hinein mit unserer Gleichsetzung mit Ihm in Seinem Tod, Seiner Auferstehung und Seiner Verherrlichung?
12. Inwiefern bestätigt die Taufe in Christus hinein die Aussage, dass wir ewiges Leben haben?
13. Warum ist die Taufe mit dem Geist selbst keine eigenständige geistliche Erfahrung?
14. Muss man als Beweis dafür, dass man mit dem Heiligen Geist getauft ist, in Zungen reden?
15. Muss man in Zungen reden als Beweis dafür, mit dem Heiligen Geist erfüllt zu sein?
16. Was ist falsch an der Annahme, die Taufe mit dem Geist in Apostelgeschichte 2 unterscheide sich von der Taufe mit dem Geist in 1. Korinther 12,13?
17. Fassen Sie zusammen, welcher Zusammenhang zwischen der Taufe mit dem Geist und der Errettung besteht.

Kapitel 19

Gott der Heilige Geist: Das Erfülltsein mit dem Heiligen Geist

A. Definition des Begriffs „Erfülltsein mit dem Heiligen Geist"

Im Gegensatz zum Wirken des Heiligen Geistes bei der Errettung, das Wiedergeburt, Innewohnen, Versiegelung und Taufe umfasst, steht das Erfülltsein mit dem Heiligen Geist im Zusammenhang mit den Erfahrungen eines Christen, mit seiner Kraft und seinem Dienst. Die Werke des Geistes, die im Zusammenhang stehen mit unserer Errettung, geschehen einmal und für alle Zeiten, doch das Erfülltwerden mit dem Geist ist eine Erfahrung, die wiederholt geschehen kann. In der Bibel findet sie häufige Erwähnung.

In begrenztem Maße kann das Erfülltsein mit dem Heiligen Geist bei bestimmten Menschen auch schon vor Pfingsten beobachtet werden (2Mo 28,3; 31,3; 35,31; Lk 1,15.41.67; 4,1). Zweifellos gibt es noch sehr viele andere Beispiele, wo der Geist Gottes auf die Menschen kam und sie zum Dienst befähigte. Im Ganzen gesehen waren es jedoch sehr wenige Menschen, die vor Pfingsten mit dem Heiligen Geist erfüllt worden waren, und dieses Wirken des Geistes scheint von der souveränen Absicht Gottes abzuhängen, der in gewissen Menschen ein besonderes Werk tun wollte. Es gibt keinerlei Hinweis darauf, dass vor Pfingsten jeder mit dem Heiligen Geist erfüllt wurde, der sein Leben dem Herrn übergab.

Doch mit dem Pfingsttag begann ein neues Zeitalter, in dem der Heilige Geist in jedem Gläubigen wirkt. Seit diesem Zeitpunkt wohnt der Geist in jedem Gläubigen, und jeder, der die Voraussetzungen dafür erfüllt, kann mit dem Heiligen Geist erfüllt werden. Zahlreiche Beispiele im Neuen Testament belegen dies (Apg 2,4; 4,8.31; 6,3.5; 7,55; 9,17; 11,24; 13,9.52; Eph 5,18).

Das Erfülltsein mit dem Heiligen Geist kann definiert werden als ein geistlicher Zustand, in dem der Heilige Geist das bewirkt, was Er im Herzen und Leben des Einzelnen tun will. Es geht nicht darum, dass der Gläubige mehr vom Geist erhält, sondern dass der Geist Gottes den Gläubigen ganz für sich erhält. Das ist keine unnormale und ungewöhnliche Situation, wie es vor Pfingsten der Fall war; in der heutigen Zeit ist das Erfülltsein mit dem Heiligen Geist eine normale, wenn auch nicht die ständige Erfahrung eines Christen. Es wird jedem Gläubigen geboten, sich vom Geist erfüllen zu lassen (Eph 5,18), und wenn sich jemand nicht vom Geist erfüllen lässt, lebt er teilweise im Ungehorsam.

Es gibt einen augenscheinlichen Unterschied im Wesen und der Qualität des täglichen Lebens eines Christen. Nur von wenigen kann man sagen, dass sie voll des Geistes sind. Dieser Mangel ist jedoch nicht einem Versäumnis von Gott zuzuschreiben, die notwendige Vorsorge getroffen zu haben, sondern vielmehr dem Versagen des Einzelnen, sich zur Verfügung zu stellen und dem Geist Gottes zu gestatten, sein Leben zu erfüllen.

Der Zustand des Erfülltseins mit dem Geist sollte nicht gleichgesetzt werden mit geistlicher Reife. Ein junger Christ, der sich gerade erst bekehrt hat, kann mit dem Geist erfüllt sein und die Kraft des Heiligen Geistes in seinem Leben offenbaren. Geistliche Reife jedoch entsteht nur durch geistliche Erfahrungen, die im Laufe eines ganzen Lebens gemacht werden, wozu auch ein Wachstum im Verständnis, die kontinuierliche Erfahrung des Erfülltseins mit dem Heiligen Geist und die Reife in der Beurteilung geistlicher Dinge gehören. So wie ein neugeborenes Baby vollkommen gesund sein kann, kann ein junger Christ erfüllt sein mit dem Heiligen Geist, doch wie bei einem neugeborenen Kind benötigt es Zeit und Lebenserfahrungen, bis die vollen geistlichen Qualitäten zum Vorschein kommen, die zur Reife gehören. Darum spricht die Bibel an zahllosen Stellen von Wachstum. Der Weizen wächst bis zur Ernte (Mt 13,30). Gott wirkt in Seiner Gemeinde durch Menschen mit geistlichen Gaben, um die Heiligen für das Werk des Dienstes zu vollenden und um den Leib Christi aufzuerbauen, damit die Christen wachsen im Glauben, in der Erkenntnis und in ihrer geistlichen Reife (Eph 4,11-16). Petrus spricht von neugeborenen Kindern, die geistliche Milch zum Wachsen brauchen (1Petr 2,2), und ermahnt uns: „Wachset aber in der Gnade und Erkenntnis unseres Herrn und Retters Jesus Christus!“ (2Petr 3,18).

Ganz offensichtlich gibt es einen Zusammenhang zwischen dem Erfülltsein mit dem Heiligen Geist und geistlicher Reife, und ein Christ, der mit dem Geist erfüllt ist, wird schneller geistliche Reife erlangen als einer, bei dem dies nicht der Fall ist. Die Fülle des Geistes und die daraus resultierende geistliche Reife sind die beiden wichtigsten Faktoren im Leben eines Christen, damit er den Willen Gottes für sein Leben verwirklicht und Gottes Absicht erfüllt, der ihn zu guten Werken geschaffen hat (Eph 2,10).

Jeder Gläubige wird folglich mit dem Heiligen Geist erfüllt werden, wenn er sich dem in ihm wohnenden Heiligen Geist völlig ausliefert, was dazu führt, dass der Heilige Geist diesen Menschen beherrscht und befähigt. Obwohl sich das Erfülltsein mit dem Heiligen Geist und die göttliche Kraft in unterschiedlichem Maße manifestieren können, ist der zentrale Gedanke bei dem Erfülltsein, dass der Geist Gottes fähig ist, ungehindert in und durch den Einzelnen zu wirken und Gottes vollkommenen Willen für diesen Menschen zu erreichen.

An vielen Stellen im Neuen Testament wird von dem Erfülltsein mit dem Heiligen Geist gesprochen. Hervorragend ist dies verdeutlicht in Jesus Christus, der nach Lukas 4,1 beständig „voll Heiligen Geistes" war. Johannes der Täufer hatte die ungewöhnliche Erfahrung gemacht, schon vom Mutterleibe an mit dem Heiligen Geist erfüllt zu sein (Lk 1,15), und sowohl seine Mutter Elisabeth als auch sein Vater Zacharias waren zeitweise mit dem Geist erfüllt (Lk 1,41.67). Dies geschah immer noch so, wie es im Alten Testament üblich war, wo das Erfülltsein mit dem Heiligen Geist ein souveränes Handeln Gottes war und nicht jedem Menschen zuteilwurde.

An Pfingsten jedoch wurde die ganze Gemeinde mit dem Heiligen Geist erfüllt. In der Urgemeinde wurden wiederholt Menschen mit dem Geist Gottes erfüllt, die bereit waren, den Willen Gottes zu tun, wie zum Beispiel Petrus (Apg 4,8), die Gemeinschaft der Christen, die um Mut und die Kraft Gottes gebetet hatte (Apg 4,31), und Paulus nach seiner Bekehrung (Apg 9,17). Von einigen wird gesagt, dass sie beständig mit dem Geist erfüllt waren, wie zum Beispiel die ersten Diakone (Apg 6,3), Stephanus, der Märtyrer (Apg 7,55) und Barnabas (Apg 11,24). Paulus (Apg 13,9) und auch andere Jünger (Apg 13,52) wurden wiederholt mit dem Geist erfüllt. In jedem Fall geschah das Erfülltsein mit dem Geist aber nur bei Christen, die sich Gott ausgeliefert hatten.

Den Gläubigen des Alten Testaments wurde niemals gesagt, sie sollten danach trachten, mit dem Geist erfüllt zu werden, obwohl sie in einigen Fällen wie Serubbabel ermahnt wurden, dass das Werk des Herrn getan werde „nicht durch Macht und nicht durch Kraft, sondern durch meinen Geist, spricht der HERR der Heerscharen“ (Sach 4,6). In der heutigen Zeit wird jeder Christ angewiesen, sich mit dem Geist erfüllen zu lassen, wie in Epheser 5,18: „Und berauscht euch nicht mit Wein, worin Ausschweifung ist, sondern werdet voller Geist.“ Das Erfülltsein mit dem Heiligen Geist wird, wie die Annahme der Errettung durch Glauben, nicht durch menschliche Bemühungen erreicht, sondern dadurch, dass der Gläubige es Gott ermöglicht, dieses Werk in seinem Leben zu tun. Aus der Schrift wird klar, dass ein Christ wirklich errettet sein kann, ohne mit dem Geist erfüllt zu sein. Das Erfülltsein mit dem Heiligen Geist ist somit nicht notwendigerweise Teil der Errettung an sich. Auch besteht ein Unterschied zwischen dem Erfülltwerden mit dem Geist und dem einmaligen Werk in dem Gläubigen bei seiner Errettung. Dieses kann zur Zeit der Errettung geschehen, aber im Leben eines Christen, der sich Gott ausgeliefert hat, wird es immer wieder geschehen, und es sollte zu den normalen Erfahrungen der Christen gehören, die beständige Fülle des Geistes zu haben.

Die Tatsache, dass Erfülltwerden mit dem Geist eine Erfahrung ist, die immer wieder gemacht werden kann, wird in Epheser 5,18 durch die Verwendung des Präsens deutlich gemacht: „Werdet voller Geist.“ Wörtlich heißt das: „Lasst euch immer wieder mit dem Geist erfüllen.“ An dieser Stelle wird das Erfülltwerden mit dem Geist einem Rauschzustand gegenübergestellt, in dem der Wein den ganzen Körper beherrscht und sowohl die geistige als auch die körperliche Aktivität des Menschen beeinflusst. Die Fülle des Geistes ist daher nicht eine Erfahrung, die einmal für alle Zeiten gemacht wird. Es ist daher unrichtig, wenn sie ein zweites Werk der Gnade genannt wird, weil sie immer und immer wieder geschieht. Sicherlich ist es eine sehr eindrückliche Erfahrung im Leben eines Christen, wenn er zum ersten Mal mit dem Geist erfüllt wird, und dieses Erfülltsein kann ein Wendepunkt sein, der die geistliche Erfahrung auf eine neue Ebene hebt. Dennoch ist der Christ darauf angewiesen, dass Gott ihn ständig neu mit dem Geist füllt, und kein Christ kann von der geistlichen Kraft der Vergangenheit leben.

Aus der Art des Erfülltseins mit dem Geist kann man schließen, dass die großen Unterschiede in der geistlichen Erfahrung von Christen und der unterschiedliche Grad der Übereinstimmung mit dem Willen Gottes auf das Vorhandensein oder das Fehlen der Fülle des Geistes zurückgeführt werden kann. Jemand, der den Willen Gottes tun möchte, muss daher das Vorrecht voll ausschöpfen, das Gott ihm mit der Innewohnung des Geistes gegeben hat, indem er bereit ist, sein Leben völlig dem Heiligen Geist zur Verfügung zu stellen

B. Voraussetzungen für das Erfülltsein mit dem Heiligen Geist

Drei einfache Regeln sind häufig herausgestellt worden als Voraussetzungen für das Erfülltsein mit dem Geist. In 1. Thessalonicher 5,19 heißt es: „Den Geist löscht nicht aus!“ In Epheser 4,30 werden die Christen angewiesen: „Und betrübt nicht den Heiligen Geist Gottes, mit dem ihr versiegelt worden seid auf den Tag der Erlösung hin!“ Eine dritte, positivere Anweisung wird in Galater 5,16 gegeben: „Ich sage aber: Wandelt im Geist, und ihr werdet die Begierde des Fleisches nicht erfüllen.“ Andere Stellen erläutern diese Grundvoraussetzungen für das Erfülltwerden mit dem Geist noch weiter, doch diese drei Stellen fassen den Hauptgedanken zusammen.

1. Das Gebot „Den Geist löschet nicht aus!“ in 1. Thessalonicher 5,19 verwendet ganz offensichtlich das Symbol des Feuers für den Heiligen Geist, obwohl dies im Text nicht weiter ausgeführt wird. Das Auslöschen des Feuers, das in Matthäus 12,20 und Hebräer 11,34 erwähnt wird, zeigt, was gemeint ist. Das „Schild des Glaubens“, kann nach Epheser 6,16 „alle feurigen Pfeile des Feindes auslöschen“. Demnach bedeutet das Auslöschen des Geistes, Ihn zu hindern oder zu unterdrücken und Ihm nicht zu gestatten, Sein Werk in dem Gläubigen zu vollbringen. Ganz einfach ausgedrückt heißt es, dass der Gläubige „Nein“ sagt oder nicht bereit ist, der Leitung des Geistes zu folgen.

Rebellion gegen Gott war die ursprüngliche Sünde Satans (Jes 14,14), und wenn ein Gläubiger „Ich will“ sagt anstatt wie Christus in Gethsemane „Doch nicht mein Wille, sondern der deine geschehe“ (Lk 22,42), löscht er den Geist aus.

Um die Fülle des Geistes zu erfahren, muss der Christ als Erstes sein Leben dem Herrn ausliefern und übergeben. Christus selbst sagte, dass ein Mensch nicht zwei Herren dienen könne (Mt 6,24), und immer wieder werden die Christen ermahnt, sich Gott auszuliefern. Als Paulus darüber spricht, wie der Wille Gottes im Leben eines Christen erfüllt wird, schreibt er in Römer 6,13: „... stellt auch nicht eure Glieder der Sünde zur Verfügung als Werkzeuge der Ungerechtigkeit, sondern stellt euch selbst Gott zur Verfügung als Lebende aus den Toten und eure Glieder Gott zu Werkzeugen der Gerechtigkeit!" Hier werden dem Christen ganz klar die beiden Möglichkeiten vorgelegt: Er kann sich entweder Gott zur Verfügung stellen oder der Sünde.

Eine ähnliche Stelle findet sich in Römer 12,1-2. Als Paulus darüber spricht, wie sich die Errettung und Heiligung im Leben des Gläubigen auswirken soll, fordert er die Römer auf: „Ich ermahne euch nun, Brüder, durch die Erbarmungen Gottes, eure Leiber darzustellen als ein lebendiges, heiliges, Gott wohlgefälliges Opfer, welches euer vernünftiger Gottesdienst ist. Und seid nicht gleichförmig dieser Welt, sondern werdet verwandelt durch die Erneuerung eures Sinnes, dass ihr prüft, was der Wille Gottes ist: das Gute und Wohlgefällige und Vollkommene." Sowohl in Römer 6,13 als auch in Römer 12,1 wird dasselbe griechische Wort verwendet. „Sich Gott zur Verfügung stellen" bedeutet „sich Gott ausliefern". Die Zeitform des griechischen Verbs ist Aorist, was bedeutet, „sich ein für alle Mal Gott auszuliefern". Folglich kann das Erfülltwerden mit dem Heiligen Geist nur geschehen, wenn ein Christ den ersten Schritt tut und seinen Leib darstellt als ein lebendiges Schlachtopfer. Durch seine Errettung wurde er zu dem vorbereitet, was sein Opfer für Gott heilig und annehmbar macht. Gott kann dies zu Recht erwarten, weil der Herr Jesus Christus für den Gläubigen gestorben ist.

Der Christ muss sich darüber im Klaren sein, dass er, wenn er seinen Leib Gott darstellt, sich nicht äußerlich der Welt gleichmachen darf, sondern sich innerlich vom Heiligen Geist umgestalten lassen muss mit dem Ergebnis, dass sein „Sinn", seine Gesinnung und sein Verständnis erneuert werden, damit er die wirklichen geistlichen Werte erkennen kann. Er ist in der Lage zu unterscheiden, was nicht der Wille Gottes ist, von dem, was der „Wille Gottes ist: das Gute und Wohlgefällige und Vollkommene" (Röm 12,2).

Die persönliche Hingabe an Gott bezieht sich nicht auf bestimmte Gebiete, sondern bedeutet, dass man den Willen Gottes für sein Leben in jeder Beziehung annimmt. Sie ist also die Bereitschaft, alles zu tun, was Gott von dem Gläubigen erwartet. Das bedeutet, dass wir den Willen Gottes zur letzten und höchsten Autorität unseres Lebens machen und bereit sind, im Gehorsam zu handeln, wann immer, wohin immer und wie auch immer Gott uns führt. Dass die Ermahnung „Den Geist löscht nicht aus!" im Präsens geschrieben steht, lässt darauf schließen, dass dies eine beständige Haltung sein sollte, die mit dem anfänglichen Akt der Hingabe eingeleitet wird.

Ein Christ, dessen Wunsch es ist, Gott beständig ausgeliefert zu sein, stellt fest, dass diese Hingabe mehrere Bereiche umfasst. Vor allem ist es eine Hingabe an das Wort Gottes mit seinen Ermahnungen und Wahrheiten. Der Heilige Geist unterweist ihn darin, und wenn er eine Wahrheit erkennt, muss sich der Gläubige dieser Wahrheit unterwerfen, so wie er sie versteht. Eine Weigerung, sich dem Wort Gottes zu unterwerfen, macht ein Erfülltsein mit dem Heiligen Geist unmöglich.

Hingabe steht auch im Zusammenhang mit Führung. In vielen Fällen enthält das Wort Gottes keine ausdrücklichen Anweisungen zu Entscheidungen, vor denen ein Christ stehen kann. Hier muss sich der Gläubige von den Grundsätzen des Wortes Gottes leiten lassen, und der Geist Gottes kann ihm auf der Basis dessen, was die Schrift sagt, Führung zuteilwerden lassen. Folglich ist Gehorsam der Führung des Geistes gegenüber eine notwendige Voraussetzung für das Erfülltsein mit dem Geist (Röm 8,14). In einigen Fällen kann der Geist von einem Christen fordern, etwas Bestimmtes zu tun, bei einer anderen Gelegenheit verbietet Er ihm vielleicht eine bestimmte Handlungsweise. Als Beispiel mag hier Paulus dienen, dem zu Beginn seines Dienstes nicht gestattet war, das Wort Gottes in Asien und Bithynien zu verkünden, und der später angewiesen wurde, genau dorthin zu reisen und zu predigen (Apg 16,6-7; 19,10). Die Fülle des Geistes beinhaltet, dass man der Führung des Herrn gehorcht.

Ein Christ muss sich auch der Vorsehung Gottes unterwerfen, die ihn häufig in Situationen bringt, die nicht von ihm erwünscht sind. Er muss verstehen, was es heißt, sich dem Willen Gottes zu unterwerfen, auch wenn dies leidvolle Erfahrungen mit sich bringt und auf Wege führt, die unangenehm sind.

Das überragende Beispiel für das, was es bedeutet, geisterfüllt und Gott ausgeliefert zu sein, ist Jesus Christus selbst. In Philipper 2,5-11 zeigt sich, dass Jesus durch Sein Kommen auf diese Erde und den Tod für die Sünden der Welt bereit war, so zu sein, wie Gott es wollte, dorthin zu gehen, wo Gott Ihn hinführte, und Seinen Willen zu tun. Ein Gläubiger, der mit dem Geist erfüllt sein möchte, muss eine ähnliche Haltung der Hingabe und des Gehorsams haben.

2. Der Gläubige wird auch ermahnt, den Geist nicht zu betrüben (Eph 4,30). In diesem Fall wird angenommen, dass Sünde in das Leben eines Christen gekommen ist und er Gott nicht mehr ganz ausgeliefert ist. Um wieder mit dem Geist erfüllt zu werden, wird er ermahnt, nicht weiter in der Sünde zu bleiben, die den Geist betrübt. Wenn der Geist Gottes in einem Gläubigen betrübt wird, ist die Gemeinschaft, Führung, Unterweisung und Macht des Geistes behindert; der Heilige Geist ist, obwohl Er in dem Gläubigen wohnt, nicht mehr frei, Sein Werk in ihm zu vollbringen.

Die Erfahrung des Erfülltwerdens mit dem Heiligen Geist kann auch durch den körperlichen Zustand eines Menschen beeinträchtigt werden. Ein Christ, der körperlich müde, hungrig oder krank ist, kann vielleicht nicht mehr die normale Freude und den Frieden erfahren, der die Frucht des Geistes ist. Derselbe Apostel, der von dem Erfülltsein mit dem Geist spricht, bekennt in 2. Korinther 1,8, dass sie „übermäßig beschwert wurden, über Vermögen, sodass wir sogar am Leben verzweifelten". Demnach kann auch ein geisterfüllter Christ inneren Aufruhr durchleben. Je größer die Not im Leben eines Gläubigen, desto größer ist die Notwendigkeit, mit dem Geist erfüllt zu werden und sich dem Willen Gottes auszuliefern, damit die Kraft des Geistes im Leben des Einzelnen sichtbar wird.

Wenn sich ein Christ der Tatsache bewusst wird, dass er den Heiligen Geist betrübt hat, muss er diesen Zustand nach Epheser 4,30 beenden. Dies kann erreicht werden, indem der Gläubige tut, was in 1. Johannes 1,9 gesagt wird: „Wenn wir unsere Sünden bekennen, ist er treu und gerecht, dass er uns die Sünden vergibt und uns reinigt von jeder Ungerechtigkeit." Diese Stelle bezieht sich auf ein Kind Gottes, das gegen seinen himmlischen Vater gesündigt hat. Der Weg zur Vergebung ist offen, weil Christus für alle Sünden gestorben ist (1Jo 2,1-2).

Der Weg zurück in die Gemeinschaft mit Gott besteht für einen Gläubigen also darin, dass er Gott seine Sünden bekennt, dass er wieder neu die Vergebung durch den Tod Christi annimmt und die Erneuerung der tiefen Gemeinschaft mit Gott dem Vater und dem Heiligen Geist erstrebt. Es ist keine Frage der Rechtsprechung bei einem Gericht, sondern eine wiederhergestellte Beziehung zwischen einem Vater und seinem Kind, das in die Irre gegangen ist. Diese Stelle sichert uns zu, dass Gott treu und gerecht ist, Sünden zu vergeben und das Hindernis der Gemeinschaft zu beseitigen, wenn ein Christ Gott aufrichtig seine Sünde bekennt. Manchmal erfordert dieses Bekennen zwar auch, dass man zu bestimmten Menschen hingeht und die Dinge ins Reine bringt, doch der Hauptgedanke ist, dass wir eine neue innige Gemeinschaft mit Gott selbst aufbauen.

Der Christ darf sich dessen gewiss sein, dass seine Sünden, wenn er sie bekennt, von Gott sofort vergeben sind. Christus als der Fürsprecher des Gläubigen und als der Eine, der am Kreuz gestorben ist, hat bereits alle notwendigen Vorkehrungen getroffen. Die Erneuerung der Gemeinschaft ist daher nur von der Bereitschaft des Menschen abhängig, seine Sünden zu bekennen und sich Gott hinzugeben.

Die Schrift warnt einen Gläubigen vor den ernsten Folgen, die unvermeidlich sind, wenn er den Geist beständig betrübt. Dies hat manchmal zur Folge, dass Gott ihn züchtigen muss, um ihn wieder in Gemeinschaft mit sich zu bringen (Hebr 12,5-6). Der Christ wird gewarnt, dass Gott einschreiten und ihn richten wird, wenn er nicht zur Einsicht kommt (1Kor 11,32-33). In jedem Fall ist es zu seinem unmittelbaren Schaden, wenn ein Gläubiger die Gemeinschaft mit Gott verlässt, und er muss ständig mit dem ernsten Gericht Gottes rechnen, der wie ein treuer Vater eingreift, wenn sein Kind auf den falschen Weg kommt.

3. Durch den Geist zu wandeln ist im Gegensatz zu den vorherigen Anweisungen eine positive Aufforderung. Wandeln durch den (od. im) Geist (Gal 5,16) ist eine Aufforderung an den Gläubigen, die Kraft und den Segen in Anspruch zu nehmen, die der in ihm wohnende Geist ihm geben will. „Wandelt im Geist" ist eine Aufforderung im Präsens, was bedeutet, dass ein Christ beständig durch den Geist wandeln sollte.

Die geistlichen Anforderungen an das Leben eines Christen sind hoch, und ohne Gottes Kraft kann er den Willen Gottes nicht erfüllen.

Nur die Vorsorge des Heiligen Geistes ermöglicht es dem Christen, durch die Kraft und Führung des in ihm wohnenden Geistes zu wandeln.

Wandeln durch den Geist ist ein Glaubensakt. Die hohen Anforderungen der gegenwärtigen Heilszeit, in der wir aufgefordert sind zu lieben, wie Christus uns liebt (Joh 13,34; 15,12), und in der jeder Gedanke gefangengenommen werden soll unter den Gehorsam des Christus (2Kor 10,5), sind ohne die Kraft des Heiligen Geistes nicht zu erfüllen. Gleichermaßen sind die anderen sichtbaren Zeichen geistlichen Lebens – wie die Frucht des Geistes (Gal 5,22-23) und Aufforderungen wie: „Freut euch allezeit! Betet unablässig" (1Thes 5,16-17) und: „Sagt in allem Dank! Denn dies ist der Wille Gottes in Christus Jesus für euch" (1Thes 5,18) – unmöglich zu erfüllen, wenn ein Mensch nicht im Geist wandelt.

Die hohen Anforderungen des geistlichen Lebens zu erfüllen ist umso schwieriger, als der Christ in einer sündigen Welt lebt und unter dem ständigem Einfluss des Bösen steht (Joh 17,15; Röm 12,2; 2Kor 6,14; Gal 6,14; 1Jo 2,15). Auch wirkt die Macht des Satans unaufhörlich auf den Christen ein und verwickelt ihn in ständige Kämpfe mit dem Feind Gottes (2Kor 4,4; 11,14; Eph 6,12).

Neben dem Konflikt mit dem System der Welt und mit Satan hat der Christ noch einen Feind in sich selbst – seine sündige Natur, die ihn immer wieder in ein Leben des Gehorsams gegenüber dem sündigen Fleisch ziehen will (Röm 5,21; 6,6; 1Kor 5,5; 2Kor 7,1; 10,2-3; Gal 5,16-24; 6,8; Eph 2,3). Weil die sündige Natur in einem Gläubigen beständig mit der neuen Natur im Widerstreit liegt, kann nur die andauernde Abhängigkeit von dem Geist Gottes den Sieg bringen. Darum ist es notwendig, beständig im Geist zu wandeln, damit Seine Kraft den Willen Gottes im Leben eines Gläubigen vollbringen kann – obwohl einige fälschlicherweise annehmen, ein Christ könne sündlose Vollkommenheit erreichen. Im Himmel erwartet den Gläubigen dann letztgültige Vollkommenheit des Leibes und Geistes, doch bis zu seinem Tod oder seiner Verwandlung geht der geistliche Kampf unvermindert weiter.

All dies zeigt uns, wie wichtig es ist, dass wir dem Geist Raum geben, indem wir in Seiner Kraft und Führung wandeln und Ihm die Herrschaft und Leitung über unser Leben überlassen.

C. Die Auswirkungen des Erfülltseins mit dem Heiligen Geist

Eindrucksvolle Auswirkungen werden sichtbar, wenn sich jemand Gott ausliefert und vom Heiligen Geist erfüllen lässt.

1. Ein Christ, der in der Kraft des Geistes wandelt, erfährt eine fortschreitende Heiligung, er führt ein heiliges Leben, in dem die Frucht des Geistes (Gal 5,22-23) sichtbar wird. Dies ist die höchste Manifestation der Kraft des Geistes und die irdische Vorbereitung auf die Zeit, wenn der Gläubige im Himmel vollkommen in das Bild Christi umgestaltet werden wird.

2. Einer der wichtigen Dienste des Geistes ist die Unterweisung des Gläubigen in der geistlichen Wahrheit. Nur durch die Führung und Erleuchtung des Geistes kann ein Gläubiger die unendliche Wahrheit des Wortes Gottes verstehen. So wie der Geist Gottes einem Menschen, bevor er errettet werden kann, die Wahrheit in Bezug auf seine Errettung offenbaren muss (Joh 16,7-11), so führt auch der Geist den Christen in alle Wahrheit hinein (Joh 16,12-14). Die Tiefen Gottes, Wahrheiten, die nur ein vom Geist unterwiesener Mensch begreifen kann, werden dem offenbart, der im Geist wandelt (1Kor 2,93,2).

3. Der Heilige Geist kann einen Christen führen und die allgemeinen Wahrheiten des Wortes Gottes auf seine besondere Situation anwenden. Dies ist gemeint, wenn es in Römer 12,2 heißt, „dass ihr prüft, was der Wille Gottes ist: das Gute und Wohlgefällige und Vollkommene". Wie der Knecht Abrahams kann ein Christ die Wahrheit des Verses erfahren: „Mich hat der HERR den Weg … geführt" (1Mo 24,27). Eine solche Führung gehört zu den alltäglichen Erfahrungen der Christen, die in der richtigen Beziehung zum Geist Gottes stehen (Röm 8,14; Gal 5,18).

4. Heilsgewissheit ist eine wichtige Auswirkung der Gemeinschaft mit dem Geist. In Römer 8,16 heißt es: „Der Geist selbst bezeugt zusammen mit unserem Geist, dass wir Kinder Gottes sind" (vgl. Gal 4,6; 1Jo 3,24; 4,13). Es ist genauso normal für einen Christen, Heilsgewissheit zu haben, wie es für einen Menschen normal ist zu wissen, dass er lebt.

5. Wir können Gott nur anbeten und Ihn lieben, wenn wir wirklich im Geist wandeln. Die auf Epheser 5,18 folgenden Verse beschreiben das Leben in der Anbetung Gottes und der Gemeinschaft mit Ihm. Ein Mensch, der außerhalb der Gemeinschaft mit Gott lebt, kann

Gott nicht wirklich anbeten, auch wenn er Gottesdienste in herrlichen Kirchen besucht und äußerlich das Ritual der Anbetung mitmacht. Anbetung ist eine Sache des Herzens, und dasselbe, was Christus der samaritischen Frau gesagt hat, gilt auch uns: „Gott ist Geist, und die ihn anbeten, müssen in Geist und Wahrheit anbeten" (Joh 4,24).

6. Einer der wichtigsten Aspekte im Leben eines Christen ist seine Gebetsgemeinschaft mit dem Herrn. Auch hier muss der Geist Gottes wieder führen und leiten, wenn ein Gebet verständlich sein soll. Auch hier muss das Wort Gottes verstanden sein, wenn das Gebet in Übereinstimmung mit dem Wort Gottes sein soll: Wirkliches Lob und echter Dank sind unmöglich, wenn der Geist einen Christen nicht dazu befähigt. Neben dem Gebet tritt der Geist selbst für den Gläubigen ein, wie in Römer 8,26 gesagt ist. Ein wirksames Gebetsleben hängt folglich vom Wandeln durch den Geist ab.

7. Zusätzlich zu all den geistlichen Eigenschaften, die bereits erwähnt wurden, sind das ganze Leben eines Gläubigen, sein Dienst und die Ausübung seiner natürlichen und geistlichen Gaben abhängig von der Kraft des Geistes. Christus deutet dies in Johannes 7,38-39 an, wo Er das Wirken des Geistes mit Strömen lebendigen Wassers vergleicht, die aus dem Leib des Gläubigen fließen werden. Ein Christ kann also große geistliche Gaben haben und sie nicht einsetzen, weil er nicht in der Kraft des Geistes wandelt. Im Gegensatz dazu können andere mit relativ geringen geistlichen Gaben von Gott mächtig gebraucht werden, weil sie in der Kraft des Geistes wandeln. Die biblische Lehre von dem Erfülltsein mit dem Geist ist daher eine der wichtigsten Wahrheiten, die ein Christ verstehen, anwenden und sich zu eigen machen sollte.

? Fragen

1. Wie würden Sie das Erfülltsein mit dem Heiligen Geist dem Wirken des Heiligen Geistes bei der Errettung gegenüberstellen?
2. Welche Beispiele für das Erfülltsein mit dem Heiligen Geist vor Pfingsten gibt es in der Bibel?
3. Konnte vor Pfingsten jeder mit dem Geist erfüllt werden, der sich Gott ausgeliefert hatte?

4. Inwieweit hat die Ankunft des Geistes am Pfingsttag die Möglichkeiten des Erfülltwerdens mit dem Heiligen Geist verändert?
5. Definieren Sie, was Erfülltsein mit dem Heiligen Geist ist.
6. Vergleichen Sie Erfülltsein mit dem Heiligen Geist und geistliche Reife miteinander.
7. Kann jeder Christ mit dem Heiligen Geist erfüllt werden?
8. Welchen Zusammenhang gibt es zwischen Geisterfüllung und geistlicher Reife?
9. Wie unterschiedlich offenbart sich das Erfülltsein mit dem Geist?
10. Welche herausragenden Beispiele für Geistesfülle sind in der Apostelgeschichte zu finden?
11. Welches ist die Bedeutung des Vergleichs, „voll Weines“ und „voller Geist“ zu sein?
12. Warum ist es unrichtig, von dem Erfülltwerden mit dem Heiligen Geist als einem zweiten Werk der Gnade zu sprechen?
13. Was ist gemeint mit dem Gebot: „Den Geist löscht nicht aus“?
14. Warum ist es notwendig, sich Gott auszuliefern, um mit dem Geist erfüllt zu werden?
15. Vergleichen Sie den ersten Schritt der Darstellung des Leibes als ein lebendiges Schlachtopfer mit einem Leben der beständigen Hingabe.
16. Nennen Sie die verschiedenen Aspekte der Hingabe eines Christen an Gott.
17. In welchem Sinne ist Christus das hervorragendste Beispiel der Hingabe an Gott?
18. Was ist die Bedeutung der Aufforderung: „Betrübt nicht den Geist Gottes!“?
19. Inwiefern können die Lebensumstände eines Christen seine Erfahrung hinsichtlich der Geistesfülle beeinträchtigen?
20. Welche Abhilfe gibt es, wenn ein Christ den Geist betrübt?
21. Warum darf ein Christ seine Sünden bekennen in der Gewissheit, dass sie vergeben werden?
22. Welche ernsten Folgen hat es, wenn man ständig den Geist betrübt?
23. Definieren Sie, was mit dem Ausdruck „Wandelt im Geist“ gemeint ist.
24. Inwieweit machen es die hohen Anforderungen, die an das geistliche Leben eines Christen gestellt werden, notwendig, durch den Geist zu wandeln?

25. Warum ist ein Wandeln durch den Geist notwendig angesichts der Tatsache, dass wir Christen in einer sündigen Welt leben?
26. Warum ist das Wandeln durch den Geist notwendig angesichts der sündigen Natur des Christen?
27. Warum zeigt die Notwendigkeit des Wandelns durch den Geist, dass es einem Christen unmöglich ist, in diesem Leben eine sündlose Vollkommenheit zu erreichen?
28. Nennen und definieren Sie kurz sieben Auswirkungen des Erfülltseins mit dem Heiligen Geist.
29. Fassen Sie kurz zusammen, warum es für einen Christen so wichtig ist, mit dem Geist erfüllt zu sein.

Kapitel 20

Die Heilszeitalter

A. Die Bedeutung der Heilszeitalter

Beim Studium der Schrift ist es wichtig zu verstehen, dass sich die biblische Offenbarung immer auf ausdrücklich definierte Zeitabschnitte bezieht. Diese Zeitabschnitte sind ganz klar voneinander unterschieden, und das Erkennen dieser Unterteilungen und der damit verbundenen Pläne Gottes ist ein ganz wichtiger Faktor bei der rechten Auslegung der Schrift. Die Zeitabschnitte werden „Heilszeitalter" (engl. *dispensations,* gr. *oikonomia,* d. h. Haushaltung, Verwaltung) genannt. In den aufeinanderfolgenden Zeitabschnitten können verschiedene Heilszeitalter entdeckt werden.

Ein Heilszeitalter kann definiert werden als eine Stufe in der fortschreitenden Offenbarung Gottes, die eine bestimmte Haushalterschaft oder eine neue Lebensregel einführt. Auch wenn sich genau genommen der Begriff der Haushaltung *(oikonomia)* und der des Zeitalters *(aion)* nicht völlig decken, ist es doch offensichtlich, dass jedes Zeitalter seine Haushaltung hat. Zeitalter werden in der Bibel häufig genannt (Eph 2,7; 3,5.9; Hebr 1,2) und unterschieden (Joh 1,17; vgl. Mt 5,21-22; 2Kor 3,11; Hebr 7,11-12).

Vermutlich wirft die Erkenntnis, dass in der Schrift verschiedene Heilszeitalter existieren, mehr Licht auf die ganze Botschaft der Bibel als jeder andere Aspekt biblischen Studiums. Häufig ist das erste klare Verstehen der Heilszeitalter und der von Gott in ihnen geoffenbarten Absichten der Beginn nützlicher Bibelkenntnis und wachsenden persönlichen Interesses an der Bibel.

Die Beziehung des Menschen zu Gott ist nicht in jedem Heilszeitalter dieselbe. Es war notwendig, den gefallenen Menschen der göttlichen Prüfung zu unterziehen. Dies ist ein Bestandteil von Gottes Absicht in den Heilszeitaltern, und das Ergebnis dieser Prüfung ist in jedem Fall eine unzweifelhafte Darstellung des vollkommenen Versagens und der Sündhaftigkeit des Menschen. Am Ende wird jeder

Mund verstummen, weil jede Anmaßung des menschlichen Herzens durch die jahrhundertelange Erfahrung als töricht und böse geoffenbart werden wird.

Jedes Heilszeitalter beginnt somit mit der göttlichen Einsetzung des Menschen in einen neuen Bereich des Vorrechts und der Verantwortung und endet jeweils mit dem Versagen des Menschen, worauf das gerechte Gericht Gottes folgt. Während es einige bleibende Tatsachen gibt, wie das heilige Wesen Gottes, das in jedem Heilszeitalter notwendigerweise dasselbe ist, gibt es unterschiedliche Anweisungen und Verantwortungsbereiche, die in ihrer Anwendung auf einen bestimmten Zeitabschnitt begrenzt sind.

In diesem Zusammenhang sollte der Bibelleser den Unterschied zwischen primärer (unmittelbarer) und sekundärer (übertragener) Anwendung kennen. Die primäre oder persönliche Anwendung gilt nur für jene Teile der Schrift, die unmittelbar an das Kind Gottes unter der Gnade gerichtet sind. Es wird von ihm erwartet, dass es jene Anweisungen genau ausführt. Bei sekundären Anwendungen sollte beachtet werden, dass – obwohl geistliche Lehren aus allen Teilen der Bibel gezogen werden können – von einem Christen nicht erwartet wird, dass er den Willen Gottes für Menschen eines anderen Heilszeitalters erfüllt. Das Kind Gottes unter der Gnade ist nicht in derselben Situation wie Adam, Abraham oder die Israeliten unter dem Gesetz; von ihm wird auch nicht erwartet, die besondere Lebensform zu übernehmen, die nach der Schrift von Menschen nach der Wiederkunft Christi erwartet wird, wenn Er Sein Reich auf dieser Erde errichtet haben wird.

Da das Kind Gottes in der Gestaltung seines täglichen Lebens ganz abhängig ist von den Anweisungen der Bibel, und da die Prinzipien in den verschiedenen Heilszeitaltern so unterschiedlich, ja, sogar manchmal widersprüchlich sind, ist es wichtig, dass es jene Teile der Schrift erkennt, die sich unmittelbar auf es persönlich beziehen, wenn es den Willen Gottes tun und Gott verherrlichen will.

Bei der Betrachtung des ganzen Zeugnisses der Bibel ist es fast genauso wichtig für den Gläubigen, der den Willen Gottes tun will, das zu erkennen, was nicht auf ihn zutrifft, wie das zu erkennen, was für ihn gilt. Ganz offensichtlich wäre der Gläubige, wenn er nicht um die Heilszeitalter wüsste, nicht bewusst auf die gegenwärtige Absicht und den Willen Gottes für die Welt eingestellt. Wenn er hier einen klaren

Blick gewinnt, wird ihn das davor bewahren, die hoffnungslose Gesetzlichkeit des vergangenen Heilszeitalters anzunehmen oder sich vergeblich darum zu bemühen, die Welt nach dem Programm zu verändern, das dem kommenden Heilszeitalter vorbehalten ist.

In vielen Bibelübersetzungen wird eine wichtige Wahrheit durch mangelnde Genauigkeit der Wiedergabe verborgen. Das griechische Wort *aion*, das ein Zeitalter oder eine Heilszeit bezeichnet, wird nämlich häufig mit dem Begriff „Welt" übersetzt. Wenn es z. B. in Matthäus 13,49 heißt: „So wird es auch am Ende der Welt gehen" (Luther 1984, vgl. auch Zürcher; dagegen „Zeitalter" bei Elberfelder, „Weltzeit" bei Menge und Schlachter), dann wird damit nicht auf das Ende der materiellen Welt verwiesen, das zu seiner Zeit kommen muss (Jes 66,22; 2Petr 3,7; Offb 20,11), sondern vielmehr auf das Ende dieses Zeitalters. Das Ende der Welt ist noch nicht nahe, wohl aber das Ende dieser Heilszeit. Nach der Schrift gibt es sieben Heilszeitalter, und ganz offensichtlich leben wir ganz am Ende des sechsten. Das Heilszeitalter des Tausendjährigen Königreiches (Offb 20,4.6) steht noch aus.

Ein Heilszeitalter wird in der Regel gekennzeichnet durch eine neue göttliche Bestimmung und entsprechende Verantwortungen der Menschen an seinem Beginn und wird durch göttliches Gericht beendet. Sieben Heilszeitalter werden von Schriftauslegern gewöhnlich aus der Bibel abgeleitet: 1. Unschuld, 2. Gewissen, 3. menschliche Regierung, 4. Verheißung, 5. Gesetz, 6. Gnade, 7. Tausendjähriges Reich.

Bei der Beschäftigung mit den sieben Zeitaltern trägt das Wissen um bestimmte Prinzipien sehr zum Verständnis dieser Lehre bei. Die Lehre von den Zeitaltern („Dispensationalismus") ist aus der wörtlichen Auslegung der Bibel entstanden. Es ist unmöglich, die Bibel in ihrer normalen, wörtlichen Bedeutung zu verstehen, ohne dass man erkennt, dass es verschiedene Zeitalter und Haushaltungen gibt. Ein zweites Prinzip ist das der fortschreitenden Offenbarung, d. h. die von fast allen Schriftauslegern anerkannte Tatsache, dass eine Offenbarung in Stufen geschieht. Drittens werden alle Bibelausleger anerkennen müssen, dass spätere Offenbarungen frühere in gewissem Maße außer Kraft setzen. Daraus folgt eine Veränderung der Lebensregeln, sodass bestimmte Anforderungen abgeändert oder für nichtig erklärt und neue gestellt werden. Gott trug Mose zum Beispiel auf, einen Mann zu töten, weil er am Sabbat Holz aufgelesen hatte (4Mo 15,32-36), doch niemand würde dieses Gebot auf die heutige Zeit anwenden, weil wir in einem anderen Heilszeitalter leben.

Obwohl in der Schrift sieben Heilszeitalter unterschieden werden, sind drei davon wichtiger als die anderen, nämlich das Zeitalter des Gesetzes, in dem Israel im Alten Testament seit Mose lebte, das Zeitalter der Gnade, in dem wir heute leben, und das zukünftige Zeitalter des Tausendjährigen Königreiches.

B. Das Zeitalter der Unschuld: Zeit der Freiheit

Dieses Zeitalter begann mit der Erschaffung des Menschen (1Mo 1,26-27) und setzt sich fort bis 1. Mose 3,6. Dem Menschen wurde aufgetragen, fruchtbar zu sein, sich die Erde untertan zu machen, über die Tiere zu herrschen, sich von Gemüse und Obst zu ernähren und den Garten Eden zu bebauen (1Mo 1,28-29; 2,15).

Nur ein Verbot wurde den Menschen erteilt; sie durften nicht vom Baum der Erkenntnis des Guten und Bösen essen (1Mo 2,17). Obwohl dem Menschen ein herrlicher Garten, ein vollkommener Leib und Verstand, eine vollkommene Natur und alles gegeben wurde, was er brauchte, um das Leben zu genießen, erlag Eva der Versuchung und aß von der verbotenen Frucht, und Adam folgte ihr in diesem Akt des Ungehorsams (1Mo 3,1-6). Die Folge war göttliches Gericht, geistlicher Tod, das Wissen um die Sünde, Angst vor Gott und der Verlust der Gemeinschaft mit ihm.

Doch gerade in dieser Situation führte Gott mit der Verheißung des Erlösers das Prinzip der Gnade ein (1Mo 3,15). Er gab den Menschen Leibröcke aus Fell, ein typisches Bild als Hinweis auf ihre Erlösung (1Mo 3,21). Sie wurden aus dem Garten vertrieben, doch sie durften weiterleben (1Mo 3,23-24), und mit Gottes Gericht an ihnen begann ein neues Heilszeitalter.

Im Zeitalter der Unschuld offenbarte Gott das Versagen des Menschen, gab die Verheißung auf einen Erlöser, offenbarte Seine Souveränität im Gericht über Seine Schöpfung und führte das Prinzip der Gnade ein.

C. Das Zeitalter des Gewissens: Zeit der Entscheidung des Menschen

Dieses Zeitalter, das mit 1. Mose 3,7 beginnt und in 1. Mose 8,19 endet, brachte dem Menschen neue Verantwortlichkeiten, die sich in dem sogenannten Bund mit Adam und Eva manifestierten. Auf Satan wurde ein Fluch gelegt (1Mo 3,14-15), doch auch auf Adam und Eva fiel ein Fluch (1Mo 3,16-19). Obwohl nicht geoffenbart wird, dass dem Menschen zu jener Zeit ein bestimmter Sittenkodex auferlegt worden wäre, wurde von ihm erwartet, dass er nach seinem Gewissen lebte und in Übereinstimmung mit der Erkenntnis über Gott, die er erhalten hatte.

Doch unter dem Gewissen versagte der Mensch genauso, wie er seither immer versagt hat. Das Gewissen konnte überführen, doch es konnte keinen Sieg bringen (Joh 8,9; Röm 2,15; 1Kor 8,7; 1Tim 4,2). Die Kinder Adams hatten seine sündige Natur, was sich darin zeigte, dass Kain sich weigerte, ein Blutopfer darzubringen (1Mo 4,7), und seinen Bruder Abel anschließend ermordete (1Mo 4,8). Die daraus folgende kainitische Zivilisation war sündig, und der Tod war zu allen Menschen durchgedrungen (1Mo 5,5-31). Die Sündhaftigkeit des menschlichen Herzens wurde so groß, dass wieder ein Gericht notwendig war (1Mo 6,5.11-13). Das Gericht des Todes wurde an Kain (1Mo 4,10-14) und an der ganzen Menschheit vollzogen (1Mo 5). Schließlich musste Gott die Menschen durch die Sintflut vertilgen (1Mo 7,21-24).

In diesem Zeitabschnitt wurde jedoch auch die Gnade Gottes offenbar; einige wurden errettet, wie z. B. Henoch (1Mo 5,24), und auch Noahs Familie wurde durch die Arche gerettet (1Mo 6,8-10; Hebr 11,7). Dieses Zeitalter endete mit der Sintflut, die nur Noahs Familie überlebte.

Auch in diesem Heilszeitalter zeigt sich das Versagen des Menschen in der neuen Situation, in der er nach seinem Gewissen handelte. Doch Gott bewahrte die Linie des zukünftigen Erlösers, d. h. der menschlichen Vorfahren Jesu Christi; Er zeigte Seine Souveränität, indem Er die Welt durch die Sintflut richtete, und erwies Noah und seiner Familie Seine Gnade.

D. Das Zeitalter der menschlichen Regierung: Der Bund mit Noah

Dieses Zeitalter erstreckt sich von 1. Mose 8,20 bis 1. Mose 11,9. Mit Noah schloss Gott einen bedingungslosen Bund (1Mo 8,20-9,17), in dem Er versprach, die Welt nicht noch einmal durch eine solche Flut zu vernichten. Gott versprach, dass sich die Jahreszeiten nicht mehr ändern würden (1Mo 8,22), und gab dem Menschen erneut das Gebot, sich zu vermehren (1Mo 9,1) und über die Tiere zu herrschen (1Mo 9,2); Fleischessen war nun erlaubt, doch das Blut sollte nicht verzehrt werden (1Mo 9,4). Am bedeutungsvollsten jedoch war die Einführung einer gewissen Regierungsordnung, in der dem Menschen das Recht gegeben wurde, Mörder zu töten (1Mo 9,5-6).

Auch in diesem Bund kommt das Versagen des Menschen zum Ausdruck, so z. B. durch Noahs Trunkenheit (1Mo 9,21) und Hams Respektlosigkeit (1Mo 9,22). Es ist eine Zeit des moralischen und religiösen Verfalls (1Mo 11,1-4). Die menschliche Regierung konnte die Sünde des Menschen ebenso wenig eindämmen wie das Gewissen, und der Turmbau von Babel war die Folge (1Mo 11,4). Gottes Gericht bestand in der Verwirrung ihrer Sprache (1Mo 11,5-7) und der Zerstreuung der menschlichen Zivilisation (1Mo 11,8-9).

In dieser Zeit zeigt sich jedoch Gottes Gnade darin, dass der gottesfürchtige Überrest bewahrt und Abram auserwählt wurde (1Mo 11,10–12,3). Auch wurde die Linie des verheißenen Samens der Frau erhalten und Gottes Souveränität bestätigt. Dieses Zeitalter endete mit dem Turmbau zu Babel und der Vorbereitung für das nachfolgende Heilszeitalter.

Es ist wichtig, sich klarzumachen, dass sowohl das Gewissen als auch die Regierung des Menschen noch in späteren Heilszeiten ihre Rolle spielen. Das Zeitalter der Verheißung galt nur für Abram und seinen Samen. Das Zeitalter der menschlichen Regierung offenbarte das Versagen des Menschen auch unter dieser neuen Lebensregel, es offenbarte das trennende Gericht Gottes, aber auch Seine beständige Gnade.

E. Das Zeitalter der Verheißung: der Bund mit Abraham

Dieser Bund wird in 1. Mose 11,10 geschlossen und erstreckt sich bis 2. Mose 19,2. In ihm wird dem Menschen die Verantwortung übertragen, auf die Verheißungen zu vertrauen, die Gott Abraham gegeben hat. Der Inhalt seiner göttlichen Offenbarung umfasste die Verheißung für Abraham (1Mo 12,1-2; 13,16; 15,5; 17,6), die Verheißung an das Volk Israel, den Samen Abrahams, dass es zu einer großen Nation werden und das Volk sein sollte, durch das Gott seine Verheißungen erfüllen würde (1Mo 12,2-3; 13,16; 15,5.18-21; 17,7-8; 28,13-14; Jos 1,2-4), und die Verheißung, dass durch Abraham die ganze Erde gesegnet werden würde (1Mo 12,3). Gott legte auch den Grundsatz fest, dass Er diejenigen segnen würde, die Abraham segneten, und diejenigen verfluchen würde, die Abrahams Samen verfluchten.

Der Bund mit Abraham ist einer der wichtigen Bündnisse der Bibel. Er besagt, dass Israel für immer eine Nation bleiben würde und für immer einen Anspruch auf das Verheißene Land haben sollte. Es sollte in geistlichen Dingen gesegnet sein, unter Gottes Schutz stehen und das besondere Zeichen der Beschneidung haben (1Mo 17,13-14). Der Bund war gnädig in seinen Grundsätzen und nicht an Bedingungen geknüpft. Er war nicht abhängig von der Treue des Menschen, sondern von der Treue Gottes. Die Segnungen und Verheißungen des Bundes mit Abraham wurden zu seinen Lebzeiten nur teilweise erfüllt; ihre Erfüllung dauert an bis zum Ende der Menschheitsgeschichte. Einige der unmittelbaren Segnungen des Bundes für bestimmte Generationen waren abhängig vom Gehorsam, doch der Bund selbst war ein immerwährender Bund (1Mo 17,7.13.19; 1Chr 16,16-17; Ps 105,10). Der Bund mit Abraham bezog sich, was die haushälterische Verantwortlichkeit betrifft, in erster Linie auf Abraham und seine Nachkommen. Die Welt als Ganzes blieb weiterhin unter der Regierung des Menschen und vorrangig ihrem Gewissen verantwortlich.

Auch unter dem Bund mit Abraham finden wir ein beständiges Versagen des Menschen, das deutlich wird an der Verzögerung auf dem Weg nach Kanaan (1Mo 11,31), an Abraham, der der Vater Ismaels wird (1Mo 16,1-6), und auch an Abrahams Reise nach Ägypten (1Mo 12,10-13,1). Doch Abraham wuchs im Glauben und in der Gnade und war später sogar bereit, im Gehorsam gegenüber Gott seinen Sohn Isaak zu opfern (1Mo 22).

Auch Isaak versagte, indem er so nahe an Ägypten lebte, wie es möglich war, ohne gegen Gottes Verbot zu verstoßen (1Mo 26,1-6). Jakob versagte, indem er nicht an die Verheißung glaubte, die seine Mutter bei seiner Geburt erhielt (1Mo 25,23; 28, 13-15.20); er machte sich der Lüge, des Betrugs und des hinterhältigen Verhaltens beim Erschleichen von Erstgeburtsrecht und Segen schuldig (1Mo 25,29-34; 27,1-29).

In Ägypten versagte das Volk Israel, indem es murrte und nicht genügend Glauben aufbrachte (2Mo 2,23; 4,1-10; 5,21; 14,10-12; 15,24). Nach seinem Auszug wollte es nach Ägypten zurückkehren (2Mo 14,11-12) und begehrte ständig gegen Gott auf (2Mo 14,24; 16,2; 4Mo 14,2; 16,11.41; Jos 6,18). Das Versagen der Israeliten zeigt sich zu der Zeit, als ihnen das Gesetz gegeben wurde und auch hinterher, als sie in Kadesch-Barnea nicht den Verheißungen Gottes glaubten (4Mo 14). Dieses Versagen in dem Zeitalter, in dem die Verheißungen Abrahams ihrer besonderen Verantwortung unterlagen, hatte zur Folge, dass sie in der Wüste umherziehen mussten, bevor sie das Gelobte Land betreten konnten. Ihr Versagen bereitete den Boden für das mosaische Gesetz.

Im Zeitalter der Verheißung zeigt sich Gottes Gnade vielfältig in der ununterbrochenen Fürsorge für sein Volk, in dessen Befreiung aus Ägypten und der Einführung des Passahfestes. Das Zeitalter der Verheißung endet mit der Gesetzgebung (4Mo 19), jedoch nur in dem Sinn, dass der Glaube an die Verheißungen nicht mehr der Grundsatz oder Prüfstein der Verantwortlichkeit Israels ist. Das Zeitalter der Verheißung setzt sich fort bis zum Ende der Menschheitsgeschichte; und viele seiner Verheißungen sind immer noch als Gegenstand des Glaubens und der Hoffnung in Kraft. Die Verheißungen an Abraham bilden die Grundlage für die späteren Heilszeitalter der Gnade und des Tausendjährigen Reiches. In gewisser Weise werden die Verheißungen nie aufgehoben und erst in der Ewigkeit erfüllt werden.

Das Zeitalter der Verheißung führt eindeutig den Grundsatz der göttlichen Oberherrschaft ein; es öffnete einen Kanal der besonderen göttlichen Offenbarung für das Volk Israel, es stellte auch weiterhin göttliche Erlösung und Segnung zur Verfügung, es offenbarte die

Gnade Gottes und verhieß der Welt ein Zeugnis von dieser Gnade. Wie die anderen Heilszeitalter endete es jedoch in Versagen, weil die Menschen den Willen Gottes nicht erfüllten, und es legte den Grund für die Einführung des Gesetzes, „unser Erzieher auf Christus hin" (Gal 3,24).

F. Das Zeitalter des Gesetzes

Das Zeitalter des Gesetzes beginnt in 2. Mose 19,3 und erstreckt sich bis zum Pfingsttag in Apostelgeschichte 2, obwohl das Gesetz in gewisser Weise schon am Kreuz erfüllt war. Das Johannesevangelium und ausgewählte Stellen in den anderen Evangelien deuten schon auf das Zeitalter der Gnade hin.

Das mosaische Gesetz bezog sich allein auf Israel; die Heiden wurden nicht nach ihm gerichtet. Das Gesetz war aufgeteilt in drei Hauptbereiche: die Gebote (der Ausdruck des Willens Gottes, 2Mo 20,1-26); die Rechtsbestimmungen (das soziale und bürgerliche Leben Israels, 2Mo 21,1–24,11) und die Verordnungen (das religiöse Leben des Volkes Israel, 2Mo 24,12–31,18). Das System der Opfer und des Priesterdienstes war sowohl vom Prinzip der Gnade als auch vom Gesetz bestimmt. Die Herrschaftsform in diesem Heilszeitalter war die Theokratie, die Herrschaft Gottes durch Seine Propheten, Priester und (später) Könige. Der mosaische Bund war ein zeitlich begrenzter Bund, der nur in Kraft bleiben sollte, bis Christus kommen würde (Gal 3,24-25). Es war ein durch Bedingungen bestimmtes Heilszeitalter, das heißt, der Segen war abhängig vom Gehorsam.

Zum ersten Mal in der Geschichte offenbarte die Schrift ein detailliertes religiöses System unter dem Gesetz, schuf eine Grundlage für Reinigung und Vergebung, Gottesdienst und Anbetung und bot eine Hoffnung für die Zukunft.

Unter dem Gesetz gab es beständiges Versagen. Dies zeigt sich vor allem in der Zeit der Richter und setzt sich nach dem Tod Salomos und der Teilung Israels in zwei Königreiche fort. Es gab Zeiten, in denen das Gesetz vollkommen vergessen und ignoriert wurde und sogar Götzen angebetet wurden. Das Neue Testament setzt die Bilanz des Versagens fort, das in der Verwerfung und Kreuzigung Christi gipfelte.

Viele Gerichte wurden während des Zeitalters des Gesetzes verhängt, wie in 5. Mose 28,1–30,20 beschrieben wird. Die herausragenden Strafgerichte gegen die Israeliten waren die assyrische und babylonische Gefangenschaft, aus der sie jedoch zu gegebener Zeit zurückkehrten. Nach dem Ende dieses Heilszeitalters kam das Gericht der Zerstörung Jerusalems im Jahre 70 n. Chr. und der weltweiten Zerstreuung des Volkes Israel. Die Zeit der Großen Drangsal steht für das Volk Israel immer noch aus (Jer 30,1-11; Dan 12,1; Mt 24,22).

Doch auch unter dem Gesetz erwies Gott seine Gnade darin, dass er Israel als Weg zur Wiederherstellung ein Opfersystem gab. Er schenkte ihnen in Seiner Langmut auch Propheten, Richter und Könige und erhielt das Volk als solches. Zu verschiedenen Zeiten nahm Gott die aufrichtige Buße des Volkes an, und während dieser ganzen Zeit wurde das Alte Testament geschrieben. Die größte Segnung war das Kommen Christi als der Messias Israels, den das Volk als Ganzes zurückwies.

In gewisser Weise endete das Zeitalter des Gesetzes am Kreuz (Röm 10,4; 2Kor 3,11-14; Gal 3,19.25). Doch tatsächlich war es erst am Pfingsttag beendet, als das Zeitalter der Gnade begann. Obwohl das Gesetz als Lebensregel keine Gültigkeit mehr hat, bleibt es doch eine Offenbarung der Gerechtigkeit Gottes. Christen werden durch eine Beschäftigung mit dem Gesetz das heilige Wesen Gottes erkennen. Die moralischen Prinzipien, die dem Gesetz zugrunde liegen, setzen sich auch weiter fort, da Gott sich nicht ändert; doch die Gläubigen in der heutigen Zeit sind nicht verpflichtet, jeden Punkt des Gesetzes zu erfüllen, da sich das Heilszeitalter geändert hat und die Lebensregeln, die dem Volk Israel gegeben wurden, nicht mehr für das Leben der heutigen Gemeinde gelten.

Der Zweck des Gesetzes war, eine gerechte Lebensregel zu schaffen und die Sünde zu verurteilen. Israels Erfahrung unter dem Gesetz zeigt, dass das moralische, bürgerliche und religiöse Gesetz weder retten noch heiligen kann. Das Gesetz war niemals zur Errettung des Menschen bestimmt, weder zur Zeit seiner Gültigkeit noch später, und von seinem Wesen her war es schwach, weil es nicht rechtfertigen konnte (Röm 3,20; Gal 2,16); es konnte nicht heiligen und auch nicht vollkommen machen (Hebr 7,18-19), war begrenzt in seiner Dauer und Kraft (Gal 3,19), konnte nicht lebendig machen (Gal 3,21-22) und die Sünde nur ans Licht bringen (Röm 7,5-9; 8,3; 1Kor 15,56). Durch das Gesetz konnte Gott zeigen, dass alle schuldig sind und jeder Mund verstopft wird (Röm 3,19), und es machte deutlich, wie dringend der Retter Jesus Christus gebraucht wurde (Röm 7,7-25; Gal 3,21-27).

G. Das Zeitalter der Gnade

Das Zeitalter der Gnade beginnt genau genommen in Apostelgeschichte 2 und setzt sich durch das ganze Neue Testament bis in die heutige Zeit fort. Seinen End- und Höhepunkt wird es in der Entrückung der Gemeinde finden. Einige Lehren in Bezug auf das Zeitalter der Gnade wurden schon früher eingeführt, zum Beispiel in Johannes 13–17; die Aussagen der Schrift über dieses Heilszeitalter reichen von Apostelgeschichte 1 bis Offenbarung 3.

Das Zeitalter der Gnade gilt für die Gemeinde allein, die Welt als Ganzes lebt weiter im Zeitalter des Gewissens und der Regierung des Menschen. Im Zeitalter der Gnade wird klar geoffenbart, dass Errettung nur durch den Glauben empfangen wird, eine Tatsache, die schon immer zutreffend war, jetzt aber deutlicher herausgestellt wird (Röm 1,16; 3,22-28; 4,16; 5,15-19). Die hohen Maßstäbe der Gnade erheben dieses Zeitalter über alle vorherigen Lebensregeln (Joh 13,34-35; Röm 12,1-2; Phil 2,5; Kol 1,10-14; 3,1; 1Thes 5,23).

Aber auch unter der Gnade wird das Versagen des Menschen offensichtlich, da auch in diesem Zeitalter Christus nicht von allen Menschen angenommen wird und es auch keine triumphierende Gemeinde gibt. In der Schrift wird sogar vorausgesagt, dass es einen Abfall von Christus in der bekennenden Gemeinde geben wird (1Tim 4,1-3; 2Tim 3,1-13; 2Petr 2–3; Jud). Obwohl Gott Seine Absicht verfolgt und ein Volk für Seinen Namen aus Juden und Heiden herausruft, wird der bekennende, aber nicht errettete Teil der Gemeinde (die Namenschristen), der bei der Entrückung zurückbleiben wird, in der Zeit zwischen der Entrückung und Christi Wiederkunft gerichtet werden (Mt 24,1-26; Offb 6–19). Die wahre Gemeinde wird im Himmel vor dem Richterstuhl Christi beurteilt werden (2Kor 5,10-11).

In diesem gegenwärtigen Heilszeitalter wird die göttliche Gnade vor allem offenbar im Kommen Christi (Joh 1,17), in der Errettung der Gläubigen und ihrer Stellung vor Gott (Röm 3,24; 5,1-2.15-21;

Gal 1,1–2,21; Eph 2,4-10) und in dem Wesen der Gnade als einer Lebensregel (Gal 3,1–5,26).

Das Zeitalter der Gnade endet mit der Entrückung der Gemeinde, worauf die Zeit der Großen Drangsal folgen wird (Offb 17,16). Das Zeitalter der Gnade unterscheidet sich insofern von den anderen, als es für die Gemeinde gilt, die Juden und Heiden gleichermaßen umfasst. Das Gesetz hatte im Unterschied dazu nur Gültigkeit für die Israeliten, das Zeitalter der menschlichen Regierung und das Zeitalter des Gewissens galt für alle Menschen. In der gegenwärtigen Heilszeit ist das mosaische Gesetz völlig außer Kraft gesetzt, was seine direkte Anwendung angeht; es bleibt jedoch ein Zeugnis für die Heiligkeit Gottes und bietet viele geistliche Unterweisungen durch übertragene Anwendung. Obwohl in allen Zeitaltern auch ein Element der Gnade waltete, zeigt sie sich im Zeitalter der Gnade in ihrer höchsten Form sowohl in der Fülle des empfangenen Heils als auch in der Regel für das Leben.

H. Das Zeitalter des Königreiches

Das Zeitalter des Königreiches beginnt mit der Wiederkunft Christi (Mt 24; Offb 19). Ihm voraus geht die Zeit der Großen Drangsal, die in gewisser Weise eine Übergangsperiode ist. Alle Schriftstellen über das zukünftige Königreich treffen auf diese Heilszeit zu, ob sie nun im Alten oder im Neuen Testament stehen (die wichtigsten Stellen sind Ps 72; Jes 2,1-5; 9,6-7; 11; Jer 33,14-17; Dan 2,44-45; 7,9-14.18.27; Hos 3,4-5; Sach 14,9; Lk 1,31-33; Offb 19–20). Im Königreich wird es die Verantwortlichkeit des Menschen sein, dem König zu gehorchen, der mit eisernem Zepter regieren wird (Jes 11,3-5; Offb 19,15). Im Tausendjährigen Reich wird die Herrschaftsform die Theokratie sein, das heißt, Gott wird durch Christus regieren, und es wird ein neues Opfersystem und eine neue Priesterschaft geben (Jes 66,21-23; Hes 40–48). Ein ungewöhnliches Merkmal dieses Zeitabschnitts wird sein, dass der Satan gebunden sein wird und die Dämonen ausgeschaltet sind (Offb 20,1-3.7). Doch auch das Tausendjährige Reich wird eine Zeit des Versagens sein (Jes 65,20; Sach 14,16-19), und an seinem Abschluss wird eine Rebellion stehen (Offb 20,7-9).

Das anschließende göttliche Gericht wird die Aufrührer (Offb 20,9) und die alte Erde und den alten Himmel (2Petr 3,7.10-12) mit Feuer vernichten.

Im Tausendjährigen Reich offenbart sich auch die göttliche Gnade in der Erfüllung des Neuen Bundes (Jer 31,31-34), in der Errettung (Jes 12), in äußerem und irdischem Wohlstand (Jes 35), in der Fülle der Offenbarung (Jer 31,33-34), in der Vergebung der Sünde (Jer 31,34) und in der Sammlung des Volkes Israel (Jes 11,11-12; Jer 30,1-11; Hes 39,25-29). Das Tausendjährige Reich endet mit der Zerstörung der Erde und des Himmels durch Feuer; ihm folgt die Ewigkeit (Offb 21–22).

Das Zeitalter des Königreiches unterscheidet sich von allen vorhergehenden Zeitaltern darin, dass es die letzte Form der moralischen Prüfung des Menschen ist. Die Vorzüge dieser Heilszeit bestehen unter anderem darin, dass sie eine vollkommene Regierung hat und die unmittelbare und herrliche Gegenwart Christi genießt, dass die Erkenntnis Gottes und der Bedingungen zur Errettung weltweit sein wird und dass der Satan gebunden sein wird. In vielerlei Hinsicht ist das Zeitalter des Königreiches ein Höhepunkt und bringt Gottes Handeln mit dem Menschen zur Vollendung.

In den Heilszeitaltern hat Gott jede mögliche Form des Umgangs mit dem Menschen gezeigt. In jedem Heilszeitalter hat der Mensch versagt, und allein Gottes Gnade führte zum Ziel. In den Zeitaltern erfüllt sich Gottes Absicht, Seine Herrlichkeit zu zeigen, sowohl in der natürlichen Welt als auch in der menschlichen Geschichte. In alle Ewigkeit wird niemand den Einwand erheben können, Gott hätte dem Menschen noch eine weitere Chance geben können, damit er aus eigener Kraft Errettung oder Heiligkeit erreichen könnte. Das Wissen um diese Heilszeitalter ist daher der Schlüssel zum Verständnis von Gottes Absicht in der Geschichte und zum Verständnis der fortschreitenden Entfaltung der Schrift, die von Gottes Handeln mit dem Menschen und Seiner göttlichen Offenbarung in Bezug auf sich selbst berichtet.

? Fragen

1. Wie wichtig ist die Lehre von den Heilszeitaltern?
2. Wie viele Heilszeitalter gibt es?
3. Erklären Sie den Unterschied von einer Haushaltung und einem Zeitalter in der Bibel.
4. Wodurch ist der Anfang und das Ende eines jeden Zeitalters gekennzeichnet?
5. Wie muss die primäre und sekundäre Anwendung des Wortes Gottes unterschieden werden?
6. Inwiefern kann die Interpretation der Heilszeitalter eine Erklärung bieten für Lehren der Schrift, die widersprüchlich zu sein scheinen?
7. Welche sieben Heilszeitalter werden gewöhnlich in der Schrift festgestellt?
8. In welchem Zusammenhang steht die wörtliche Auslegung der Bibel mit der Lehre von den Heilszeitaltern?
9. In welchem Zusammenhang stehen die fortschreitende Offenbarung und die Lehre von den Zeitaltern?
10. Wie erklärt die Lehre von den Heilszeitaltern die Veränderungen in den Lebensregeln?
11. Welche Heilszeitalter sind die wichtigsten?
12. Was wurde von dem Menschen im Zeitalter der Unschuld gefordert?
13. Wie zeigte sich die Gnade im Zeitalter der Unschuld?
14. Fassen Sie die Offenbarung Gottes im Zeitalter der Unschuld zusammen.
15. In welchem Ausmaß offenbarte das Zeitalter des Gewissens das menschliche Versagen?
16. Wie zeigte sich die Gnade im Zeitalter des Gewissens?
17. Welches sind einige der herausragendsten Folgen des Zeitalters des Gewissens?
18. Was wurde vom Menschen im Zeitalter der Regierung des Menschen gefordert?
19. In welchem Ausmaß versagte der Mensch in diesem Zeitalter?
20. Wie zeigte sich die Gnade im Zeitalter der Regierung des Menschen?

21. Was offenbarte das Zeitalter der Regierung des Menschen?
22. In welcher Hinsicht bestehen die Zeitalter des Gewissens und der Regierung des Menschen auch heute noch fort?
23. Was wurde im Zeitalter der Verheißung gegeben, und was wurde vom Menschen gefordert?
24. Erklären Sie, inwiefern sich das Zeitalter der Verheißung nicht auf alle Menschen bezog.
25. Erklären Sie das Versagen des Menschen im Zeitalter der Verheißung.
26. Wie zeigte sich die göttliche Gnade im Zeitalter der Verheißung?
27. Wer wurde unter das Zeitalter des Gesetzes gestellt?
28. Nennen Sie die drei Bereiche des Gesetzes.
29. Wie vollständig war das Gesetz als ein detailliertes religiöses System?
30. Beschreiben Sie ganz allgemein das Versagen des Volkes Israel unter dem Gesetz.
31. In welchem Ausmaß zeigte sich die Gnade unter dem Gesetz?
32. Wann endete das Zeitalter des Gesetzes?
33. Welchem Zweck diente das Gesetz? Was waren seine Grenzen?
34. Auf wen bezieht sich das Zeitalter der Gnade?
35. Charakterisieren Sie die Richtlinien der Gnade als Lebensregel.
36. In welchem Ausmaß gibt es Versagen im Zeitalter der Gnade?
37. Wodurch wird das Zeitalter der Gnade beendet?
38. Vergleichen Sie das Zeitalter der Gnade mit dem Zeitalter des Gesetzes.
39. Wann beginnt das Zeitalter des Königreiches?
40. Nennen Sie einige wichtige Bibelstellen, die sich auf das Tausendjährige Reich beziehen.
41. Welches sind einige der ungewöhnlichen Merkmale dieses Zeitalters?
42. Beschreiben Sie das Versagen und das Gericht am Ende dieses Zeitalters.
43. Was wird im Tausendjährigen Reich in Bezug auf die Gnade geoffenbart werden?
44. Wie unterscheidet sich das Zeitalter des Königreiches von allen vorhergehenden Heilszeitaltern?
45. Warum ist das Zeitalter des Königreiches ein angemessener Höhepunkt im Handeln Gottes?

Kapitel 21

Die Bundesschlüsse

Die Bibel zeigt, dass die menschliche Geschichte die Erfüllung eines ewigen Zieles Gottes ist. Gottes ewiger Plan ist in der Schrift geoffenbart und gründet sich auf heilige Bundesschlüsse oder Verheißungen, die Gott gegeben hat. Es wird uns von wenigstens acht biblischen Bundesschlüssen berichtet, und sie sind wichtige Bestandteile des Planes Gottes und Seines Zieles mit der Welt. Die meisten dieser Bündnisse bestehen aus einer Erklärung der göttlichen Absichten, die ganz sicher erfüllt werden. Neben den biblischen Bundesschlüssen haben manche Theologen drei theologische Bundesschlüsse herausgearbeitet, die sich vor allem auf die Errettung des Menschen beziehen.

A. Die theologischen Bundesschlüsse

Bei der Erklärung des ewigen Zieles Gottes haben einige Theologen die Theorie vertreten, dass es Gottes zentrales Ziel sei, die Auserwählten, das heißt, die von Ewigkeit her für die Errettung erwählten Menschen, zu erlösen. Folglich sehen sie die Geschichte primär als die Ausführung von Gottes Heilsplan. Bei der Ausarbeitung dieser Lehre haben sie drei theologische Bundesschlüsse entwickelt.

1. Ein Bund der Werke soll mit Adam geschlossen worden sein. Die Bedingung für diesen Bund war, dass Adam, wenn er Gott gehorchte, sicher in seinem von Gott geschenkten Zustand bleiben und das ewige Leben erhalten würde. Dieser Bund soll auf der Beachtung der Warnung basieren, nicht vom Baum der Erkenntnis von Gut und Böse zu essen, denn „an dem Tag, da du davon isst, musst du sterben“ (1Mo 2,17). Daraus wird geschlossen, dass Adam nicht gestorben wäre, wenn er nicht von dem Baum gegessen hätte, sondern wie die heiligen Engel er in seinem heiligen Zustand bestätigt worden wäre. Dieser Bund beruht jedoch fast gänzlich auf Schlussfolgerungen und wird in der Bibel nicht als Bund benannt. Aus diesem Grund wird er von vielen Bibelauslegern zurückgewiesen.

2. Ein anderer Bund wird der Bund der Erlösung genannt. Hier wird die Lehre vorgebracht, dass von Ewigkeit her ein Bund zwischen Gott dem Vater und Gott dem Sohn geschlossen wurde in Bezug auf die Errettung des Menschen. In diesem Bund nahm es der Sohn Gottes auf sich, die Erlösung aller Menschen, die an Ihn glauben, möglich zu machen, und Gott versprach, Sein Opfer anzunehmen.

Dieser Bund hat mehr Rückhalt in der Bibel als der Bund der Werke. Die Bibel sagt ganz deutlich, dass Gottes Heilsplan ewig ist, und nach diesem Plan musste Christus als ein Opfer für die Sünde sterben, und Gott musste dieses Opfer annehmen als eine Basis für die Errettung jener, die an Christus glauben. In Epheser 1,4 heißt es: „… wie er uns in ihm auserwählt hat vor Grundlegung der Welt, dass wir heilig und tadellos vor ihm sind in Liebe.“ Und im Hinblick auf unsere Stellung Christus gegenüber heißt es in Epheser 1,11: „Und in ihm haben wir auch ein Erbteil erlangt, die wir vorherbestimmt sind nach dem Vorsatz dessen, der alles nach dem Rat seines Willens wirkt.“

Aus dieser und anderen Bibelstellen wird deutlich, dass Gottes Heilsplan ewig ist. Dass ein formaler Bund zwischen Gott dem Vater und Gott dem Sohn geschlossen wurde, wird abgeleitet von der Tatsache, dass Gottes Absicht auch eine Verheißung ist.

3. Ein dritter Ansatz ist, den ewigen Heilsplan Gottes als einen Bund der Gnade zu sehen. Hierbei ist Christus der Mittler des Bundes und der Vertreter derjenigen, die ihr Vertrauen auf Ihn setzen. Der Einzelne erfüllt die Bedingungen dieses Bundes, wenn er an Jesus Christus als Retter glaubt. Obwohl dieser Bund eine Ableitung aus dem ewigen Heilsplan ist, betont er stark den gnädigen Charakter von Gottes Heilsplan. Der Bund der Erlösung und der Bund der Gnade haben folglich eine biblische Grundlage und sind den meisten Bibelauslegern annehmbarer als das Konzept des Bundes der Werke, das in der Bibel keine Bestätigung findet.

Das Problem ist jedoch, dass die Anhänger dieser theologischen Bundestheorie den Heilsplan Gottes häufig zu Seinem primären Ziel in der Menschheitsgeschichte machen. Daher neigen sie dazu, die Besonderheiten des Planes Gottes für Israel, des Planes Gottes für die Gemeinde und des Planes Gottes für die Menschheit zu ignorieren. Zwar stimmt es, dass Gottes Heilsplan ein wichtiger Aspekt Seiner ewigen Absicht ist, doch dies ist nicht Gottes ganzer Plan. Eine bessere

Sichtweise ist, dass es Gottes Plan für die Geschichte ist, Seine Herrlichkeit zu offenbaren, und Er tut dies nicht nur, indem Er die Menschen rettet, sondern indem Er Seine Absicht erfüllt und sich selbst durch Sein Handeln mit Israel, mit der Gemeinde und mit den Nationen offenbart. Folglich ist es ratsam, die Geschichte im Licht der acht biblischen Bundesschlüsse zu deuten, die die wesentlichen Absichten Gottes durch die Menschheitsgeschichte hindurch offenbaren und Gottes Heilsplan mit einschließen. Diejenigen, die die theologischen Bundesschlüsse stark betonen, werden „Bundes-Theologen" genannt, im Gegensatz zu den „Dispensationalisten", die den biblischen Bundesschlüssen einen höheren Wert beimessen, weil diese die Unterschiede in den verschiedenen Phasen der Menschheitsgeschichte aufzeigen, die sich in den Heilszeitaltern (engl. *dispensations*) offenbaren.

B. Die biblischen Bundesschlüsse

Bei den Bundesschlüssen Gottes, von denen die Schrift berichtet, unterscheidet man solche, die an Bedingungen geknüpft sind, und solche, die nicht an Bedingungen geknüpft sind. Bei einem an Bedingungen geknüpften Bund ist Gottes Handeln die Antwort auf ein Handeln derer, mit denen der Bund geschlossen worden ist. Ein solcher Bund garantiert, dass Gott Sein Versprechen einlösen wird, wenn die Menschen die Bedingungen des Bundes erfüllen; wenn dies jedoch nicht der Fall ist, ist Gott nicht verpflichtet, Seinen Bund zu erfüllen.

Ein nicht an Bedingungen geknüpfter Bund ist eine Erklärung der gewissen Absichten Gottes, und die Verheißungen eines solchen Bundes werden ganz sicher zu Gottes Zeit und auf Seine Weise erfüllt werden. Von den acht biblischen Bundesschlüssen sind nur der Bund von Eden und der Bund mit Mose an Bedingungen geknüpft. Jedoch gibt es auch unter den bedingungslosen Bundesschlüssen bestimmte Bestandteile, die einzelnen Menschen auferlegt werden. Bei einem bedingungslosen Bund ist die Erfüllung von Gott versprochen und abhängig allein von der Macht und Souveränität Gottes.

1. Der Bund von Eden war der erste Bund, den Gott mit den Menschen geschlossen hat (1Mo 1,26-31; 2,16-17). Es war ein an Bedingungen geknüpfter Bund mit Adam, bei dem Leben und Segen oder

Tod und Fluch abhängig waren von der Treue Adams. In diesem Bund wurde Adam die Verantwortung übertragen, Vater des Menschengeschlechts zu sein; er sollte sich die Erde untertan machen, über die Tiere herrschen, den Garten Eden bebauen und nicht von dem Baum der Erkenntnis von Gut und Böse essen. Weil Adam und Eva versagten und von der verbotenen Frucht aßen, wurde wegen ihres Ungehorsams die Todesstrafe über sie verhängt. Adam und Eva erlitten auf der Stelle den geistlichen Tod, und sie mussten wiedergeboren werden, damit sie errettet werden konnten. Später starben sie auch körperlich. Ihre Sünde stürzte die ganze Menschheit in Sünde und Tod.

2. Der Bund mit Adam wurde nach dem Sündenfall geschlossen (1Mo 3,16-19). Dies ist ein bedingungsloser Bund, in dem Gott erklärt, was das Los des Menschen aufgrund seiner Sünde sein wird. Es ist kein Einspruch erlaubt, auch wird dem Menschen keine Verantwortung übertragen.

Der Bund als ein Ganzes weist wichtige Merkmale auf, die das Leben der Menschen von diesem Zeitpunkt an bestimmen. Eingeschlossen in diesen Bund ist die Tatsache, dass die Schlange, die von Satan benutzt worden war, verflucht ist (1Mo 3,14; Röm 16,20; 2Kor 11,3.14; Offb 12,9); die Verheißung auf einen Erlöser wird gegeben (1Mo 3,15), die in Christus erfüllt ist; die Stellung der Frau wird genau definiert – sie muss mit Schmerzen Kinder gebären, und der Mann soll ihr Haupt sein (1Mo 1,26-27; 1Kor 11,7-9; Eph 5,22-25; 1Tim 2,11-14). Der Mensch wird von nun an sein Brot im Schweiße seines Angesichts verdienen (vgl. 1Mo 2,15 mit 3,17-19); das Leben des Menschen wird von Leid und Tod gekennzeichnet (1Mo 3,19; Eph 2,5). In vielfacher Hinsicht steht der Mensch auch heute noch unter dem Adamsbund.

3. Der noachitische Bund wurde mit Noah und seinen Söhnen geschlossen (1Mo 9,1-18). Dieser Bund nimmt zwar auch einige der Merkmale des Bundes mit Adam auf, doch er führt das neue Prinzip der Regierung des Menschen ein als Mittel, die Sünde einzudämmen. Wie der Adamsbund ist er nicht an Bedingungen geknüpft, und er offenbart Gottes Absichten für die Menschheit nach Noah.

In diesem Bund wurde das Prinzip der menschlichen Regierung etabliert, indem die Todesstrafe über diejenigen verhängt wurde, die einem anderen das Leben nahmen. Die Naturordnung wurde neu bestätigt (1Mo 8,22; 9,2), und dem Menschen wurde erlaubt, das Fleisch von Tieren zu essen (1Mo 9,3-4), während sich die Menschen vor der Flut anscheinend nur von Gemüse ernährten.

Der Bund mit Noah schließt auch eine Prophetie in Bezug auf die Nachkommen seiner drei Söhne ein (1Mo 9,25-27) und bestimmte Sem als denjenigen, durch den die göttliche Linie bis zum Messias fortgesetzt werden würde. Die Vorherrschaft heidnischer Nationen in der Weltgeschichte wird durch die Verheißung in Bezug auf Jafet angedeutet. So wie der Bund mit Adam das Zeitalter des Gewissens einleitete, so leitete der noachitische Bund das Zeitalter der Regierung des Menschen ein.

4. Der Abrahamsbund (1Mo 12,1-4; 13,14-17; 15,1-7; 17,1-8) gehört zu den großen Offenbarungen Gottes in Bezug auf die zukünftige Geschichte; in ihm wurden große Verheißungen gegeben, die sich auf drei Bereiche beziehen. Als Erstes wurde Abraham eine große Nachkommenschaft verheißen (1Mo 17,16), großer persönlicher Segen (1Mo 13,14-15.17; 15,6.18; 24,34-35; Joh 8,56); sein Name sollte groß sein (1Mo 12,2), und er persönlich sollte ein Segen sein (1Mo 12,2).

Zweitens wurde Abraham verheißen, dass aus ihm eine große Nation hervorgehen sollte (1Mo 12,2). In der Absicht Gottes bezog sich dies in erster Linie auf Israel und die Nachkommen Jakobs, die zwölf Stämme Israels. Dieser Nation wurde die Verheißung des Landes gegeben (1Mo 12,7; 13,15; 15,18-21; 17,7-8).

Ein dritter Punkt war die Verheißung, dass durch Abraham die ganze Welt gesegnet werden würde (1Mo 12,3). Dies sollte erfüllt werden in der besonderen Stellung Israels als Kanal der göttlichen Offenbarung, der Quelle der Propheten, die den Menschen Gott nahebrachten und die Heilige Schrift niederschrieben. Doch die größte Segnung für die Nationen würde durch Jesus Christus kommen, der ein Nachkomme Abrahams sein würde. Wegen Israels besonderer Beziehung zu Gott verhängte Gott einen feierlichen Fluch über diejenigen, die Israel fluchen, und einen Segen über die, die Israel segnen (1Mo 12,3).

Der Bund mit Abraham ist wie der mit Adam und Noah nicht an Bedingungen geknüpft. Zwar konnte sich jede Generation des Volkes Israel ihres Segens nur erfreuen, wenn sie gehorsam war, und konnte zum Beispiel in die Gefangenschaft geführt werden, wenn sie ungehorsam war. Dennoch ist die letzte Absicht Gottes, Israel zu segnen, sich durch Israel zu offenbaren, durch Israel Erlösung zu bringen und das Volk in das Gelobte Land zu führen, in ihrer Erfüllung völlig gewiss, weil sie von Gottes souveräner Macht und Seinem Willen abhängt und nicht vom Willen des Menschen. Trotz des vielfältigen Versagens Israels im Alten Testament offenbarte Er sich ihnen und ließ die heiligen Schriften niederschreiben, und schließlich kam Christus in diese Welt, lebte, starb und nach drei Tagen auferstand, genau wie es das Wort Gottes vorhergesagt hatte. Trotz des menschlichen Versagens werden die Absichten Gottes sicher erfüllt.

5. Der Sinaibund wurde den Kindern Israel durch Mose gegeben, während sie auf der Reise von Ägypten ins Gelobte Land waren (2Mo 20,1–31,18).

Dieser Bund steht im 2. Buch Mose und wird in vielen anderen Teilen der Schrift erweitert. Gott gab Mose das Gesetz, das Seine Beziehung zum Volk Israel bestimmen sollte. Die etwa 600 genauen Anweisungen werden in drei Hauptgruppen unterteilt: a) die Gebote, die den ausdrücklichen Willen Gottes wiedergeben (2Mo 20,1-26), b) die Rechtsbestimmungen, die sich auf das soziale und bürgerliche Leben des Volkes beziehen (2Mo 21,1–24,11) und c) die geistliche Ordnung (2Mo 24,12–31,18).

Der Sinaibund war an Bedingungen geknüpft und verhieß den Segen Gottes für Israel, wenn das Volk gehorsam war, und Fluch und Strafe, wenn es ungehorsam war. Dies wird in 5. Mose 28 besonders deutlich zum Ausdruck gebracht. Obwohl vorausgesagt wurde, dass Israel versagen würde, versprach Gott, dass Er Sein Volk nicht verlassen würde (Jer 30,11). Der Sinaibund war zeitlich begrenzt und endete mit dem Kreuzestod Christi. Obwohl er auch Elemente der Gnade enthielt, war er doch im Wesentlichen ein Bund der Werke.

6. Der Palästinabund (5Mo 30,1-10) war ein nicht an Bedingungen geknüpfter Bund und bezieht sich auf den endgültigen Besitz des Gelobten Landes. Dieser Bund zeigt, dass ein Bund, der in seinen Grundzügen nicht an Bedingungen geknüpft und garantiert ist, doch in Bezug auf seine Erfüllung bestimmte Bedingungen für jede Generation enthält. Die Verheißung, die Abraham in 1. Mose 12,7 gegeben und die im ganzen Alten Testament immer wieder bestätigt wurde, war, dass Abrahams Same das Land besitzen würde. Trotzdem wurden die Israeliten aufgrund von Ungehorsam und weil sie das Gesetz Gottes missachtet hatten, in die assyrische und babylonische Gefangenschaft geführt. Durch die Gnade Gottes durften sie nach 70 Jahren aus der babylonischen Gefangenschaft zurückkehren und das Land in Besitz nehmen, bis Jerusalem im Jahre 70 n. Chr. zerstört und Israel über die ganze Erde zerstreut wurde. Immer noch hat Israel die Verheißung, dass es wieder in das Land zurückkehren wird und dort in Frieden und Sicherheit leben und niemals wieder zerstreut werden wird (Hes 39,25-29; Am 9,14-15).

Die Rückkehr Israels in das Gelobte Land, die in der gegenwärtigen Zeit beobachtet werden kann, ist daher von größter Bedeutung, weil sich dadurch die erste Phase der Zusagen an Israel erfüllt und so der Boden bereitet wird für die letzte Phase der Endzeit. Nach der Wiederkunft Christi wird Israel bis auf den letzten Mann zurückkehren (Hes 39,25-29). Wenn auch einzelne Generationen aufgrund von Ungehorsam aus dem Land vertrieben werden mussten, so bleibt doch Gottes letzte Absicht, Sein Volk zu sammeln und in das Gelobte Land zu bringen, bedingungslos bestehen und wird ganz sicher in Erfüllung gehen.

Der Palästinabund beinhaltet folglich Israels Zerstreuung aufgrund von Unglauben und Ungehorsam (1Mo 15,13; 5Mo 28,63-68), Zeiten der Buße und Wiederherstellung (1Mo 30,2), die Sammlung des Volkes Israel (5Mo 30,3; Jer 23,8; 30,3; 31,8; Hes 39,25-29; Am 9,9-15; Apg 15,14-17), Israels Rückführung in das Land (Jes 11,11-12; Jer 23,3-8; Hes 37,21-25; Am 9,9-15), seine geistliche Bekehrung und nationale Wiederherstellung (Hos 2,14-16; Röm 11,26-27) und das göttliche Gericht über seine Unterdrücker (Jes 14,1-2; Joe 3,1-8; Mt 25,31-46).

7. Der Davidsbund (2Sam 7,4-16; 1Chr 17,3-15) war ein nicht an Bedingungen geknüpfter Bund, in dem Gott David ein nicht endendes königliches Geschlecht, einen Thron und ein immerwährendes Königtum verheißen hat. In der Erklärung dieses Bundes behält sich Gott das Recht vor, die tatsächliche Herrschaft von Davids Söhnen zu unterbrechen, wenn eine Züchtigung erforderlich ist (2Sam 7,14-15; Ps 89,20-37); doch die Fortdauer des Bundes kann nicht gebrochen werden.

So wie der Abrahamsbund dem Volk Israel den Fortbestand als Nation (Jer 31,36) und den immerwährenden Besitz des Landes zusichert (1Mo 13,15; 1Chr 16,15-18; Ps 105,9-11), so garantiert der

Davidsbund ihm einen ewig bestehenden Thron (2Sam 7,16; Ps 89,36), einen ewigen König (Jer 33,21) und ein ewiges Königreich (Dan 7,14). Von dem Tage, an dem dieser Bund geschlossen und durch den Eid Gottes bestätigt wurde (Apg 2,30), bis zur Geburt Christi war immer ein Sohn Davids für den Thron vorhanden (Jer 33,21); und Christus, der ewige Sohn Gottes und Sohn Davids, der der rechtmäßige Erbe für diesen Thron ist und einmal auf diesem Thron sitzen wird (Lk 1,31-33), vollendet die Erfüllung dieser Verheißung, die David gegeben wurde.

Der Davidsbund ist von besonderer Bedeutung, da er die Voraussetzungen für das Tausendjährige Reich schafft, in dem Christus auf der Erde regieren wird. Der wiederauferstandene David wird unter Christus als ein Fürst über das Haus Israel herrschen (Jer 23,5-6; Hes 34,23-24; 37,24). Der Davidsbund wird nicht dadurch erfüllt, dass Christus auf Seinem himmlischen Thron regiert, weil David nie auf dem Thron des Vaters gesessen hat und auch nie dort sitzen wird. Er bezieht sich vielmehr auf ein irdisches Königreich und einen irdischen Thron (Mt 25,31). Der Davidsbund ist folglich der Schlüssel zu Gottes prophetischem Programm, dessen Erfüllung noch aussteht.

8. Der Neue Bund, der im Alten Testament verheißen und seine Erfüllung im Tausendjährigen Reich finden wird, ist ebenfalls ein Bund, der nicht an bestimmte Bedingungen geknüpft ist (Jer 31,31-33). Dieser Bund wird geschlossen „mit dem Haus Israel und mit dem Haus Juda“ (V. 31). Es ist ein neuer Bund im Gegensatz zu dem Sinaibund, der von Israel gebrochen worden war (V. 32).

In dem Bund verspricht Gott: „Ich lege mein Gesetz in ihr Inneres und werde es auf ihr Herz schreiben. Und ich werde ihr Gott sein, und sie werden mein Volk sein“ (V. 33). Wegen dieser innigen und persönlichen Offenbarung Gottes und Seines Willens an Sein Volk wird in Jeremia 31,34 gesagt: „Dann wird nicht mehr einer seinen Nächsten oder einer seinen Bruder lehren und sagen: Erkennt den HERRN! Denn sie alle werden mich erkennen von ihrem Kleinsten bis zu ihrem Größten, spricht der HERR. Denn ich werde ihre Missetat vergeben und an ihre Sünde nicht mehr denken.“

Diese Stelle weist hin auf die vollkommenen Zustände im Tausendjährigen Reich, wo Christus herrschen wird und alle die Wahrheit über Jesus Christus wissen werden. Es wird also nicht mehr nötig sein, seine Nachbarn zu evangelisieren, weil alle den Herrn kennen werden. Es wird auch eine Zeit sein, in der Gott Israels Sünde vergeben und es reich segnen wird. Ganz offensichtlich hat sich diese Verheißung aus Jeremia noch nicht erfüllt, da der Gemeinde aufgetragen ist, in alle Welt zu gehen und das Evangelium zu verkünden.[1]

Weil jedoch das Neue Testament auch die Gemeinde mit einem neuen Bund in Verbindung bringt, haben manche gelehrt, die Gemeinde sei die Erfüllung des Bundes, der mit Israel geschlossen worden ist. Diejenigen, die nicht an ein Tausendjähriges Reich und die Wiederherstellung Israels glauben, meinen, der neue Bund sei durch die Gemeinde vollständig erfüllt; sie vergeistlichen die Verheißungen des Bundes und machen keinen Unterschied mehr zwischen Israel und der Gemeinde. Andere, die an Israels Wiederherstellung und das Tausendjährige Reich glauben, halten die neutestamentlichen Hinweise auf den Neuen Bund entweder für eine Anwendung der allgemeinen Wahrheiten des zukünftigen Bundes mit Israel auf die Gemeinde, oder sie unterscheiden zwei neue Bundesschlüsse (einen für Israel, wie in Jeremia gegeben, und den zweiten als einen Neuen Bund, der von Jesus Christus im gegenwärtigen Zeitalter der Gnade eingesetzt wurde, um die Errettung der Gemeinde zu ermöglichen). In jedem Fall ist der Neue Bund, ob nun für Israel oder für die Gemeinde, durch den Tod Christi und Sein vergossenes Blut möglich geworden.

Der Neue Bund sichert allen zu, dass Gott Seine Verheißungen durch das Blut Seines Sohnes erfüllen wird. Hierbei werden zwei Aspekte unterschieden:

a) Gott wird alle diejenigen erretten, erhalten und im Himmel Seinem Sohn gleichförmig darstellen, die an Christus geglaubt haben. Der Glaube an Christus als Voraussetzung für die Errettung ist keine Bedingung in diesem Bund, sondern vielmehr die Voraussetzung für die Zulassung zu seinen ewigen Segnungen. Dieser Bund bezieht sich nicht auf die Ungläubigen, sondern ist mit denen geschlossen, die an Christus glauben, und er verspricht die Treue Gottes ihnen gegenüber, „dass der, der ein gutes Werk in euch angefangen hat, es vollenden wird bis auf den Tag Christi Jesu" (Phil 1,6). Auch alle anderen

1 Anmerkung: Es ist dem deutschen Herausgeber durchaus bekannt, dass Stellen wie Jeremia 31,34 u. a. auch nur auf das Volk Israel ausgelegt werden und gerade dieses Volk nach der Entrückung der Gemeinde den Auftrag hat, das Evangelium des Reiches in aller Welt zu predigen.

Verheißungen in Bezug auf die rettende und erhaltende Macht Gottes sind Teil dieses Gnadenbundes.

Es gibt keine Errettung für den Menschen in diesem Heilszeitalter, die nicht die vollkommene Bewahrung hier und eine endgültige Darstellung des Erlösten in Herrlichkeit garantiert. Zwar mag es Unstimmigkeiten zwischen dem Vater und dem Kind in Bezug auf das Leben im Alltag geben, und es kann auch sein, dass die Sünden eines Christen, wie diejenigen Davids, die züchtigende Hand Gottes erforderlich machen; doch jene Dinge, die das tägliche Leben des Gläubigen betreffen, sind niemals eine *Bedingung* für die Verheißung Gottes in Bezug auf die ewige Errettung eines Menschen, den Er in Gnade angenommen hat.

Manche betonen die Bedeutung und Macht des menschlichen Willens und behaupten, sowohl die Errettung als auch die Bewahrung müsse von der Mitwirkung des menschlichen Willens abhängig gemacht werden. Dies mag dem Menschen vernünftig erscheinen; doch nach der Offenbarung der Schrift verhält es sich nicht so.

Auf jeden Fall hat Gott *bedingungslos* erklärt, was Er für all jene tun will, die ihr Vertrauen auf Ihn setzen (Joh 5,24; 6,37; 10,28). Das ist eine enorme Zusage und bedeutet zwangsläufig, dass Gott all unsere Gedanken und Herzensregungen genauestens kennt. Das aber ist nicht unrealistischer, als wenn Gott Noah verheißt, dass sein Same den Wegen folgen würde, die Er verordnete, oder dass Er Abraham verheißt, aus ihm eine große Nation zu machen, und dass aus seinen Nachkommen der Christus hervorgehen würde.

In jedem Fall ist es die Manifestation der souveränen Autorität und Macht Gottes. Es ist offenkundig, dass Gott Spielraum für den menschlichen Willen gelassen hat. Er appelliert an den Willen des Menschen, und die Menschen, die sich retten lassen, sind sich darüber im Klaren, dass sowohl ihre Errettung als auch ihr Dienst aufgrund ihrer eigenen, tiefsten Herzensentscheidung geschehen. Die Bibel sagt uns, dass Gott den Willen des Menschen kontrolliert (Joh 6,44; Phil 2,13) und auf der anderen Seite an den Willen des Menschen appelliert und seine Segnungen vom Willen des Menschen abhängig macht (Joh 5,40; 7,17; Röm 12,1; 1Jo 1,9).

Die Schrift betont in unmissverständlicher Weise die Souveränität Gottes. Gott hat vollkommen vorherbestimmt, was geschehen wird, und Seine Absichten werden sich erfüllen; denn es ist unmöglich, dass Gott überrascht oder enttäuscht werden könnte. Gleichermaßen betont die Schrift immer wieder, dass Er zwischen diesen beiden Aspekten Seiner Souveränität – Seinen ewigen Absichten und ihrer vollkommenen Erfüllung – genügend Spielraum für eine gewisse Ausübung des menschlichen Willens gelassen hat. Dadurch werden Seine vorherbestimmten Ziele in keiner Weise gefährdet. Wenn man nur einen Aspekt dieser Wahrheit, den der Souveränität Gottes, sieht, wird das zu Fatalismus führen, bei dem kein Platz mehr für Fürbitte ist, kein Motiv für das Werben der Liebe Gottes, kein Grund mehr für Verdammnis, keine Gelegenheit für Evangelisation und große Teile der Bibel ihre Bedeutung verlieren. Sieht man wiederum nur den anderen Aspekt dieser Wahrheit, den des freien Willens des Menschen, wird es zur Entthronung Gottes führen. Es ist vernünftig zu glauben, dass der menschliche Wille unter der Herrschaft Gottes steht; doch es ist sehr unvernünftig zu glauben, die Souveränität Gottes stehe unter der Herrschaft des menschlichen Willens. Diejenigen, die an Christus glauben, sind errettet und auf ewig sicher, weil dies aufgrund des *bedingungslosen* Bundes Gottes geschieht.

b) Die künftige Errettung Israels wird in dem *bedingungslosen* Neuen Bund verheißen (Jes 27,9; Hes 37,23; Röm 11,26-27). Diese Errettung ist nur aufgrund des vergossenen Blutes Christi. Durch Christi Opfer hat Gott die Freiheit, eine ganze Nation zu erretten oder auch nur einen Einzelnen. Israel wird von Christus mit einem in einem Acker verborgenen Schatz verglichen. Der Acker ist die Welt. Christus hat alles, was Er besaß, verkauft, damit Er dieses Feld kaufen und den Schatz besitzen könnte (Mt 13,44).

Bei der Beschäftigung mit den acht Bundesschlüssen kann die Souveränität Gottes in den *nicht an Bedingungen geknüpften* Bundesschlüssen gar nicht genug betont werden. Im Gegensatz dazu tritt in den *an Bedingungen geknüpften* Bundesschlüssen das vollkommene Versagen des Menschen zutage. Was Gott *bedingungslos* beginnt, wird in der ganzen Vollkommenheit Seines eigenen unendlichen Wesens vollendet werden.

? Fragen

1. Was ist nach den theologischen Bundesschlüssen die zentrale Absicht Gottes, und welchen Einfluss hat dies auf die Geschichte?
2. Was ist der Bund der Werke, und was ist seine schriftgemäße Grundlage?
3. Was ist der Bund der Erlösung, und was ist seine schriftgemäße Grundlage?
4. Was ist der Bund der Gnade, und was ist seine schriftgemäße Grundlage?
5. Welches Problem erhebt sich durch die theologischen Bundesschlüsse in Bezug auf den Plan Gottes für Israel, für die Gemeinde und für die Nationen?
6. Warum ist es vorzuziehen, die Geschichte aus der Sicht der acht biblischen Bundesschlüsse zu sehen und nicht aus der Sicht der theologischen Bundesschlüsse?
7. Unterscheiden Sie die an Bedingungen geknüpften Bundesschlüsse von den nicht an Bedingungen geknüpften.
8. Was ist der Bund von Eden, und was war die Folge des Versagens des Menschen in diesem Bund?
9. Was war der Adamsbund, und inwiefern ist unser Leben heute noch von ihm bestimmt?
10. Was waren die wichtigen Vorkehrungen des noachitischen Bundes, und inwieweit hat er heute noch Gültigkeit?
11. Welche Verheißungen wurden Abraham im Abrahamsbund gegeben?
12. Welche Verheißungen in Bezug auf das Volk Israel werden im Abrahamsbund gegeben?
13. Welche Verheißungen für die ganze Welt werden im Abrahamsbund gegeben?
14. In welchem Sinne war der Bund mit Abraham nicht an Bedingungen geknüpft?
15. Inwiefern war der Sinaibund an Bedingungen geknüpft und zeitlich begrenzt?
16. Inwiefern war der Palästinabund nicht an Bedingungen geknüpft?

17. Wie erklären Sie die assyrische und babylonische Gefangenschaft und Israels Zerstreuung angesichts des bedingungslosen Charakters des Palästinabundes?
18. Wie würden Sie die allesumfassende Vorsorge des Palästinabundes in Bezug auf Israels Ungehorsam, Wiedersammlung, Wiederherstellung und schließlich letztgültige Sicherheit und Wohlstand als Nation zusammenfassen?
19. Was wurde im Davidsbund bedingungslos verheißen?
20. In welchem Zusammenhang stehen der Davidsbund und das Tausendjährige Reich?
21. Was war nach dem Alten Testament im Neuen Bund für Israel vorgesehen?
22. Wann wird sich der Neue Bund für Israel erfüllen?
23. Warum sind einige der Meinung, der Neue Bund beziehe sich auf die Gegenwart, und wie kann dies erklärt werden?
24. In welchem Zusammenhang steht der Neue Bund mit der Heilssicherheit des Gläubigen?
25. In welchem Zusammenhang steht der Neue Bund mit der Souveränität Gottes?
26. In welchem Zusammenhang steht der Neue Bund mit der künftigen Errettung Israels?

Kapitel 22

Die Engel

A. Das Wesen der Engel

Nach der Schrift schuf Gott lange vor der Schöpfung des Menschen eine unzählbare Schar von Wesen, die sogenannten Engel. Wie die Menschen haben sie eine Persönlichkeit, sind zu hoher Intelligenz fähig und können moralische Verantwortung übernehmen. Das Wort „Engel" bedeutet Bote, und obwohl es sich auf eine bestimmte Art von Geschöpfen bezieht, kann es manchmal auch für andere verwendet werden, die Boten sind – zum Beispiel für die Engel der sieben Gemeinden Asiens (Offb 2–3), die Menschen zu sein scheinen (Offb 1,20; 2,1.8.12.18; 3,1.7.14) – und manchmal auch für gewöhnliche menschliche Boten (Lk 7,24; Jak 2,25). Auch wird diese Bezeichnung für die Geister von Menschen verwendet, die gestorben sind (Mt 18,10; Apg 12,15), doch hieraus sollte nicht geschlossen werden, dass Engel die Seelen von Verstorbenen seien oder dass Menschen nach ihrem Tod Engel würden. Vielmehr ist es so, dass „Boten" ein allgemeiner Begriff ist. In ähnlicher Weise wird „Engel" für den Engel des HERRN verwendet, Erscheinungen Christi im Alten Testament in Gestalt eines Engels und als Botschafter Gottes für die Menschen (1Mo 16,1-13; 21,17-19; 22,11-16).

Wenn dieser Ausdruck nicht für Menschen oder Gott selbst verwendet wird, ist damit eine klar umrissene Ordnung von Wesen gemeint, die wie der Mensch moralische Verantwortung tragen und Diener Gottes im moralisch-sittlichen Bereich sind. Wie die Menschen existieren die Engel ewig und unterscheiden sich von allen anderen geschaffenen Wesen. Sie spielen eine bedeutende Rolle in Gottes Plan für die Zeitalter und werden mehr als einhundertmal im Alten Testament erwähnt. Noch häufiger sogar finden sie Erwähnung im Neuen Testament.

Die Engel sind offensichtlich alle gleichzeitig erschaffen worden und unzählbar viele (Hebr 2,22; Offb 5,11). Sie besitzen alle wichtigen

Elemente einer Persönlichkeit wie Intelligenz, moralischen Willen und Empfindungsfähigkeit oder Gefühle und sind folglich auch in der Lage, Gott bewusst anzubeten (Ps 148,2). Sie werden zur Verantwortung gezogen für ihren Dienst und ihre moralischen Entscheidungen. Ihre Existenzweise beinhaltet keinen Körper, es sei denn einen geistlichen Leib (1Kor 15,44), obwohl sie von Zeit zu Zeit in Körpern erscheinen und wie Menschen aussehen (Mt 28,3; Offb 15,6; 18,1). Sie vermehren sich nicht durch Fortpflanzung und erleben auch keinen physischen Tod. Daher unterscheiden sie sich von dem Menschen in vielen wichtigen Bereichen, obwohl sie ihm in Bezug auf die Persönlichkeit auch wieder ähnlich sind.

B. Die nicht gefallenen Engel

Engel gehören grundsätzlich zu zwei verschiedenen Kategorien: 1. die nicht gefallenen Engel, 2. die gefallenen Engel. Zu den ersten gehören diejenigen, die während ihres ganzen Seins heilig geblieben sind und deshalb auch „heilige Engel" genannt werden (Mt 25,31). In der Schrift sind, wenn von Engeln die Rede ist, gewöhnlich die nicht gefallenen Engel gemeint. Die gefallenen Engel dagegen sind diejenigen, die ihre Heiligkeit nicht bewahrt haben.

Es gibt verschiedene nicht gefallene Engel, und manche von ihnen sind namentlich genannt.

1. Der Erzengel Michael ist ein Oberhaupt aller heiligen Engel, und sein Name bedeutet „Wer ist wie Gott?" (Dan 10,21; 12,1; 1Thes 4,16; Jud 9; Offb 12,7-10).

2. Gabriel ist einer der bedeutendsten Botschafter Gottes; sein Name bedeutet „Held Gottes". Ihm wurden wichtige Botschaften anvertraut, zum Beispiel die an Daniel (Dan 8,16; 9,21), die Botschaft für Zacharias (Lk 1,18-19) und die Botschaft für die Jungfrau Maria (Lk 1,26-38).

3. Den meisten Engeln werden keine individuellen Namen gegeben, sondern sie werden beschrieben als die „auserwählten Engel" (1Tim 5,21). Dies führt den interessanten Gedanken ein, dass die heiligen Engel, wie die geretteten Menschen, von denen gesagt wird, sie seien erwählt oder auserwählt, auch von Gott berufen sind.

4. Die Begriffe „Fürstentümer“, „Gewalten“, „Mächte“ oder „Kräfte“ scheinen für alle Engel verwendet zu werden, ob es sich nun um gefallene oder nicht gefallene handelt (Lk 21,26; Röm 8,38; Eph 1,21; 3,10; Kol 1,16; 2,10.15; 1Petr 3,22). Die gefallenen Engel kämpfen ununterbrochen mit den nicht gefallenen Engeln um die Herrschaft über die Menschen.

5. Einige Engel werden „Cherubim“ genannt, das sind lebendige Wesen, die in Gottes heiliger Gegenwart stehen und bestimmte Aufgaben durchführen (1Mo 3,24; 2Mo 25,18.20; Hes 1,1-18). Satan, das Oberhaupt der gefallenen Engel, war ursprünglich auch zu diesem Zweck heilig geschaffen worden (Hes 28,14). Goldene Engelsfiguren in Form von Cherubim beschirmten den Gnadenthron in der Stiftshütte und auch das Allerheiligste im Tempel.

6. Seraphim werden nur einmal in der Bibel erwähnt – in Jesaja 6,2-7. Sie haben drei Paar Flügel. Offensichtlich ist es ihre Aufgabe, Gott zu preisen und Gottes Botschafter für die Erde zu sein. Sie konzentrieren sich vor allem auf die Heiligkeit Gottes.

7. Der Ausdruck „Engel des HERRN“ ist im Alten Testament häufig zu finden. Er beschreibt Erscheinungen Christi in Gestalt eines Engels. Dieser Titel gehört nur Gott allein und wird nur verwendet in Bezug auf die göttlichen Manifestationen für die Erde. Daher kann der „Engel des HERRN“ keinesfalls zu den Engelscharen gezählt werden (1Mo 18,1–19,29; 22,11.12; 31,11-13; 32,24-32; 48,15.16; Jos 5,13-15; Ri 13,19-22; 2Kö 19,35; 1Chr 21,12-30; Ps 34,7). Der größte Unterschied zwischen Christus, dem Engel des HERRN, und den Engelscharen wird in Hebräer 1,4-14 gezeigt.

C. Die gefallenen Engel

Im Gegensatz zu den nicht gefallenen Engeln gibt es eine unzählbar große Schar von Engeln, die als gefallene Engel bezeichnet werden. Angeführt von Satan, der ursprünglich ein heiliger Engel war, wurden sie abtrünnig, rebellierten gegen Gott und wurden sündig in ihrem Wesen und in ihren Werken.

Bei den gefallenen Engeln kann man freie und gebundene unterscheiden. Unter ihnen wird nur Satan in der Schrift besonders erwähnt.

Es ist wahrscheinlich, dass Satan bei seinem Fall (Joh 8,44) eine Vielzahl von niedrigeren Wesen mit sich zog. Von denen werden einige bis zum Gericht in Ketten gehalten (1Kor 6,3; 2Petr 2,4; Jud 6); die anderen sind frei und sind die Dämonen oder Teufel, die im ganzen Neuen Testament erwähnt werden (Mk 5,9.15; Lk 8,30; 1Tim 4,1). Sie sind Diener Satans in all seinen Unternehmungen und teilen sein Schicksal (Mt 25,41; Offb 20,10).

D. Der Dienst der heiligen Engel

Die meisten Bibelstellen, in denen Engel erwähnt sind, beziehen sich auf ihre Dienste, die einen großen Bereich umfassen. Ihre vordringlichste Aufgabe ist die Anbetung Gottes, und nach Offenbarung 4,8 hören wenigstens einige von ihnen „Tag und Nacht nicht auf zu sagen: Heilig, heilig, heilig, Herr, Gott, Allmächtiger, der da war und der da ist und der da kommt". Auch andere ähnliche Stellen sind in der Bibel zu finden (Ps 103,20; Jes 6,3). Grundsätzlich umfasst der Dienst der nicht gefallenen Engel viele verschiedene Arten des Dienstes für Gott.

1. Sie waren bei der Schöpfung zugegen (Hi 38,7), bei der Gesetzgebung (Apg 7,53; Gal 3,19; Hebr 2,2; Offb 22,16), bei der Geburt Christi (Lk 2,13), bei Seiner Versuchung (Mt 4,11), im Garten Gethsemane (Lk 22,43), bei der Auferstehung (Mt 28,2), bei der Himmelfahrt (Apg 1,10), und sie werden bei der Wiederkunft Christi zugegen sein (Mt 24,31; 25,31; 2Thes 1,7).

2. Die Engel sind dienstbare Geister, die gesandt sind, um denen zu dienen, die die Errettung ererben werden (Hebr 1,14; Ps 34,7; 91,11). Obwohl es uns nicht gegeben ist, mit Engeln in Verbindung zu treten oder mit ihnen Gemeinschaft zu haben, sollten wir doch um ihren unablässigen und wirkungsvollen Dienst wissen.

3. Die Engel sind Zuschauer und Zeugen der irdischen Vorgänge (Ps 103,20; Lk 12,8.9; 15,10; 1Kor 11,10; 1Tim 3,16; 1Petr 1,12; Offb 14,10).

4. Lazarus wurde von Engeln in Abrahams Schoß gebracht (Lk 16,22).

5. Neben ihrem Dienst in der Geschichte werden Engel auch in der Schar derer gefunden, die bei der Wiederkunft Christi vom Himmel zur Erde steigen werden, und ebenfalls im Neuen Jerusalem in der Ewigkeit (Hebr 12,22-24; Offb 19,14; 21,12). Vielleicht werden auch die heiligen Engel am Ende des Tausendjährigen Reiches gerichtet und belohnt werden, zur selben Zeit, wenn auch die gefallenen Engel gerichtet und in den Feuersee geworfen werden.

6. Der Dienst der Engel in der ganzen Schrift ist eine wichtige Lehre und wesentlich für das Verständnis von Gottes vorhersehender und souveräner Leitung Seiner Schöpfung in der Geschichte.

? Fragen

1. Wie sind die Engel entstanden?
2. Inwiefern sind die Engel den Menschen ähnlich?
3. In welchem anderen Sinn wird das Wort „Engel" für Lebewesen verwendet, die keine Engel sind, und wie ist diese Verwendung von der Bedeutung des Wortes abgeleitet?
4. Wie häufig erscheinen Engel in der Schrift, und wie erklären Sie ihre Erscheinung in Menschengestalt?
5. In welche zwei Kategorien können die Engel eingeteilt werden, und was ist das Wesen einer jeden?
6. Wie werden nicht gefallene Engel in der Bibel genannt, und was tun sie?
7. Was ist die Bedeutung der Begriffe „auserwählte Engel", „Fürstentümer", „Mächte", „Gewalten" und „Kräfte" in Bezug auf Engel?
8. Was sind Cherubim, und was ist ihre Aufgabe?
9. Wie werden Seraphim in der Bibel beschrieben, und was ist ihre Aufgabe?
10. Welche Bedeutung hat der Ausdruck „Engel des HERRN" im Alten Testament, und warum bezieht er sich nicht auf Engel?
11. In welche zwei Kategorien lassen sich die gefallenen Engel einteilen, und welches sind ihre Aufgaben nach der Bibel?
12. Beschreiben Sie einige der wichtigen Dienste der heiligen Engel in der Bibel.
13. In welchem Zusammenhang stehen die Engel mit der vorhersehenden und souveränen Leitung der Schöpfung durch Gott?
14. Welche Aufgabe haben die Engel bei der Wiederkunft Christi und in der Ewigkeit?

Kapitel 23

Satan: Seine Persönlichkeit und Macht

Es gibt Hinweise darauf, dass Satan ursprünglich als ein sehr hohes Wesen unter allen moralischen Geschöpfen Gottes geschaffen wurde, obwohl eine unendliche Kluft zwischen ihm und den nicht geschaffenen, ewigen Personen der Gottheit besteht. Wie im folgenden Kapitel gezeigt werden wird, war Satan ursprünglich ein heiliger Engel, der abgefallen ist und der Feind Gottes und Führer der anderen gefallenen Engel wurde.

A. Die Persönlichkeit Satans

Da er nicht in körperlicher Gestalt erscheint, muss Satans Persönlichkeit wie die der Gottheit und aller Engelscharen aus dem ersehen werden, was in der Bibel darüber steht. Aufgrund der Belege in der Schrift wird uns über ihn geoffenbart:

1. Satan wurde als Person erschaffen. Die Schöpfung aller Dinge im Himmel und auf Erden, „das Sichtbare und das Unsichtbare, es seien Throne oder Herrschaften oder Gewalten oder Mächte" und die Tatsache, dass dies alles von Christus erschaffen worden ist, wird in Kolosser 1,16 gezeigt. Über den Zeitpunkt der Schöpfung der Engelscharen wird nicht viel gesagt – außer, dass sie wahrscheinlich vor der Schöpfung aller materiellen Dinge stattgefunden hat und dass dieser Schöpfung die Ewigkeit der Existenz der Gottheit voranging, wie in Johannes 1,1-2 ausgesagt wird.

Von allen himmlischen Heerscharen wird nur die Erschaffung Satans besonders erwähnt. Dies lässt vermuten, dass Satan einst einen hohen Platz unter allen unsichtbaren Geschöpfen Gottes innehatte.

In Hesekiel 28,11-19 wird eine Wehklage auf den „König von Tyrus" erhoben, und obgleich sie nur teilweise eine unmittelbare Anwendung auf einen König von Tyrus gehabt haben mag, ist es offensichtlich, dass hier die vielleicht oberste unter allen Kreaturen Gottes gemeint ist; weil von ihr gesagt ist, dass sie „voller Weisheit" und vollkommen an Schönheit war. Sie war in „Eden, dem Garten Gottes" (V. 13, wahrscheinlich das erste Eden der ursprünglichen Schöpfung Gottes und nicht der Garten Eden aus 1. Mose 3), und durch göttliche Bestimmung wurde sie zu einem schirmenden Cherub über den heiligen Berg Gottes (V. 14) erschaffen und gesalbt, der im Bild der Schrift den Thron oder das Zentrum Gottes regierender Macht darstellt. Kein König von Tyrus könnte in dieses Bild passen. Eigentlich kann diese Beschreibung auf niemanden außer den Satan zutreffen, wie er vor seiner Sünde und seinem Fall existierte.

2. Satan übt alle Funktionen einer Person aus. Von den vielen Bibelstellen, die etwas über die Persönlichkeit Satans aussagen, mögen nur die folgenden hier genannt sein:

a) Jesaja 14,12-17. Der Prophet betrachtet Satan, wie er seinen Lauf vollendet hat und am Ende der Zeit gerichtet wird. Er spricht ihn mit dem himmlischen Titel „Sohn der Morgenröte" an und sieht ihn als aus seinem ersten Zustand und seiner Herrlichkeit gefallen. Er, der „Überwältiger der Nationen" (V. 12), ist schuldig, in fünf Punkten seinen eigenen Willen gegen Gottes Willen gestellt zu haben; an dieser Stelle, wie in Hesekiel 28,15, wird seine Sünde als eine geheime Absicht bezeichnet, die verborgen in seinem Herzen war und die Gott aufdeckte (vgl. 1Tim 3,6).

b) 1. Mose 3,1-15. Durch die hier berichteten Ereignisse erwirbt sich Satan den Titel „Schlange", denn durch die Schlange ist er Adam und Eva erschienen. Jedes hier gesprochene Wort und Satans offenbarte Absichten belegen die Tatsache, dass er eine Person ist (vgl. 2Kor 11,3.13-15; Offb 12,9; 20,2).

c) Hiob 1,6-12; 2,1-13. Diese Stellen offenbaren uns, dass Satan Zugang zu Gott hat (vgl. Lk 22,31; Offb 12,10), wie auch zu den Menschen (Eph 6,10-12; 1Petr 5,8), und dass er jedes Merkmal einer wirklichen Persönlichkeit trägt.

d) Lukas 4,1-13. Wieder wird die Persönlichkeit Satans offenbart, als er in der Wüste den Sohn Gottes – den letzten Adam – versucht. Er, der die Absicht hatte, wie der Allerhöchste zu werden (Jes 14,14), und der dieses Ziel auch dem ersten Mann und der ersten Frau empfahl (1Mo 3,5), wird nun gezeigt, wie er bereit ist, alle seine irdischen Besitztümer Christus zu überlassen, wenn Er ihn nur anbetet. Die dem Herrn angebotene Macht und Autorität, die Christus damals ablehnte, wird in Zukunft einmal von dem Menschen der Sünde empfangen und ausgeübt werden (2Thes 2,8-10, Luther 1912; 1Jo 4,3).

e) Eph 6,10-12. Die Strategien und der Kampf Satans gegen die Kinder Gottes, wie in diesem Abschnitt beschrieben, sind ein klarer Beweis für die Persönlichkeit Satans. An keiner Stelle in der Schrift ist die Rede von einem Kampf Satans gegen die nicht wiedergeborenen Menschen; sie gehören ihm und stehen daher unter seiner Herrschaft (Joh 8,44; Eph 2,2; 1Jo 5,19).

B. Die Macht Satans

Obwohl er moralisch gefallen und nun am Kreuz gerichtet worden ist (Joh 12,31; 16,11; Kol 2,15), hat Satan aufgrund der Zulassung Gottes immer noch eine beträchtliche, wenn auch begrenzte Macht. Dies zeigt sich auf zweierlei Weise.

1. Seine eigene Macht darf nicht unterschätzt werden. Nach Satans eigener Aussage, der der Herr Jesus Christus nicht widersprochen hat, hat er Macht über die Königreiche dieser Welt. Die Königreiche seien ihm übergeben worden, und er gebe die Macht darüber, wem er wolle (Lk 4,6). Von ihm wird gesagt, dass er die Macht des Todes hatte (Hebr 2,14), doch dass diese Macht Christus übergeben worden ist (Offb 1,18). Im Falle von Hiob hatte Satan die Macht über die Krankheit (Hi 2,7), und er konnte Petrus sichten wie den Weizen (Lk 22,31; 1Kor 5,5). Gleichermaßen heißt es von Satan, dass er die Nationen überwältigt hat, die Erde erzittern ließ, Königreiche erschüttert, die Erde zu einer Wüste gemacht, die Städte zerstört und das Haus seiner Gefangenen nicht geöffnet hat (Jes 14,12-17). Gegen ihn wagte nicht einmal der Erzengel Michael ein lästerndes Urteil zu fällen (Jud 9); das Kind Gottes jedoch kann ihn durch die Kraft des Geistes und durch das Blut Christi besiegen (Eph 6,10-12; 1Jo 4,4; Offb 12,11). Satan kann seine Macht und Autorität immer nur aufgrund der Zulassung Gottes und innerhalb der Grenzen ausüben, die Gott ihm gesteckt hat.

2. Satan wird von Dämonen unterstützt. Satans Macht wird verstärkt durch die große Schar von Dämonen, die seinen Willen tun und ihm dienen. Obwohl er nicht allgegenwärtig, allmächtig oder allwissend ist, tritt er durch die bösen Mächte in Kontakt mit der ganzen Welt.

Die Dämonen spielen eine wichtige Rolle bei Satans Herrschaft über diese Welt, und sie machen Satans Macht überall gegenwärtig (Mk 5,9). Sie können sowohl in Tieren als auch in Menschen wohnen und sie beherrschen (Mk 5,2-5.11-13) und haben offensichtlich den Wunsch, physische Körper zu besitzen (Mt 12,43-44; Mk 5,10-12).

Manchmal beeinflussen die Dämonen einen Menschen nur, in anderen Fällen ergreifen sie Besitz von ihm, sodass sein Körper und seine Sprache tatsächlich von den Dämonen beherrscht sind (Mt 4,24; 8,16.28.33; 9,32; 12,22; Mk 1,32; 5,15-16.18; Lk 8,36; Apg 8,7; 16,16). Wie Satan sind sie durch und durch böse und beeinflussen denjenigen, den sie beherrschen, zum Bösen (Mt 8,28; 10,1; Mk 1,23; 5,3-5; 9,17-26; Lk 6,18; 9, 39-42). In vielen Beispielen wird deutlich, dass sie wissen, dass Jesus Christus Gott ist (Mt 8,28-32; Mk 1,23-24; Apg 19,15; Jak 2,19).

Wie Satan wissen auch die Dämonen, dass sie zur ewigen Verdammnis bestimmt sind (Mt 8,29; Lk 8,31). Sie können schuld sein an körperlichen Gebrechen (Mt 12,22; 17,15-18; Lk 13,16) sowie an Geisteskrankheiten (Mk 5,2-13). Zwar haben geistige Störungen auch körperliche Ursachen, doch sind einige Formen des Wahnsinns zweifellos bedingt durch dämonische Besessenheit. Dämonischer Einfluss kann zu falscher Religion führen, zur Askese und zum Unglauben (1Tim 4,1-3).

Dass Dämonen auch Christen in gewisser Weise beeinflussen können, ist offensichtlich (Eph 6,12). Es gibt jedoch einen Unterschied zwischen der Macht der Dämonen über nicht erlöste Menschen und ihrem Einfluss auf diejenigen, die wiedergeboren sind, da der Heilige Geist in ihnen wohnt. Zwar können die Dämonen von einem nicht erlösten Menschen Besitz ergreifen und einen erlösten bedrücken, doch es gibt einen Unterschied in der Dauer und Stärke des dämonischen Einflusses auf diejenigen, die wiedergeboren sind. Die Macht Satans wäre längst nicht so groß, wenn ihm nicht die zahllosen Dämonen zur Verfügung stünden, die seine Wünsche ausführen. Die heiligen Engel führen ständig einen gewaltigen, unsichtbaren Krieg gegen die Dämonen.

? Fragen

1. Welchen Platz nahm Satan ursprünglich in Gottes Schöpfung ein?
2. Welchen Beleg gibt es dafür, dass Satan ursprünglich als eine Person erschaffen wurde, und welche Eigenschaften besaß er vor seinem Fall?
3. Inwiefern agiert Satan als Person? Zeigen Sie dies anhand seiner Begegnungen mit Adam und Eva, Hiob und Christus.
4. Wie zeigt sich die Persönlichkeit Satans in seiner Auseinandersetzung mit Christen?
5. Belegen Sie anhand von Bibelstellen, welche Macht Satan besitzt.
6. Inwiefern sind die Dämonen Satan behilflich?
7. Zeigen Sie das Ausmaß des dämonischen Einflusses auf die Menschen auf. Inwiefern kann ein Mensch von Dämonen beherrscht sein?
8. Welchen Zusammenhang gibt es zwischen den Dämonen und Geisteskrankheiten der Menschen?
9. Welcher Zusammenhang besteht zwischen dämonischem Einfluss und falscher Religion und religiösen Praktiken?
10. Welchen Unterschied gibt es zwischen der Macht von Dämonen über nicht erlöste Menschen und ihrem Einfluss auf erlöste?
11. Inwiefern hilft der innewohnende Heilige Geist einem Christen in seiner Auseinandersetzung mit Satan und den Dämonen?

Kapitel 24

Satan: Sein Werk und Schicksal

A. Falsche Vorstellungen von Satan

Viele Menschen haben eine falsche Vorstellung von Satan, und da er allein der Nutznießer davon ist, ist es logisch, daraus zu schließen, dass er selbst der Urheber hiervon ist.

1. *Es wird angenommen, Satan würde gar nicht existieren und die fiktive Person Satans sei nicht mehr als ein böses Prinzip oder ein Einfluss im Menschen und in der Welt.* Diese Annahme erweist sich als falsch in Anbetracht der Tatsache, dass es umfangreiches Beweismaterial dafür gibt, dass Satan eine Person ist. Die Schrift, die allein maßgebend in diesen Dingen ist, spricht von ihm als Person, und wenn aufgrund des Zeugnisses der Bibel angenommen wird, dass der Herr Jesus Christus eine Person ist, muss man aufgrund desselben Zeugnisses auch annehmen, dass der Widersacher eine Person ist.

2. *Gleichermaßen lassen sich viele verführen zu glauben, dass Satan die direkte Ursache der Sünde in jedem Menschen sei.* Dieser Eindruck stimmt nicht; zwar bezeugt die Bibel, dass er die Menschen zur Sünde verführt, aber das dürfte nicht sein Hauptbestreben sein, sondern er wollte sein wie der „Höchste“ (Jes 14,14); es ist nicht sein erstes Ziel zu zerstören, sondern etwas Gottwidriges aufzubauen und seinen Traum von der Herrschaft über dieses Weltsystem mit satanischer Kultur, Moral und Religion zu verwirklichen (2Kor 11,13-15). Die Meinung, Satan sei die direkte Ursache der Sünde, stimmt vor allem deshalb nicht, weil die Bibel sagt, dass die menschliche Sünde unmittelbar aus dem gefallenen menschlichen Herzen kommt (1Mo 6,5; Mk 7,18-23; Jak 1,13-16).

B. Das Werk Satans

Jesaja 14,12-17 ist nur eine der vielen Bibelstellen, die etwas über das Werk Satans aussagen. Diese Stelle offenbart Satans ursprüngliche und höchste Absicht. Er wollte aufsteigen in den Himmel, seinen Thron über die Sterne Gottes erheben und dem Allerhöchsten gleich sein. Um dies zu erreichen, wird er seine große Weisheit und Macht benutzen; er wird die Nationen überwältigen, die Erde erbeben lassen, sie einer Wüste gleichmachen, ihre Städte niederreißen und seine Gefangenen nicht freilassen. Obwohl jeder Satz dieser Stelle eine erstaunliche Enthüllung ist, sollen zwei davon besondere Beachtung finden.

1. Der Ausdruck „Ich will ... dem Höchsten mich gleichmachen" (V. 14) ist das Motiv, das alle seine Handlungen nach dem Fall bestimmt. Dies empfahl er auch Adam und Eva (1Mo 3,5), und sie, nachdem sie Satans Ideal übernommen hatten, wurden egozentrisch, dünkelhaft und lösten sich von Gott. Diese Haltung Adams und Evas wurde zu ihrer Natur und hat sich auf ihre gesamte Nachkommenschaft übertragen, sodass ihre Nachkommen von da an „Kinder des Zorns" (Eph 2,3; 5,6; Röm 1,18) genannt wurden. Sie müssen wiedergeboren werden (Joh 3,3) und, wenn sie errettet sind, darum ringen, sich völlig dem Willen Gottes auszuliefern. Satans Streben, zu sein wie der Höchste, zeigt sich auch in seinem Wunsch, von Christus angebetet zu werden (Lk 4,5-7). Wenn der Mensch der Sünde das Heiligtum betritt und als Gott angebetet wird (2Thes 2,3.4; Dan 9,27; Mt 24,15; Offb 13,4-8), wird Satans höchster Wunsch für einen kurzen Augenblick unter dem zulassenden Willen Gottes öffentlich sichtbar.

2. Der Ausdruck „seine Gefangenen entließ er nicht nach Hause" (Jes 14,17) scheint sich trotz seiner Unfähigkeit, sie vor ihrem ewigen Strafgericht zu bewahren, auf Satans gegenwärtige Macht über nicht erlöste Menschen zu beziehen. Die ganze Prophezeiung, der dieser Satz entnommen ist, bezieht sich auf das Werk Satans, das er am Tage seines endgültigen Gerichts vollendet haben wird. Zweifellos steht seine eigentliche Erfüllung jetzt noch aus; wir wissen jedoch, dass Satan im Augenblick alles in seiner Macht Stehende tut, um zu verhindern, dass die nicht erlösten Menschen von der Macht der Finsternis befreit und in das Reich des Sohnes Gottes gebracht werden (Kol 1,13). Satan ist am Werk in den Kindern des Ungehorsams (Eph 2,2), er verblendet den

Geist der nicht erlösten Menschen, damit das Licht des Evangeliums sie nicht erreichen kann (2Kor 4,3.4), und hält die nichtsahnende Welt in seiner Hand (1Jo 5,19).

Auch wird gezeigt, dass Satan in seinem Kampf die Dinge Gottes nachahmt, was gleichermaßen in Übereinstimmung mit seiner Absicht ist, „dem Höchsten" zu gleichen. Er wird ausgedehnte religiöse Systeme fördern (1Tim 4,1-3; 2Kor 11,13-15). In diesem Zusammenhang sollte beachtet werden, dass Satan solchen Religionen zu großer Verbreitung verhelfen kann, die auf ausgewählten Bibelstellen basieren und Christus als den Führer zeigen. Sie können alle Komponenten des christlichen Glaubens enthalten außer einer – der Lehre von der Errettung durch Gnade allein auf der Grundlage des vergossenen Blutes Christi. Viele solche satanischen Täuschungen existieren heute in der Welt, und große Menschenmassen lassen sich durch sie irreführen. Solche falschen Religionen können immer anhand dessen überprüft werden, wie sie zur rettenden Gnade Gottes durch das wirksame Blut Christi stehen (Offb 12,11).

Satans Feindschaft ist ganz offensichtlich gegen Gott gerichtet. Wenn er die „feurigen Pfeile" auf die Kinder Gottes richtet, greift er sie an, weil in ihnen das göttliche Wesen lebt und er dadurch Gott einen Stoß versetzen will. Dementsprechend erfolgt der Angriff auf die Kinder Gottes oft nicht im Bereich von „Fleisch und Blut", sondern im Bereich ihrer himmlischen Gemeinschaft mit Christus. Der Gläubige muss nicht unbedingt in die Unmoral herabgezogen werden, er findet vielleicht einfach nicht die Zeit zu beten, verschweigt sein Zeugnis und trägt keine geistlichen Siege mehr davon. Ein solches Versagen ist aus Gottes Sicht genauso eine Niederlage und Unehre wie jene Sünden, die selbst von der Welt verurteilt werden.

C. Satans Schicksal

So deutlich sich das Wort Gottes über den Ursprung Satans ausspricht, so deutlich ist sie auch in Bezug auf sein Schicksal. Fünf aufeinanderfolgende Gerichte über Satan sind zu unterscheiden:

1. Satans moralischer Fall mit der notwendigerweise folgenden Trennung von Gott wird ganz klar beschrieben, obwohl nichts über den

Zeitpunkt in der zeitlosen Vergangenheit gesagt ist (Hes 28,15; 1Tim 3,6). Jedoch wird deutlich, dass er weder seinen Aufenthaltsort im Himmel noch Teile seiner Macht oder seinen Zugang zu Gott verloren hat.

2. Ein vollkommenes Gerichtsurteil über Satan ist durch das Kreuz erfolgt (Joh 12,31; 16,11; Kol 2,14.15), doch die Ausführung dieses Urteils liegt noch in der Zukunft. Dieses Urteil und seine Ausführung wurde im Garten Eden vorhergesagt (1Mo 3,15).

3. Satan wird aus dem Himmel geworfen werden. Mitten in der bevorstehenden Großen Drangsal und als Folge eines Krieges im Himmel wird Satan aus dem Himmel geworfen werden, und sein Einflussbereich wird auf die Erde begrenzt sein. Dann wird er dort mit großem Zorn wüten, weil er weiß, dass ihm nur noch wenig Zeit zur Verfügung steht (Offb 12,7-12; lesen Sie auch Jes 14,12; Lk 10,18).

4. Satan wird im Abgrund gebunden sein. Während der tausendjährigen Herrschaft Christi auf der Erde wird der Satan gebunden sein, damit er auf der Erde nicht weiter tätig sein und die Nationen nicht mehr täuschen kann. Danach wird er noch einmal für eine „kurze Zeit“ befreit werden (Offb 20,1-3.7).

5. Satans endgültiges Schicksal wird sich am Ende des Tausendjährigen Reiches erfüllen. Da er während der „kurze[n] Zeit“ eine offene Rebellion gegen Gott geführt hat, wird Satan dann in den Feuersee geworfen werden, um von Ewigkeit zu Ewigkeit Tag und Nacht gepeinigt zu werden (Offb 20,10).

? Fragen

1. Worauf stützt sich die Annahme, dass Satan tatsächlich als Person existiert und nicht nur ein böses Prinzip oder Einfluss ist?
2. Was ist falsch an der Lehre, dass Satan die direkte Ursache der Sünde im Menschen ist?
3. Was wird in Jesaja 14 über Satans ursprüngliche Absicht bei seiner Rebellion gegen Gott gesagt?
4. Welche Rolle spielte Satans ursprüngliche Absicht bei der Versuchung von Adam und Eva?

5. Welchen Zusammenhang gibt es zwischen Satans ursprünglicher Absicht und seinem Wunsch, von Christus angebetet zu werden?
6. Wann wird Satan für eine kurze Zeit seine Absicht, als Gott angebetet zu werden, öffentlich sichtbar werden lassen?
7. Was tut Satan mit den nicht erretteten Menschen?
8. Inwiefern ahmt Satan Gott nach?
9. Welches Ziel verfolgt Satan mit seinem Angriff auf ein Kind Gottes?
10. Beschreiben Sie die fünf aufeinanderfolgenden Gerichte über den Satan.

Kapitel 25

Der Mensch: Seine Erschaffung

A. Der Mensch als ein erschaffenes Wesen

Wenn der Mensch sich selbst inmitten eines wundervollen Universums entdeckt und feststellt, dass er den höchsten Rang aller Lebewesen einnimmt, wird er ganz selbstverständlich versuchen, seinen eigenen sowie den Ursprung aller existierenden Dinge zu ergründen. Da die Natur nichts über die Schöpfung des Menschen aussagt und die Überlieferung keine verlässliche Informationsquelle ist, hat Gott die wesentlichen Tatsachen in Bezug auf die Schöpfung des Menschen in der Bibel geoffenbart. In den ersten Kapiteln des 1. Buches Mose und an verschiedenen anderen Stellen in der Bibel wird die Schöpfung klar belegt.

Da der Ursprung des Menschen natürlicherweise ein äußerst interessantes Thema und Gegenstand zahlloser Spekulationen ist, haben diejenigen, die die Frage ohne die Bibel beantworten wollten, zahlreiche Versuche unternommen, den Ursprung des Menschen zu erklären. Diese gegensätzlichen Theorien zeigen, dass der Mensch keine sicheren Informationen über seinen Ursprung hat außer dem, was die Bibel darüber berichtet, und nur in der Schrift ist ein vollständiger und zutreffender Bericht zu finden.

Eine der gängigsten Theorien, die im Widerspruch steht zu der Lehre von der Schöpfung des Menschen, wie sie in der Bibel beschrieben ist, ist die Evolutionstheorie. Diese Theorie besagt, dass auf irgendeine Weise einst eine lebendige Zelle entstanden ist. Aus dieser Zelle hat sich durch einen langen, natürlichen Selektionsprozess der Mensch entwickelt. Die Evolution versucht, all die komplizierten Lebensformen in der Welt durch diesen natürlichen Vorgang zu erklären.

Nach der Evolutionstheorie sind alle Pflanzen, Tiere und Menschen durch kleine Veränderungsprozesse, die sogenannten Mutationen, entstanden. Auf diese Weise versucht man alle Arten zu erklären. Mutationen sind jedoch fast immer schädlich und nicht zum Vorteil des Lebewesens, und bisher ist keine Reihe von Mutationen beobachtet worden, die eine Verbesserung oder gar eine neue Art hervorgebracht hätte. Dagegen erklärt der biblische Bericht, dass Gott die Tiere „nach ihrer Art" geschaffen hat, was Unterschiede innerhalb einer Art nicht ausschließt (1Mo 1,21.24.25).

Im Gegensatz zu den Tieren wurde der Mensch im Bild und Gleichnis Gottes geschaffen (1Mo 1,26-27). Obwohl die meisten Anhänger der Evolutionstheorie eingestehen, dass ihre Lehre nur eine Theorie ist und sich anhand von Fossilien keine systematische Fortentwicklung der niedrigen Lebensformen zu höheren feststellen lässt, ist die Evolution so ziemlich die einzige Erklärung, die der natürliche Mensch für die Schöpfung anbieten kann; sie beruht ganz klar auf einem naturalistischen Verständnis und nicht auf dem übernatürlichen Ursprung des Menschen.

In ähnlicher Weise beruht die sogenannte theistische Evolution auf der Leugnung der wörtlichen Bedeutung des Schöpfungsberichtes in der Bibel. Nach dieser Theorie hat Gott die Evolution als Mittel zur Schöpfung eingesetzt.

Die Lehre von der Schöpfung des Menschen wird in der Bibel klar belegt (1Mo 1–2,25; Joh 1,3; Kol 1,16; Hebr 11,3). Das erste Kapitel des 1. Buches Mose bezieht sich ungefähr 17-mal auf Gott als den Schöpfer, und noch etwa 50 andere Stellen sind in der Bibel zu finden. Einige sprechen direkt von der Schöpfung, andere beinhalten, dass Gott der Schöpfer von Adam und Eva ist (2Mo 20,11; Ps 8,3-6; Mt 9,4-5; Mk 10 6-7; Lk 3,38; Röm 5,12-21; 1Kor 11,9; 15,22.45; 1Tim 2,13-14). Das Grundverständnis von Schöpfung besteht darin, dass Gott die Welt aus dem Nichts erschuf, da in 1. Mose 1,1 keine vorherige Existenz erwähnt wird.

Wie im 1. Buch Mose beschrieben, ist der Mensch das krönende Werk Gottes in der Schöpfung, und das ganze Schöpfungswerk hat nur sechs Tage in Anspruch genommen. Auch unter jenen, die die Bibel als das inspirierte Wort Gottes akzeptieren, gibt es verschiedene Erklärungen für diese Schöpfungstage. Für einige ist der Bericht aus 1. Mose 1 eine auf eine frühere Schöpfung folgende Wiederschöpfung, die im Zusammenhang mit dem Fall Satans und der abtrünnigen Engel gerichtet und zerstört worden sein soll. Dies würde den Erkenntnissen Rechnung tragen, nach denen die unorganische Welt schon lange vor der Schöpfung existiert hat, wie sie in 1. Mose 1–2 beschrieben ist.

Einige sehen die sechs Tage als Zeitabschnitte, die länger oder kürzer als 24 Stunden sind, da das Wort „Tag“ häufig auch für einen längeren Zeitraum verwendet wird, wie zum Beispiel in dem Ausdruck „der Tag des Herrn“. Andere bestehen jedoch auf einem Schöpfungstag von 24 Stunden, weil die Tage im Zusammenhang mit Zahlwörtern erwähnt worden sind. Die Vertreter dieser Ansicht gehen davon aus, dass die Welt in völlig fertigem Zustand erschaffen wurde, wie das zum Beispiel auch beim Menschen und den Tieren der Fall war.

Andere weisen wiederum darauf hin, dass ein Zeitraum erforderlich war, der länger gewesen sein müsste als 24 Stunden, da nach 1. Mose 1,11 zum Beispiel Gras und Bäume aus der Erde gewachsen seien. Zwar hätte Gott einen Obstbaum in voller Größe erschaffen können, doch da von Wachstum gesprochen werde, müssten mehr als 24 Stunden erforderlich gewesen sein. Obwohl sogar Evangelikale unterschiedlicher Meinung über den Schöpfungsakt sind, schreiben doch die meisten Ausleger, die an der Inspiration und Unfehlbarkeit der Bibel festhalten, die Existenz der Tiere und des Menschen der unmittelbaren Schöpfung Gottes zu, und es gibt in der Schrift keinen Hinweis für eine evolutionäre Entwicklung der Arten mit Hilfe von Naturgesetzen.

B. Das Wesen des Menschen

Nach dem Zeugnis der Schrift ist der Mensch in seiner gegenwärtigen menschlichen Persönlichkeit von Gott als der Höhepunkt und die Vollendung der ganzen Schöpfung erschaffen worden. Vom Menschen wird gesagt, dass er im Bild und Gleichnis Gottes geschaffen ist (1Mo 1,26) und dass Gott ihm den „Atem des Lebens“ eingehaucht hat (1Mo 2,7). Diese Merkmale erheben den Menschen über alle anderen Lebensformen, die es auf der Erde gibt, und zeigen, dass der Mensch ein moralisches Wesen mit Intellekt, Gefühlen und einem eigenen Willen ist.

In der Schöpfung des Menschen vereinigt sich also das Materielle („Staub“) mit dem Nichtmateriellen („der Atem des Lebens“). Diese zweifache Unterscheidung spiegelt sich in den Begriffen „äußerer Mensch“ und „innerer Mensch“ (2Kor 4,16), „irdene Gefäße“ und

„dieser Schatz“ (2Kor 4,7) wider. Zwar werden der Geist und die Seele des Menschen ewig leben, doch der Körper wird zum Staub zurückkehren, von dem er genommen ist; der Geist geht zurück zu Gott, der ihn gegeben hat (Pred 12,7). Folglich können die Menschen zwar den Leib töten, jedoch nicht die Seele (Mt 10,28).

Bei der Beschäftigung mit dem nichtmateriellen Teil des Menschen fällt auf, dass die Schrift bestimmte Begriffe synonym verwendet (vgl. 1Mo 41,8 mit Ps 42,6; Mt 20,28 mit 27,50; Joh 12,27 mit 13,21; Hebr 12,23 mit Offb 6,9), diese Begriffe sogar auf Gott anwendet (Jes 42,1; Jer 9,9; Hebr 10,38) und auf Tiere bezieht (Pred 3,21; Offb 16,3). Manchmal werden Geist und Seele des Menschen unterschieden (1Thes 5,23; Hebr 4,12).

Obwohl die höchsten Funktionen des nichtmateriellen Teils des Menschen manchmal dem Geist und manchmal der Seele zugeschrieben werden (Mk 8,36-37; 12,30; Lk 1,46; Hebr 6,18-19, Jak 1,21), wird der Geist in der Schrift gewöhnlich als der Teil des Menschen gezeigt, der fähig ist, Gott anzubeten, und die Seele ist der Teil des Menschen, zu dem die Persönlichkeit und die verschiedenen Funktionen des Intellekts und der Gefühle und der Wille des Menschen gehören.

Jedoch werden auch noch andere Begriffe für den nichtmateriellen Teil des Menschen verwendet, zum Beispiel das „Herz“ (2Mo 7,23; Ps 37,4; Röm 9,2; 10,9-10; Eph 3,17; Hebr 4,7). Ein anderer Begriff ist der des Sinnes, entweder in Bezug auf die Sündhaftigkeit des nicht erretteten Menschen (Röm 1,28; 2Kor 4,4; Eph 4,17-18; Tit 1,15) oder auf den erneuerten Sinn, den ein Christ besitzt (Mt 22,37; Röm 12,2; 1Kor 14,15; Eph 5,17). Andere Ausdrücke wie „Willen“ oder „Gewissen“ beziehen sich ebenfalls auf den nicht materiellen Teil des Menschen.

Wegen der Vielzahl der Begriffe, die manchmal in ein und derselben Bedeutung verwendet, manchmal aber auch einander gegenübergestellt werden, wird die Unterscheidung eines materiellen und eines nicht materiellen Teiles des Menschen von vielen als grundlegend angesehen; doch auch hier werden Ausdrücke wie „Seele“ und „Geist“ manchmal für den ganzen Menschen, also auch seinen Leib, verwendet.

Heidnische Religionen betrachten den nicht materiellen Teil des Menschen als präexistent, das heißt, er existiert angeblich von Ewigkeit her und verkörpert sich zu Beginn des menschlichen Lebens in dem bestimmten Menschen; diese Ansicht ist von der Schrift her nicht haltbar. Einige evangelikale Theologen vertreten die Meinung, die Seele werde von Gott zu Beginn jedes bestimmten menschlichen Lebens geschaffen; diese Theorie ist schwer haltbar in Bezug auf die Sündhaftigkeit des Menschen. Wahrscheinlich ist die beste Sichtweise die Lehre, nach der die Seele und der Geist sich durch die natürliche Zeugung fortpflanzen, und aus diesem Grund erhält der Mensch eine sündige Seele und einen sündigen Geist, da seine Eltern sündig sind.

Der menschliche Leib ist die Wohnung der Seele und des Geistes des Menschen, bis er stirbt. Obwohl der Leib nach dem Tod zerfällt, wird er doch wiederauferstehen. Dies gilt sowohl für die erretteten als für die nicht erretteten Menschen. Von dem Leib wird manchmal auch als dem „Fleisch" gesprochen (Kol 2,1.5, s. Anm.); auch im Zusammenhang mit dem menschlichen Leib Christi (1Tim 3,16; 1Petr 3,18). In anderen Fällen bezieht sich dieser Begriff auf die sündige Natur des Menschen, zu der die Seele und der Geist gehören, wie in der Aussage des Paulus, dass „das Fleisch … gekreuzigt" sei (Gal 5,24). Folglich kann der Ausdruck „Fleisch" nicht in allen Bibelstellen als Synonym für „Leib" verwendet werden, da auch der ganze, nicht wiedergeborene Mensch gemeint sein kann.

Von dem Leib des erretteten Menschen wird gesagt, dass er ein „Tempel" ist (Joh 2,21; 1Kor 6,19), obwohl gleichzeitig von „irdenen Gefäßen" (2Kor 4,7) und dem „Leib der Niedrigkeit" (Phil 3,21) gesprochen wird; der Leib soll getötet (Röm 8,13; Kol 3,5) und in die Knechtschaft geführt werden (1Kor 9,27). Die Leiber der erretteten Menschen werden umgestaltet, geheiligt, errettet und erlöst und schließlich für immer verherrlicht werden bei dem Kommen Christi für Seine Gemeinde (Röm 8,11.17-18.23; 1Kor 6,13-20; Phil 3,20-21). Unser Herr Jesus Christus hatte vor Seinem Tod einen vollkommenen menschlichen Leib und nach Seiner Auferstehung einen Leib aus Fleisch und Blut, der das Vorbild für den Auferstehungsleib des Gläubigen ist. Der Begriff „Leib" wird auch verwendet für die Gemeinde als den Leib Christi, von dem Christus das Haupt ist.

? Fragen

1. Hat der Mensch außerhalb der Bibel irgendeine sichere Erkenntnis über seinen Ursprung?
2. Wie erklärt die Evolutionstheorie den Ursprung des Menschen?
3. Was ist die theistische Evolution?
4. Wie unterscheidet sich der Mensch von den Tieren, und in welchem Zusammenhang steht dies mit dem Problem seines Ursprungs?
5. Wie viele Belege gibt es in der Schrift für die Erschaffung des Menschen?
6. Welche verschiedenen Erklärungen gibt es in der Bibel für den Schöpfungsbericht, nach dem die Welt in sechs Tagen erschaffen wurde?
7. Warum ist die biblische Erklärung für den Ursprung des Menschen als ein Schöpfungsakt Gottes der Evolutionstheorie vorzuziehen?
8. Was ist gemeint mit der Aussage, dass der Mensch im Bild und Gleichnis Gottes erschaffen ist?
9. Welche Bedeutung haben „Geist“ und „Seele“ in Bezug auf den Menschen?
10. Welche anderen Begriffe außer Geist und Seele werden für das nicht materielle Wesen des Menschen verwendet?
11. Erörtern Sie andere Theorien über den Ursprung des menschlichen Wesens, wie z.B. die Präexistenz oder die Erschaffung der Seele bei der Geburt des Menschen.
12. Welche Theorie über den Ursprung von Seele und Geist des Menschen ist wahrscheinlich den anderen Theorien vorzuziehen?
13. Welche Bedeutung hat das Wort „Fleisch“ in der Bibel, und in welchem Sinne wird es verwendet?
14. Inwiefern ist der Leib eines erretteten Menschen ein Tempel?
15. Was ist die Zukunftsperspektive des Leibes eines erretteten Menschen, der umgestaltet und verherrlicht wird?

Kapitel 26

Der Mensch: Sein Fall

Die Frage, wie die Sünde in die Welt gekommen ist, beschäftigt jedes System des menschlichen Denkens. Nur die Bibel bietet jedoch eine vernünftige Erklärung dafür. Wie wir schon bei der Beschäftigung mit dem Thema Engel gesehen haben, kam die Sünde in das Universum durch die Auflehnung einiger der heiligen Engel unter Führung Satans, lange vor der Erschaffung des Menschen. Die ersten Kapitel des 1. Buches Mose erzählen, wie Adam und Eva in Sünde gefallen sind. Die verschiedenen Deutungen dieses Berichtes nehmen ihn entweder wörtlich als Erklärung für die Sündhaftigkeit des menschlichen Geschlechts oder versuchen, ihn als unhistorisch, als einen Mythos abzutun. Nach der orthodoxen Auffassung hat dieser Vorfall genau so stattgefunden, wie er in der Bibel berichtet wird, und so wird der Sündenfall auch in der ganzen Bibel immer wieder behandelt.

Der Sündenfall des Menschen kann unter drei Gesichtspunkten betrachtet werden: 1. Adam vor dem Sündenfall, 2. Adam nach dem Sündenfall und 3. die Auswirkungen des Sündenfalls auf die Menschheit.

A. Adam vor dem Sündenfall

Mit Worten von anziehender Einfachheit führt die Bibel Adam als den ersten Menschen und Eva als die Frau ein, die Gott ihm als seine Gehilfin gegeben hatte. Zusammen bildeten sie die Menschheit, und vor dem Sündenfall waren sie frei von Sünde. Als Adam und Eva gegen Gott sündigten, kam die Sünde in die Menschheit. Die Bibel spricht von dem Fall des Menschen.

In der Schrift wird nichts darüber ausgesagt, wie lange der erste Mann und die erste Frau im Zustand der Sündlosigkeit lebten, doch es war auf jeden Fall so lange, dass sie sich an die Situation gewöhnt hatten, in die sie hineingestellt waren, dass sie den Tieren Namen gegeben und den Segen der Gemeinschaft mit Gott erlebt hatten. Adam und Eva waren, wie die gesamte Schöpfung, „sehr gut“ (1Mo 1,31), das heißt, sie gefielen ihrem Schöpfer. Geistlich gesehen waren sie im Zustand der Unschuld, das heißt, sie waren frei von Sünde; doch ihr Charakter war nicht heilig. Heiligkeit ist eine Wesenseigenschaft Gottes, die es ihm unmöglich macht zu sündigen.

Der Mensch besaß, weil er im Ebenbild Gottes geschaffen war, eine vollständige Persönlichkeit und die Fähigkeit, moralische Entscheidungen zu treffen. Im Gegensatz zu Gott, der nicht sündigen kann, konnten sowohl die Engel als auch die Menschen sündigen. Wie schon in unserem Abschnitt über die Engel gesagt, hat Satan gesündigt (Jes 14,12-14; Hes 28,15), und die Engel, die sich Satan angeschlossen haben, werden beschrieben als jene, „die ihren Herrschaftsbereich nicht bewahrt“ haben (Jud 6). Aufgrund der Tatsache, dass Satan und die gefallenen Engel zuerst gesündigt haben, hat der Mensch die Sünde nicht geschaffen, sondern er wurde aufgrund satanischen Einflusses ein Sünder (1Mo 3,4-7).

Der Bericht über Adams und Evas Sünde steht in 1. Mose 3,1-6. Nach diesem Bericht erschien Satan der Eva in Gestalt einer Schlange, einem Wesen, das zu jener Zeit ein sehr schönes und ansprechendes Tier gewesen sein mag. Gott hatte nach der Bibel Adam und Eva nur ein Verbot erteilt – sie durften nicht von dem Baum der Erkenntnis von Gut und Böse essen. In 1. Mose 2,17 sagte Gott: „Aber vom Baum der Erkenntnis des Guten und Bösen, davon darfst du nicht essen; denn an dem Tag, da du davon isst, musst du sterben!“ Dieses relativ einfache Verbot stellte eine Prüfung dar und sollte zeigen, ob Adam und Eva Gott gehorchen würden.

In seiner Unterhaltung mit Eva bringt Satan dieses Verbot ins Spiel, indem er sagt: „Hat Gott wirklich gesagt: Von allen Bäumen des Gartens dürft ihr nicht essen?“ (1Mo 3,1). Damit deutete er an, dass Gott ihnen etwas Gutes vorenthielt und ein unnötig hartes Verbot aufgestellt hatte. Eva erwiderte der Schlange: „Von den Früchten der Bäume des Gartens essen wir; aber von den Früchten des Baumes, der in der Mitte des Gartens steht, hat Gott gesagt: Ihr sollt nicht davon essen und sie nicht berühren, damit ihr nicht sterbt!“ (1Mo 3,2-3).

Mit ihrer Antwort tritt Eva genau in die Falle Satans, indem sie verschweigt, dass Gott ihnen erlaubte, „nach Belieben“ von jeder Frucht des Gartens zu essen. Auch ließ sie das Wort „gewisslich“ bei Gottes

Warnung vor einer Zuwiderhandlung aus. Die natürliche Neigung des Menschen, Gottes Güte herunterzuspielen und Seine Härte aufzubauschen, sind seither kennzeichnend für die Haltung der Menschen. Satan griff sofort die Auslassung des Wortes „gewisslich" in Bezug auf die Strafe auf und sagte zu der Frau: „Keineswegs werdet ihr sterben! Sondern Gott weiß, dass, an dem Tag da ihr davon esst, eure Augen aufgetan werden, und ihr sein werdet wie Gott, erkennend Gutes und Böses" (1Mo 3,4-5).

In diesem Gespräch mit der Frau wird Satan entlarvt als der Erzbetrüger. Er zieht die Strafe in Zweifel und verleugnet das Wort Gottes. Dass durch das Essen der Frucht ihre Augen aufgetan und sie erkennen würden, was gut und böse war, stimmte, doch was Satan verschwiegen hatte, war, dass sie zwar die Macht haben würden zu erkennen, was gut und böse war, jedoch nicht die Macht, das Gute zu tun.

In 1. Mose 3,6 wird von dem Sündenfall Adams und Evas berichtet: „Und die Frau sah, dass der Baum gut zur Nahrung und dass er eine Lust für die Augen und dass der Baum begehrenswert war, Einsicht zu geben; und sie nahm von seiner Frucht und aß, und sie gab auch ihrem Mann bei ihr, und er aß." Ob Satan sie darauf hingewiesen hatte oder ob die Frau selbst zu jenen Schlussfolgerungen gekommen war, wird in der Schrift nicht gesagt.

Hier können wir das Prinzip der Versuchung mit ihren drei Bereichen erkennen, wie sie in 1. Johannes 2,16 beschrieben werden: Die Tatsache, dass die Frucht gut zur Speise war, spricht die „Begierde des Fleisches" an; dass sie eine „Lust für die Augen" war, spricht die „Begierde der Augen" an; die Macht der Frucht des Baumes, sie weise zu machen, spricht den „Hochmut des Lebens" an." Ein ähnliches Prinzip verfolgte Satan bei der Versuchung Christi (Mt 4,1-11; Mk 1,12-13; Lk 4,1-13). Eva wurde verführt, von der Frucht zu nehmen, und Adam folgte ihrem Beispiel, obwohl er nicht verführt wurde (1Tim 2,14).

B. Adam nach dem Fall

Als Adam und Eva sündigten, verloren sie ihren gesegneten Zustand, in dem sie beide erschaffen worden waren, und es traten einige weitreichende Veränderungen ein.

1. Sie waren nun dem geistlichen und leiblichen Tod unterworfen. Gott hatte gesagt: „Denn an dem Tag, da du davon isst, musst du sterben“ (1Mo 2,17); und diese göttliche Ankündigung wurde erfüllt. Adam und Eva gingen sofort über in den Zustand des geistlichen Todes, das heißt, sie waren geistlich getrennt von Gott. Ihr Sündenfall war auch der Beginn des körperlichen Alterns und Verfalls, und zur bestimmten Zeit wurde auch die Strafe des leiblichen Todes vollzogen, der die Seele vom Leib trennt.

2. Gottes Gericht fiel auch auf Satan, und die Schlange wurde dazu verurteilt, auf dem Boden zu kriechen (1Mo 3,14). Der Kampf zwischen Gott und Satan in Bezug auf die Menschheit wird in 1. Mose 3,15 beschrieben. Gott sagt: „Und ich werde Feindschaft setzen zwischen dir und der Frau, zwischen deinem Nachwuchs und ihrem Nachwuchs; *er* wird dir den Kopf zermalmen, und du, du wirst ihm die Ferse zermalmen.“ Diese Aussage bezieht sich auf die Auseinandersetzung zwischen Christus und dem Satan, bei der Christus zwar am Kreuz starb, jedoch nicht im Tod gehalten werden konnte, was durch den Satz „du wirst ihm die Ferse zermalmen“ deutlich gemacht wird. Satans endgültige Niederlage ist jedoch angedeutet in der Ankündigung, dass der Same der Frau ihm „den Kopf zermalmen“ wird, das heißt, ihm eine tödliche und bleibende Wunde zufügen wird. Mit dem Samen der Frau ist Christus gemeint, der in Seinem Tod und Seiner Auferstehung Satan besiegt hat.

3. Eine besondere Strafe traf auch Eva, die von nun an unter Schmerzen Kinder gebären und ihrem Manne untertan sein muss (1Mo 3,16). Der Tod macht es notwendig, dass der Mensch sich vermehrt.

4. Ein besonderer Fluch fällt auf Adam. Er muss von nun an hart arbeiten, damit er die zum Leben notwendigen Nahrungsmittel auf dem Boden anbauen kann, der mit Dornen und Disteln verflucht ist. Die Schöpfung selbst wurde folglich durch die Sünde des Menschen verändert (Röm 8,22). Später zeigt die Schrift auf, wie die Auswirkungen der Sünde im Fall des Menschen durch die Errettung abgemildert werden und im Fall der Natur, indem der Fluch im Tausendjährigen Reich teilweise aufgehoben werden würde. Adam und Eva mussten jedoch nach dem Sündenfall den Garten verlassen und von da an ein Leben führen, das von Leid und Kampf gekennzeichnet war und von der ganzen Menschheit nach ihnen geteilt wurde.

C. Die Auswirkungen der Sünde Adams auf die Menschheit

Die unmittelbare Folge der Sünde für Adam und Eva war, dass sie geistlich starben und von da an dem geistlichen Tod unterworfen waren. Ihr Wesen war nun moralisch verderbt, und die Menschheit lebt seither unter der Sklaverei der Sünde. Neben den Veränderungen im Schicksal des Menschen und seiner Umwelt offenbart uns die Schrift auch eine tiefgehende Lehre von der Zurechnung, die in der Wahrheit zum Ausdruck kommt, dass Gott Adam der Sünde bezichtigte und von da an auch seine Nachkommen für diese erste Sünde Adams zur Rechenschaft gezogen werden.

Drei Zurechnungen werden in der Bibel geoffenbart: 1. Die Sünde Adams wird seiner Nachkommenschaft zugerechnet (Röm 5,12-14); 2. Die Sünde des Menschen wird Christus zugerechnet (2Kor 5,21), und 3. die Gerechtigkeit Gottes wird allen zugerechnet, die glauben (1Mo 15,6; Ps 32,2; Röm 3,22; 4,3.8.21-25; 2Kor 5,21; Phim 17.18).

Es ist offensichtlich, dass eine richterliche Übertragung der Sünde des Menschen auf Christus, den Träger unserer Sünden, stattgefunden hat. Der HERR hat Ihn treffen lassen unser aller Ungerechtigkeit (Jes 53,5; Joh 1,29; 1Petr 2,24; 3,18). In der gleichen Weise hat eine Übertragung der Gerechtigkeit Gottes auf den Gläubigen stattgefunden (2Kor 5,21); denn auf einer anderen Grundlage wäre eine Rechtfertigung und Annahme vor Gott nicht möglich gewesen. Diese Zurechnung gehört zu der neuen Beziehung innerhalb der neuen Schöpfung. Da wir durch die Taufe des Geistes mit Christus verbunden sind (1Kor 6,17; 12,13; 2Kor 5,17; Gal 3,27) und in einer Lebensverbindung mit Christus stehen als Glied am Leib Christi (Eph 5,30), überträgt sich folglich auch jede Tugend Christi auf diejenigen, die ein organischer Teil von Ihm geworden sind. Der Gläubige ist „in Christus“ und hat somit Anteil an allem, was Christus ist.

In ähnlicher Weise werden die Gegebenheiten der alten Schöpfung auf jene übertragen, die der natürlichen Zeugung zufolge noch „in Adam“ sind. Das Wesen Adams ergreift Besitz von ihnen, und es wird von ihnen gesagt, dass sie in Adam gesündigt haben. Dies bietet genauso eine ausreichende Grundlage für das Gericht Gottes, wie die Zurechnung der Gerechtigkeit Gottes in Christus eine ausreichende Grundlage für die Rechtfertigung bietet; die Folge ist das göttliche

Gericht über die Menschheit, ob sie nun ebenso gesündigt hat wie Adam oder nicht.

Obwohl die Menschen behaupten, dass sie für Adams Sünde nicht verantwortlich sind, so gilt doch die göttliche Offenbarung, dass aufgrund der weitreichenden Folgen der Rolle Adams im Sinn eines Anführers der Menschheit diese erste, anfängliche Sünde unmittelbar und sofort allen Mitgliedern der Menschheit zugerechnet wird und somit alle unabänderlich zum Tode verurteilt sind (Röm 5,12-14). Ebenso wird durch Adams Sündenfall die Auswirkung dieser einen Sünde in Gestalt einer sündigen Natur sofort oder (durch Vererbung) von den Eltern auf die Kinder in allen Generationen weitergegeben. Vom Sündenfall sind somit alle betroffen; gleichzeitig gilt aber auch das Gnadenangebot Gottes für alle Menschen.

Die Menschen fallen nun nicht mehr aufgrund ihrer ersten Sünde, sie werden schon als gefallene Söhne Adams geboren. Sie werden nicht sündig, weil sie sündigen, sondern sie sündigen, weil sie von Natur aus sündig sind. Man braucht keinem Kind beizubringen, wie man sündigt, doch jedes Kind muss ermutigt werden, das Gute zu tun.

Es sollte beachtet werden, dass Gott, obwohl der Sündenfall Adams auf der ganzen Menschheit liegt, Vorsorge getroffen hat für Kinder und für alle diejenigen, die noch nicht verantwortlich sind.

Das heilige Gericht Gottes muss über alle Menschen kommen, die nicht in Christus sind, 1. wegen der ihnen zugerechneten Sünde, 2. wegen ihrer ererbten sündigen Natur, 3. weil sie unter der Sünde sind und 4. wegen ihrer eigenen Sünden. Obwohl dieses heilige Gericht Gottes nicht abgeschwächt werden kann, kann der Sünder vor ihm gerettet werden durch Christus. Dies ist die gute Nachricht des Evangeliums.

Die Strafen, die auf der alten Schöpfung liegen, sind: 1. der leibliche Tod, d. h. eine Trennung der Seele vom Leib; 2. der geistliche Tod, der Zustand, in dem einst Adam war und in dem sich alle Verlorenen befinden – er bedeutet die Trennung der Seele von Gott (Eph 2,1; 4,18.19); und 3. der zweite Tod, die ewige Trennung der Seele von Gott und die ewige Verbannung aus Seiner Gegenwart (Offb 2,11; 20,6.14; 21,8).

? Fragen

1. Wie erklärt die Bibel den Ursprung der Sünde im Universum und in der Menschheit?
2. Was war der Zustand des Menschen, bevor er sündigte?
3. Wie hat Satan Eva versucht?
4. Inwiefern hat Eva Gottes Verbot nicht richtig wiedergegeben?
5. Inwiefern hat Satan Eva angelogen und das Wort Gottes bewusst falsch wiedergegeben?
6. Inwiefern hat Satan Eva getäuscht in Bezug auf die angeblichen Vorzüge der Fähigkeit, Gut und Böse zu erkennen?
7. Inwiefern gibt 1. Johannes 2,16 drei Bereiche der Versuchung wieder?
8. Welche Folgen hatte die Sünde für Adam und Eva?
9. Welches war die Folge von Adams und Evas Sünde für Satan und die Schlange?
10. Welche Folgen hatten die Nachkommen Adams und Evas zu tragen, weil Adam gesündigt hatte?
11. Nennen Sie die drei Zurechnungen, die in der Bibel genannt werden.
12. Warum trifft es zu, dass der Mensch nicht sündig wird, weil er sündigt?
13. Warum liegt Gottes heiliges Gericht auf den Menschen, die nicht in Christus sind?
14. Welches ist die Strafe, die auf der alten Schöpfung liegt?
15. Warum ist die Rettung in Christus die einzige Hoffnung für den Menschen im gefallenen Zustand?

Kapitel 27

Die Sünde: Ihr Wesen und ihre Universalität

A. Die Spekulation des Menschen in Bezug auf die Sünde

Da die Sünde ein vorherrschendes Phänomen in der menschlichen Erfahrung und ein Hauptthema in der Bibel ist, wurde sie immer wieder zum Gegenstand zahlloser Diskussionen. Diejenigen, die die Offenbarung der Heiligen Schrift verneinen, haben zahlreiche, unzutreffende Vorstellungen von Sünde formuliert. In der nicht biblischen Sicht wird die Sünde bis zu einem gewissen Grad als Illusion gesehen, als ein Missverständnis, das auf der falschen Theorie basiert, es gäbe falsch und richtig in der Welt. Diese Theorie geht natürlich an den Tatsachen des Lebens und an dem Bösen der Sünde vorbei und verleugnet die Existenz eines moralischen Gottes und moralischer Prinzipien.

In einer anderen uralten Vorstellung wird die Sünde gesehen als ein innewohnendes Prinzip, das Gegenteil von dem, was Gott ist, und mit der stofflichen Welt verbunden. Diese Vorstellung liegt der orientalischen Philosophie und dem griechischen Gnostizismus zugrunde und ist der Hintergrund sowohl für Askese, die Verleugnung der Wünsche des Leibes, und für ihr Gegenteil, den Epikureismus, in dem das Wohlleben und die Genusssucht des Leibes proklamiert werden. Doch die Vertreter beider Theorien verleugnen die Tatsache, dass der Mensch in Wirklichkeit sündigt und dafür von Gott zur Rechenschaft gezogen wird. Eine gängige, jedoch unzutreffende Vorstellung ist, dass die Sünde einfach nur Selbstsucht sei. Zwar wird häufig aus selbstsüchtigen Motiven heraus gesündigt, doch dies kann nicht verallgemeinert werden, da der Mensch zuweilen auch gegen sich selbst sündigt.

Alle diese Theorien sind biblisch nicht begründbar und stellen eine Zurückweisung der biblischen Offenbarung des Wesens und der Universalität der Sünde dar.

B. Die biblische Sichtweise der Sünde

Nach der Bibel ist Sünde alles, was dem Wesen Gottes nicht gleichförmig ist, sei es eine Handlung, eine Veranlagung oder ein Zustand. Verschiedene Sünden sind im Wort Gottes als Beispiele angeführt, zum Beispiel in den Zehn Geboten, die Gott dem Volk Israel gegeben hat (2Mo 20,3-17). Sünde ist Sünde, weil sie sich von dem unterscheidet, was Gott ist, und Gott ist heilig. Sünde ist immer gegen Gott gerichtet (Ps 51,4; Lk 15,18), selbst wenn sie gegen Menschen begangen wird. Ein Mensch, der sündigt, ist Gott unähnlich und Gottes Gericht unterworfen. Die Sünde wird in der Bibel unter vier Aspekten dargestellt.

1. Persönliche Sünde (Röm 3,23) ist die Form der Sünde, die alles im täglichen Leben umfasst, was gegen das Wesen Gottes gerichtet ist oder Ihm nicht gleichförmig ist. Die Menschen sind sich ihrer persönlichen Sünden häufig bewusst, und persönliche Sünden kommen in vielerlei Gestalt vor. Grundsätzlich gesehen richtet sich persönliche Sünde gegen ein ganz bestimmtes Gebot Gottes in der Bibel. Sie beinhaltet den Aspekt der Auflehnung oder des Ungehorsams. Obgleich im Alten Testament mindestens acht wichtige Worte für Sünde verwendet werden und im Neuen Testament sogar zwölf, liegt ihnen allen der Gedanke der fehlenden Gleichförmigkeit mit dem Wesen und Willen Gottes zugrunde, die sich darin äußert, dass der Mensch etwas unterlässt oder eine Sünde begeht. Er versagt, verfehlt das Ziel und erreicht nicht den Maßstab von Gottes heiligem Wesen.

2. Die sündige Natur des Menschen (Röm 5,19; Eph 2,3) ist ein weiterer wichtiger Aspekt der Sünde in der biblischen Offenbarung. Adams erste Sünde war die Ursache für seinen Fall, und dadurch wurde er ein vollkommen anderes Wesen, verderbt und degeneriert, und er konnte auch nur noch Nachkommen zeugen, die seiner gefallenen Wesensart glichen. Daher wird jedes Kind Adams mit der Natur Adams geboren; es ist zur Sünde veranlagt und wird es immer sein. Obwohl diese Sündennatur durch Christus am Kreuz gerichtet worden ist (Röm 6,10), bleibt sie doch eine sehr lebendige Kraft im Leben eines jeden Christen. In diesem Leben wird sie niemals fortgenommen oder ausgelöscht sein, doch der Christ besitzt die überwindende Kraft des in ihm wohnenden Heiligen Geistes (Röm 8,4; Gal 5,16-17).

Viele Bibelstellen sprechen dieses wichtige Thema an. Nach Epheser 2,3 waren alle Menschen „von Natur Kinder des Zorns". Ihr ganzes Wesen ist verderbt. Vollkommene Verderbtheit bedeutet nicht, dass jeder Mensch so bösartig ist, wie er nur sein kann, sondern dass das ganze Wesen des Menschen durch die Sünde verderbt ist (Röm 1,18–3,20). Folglich ist der Mensch in seinem Willen (Röm 1,28), in seinem Gewissen (1Tim 4,2) und in seiner Gesinnung (Röm 1,28; 2Kor 4,4) verderbt, und sein Herz und sein Verstand sind verblendet (Eph 4,18).

Wie wir im vorhergehenden Abschnitt gesehen haben, haben die Menschen eine sündige Natur, weil sie sie von ihren Eltern geerbt haben. Kein Kind ist jemals auf dieser Erde geboren worden, das keine sündige Natur gehabt hätte – mit der einmaligen Ausnahme unseres Herrn Jesus Christus. Die Menschen werden nicht durch ihre Sünde zu Sündern, sondern sie sündigen, weil sie eine sündige Natur haben. Das Heilmittel hierfür, wie auch für die persönliche Sünde, ist natürlich die Erlösung, die Christus für uns möglich gemacht hat.

3. Die Sünde wird uns nach der Schrift zugerechnet (Röm 5,12-18). Wie im Zusammenhang mit dem Fall des Menschen im vorhergehenden Kapitel gezeigt, gibt es drei Zurechnungen in der Bibel: a) Die Sünde Adams wird der Menschheit zugerechnet; auf dieser Tatsache beruht die Lehre der Erbsünde; b) die Sünde des Menschen wird Christus zugerechnet – auf dieser Tatsache beruht die Lehre der Errettung; c) die Gerechtigkeit Gottes wird allen zugerechnet, die an Christus glauben – auf dieser Tatsache beruht die Lehre der Rechtfertigung.

Eine Zurechnung kann entweder a) tatsächlich oder b) aufgrund rechtlicher Entscheidung geschehen. Eine tatsächliche Zurechnung bedeutet, dass einem Menschen eine Tat angerechnet wird, die ursprünglich auch von ihm begangen worden war. Obwohl Gott das Recht hätte, dies zu tun, rechnet er aufgrund des versöhnenden Werkes Jesu Christi dem Menschen seine Sünde nicht zu (2Kor 5,19).

Rechtliche Zurechnung bedeutet, dass einem Menschen etwas angerechnet wird, das vormals nicht sein eigenes war (Phim 18). Obwohl Uneinigkeit darüber herrscht, ob die Zurechnung von Adams Sünde auf die ganze Menschheit nun *tatsächlich* oder *rechtlich* ist, ist sie nach Römer 5,12 jedoch ganz klar *tatsächlich,* da Adams Nachkommenschaft sündigte, als er sündigte.

Die folgenden beiden Verse (Röm 5,13-14) zeigen, dass damit nicht die persönliche Sünde gemeint ist (vgl. Hebr 7,9-10). Nach Römer 5,17-18 ist die Zurechnung auch rechtlich, da gesagt wird, dass durch die Sünde eines Menschen das Gericht auf alle Menschen gekommen ist. Nur die eine Sünde Adams ist hier von Bedeutung. Ihre Folge war der Tod – nicht nur für Adam, sondern auch von Adam her für alle Menschen. Das von Gott zur Verfügung gestellte Heilmittel für die zugerechnete Sünde ist das Geschenk Gottes, das ewige Leben durch Jesus Christus.

4. Der daraus folgende rechtliche Zustand der Sünde für die ganze Menschheit ist ebenfalls in der Schrift dargestellt. Nach göttlichen Maßstäben ist nun die ganze Welt, Juden und Heiden gleichermaßen, „unter der Sünde" bzw. „unter die Sünde eingeschlossen" (Röm 3,9; Gal 3,22). *Unter Sünde zu sein* heißt, dass nach göttlichen Maßstäben kein Verdienst da ist, das zur Rettung des Menschen beitragen könnte. Da die Erlösung allein aus Gnade geschieht und Gnade jegliches menschliches Verdienst ausschließt, hat Gott alle in Bezug auf ihre Erlösung „unter die Sünde" verordnet. Dieser Zustand unter der Sünde wird nur in Ordnung gebracht, wenn der Einzelne durch die Fülle der Gnade das Verdienst Christi zugerechnet bekommt.

Insgesamt gesehen zeigt die Bibel ganz klar die verheerenden Auswirkungen der Sünde auf den Menschen und die hoffnungslosen Bemühungen des Menschen auf, sein Sündenproblem selbst zu lösen. Ein richtiges Verständnis der biblischen Lehre von der Sünde ist die Voraussetzung für das Verständnis des von Gott dafür bereitgestellten Heilmittels.

? Fragen

1. Welche unangemessenen Vorstellungen von Sünde werden manchmal vertreten?
2. Wie definiert die Bibel Sünde im Allgemeinen?
3. Welche Sünden sind in den Zehn Geboten besonders aufgeführt?
4. Warum ist Sünde immer eine Sünde gegen Gott?
5. Welche vier Aspekte der Sünde werden in der Bibel dargestellt?

6. Was ist mit „persönlicher Sünde" gemeint?
7. Was sagt die Bibel über die sündige Natur des Menschen?
8. Inwiefern ist der Mensch verderbt?
9. Wie erklären Sie die Tatsache, dass alle Kinder geborene Sünder sind?
10. Welches sind die drei hauptsächlichen Zurechnungen?
11. Was ist mit tatsächlicher Zurechnung gemeint?
12. Was ist mit rechtlicher Zurechnung gemeint?
13. Gibt es in der Bibel einen Beleg dafür, dass die ganze Welt in einem rechtlichen Zustand der Sünde lebt?
14. Warum ist das richtige Verständnis der Lehre von der Sünde wichtig für das Verständnis der Lehre von der Errettung?

Kapitel 28

Die Errettung von der Strafe der Sünde

A. Die Bedeutung der Errettung

Die göttliche Offenbarung in Bezug auf die Errettung sollte von jedem Kind Gottes verstanden werden. 1. Die persönliche Errettung hängt von dieser Offenbarung ab. 2. Es ist die Botschaft, die Gott dem Gläubigen aufgetragen hat, damit er sie in der Welt verkündet. 3. Sie allein schließt uns die Fülle der Liebe Gottes auf.

Im weitesten Sinne bedeutet das Wort „Errettung" in der Bibel das ganze Werk Gottes, durch das Er den Menschen vor der ewigen Verdammnis errettet und ihm die Fülle Seiner Gnade, ewiges Leben und ewige Herrlichkeit im Himmel schenkt. „Bei dem HERRN ist Rettung" (Jon 2,10). Daher ist sie in jeder Hinsicht ein Werk Gottes für den Menschen und keinesfalls ein Werk des Menschen für Gott.

Bestimmte Einzelheiten dieses göttlichen Werkes haben sich von einem Heilszeitalter zum anderen verändert. Doch wir können sicher sein, dass von Adam bis hin zu Christus alle, die ihr Vertrauen auf Gott gesetzt haben, geistlich wiedergeboren und Erben der himmlischen Herrlichkeit sind. Gleichermaßen wird das Volk Israel an einem Tag geistlich wiedergeboren werden zu der Zeit, wenn der Herr wiederkommt (Jes 66,8).

Auch wird gesagt, dass die Scharen sowohl der Juden als auch der Heiden, die während des bevorstehenden Tausendjährigen Reiches auf der Erde leben werden, vom Geringsten bis zum Größten den Herrn kennen werden (Jer 31,34). Die Errettung jedoch, die den Menschen in der gegenwärtigen Heilszeit angeboten wird, ist nicht nur umfassender in der Bibel geoffenbart, sondern sie übersteigt hinsichtlich der Wunder, die sie vollbringt, bei Weitem jedes andere Erlösungswerk Gottes, denn die Errettung, wie sie im gegenwärtigen Heilszeitalter angeboten wird, umfasst jede Phase des Gnadenwerkes Gottes, wie das Innewohnen des Heiligen Geistes, die Versiegelung und die Taufe mit dem Heiligen Geist.

B. Errettung als Gottes Heilmittel für die Sünde

Zwar gibt es in der biblischen Lehre von der Sünde bestimmte Unterscheidungen, doch vorab müssen wir uns zwei allgemeingültige Tatsachen klarmachen:

1. Sünde ist immer gleich sündhaft, ob sie nun von einem Barbaren oder einem zivilisierten Bürger, von einem nicht wiedergeborenen Menschen oder einem Wiedergeborenen begangen wird. Die Frage, ob die Sünde als Strafe viele Schläge oder wenige fordert, wird einmal beim Gerichtsurteil über den Sünder erwogen werden (Lk 12,47-48); aber jede Sünde ist in sich selbst unveränderlich sündig, weil sie die Heiligkeit Gottes verletzt.

2. Sünde kann nur durch das vergossene Blut des Sohnes Gottes geheilt werden. Dies galt sowohl für jene, die den Tod Christi durch Tieropfer vorweggenommen haben, als auch für jene, die im Glauben auf diesen Tod zurückschauen. Die Vergebung Gottes ist nie ein reiner Akt der Nachsicht gewesen, bei dem die Strafe für die Sünde erlassen worden wäre. Wenn die Strafe aufgehoben wird, dann weil ein Stellvertreter die heiligen Forderungen gegen den Sünder erfüllt hat. In der alten Ordnung wurde dem Sünder seine Schuld erst vergeben, wenn der Priester das sühnende Blutopfer dargebracht hatte, das den Tod Christi vorwegnahm (3Mo 4,20.26.31.35; 5,10.13.16.18; 6,7; 19,22; 4Mo 15,25.26.28). Dieselbe Wahrheit gilt auch nach dem Tod Jesu Christi, wie in Kolosser 1,14 zum Ausdruck kommt: „... in welchem wir die Erlösung haben durch sein Blut, die Vergebung der Sünden" (Schlachter-Übersetzung; vgl. Eph 1,7).

Das stellvertretende Werk Christi am Kreuz ist unendlich vollkommen, denn es ist völlig genügend. Daher wird dem Sünder, der an Christus glaubt, nicht nur vergeben, sondern er ist auf ewig gerechtfertigt (Röm 3,24). Gott hat die Sünde niemals auf die leichte Schulter genommen. Die Vergebung legt dem Sünder keine Last auf, aber ihm ist nur vergeben und er ist nur gerechtfertigt, weil die ungeminderte göttliche Strafe von Christus getragen worden ist (1Petr 2,24; 3,18).

C. Errettung vor und nach dem Kreuz

1. Vor dem Kreuzestod Christi vergab Gott die Sünde aufgrund der Sühnung, ein Begriff, der im biblischen Sinn „bedecken" bedeutet. Das Blut von Stieren und Böcken konnte die Sünde nicht wegnehmen und nahm sie auch nicht weg (Hebr 10,4). Durch die Darbringung von Opferblut zeigte der Sünder, dass er die gerechte Todesstrafe anerkannte (3Mo 1,4). Auf Seiten Gottes nahm das Opfer das reinwaschende Blut Christi vorweg. Durch die Symbolisierung des vergossenen Blutes Christi diente das sühnende Blut des Opfers dazu, die Sünde *zuzudecken* bis zu dem Tag, an dem Christus die Sünde der Welt endgültig auf sich nehmen würde.

Zwei Stellen aus dem Neuen Testament erhellen die Bedeutung des alttestamentlichen Wortes „Sühne" oder „zudecken".

a) In Römer 3,25 hat das Wort „hingestellt" die Bedeutung von „übergehen", und in diesem Zusammenhang wird gesagt, dass Christus durch seinen Tod bewies, dass Gott gerecht war, als Er die Sünden überging, die vor Golgatha begangen worden waren und für die das sühnende Blut des Opfers Christi vergossen worden war. Gott hatte ein Lamm verheißen, das für alle genügen würde, und kraft dieser Verheißung alle Schuld vergeben. Daher wurde Gott durch den Tod Christi als gerecht erwiesen in allem, was Er verheißen hat.

b) In Apostelgeschichte 17,30 wird gesagt, dass Gott die Sünde vor dem Kreuz „übersehen" hat.

2. Wie Gott seit dem Kreuz mit der Sünde umgeht, wird in Römer 3,26 gezeigt. Christus ist gestorben. Der Wert Seines Opfers ist kein Gegenstand der Erwartung, keine Verheißung mehr, symbolisiert durch das Blut von Tieren. Das Blut Christi ist tatsächlich vergossen worden; und nun wird von jedem Menschen, wie groß seine Schuld auch sein mag, nur erwartet, dass er an dieses Werk *glaubt*, das in unendlicher Güte für ihn vollbracht worden ist. Diese Stelle zeigt uns, dass Christus am Kreuz das göttliche Gericht gegen jeden Sünder so erfüllte, dass Gott nun gerecht bleiben kann und in Seiner Heiligkeit unbeeinträchtigt bleibt, wenn Er den Sünder rechtfertigt, der nichts weiter tut, als *an Jesus Christus zu glauben*.

Das Wort „Sühne" – in seinem eigentlichen Sinne nur im Alten Testament richtig verwendet – meint das „Übergehen", „Übersehen" und „Zudecken" von Sünde; doch Christus hat am Kreuz die Sünde nicht übergangen oder zugedeckt. Von Seinem völlig genügenden Opfer wird gesagt: „Siehe, das Lamm Gottes, das die Sünde der Welt wegnimmt" (Joh 1,29; vgl. Kol 2,14; Hebr 10,4; 1Jo 3,5), „der unsere Sünden an seinem Leib an das Holz hinaufgetragen hat" (1Petr 2,24). Am Kreuz gab es keine temporäre oder unvollständige Behandlung der Sünde. Dieses große Problem zwischen Gott und dem Menschen wurde dort in einer Weise gelöst, die selbst die unendliche Heiligkeit Gottes zufriedenstellt, und die einzige offene Frage ist, ob der Mensch zufrieden ist mit dem Opfer, das Gott zufriedengestellt hat. Dieses Werk Christi für uns persönlich anzunehmen bedeutet, an den Retter zu glauben zur Errettung der Seele.

D. Die drei Zeitformen der Errettung

1. Die Vergangenheit der Errettung wird in bestimmten Bibelstellen geoffenbart, die von der Errettung als etwas Vergangenem oder Abgeschlossenem sprechen für den, der geglaubt hat (Lk 7,50; 1Kor 1,18; 2Kor 2,15; Eph 2,5.8). Dieses göttliche Werk ist so vollkommen, dass von dem Erretteten gesagt wird, dass er auf ewig errettet ist (Joh 5,24; 10; 28.29; Röm 8,1).

2. Die Gegenwart der Errettung, die das Thema des folgenden Kapitels sein wird, hat zu tun mit der gegenwärtigen Errettung von der Macht der Sünde (Röm 6,4; 8,2; 2Kor 3,18; Gal 2,19-20; Phil 1,19; 2,12-13; 2Thes 2,13).

3. Die Zukunft der Errettung bezieht sich darauf, dass der Gläubige dem Bild Christi gleichförmig sein wird (Röm 8,29; 13,11; 1Petr 1,5; 1Jo 3,2). Die Tatsache, dass einige Aspekte der Erlösung für den Gläubigen noch vollendet werden müssen, bedeutet nicht, dass es Grund zum Zweifeln an dieser Vollendung gäbe; denn nirgends wird gesagt, dass die Errettung an irgendeinem Punkt abhängig von der Treue des Menschen sei. Gott ist treu, und Er wird das Werk, das Er begonnen hat, auch vollbringen bis auf den Tag Jesu Christi (Phil 1,6).

E. Die Errettung als das vollendete Werk Christi

Beim Nachdenken über das Werk Gottes für die verlorenen Menschen ist es wichtig, zu unterscheiden zwischen dem vollbrachten Werk Christi für alle, das in unendlicher Vollkommenheit vollendet ist, und dem errettenden Werk Gottes, das für und in dem Einzelnen gewirkt wird in dem Augenblick, wo er an Christus glaubt.

„Es ist vollbracht", das ist der letzte Satz, der uns von Christus vor Seinem Tod berichtet wird (Joh 19,30). Es ist offensichtlich, dass Er damit nicht Sein eigenes Leben, Seinen Dienst oder Sein Leiden gemeint hat, sondern ein ganz bestimmtes Werk, das Sein Vater Ihm zu tun aufgetragen hat, das erst am Kreuz begonnen hat und mit Seinem Tod vollendet war. Dies war ganz klar ein Werk für die ganze Welt (Joh 3,16; Hebr 2,9) und machte Errettung (1Tim 2,6), Versöhnung (2Kor 5,19) und Sühnung (1Jo 2,2) für jeden Menschen möglich.

Die Tatsache allein, dass Jesus Christus starb, errettet die Menschen nicht, sie bereitet nur den Boden, auf dem Gott in voller Übereinstimmung mit Seiner Heiligkeit die Menschen, und sogar die größten Sünder, erretten kann. Dies ist die gute Nachricht, die die Christen der ganzen Welt verkündigen sollen. Das Blut Seines einzigen und geliebten Sohnes war das Wertvollste in Gottes Augen, und doch wurde es vergossen als Lösegeld für die Sünden. Die Sünde hatte den Sünder von Gott getrennt, doch Gott stellte Sein eigenes Lamm zur Verfügung, damit es die Sünde für immer hinwegtrage. Aufgrund seiner Sünde stand der Sünder unter dem heiligen Gericht Gottes, doch Christus wurde die Sühnung für die Sünde der ganzen Welt.

Dass dies bereits vollendet ist, ist eine Botschaft, die der Sünder als das Zeugnis Gottes glauben muss. Wenn ein Mensch aufgrund dieser Botschaft keine Erleichterung verspürt, dass das Problem mit der Sünde auf diese Weise gelöst worden ist, und nicht mit Dankbarkeit Gott gegenüber auf diese unendlich kostbare Segnung antwortet, ist es schwerlich anzunehmen, dass dieser Mensch wirklich glaubt.

F. Errettung als das errettende Werk Gottes

Das errettende Werk Gottes ist vollendet in dem Augenblick, in dem ein Mensch glaubt. Es umfasst mehrere Phasen: Erlösung, Versöhnung, Sühne, Vergebung, Wiedergeburt, Zurechnung, Rechtfertigung, Heiligung, Vollkommenheit, Verherrlichung. Durch dieses Werk werden wir fähig gemacht zum Anteil am Erbe der Heiligen (Kol 1,12), wir werden begnadigt in dem Geliebten (Eph 1,6), wir werden zu Gottes Gerechtigkeit (2Kor 5,17), wir sind Gott nahegekommen (Eph 2,13), wir werden Söhne Gottes (Joh 1,12), Bürger des Himmels (Phil 3,20), eine neue Schöpfung (2Kor 5,17), Mitbürger der Heiligen und Hausgenossen Gottes (Eph 2,19; 3,15) und vollkommen gemacht in Christus (Kol 2,10). Das Kind Gottes ist aus der Gewalt der Finsternis errettet und versetzt worden in das Reich des Sohnes Gottes (Kol 1,13) und besitzt nun jede geistliche Segnung (Eph 1,3).

Die Schuld und Strafe der Sünde sind hinweggenommen; denn es wird gesagt, dass dem Erretteten alle Übertretung vergeben und er auf ewig gerechtfertigt ist. Gott kann nur durch das Kreuz Christi vergeben und rechtfertigen, doch da Christus für uns gestorben ist, kann Gott alle völlig erretten, die durch Jesus Christus zu Ihm kommen.

G. Errettung in Bezug auf die Sünde des Erretteten

1. Die Vergebung der Sünde wird bewirkt, wenn ein Mensch an Jesus Christus glaubt. Sie ist Teil der Errettung. Vieles, was zur Errettung gehört, wird von Gott in dem Augenblick gewirkt, in dem der Mensch an Christus glaubt; doch kein Unerretteter kann Vergebung empfangen, wenn er nicht das ganze Werk der errettenden Gnade empfängt und an Christus als Retter glaubt.

2. Im Umgang mit der Sünde des Christen steht für Gott allein die Sündenfrage im Mittelpunkt, und die Sünde des Christen wird nicht aufgrund seines Glaubens an die Errettung vergeben, sondern auf der Grundlage seines Bekennens der Sünde (1Jo 1,9).

Die Folge der Sünde ist unter anderem der Verlust der Gemeinschaft mit dem Vater und dem Sohn. Auch wird der in dem Gläubigen wohnende Heilige Geist betrübt. Das Kind Gottes, das gesündigt hat, wird wieder in die Gemeinschaft aufgenommen werden und Freude, Segen und Vollmacht erfahren, wenn es seine Sünden bekennt.

Die Folge der Sünde bedeutet für den Gläubigen den Verlust des Segens, der durch ein Sündenbekenntnis erneuert werden kann; die Auswirkung der Sünde des Gläubigen auf Gott jedoch ist eine viel ernstere. Wenn nicht der Wert des vergossenen Blutes Jesu Christi und Seine Fürsprache im Himmel wäre, würde die Sünde unweigerlich die ewige Trennung des Christen von Gott zur Folge haben (1Jo 2,1). Das Wort Gottes versichert uns aber, dass das Blut Christi wirksam ist (1Jo 2,2) und dass der Beistand dessen, der sündigt, gerecht ist (1Jo 2,1). Der sündigende Heilige ist trotz seiner Sünde nicht verloren, da er, selbst während er sündigt, einen Fürsprecher beim Vater hat (Röm 8,34; Hebr 9,24; 1Jo 3,1-2). Diese Wahrheit, die allein die Grundlage dafür bildet, dass jeder Christ in seinem erretteten Zustand bewahrt geblieben ist, dient keineswegs dazu, Christen zum Sündigen zu ermutigen. Im Gegenteil, die Bibel belehrt uns mit dem ausdrücklichen Ziel, dass wir nicht sündigen (1Jo 2,1). Wenn wir an den Retter Jesus Christus denken, der für uns im Himmel eintritt, sollte uns das dazu bringen innezuhalten, anstatt der Versuchung nachzugeben.

H. Errettung durch den Glauben allein

Im Neuen Testament wird an etwa 115 Stellen gesagt, dass die Errettung eines Sünders allein davon abhängt, dass er *glaubt,* und an etwa 35 Stellen, dass sie abhängig ist von seinem *Glauben.* Wenn ein Mensch glaubt, ist er bereit, Christus zu vertrauen. Dies ist ein Akt des ganzen Menschen, nicht nur seines Verstandes oder seines Gefühls. Intellektuelle Zustimmung oder reine Gefühlsaufwallungen sind kein wirklicher Glaube. Der Glaube ist ein bewusster Akt, bei dem der Mensch bereit ist, den Herrn Jesus Christus im Glauben aufzunehmen.

Überall in der Schrift wird dieses Zeugnis der Wahrheit bestätigt. Nur Gott allein kann einen Menschen retten, und Gott kann einzig und allein durch das Opfer Seines Sohnes retten. Der Mensch kann diese Botschaft nur im Glauben annehmen, sich von seinen eigenen Werken abwenden und ganz abhängig machen von dem Werk Gottes durch Christus. Glauben ist das Gegenteil von irgendwelchem eigenen

Tun; es bedeutet, stattdessen einem anderen zu vertrauen. Daher werden die Schrift und die ganze Lehre der Gnade verkehrt, wenn die Errettung von etwas anderem als dem Glauben abhängig gemacht wird. Die göttliche Botschaft heißt nicht: „Glaube und bete", „glaube und bekenne deine Sünden", „glaube und bekenne Christus", „glaube und lass dich taufen", „glaube und tue Buße" oder „glaube und mach dein Unrecht wieder gut". Diese sechs Aussagen werden in der Schrift genannt, und dort haben sie auch ihre Bedeutung; doch wenn sie genauso wichtig für die Errettung wären wie allein der Glaube, würden sie niemals in den Bibelstellen, die von der Errettung eines Menschen sprechen, fehlen (lesen Sie Joh 1,12; 3,16.36; 5,24; 6,29; 20,31; Apg 16,31; Röm 1,16; 3,22; 4,5.24; 5,1; 10,4; Gal 3,22). Die Errettung geschieht nur durch Christus, und die Menschen sind erlöst, wenn sie Christus als ihren Retter annehmen.

? Fragen

1. Warum sollte ein Kind Gottes die Lehre der Errettung verstanden haben?
2. Was ist in die Errettung in ihrer höchsten Offenbarung mit eingeschlossen?
3. Inwiefern ist die Errettung in jedem Zeitalter dieselbe, und inwiefern ist sie im gegenwärtigen Zeitalter noch umfassender?
4. Welche zwei allgemeingültigen Tatsachen werden in der Schrift in Bezug auf den Zusammenhang von Errettung und Sünde herausgestellt?
5. Wie handhabte Gott Errettung und Sünde im Alten Testament?
6. Inwiefern unterscheidet sich Gottes Handhabung der Sünde seit dem Kreuz von der in der Zeit des Alten Testaments?
7. Was wird in den Bibelstellen gezeigt, die sich mit der Errettung in der Vergangenheit beschäftigen?
8. Inwiefern ist Errettung offenbart als ein gegenwärtiges Werk Gottes?
9. Was ist gemeint, wenn die Errettung als ein zukünftiges Ereignis gesehen wird?

10. Stellen Sie das vollendete Werk Christi dem errettenden Werk Gottes gegenüber, das für jeden gilt, der glaubt.
11. Warum rettet der Tod Christi nicht alle Menschen?
12. Welche Reaktion kann von dem Gläubigen erwartet werden, wenn er errettet ist?
13. Nennen Sie einige der wichtigen Phasen des Gnadenwerkes Gottes bei der Errettung der Menschen, wie sie in lehrmäßig wichtigen Worten zum Ausdruck kommen.
14. Welches sind einige der Aspekte des Werkes Gottes, das Er bewirkt, wenn ein Mensch gerettet wird?
15. In welchem Zusammenhang stehen Errettung des Menschen und Sündenvergebung?
16. Was muss geschehen, damit ein Christ, der gesündigt hat, Vergebung empfängt?
17. Was verliert ein Christ, wenn er seine Sünden nicht bekennt?
18. Warum hindert das Wissen um Christus als den Fürsprecher im Himmel Christen daran, sorglos zu sündigen?
19. Untersuchen Sie die Schriftstellen, die davon sprechen, dass die Errettung allein vom Glauben abhängig ist.
20. Warum ist eine verstandesmäßige Zustimmung zum Evangelium kein schlüssiger Beweis wirklichen Glaubens?
21. Warum reicht eine nur gefühlsmäßige Reaktion auf das Evangelium nicht aus, um errettet zu werden?
22. Warum ist der Glaube ein Akt des ganzen Menschen – des Verstandes, der Gefühle und des Willens?
23. Warum ist es falsch, dem Glauben noch bestimmte Werke hinzufügen zu wollen?
24. Erörtern Sie die Tatsache, dass Werke eine Folge des rettenden Glaubens sind und nicht eine Bedingung zur Errettung.
25. Fassen Sie zusammen, was der Mensch tun muss, um errettet zu werden.

Kapitel 29

Die Errettung von der Macht der Sünde

A. Nur Christen sind von der Sünde befreit

Da die Errettung von der Macht der Sünde Gottes gnädige Vorsorge für diejenigen ist, die Er bereits von der Schuld und Strafe der Sünde errettet hat, lässt sich diese Lehre nur auf Christen anwenden. Obwohl Christen errettet und sicher in Christus sind, haben sie immer noch die Veranlagung zu sündigen und tun das auch. Dies ist in der Schrift und im täglichen Leben tausendfach belegt. Darum erklärt das Neue Testament den von Gott vorgesehenen Weg zur Befreiung.

Weil viele junge Gläubige annehmen, ein Christ würde niemals sündigen oder auch nur die Neigung zur Sünde zeigen, sind sie verwirrt und beunruhigt, ja, sie zweifeln an ihrer eigenen Errettung, wenn sie die Macht der Sünde in ihrem Leben entdecken. Es ist gut, wenn die Sünde sie beunruhigt, da Sünde die Heiligkeit Gottes verletzt; doch anstatt an ihrer Errettung zu zweifeln oder der Sünde nachzugeben, sollten sie Gottes gnädige Vorsorge kennenlernen, durch die sie Befreiung finden können.

Neben dem Weg zur Errettung gibt es kein wichtigeres Thema für den Menschen als den göttlichen Plan, durch den ein Christ zur Ehre Gottes leben kann. Unwissenheit und Irrtümer können tragisches geistliches Versagen zur Folge haben. Wie bei der Verkündigung des Evangeliums, so muss auch bei der Erklärung der biblischen Lehre der Befreiung von der Macht der Sünde große Sorgfalt angewendet werden.

B. Das Problem der Sünde im Leben eines Christen

Da wir die göttliche Natur empfangen haben (2Petr 1,4), unsere alte Natur aber auch immer noch besitzen, hat jedes Kind Gottes zwei Naturen; die eine kann nicht sündigen, und die andere kann nicht heilig sein. Die alte Natur, die manchmal „Sünde“ (womit die Quelle der Sünde gemeint ist) und der „alte Mensch“ genannt wird, ist ein Teil des Fleisches; denn in der Bibel bezieht sich der Ausdruck „Fleisch“, wenn er in moralischem Sinne gebraucht wird, auf den Geist, die Seele und den Leib – vor allem bei dem nicht wiedergeborenen Menschen. Darum sagt der Apostel Paulus: „Denn ich weiß, dass in mir, das ist in meinem Fleisch, nichts Gutes wohnt“ (Röm 7,18). Dagegen schreibt der Apostel Johannes über die eingepflanzte göttliche Natur: „Jeder, der aus Gott geboren ist, tut nicht Sünde, denn sein Same bleibt in ihm; und er kann nicht sündigen, weil er aus Gott geboren ist“ (1Jo 3,9). Diese Stelle besagt, dass *jeder* Christ, da er aus Gott geboren ist, nicht die Sünde tut oder beständig sündigt (das Verb steht im Präsens und zeigt damit eine fortlaufende Handlung). Jedoch sollte beachtet werden, dass genau dieser Brief jedes Kind Gottes davor warnt zu behaupten, es hätte keine sündige Natur (1,8) oder habe nicht gesündigt (1,10).

Diese beiden Triebkräfte in einem Gläubigen werden in Galater 5,17 behandelt, wo gesagt wird, dass sowohl der Heilige Geist als auch das Fleisch unablässig wirksam sind und im Konflikt miteinander stehen: „Denn das Fleisch begehrt gegen den Geist auf, der Geist aber gegen das Fleisch; denn diese aber sind einander entgegengesetzt.“ Der Apostel meint hier nicht den fleischlichen Christen, sondern den geistlichen, gerade den, der die Lust des Fleisches nicht vollbringt (5,16). In einem solchen besteht dieser Konflikt, und er ist nur befreit von der Lust des Fleisches, weil er in Abhängigkeit vom Geist lebt.

C. Das Gesetz als eine Lebensregel

Wenn man Gottes Plan für die Befreiung von der Macht der Sünde verstehen will, ist es wichtig, zwischen Gesetz und Gnade als Lebensregeln zu unterscheiden. Das Wort „Gesetz“ wird in der Bibel in vielen verschiedenen Bedeutungen gebraucht. Wenn es im Sinne einer Lebensregel verwendet wird, ist verschiedenes damit gemeint.

1. Die Zehn Gebote, die vom Finger Gottes auf Steintafeln geschrieben wurden (2Mo 31,18).

2. Das ganze Regierungssystem Israels im Gelobten Land, wozu die Zehn Gebote (2Mo 20,1-26), die Rechtsbestimmungen (2Mo 21,1–24,11) und die Priesterordnung (2Mo 24,12–31,18) gehörten.

3. Die Regierungsprinzipien des noch ausstehenden Königreiches des Messias auf der Erde, von dem gesagt wird, dass es die Erfüllung des Gesetzes und der Propheten ist (Mt 5,1–7,29; bes. 5,17-18; 7,12).

4. Jeder Aspekt des geoffenbarten Willens Gottes für die Menschen (Röm 7,22.25; 8,4).

5. Jede Verhaltensregel, die von Menschen für ihre eigene Regierung erlassen wurde (Mt 20,15; Lk 20,22; 2Tim 2,5). Das Wort „Gesetz" wird auch einige Male im Sinne einer ausübenden Macht verwendet (Röm 7,21; 8,2).

6. Vor allem im Alten Testament wird das Gesetz dargestellt als ein an Bedingungen geknüpfter Bund der Werke. In diesem Sinne bezieht sich der Anwendungsbereich des Gesetzes nicht nur auf die mosaischen Schriften und das Gesetz, sondern es schließt auch alle menschlichen Versuche ein, sich durch eigenes Handeln die Gunst Gottes zu sichern. Die Formel des Gesetzes heißt: „Wenn du Gutes tust, werde ich dich segnen." Und so wird das höchste Ideal des gottgefälligen Verhaltens – wenn damit nur bezweckt wird, sich Gottes Gunst zu sichern, und es keine Antwort auf die bereits empfangene Gnade in Christus ist – in seinem Charakter vollkommen gesetzlich sein.

7. Das Gesetz wird auch dargestellt als ein Prinzip der Abhängigkeit vom Fleisch. Das Gesetz bot keinerlei Befähigung, es auch zu halten. Von den Geboten wurde nicht mehr erwartet, als der natürliche Mensch in seiner Umgebung leisten konnte. Daher ist alles, was aus der Kraft des Fleisches getan wird, in seinem Wesen gesetzlich, ob es nun der ganze geoffenbarte Wille Gottes ist, die tatsächlich im Gesetz niedergeschriebenen Gebote, die Ermahnungen der Gnade oder irgendeine andere geistliche Handlung.

D. Die Gnade als eine Lebensregel

Für das Kind Gottes unter der Gnade ist jetzt jeder Aspekt des Gesetzes abgetan (Joh 1,16.17; Röm 6,14; 7,1-6; 2Kor 3,1-8; Gal 3,19-25; Eph 2,15; Kol 2,14).

1. Die rechtlichen Gebote des mosaischen Systems und die Gebote, die die Regierung des kommenden Königreichs leiten werden, sind heute nicht die Leitlinien für einen Christen. Sie sind von einer neuen Verhaltensregel der Gnade abgelöst worden, die in sich selbst alles Wesentliche des Gesetzes enthält, doch neu formuliert ist entsprechend der besonderen Ordnung der Gnade.

2. Das Kind Gottes unter Gnade ist von der Last des Bundes der Werke befreit worden. Es muss sich nicht darum bemühen, angenommen zu werden, sondern ist frei, als jemand zu leben, der in Christus angenommen worden ist (Eph 1,6).

3. Das Kind Gottes ist nicht aufgerufen, aus der Kraft seines Fleisches zu leben. Es ist befreit von diesem Merkmal des Gesetzes und kann durch die Kraft des in ihm wohnenden Geistes leben. Da das Gesetz für Israel bestimmt war, konnte nur Israel durch den Tod Christi von den geschriebenen Geboten Moses befreit werden. Nicht nur der Jude, auch der Heide ist jedoch durch diesen Tod von dem hoffnungslosen Prinzip des menschlichen Verdienstes und von dem nutzlosen Kampf des Fleisches befreit worden.

4. Im Gegensatz zum Gesetz bezieht sich das Wort „Gnade" auf eine unverdiente Gunst, die Gott den Menschen seit Adam erwiesen hat. Unter der Gnade verfährt Gott mit dem Menschen nicht so, wie dieser es verdient hätte, sondern Er erweist ihm unendliche Güte und Gnade. Dies ist Ihm möglich, weil die gerechte Strafe, die Er in Seiner Heiligkeit sonst auf den Sünder hätte legen müssen, durch den Sohn Gottes bereits getragen worden ist.

Obwohl das Volk Israel die Gnade Gottes als Lebensregel auf vielerlei Weise erfahren hat, ist es aus einer von Gnade bestimmten Beziehung zu Gott in eine vom Gesetz bestimmte Beziehung zu Ihm geraten. Als das Volk, wie in 2. Mose 19,3-25 beschrieben, das Gesetz akzeptierte, ging es törichterweise von der Annahme aus, es könnte das Gesetz Gottes halten. Dass nur die Gnade die einzig mögliche Basis war, von Gott angenommen zu werden, war ihm nicht klar. Die Erfahrungen Israels unter dem Gesetz belegen, dass es unmöglich ist, durch die Prinzipien des Gesetzes von der Macht der Sünde befreit zu werden.

5. Die Gnade zeigt sich im Gegensatz zum Gesetz in drei verschiedenen Bereichen: a) Errettung durch Gnade, b) Bewahrung durch Gnade, c) Gnade als Lebensregel für die Erlösten.

a) Gott errettet die Sünder durch Gnade, und dem Menschen wird kein anderer Weg angeboten, auf dem er Errettung finden kann (Apg 4,12). Die rettende Gnade ist die grenzenlose, vorbehaltlose Liebe Gottes für den Verlorenen, die in Übereinstimmung mit den genauen und unveränderlichen Forderungen Seiner Gerechtigkeit durch den Opfertod Christi ausgeübt wird. Gnade ist mehr als Liebe; sie ist freigesetzte Liebe, die die gerechte Strafe Gottes für den Sünder überwunden hat.

Wenn Gott einen Sünder durch Gnade errettet, muss Er sich mit jeder Sünde befassen, denn sonst würde sie eine Strafe erforderlich machen und die Gnade hindern. Dies hat Er durch den Tod Seines Sohnes gewirkt. Jede Verpflichtung muss also aufgehoben werden, und darum ist die Errettung eine vollkommene Gabe Gottes (Joh 10,28; Röm 6,23; Eph 2,8). Auch ist es notwendig, dass jedes menschliche Verdienst außer Acht gelassen wird, damit nicht das Werk, das Gott vollbringt, in irgendeiner Weise auf das Verdienst der Menschen gegründet sei, sondern allein auf Seine souveräne Gnade (Röm 3,9; 11,32; Gal 3,22). Da jedes menschliche Zutun ausgeschlossen wird, ist das Evangelium der Gnade die Proklamation der mächtigen, erlösenden, umgestaltenden Gnade Gottes, die allen Gläubigen ewiges Leben und ewige Herrlichkeit anbietet.

b) Der göttliche Plan der Bewahrung durch die Gnade zeigt, dass Gott durch Gnade allein die erhält, die errettet sind. Nachdem Er einen Weg geöffnet hat, auf dem Er frei von Seinen gerechtfertigten Ansprüchen gegen die Sünde handeln kann, nachdem er jegliche Verpflichtung des Menschen, für seine Schuld zu bezahlen, beseitigt und auf ewig jedes menschliche Verdienst ausgeschlossen hat, braucht Gott dem Erlösten nur weiterhin Gnade zu erweisen, um seine Bewahrung auf ewig sicherzustellen. Dies tut Er, und von dem Kind Gottes wird gesagt, dass es in Gnade steht (Röm 5,2; 1Petr 5,12).

c) Gott stellt auch eine Lebensregel für den Erlösten zur Verfügung, die auf dem Gnadenprinzip basiert. Er lehrt diejenigen, die errettet und bewahrt sind, wie sie in Gnade leben sollen und zu Seiner ewigen Ehre leben können. So wie das Gesetz dem Volk Israel eine vollständige Verhaltensregel an die Hand gab, so hat Gott auch für den Christen eine vollständige Verhaltensregel aufgestellt. Da alle Lebensregeln, die in der Bibel zu finden sind, in sich selbst vollständig sind, ist es nicht notwendig, sie miteinander zu verbinden. So ist das Kind Gottes also nicht unter dem Gesetz als einer Lebensregel, sondern unter den Ratschlägen der Gnade. Was es unter der Gnade tut, tut es nicht mit der Absicht, sich Gottes Gunst zu sichern, sondern das Kind Gottes tut es, weil es in dem Geliebten bereits angenommen ist. Was der Christ tut, wird nicht in der Kraft des Fleisches unternommen, sondern ist die Lebensäußerung und Manifestation des in dem Gläubigen wohnenden Geistes. Er führt sein Leben nach dem Grundsatz des Glaubens: „Der Gerechte wird aus Glauben leben." Diese Prinzipien sind in Teilen der Evangelien und in den Briefen niedergelegt.

E. Der einzige Weg zum Sieg

Es gibt verschiedene Theorien, auf welche Weise der Christ angeblich Befreiung von der Macht der Sünde erfahren kann.

1. Es wird behauptet, der Christ würde getrieben, zur Ehre Gottes zu leben, wenn er bestimmte Regeln beachten würde. Dieses gesetzliche Prinzip ist zum Scheitern verurteilt, weil es von dem Fleisch abhängig ist, von dem es gerade Befreiung sucht (Röm 6,14).

2. Weithin wird behauptet, der Christ müsse die Ausrottung der alten Natur anstreben und erreichen, um dann für immer frei zu sein von der Macht der Sünde. Zu dieser Theorie gibt es einige Einwendungen.

a) Es gibt keine Bibelstelle, die diese Theorie der Ausrottungsmöglichkeit belegt.

b) Die alte Natur ist ein Teil des Fleisches. Gott wird damit so verfahren, wie Er mit dem Fleisch verfährt. Das Fleisch ist eines der mächtigsten Feinde des Christen – die Welt, das Fleisch und der Teufel. Gott rottet weder die Welt aus noch das Fleisch oder den Teufel, sondern Er schenkt uns durch Seinen Geist den Sieg über diese Feinde (Gal 5,16; 1Jo 4,4; 5,4). In derselben Weise gibt Er uns auch durch den Geist den Sieg über die alte Natur (Röm 6,14; 8,2).

c) Bisher kann noch niemand aus Erfahrung diese Theorie der Ausrottung beweisen, und wenn sie stimmte, würden Eltern, die dies geschafft hätten, Kindern ohne Sündennatur das Leben schenken.

d) Wenn diese Theorie stimmen würde, bliebe kein Raum für das Wirken des innewohnenden Heiligen Geistes, dann hätte Er keine Bedeutung und keine Aufgabe mehr. Doch das ist nicht der Fall. Gerade die geistlichen Christen werden ermahnt, im Geist zu wandeln, sich für gestorben zu halten, sich hinzugeben, nicht die Sünde regieren zu lassen, den alten Menschen abzulegen, die Handlungen des Leibes zu töten und in Christus zu bleiben.

3. Einige Christen nehmen an, dass sie allein aufgrund ihrer Errettung, ohne das Wirken des Geistes zur Ehre Gottes leben könnten. In Römer 7,15–8,4 berichtet der Apostel von seiner eigenen Erfahrung mit dieser Annahme. Er sagt, dass er um das Gute zwar wusste, es jedoch nicht vollbringen konnte (7,18). Daraus schloss er, a) dass er in seinen besten Bemühungen eine Niederlage erlitt, weil ein allgegenwärtiges Gesetz der Sünde in seinen Gliedern herrschte, das dem Gesetz seines Sinnes widerstreitet (7,23); b) dass solch ein Zustand elend ist (7,24); c) dass, obwohl er gerettet war, allein das Gesetz des Geistes des Lebens in Christus ihn frei machte, nicht seine eigenen Werke (8,2); d) dass der ganze Wille Gottes *in* dem Gläubigen erfüllt wird, aber niemals *von* dem Gläubigen (8,4).

In Römer 7,25 wird gesagt, dass Befreiung von der Macht der Sünde *durch* Jesus Christus, unseren Herrn, geschieht. Da es um die Heiligkeit Gottes geht, kann die Befreiung nur *durch* Jesus Christus geschehen. Der Heilige Geist könnte niemals in einem nicht gerichteten, gefallenen Menschen herrschen, doch in Römer 6,1-10 wird gesagt, dass die gefallene Natur des Gläubigen dadurch gerichtet worden ist, dass er mit Christus gekreuzigt, gestorben und begraben worden ist. So ist es für den innewohnenden Geist moralisch möglich geworden, den Sieg zu gewährleisten. Durch diese Vorsorge kann der Gläubige in der Kraft eines neuen Lebensprinzips wandeln, also in der Abhängigkeit vom Geist allein, und er sollte sich der Sünde für tot halten (6,4.11). Die Befreiung von der Macht der Sünde geschieht also *mithilfe* des Geistes *durch* Christus.

F. Sieg durch den Heiligen Geist

Wie schon in der Lehre über den Heiligen Geist herausgearbeitet, kann ein Christ durch den Geist Gottes von der Macht der Sünde befreit werden. „Wenn ihr mit Hilfe des Geistes wandelt, werdet ihr die Lust des Fleisches nicht vollbringen“ (Gal 5,16 wörtlich). Die Errettung von der Macht der Sünde geschieht wie die Errettung von der Strafe der Sünde durch Gott und ist abhängig von der Glaubens*haltung* des Menschen – wie die Errettung von der Strafe der Sünde von einem Glaubens*akt* abhängig ist. Der gerechtfertigte Mensch wird durch den Glauben leben, einen Glauben, der abhängt von der Kraft eines anderen –, und der gerechtfertigte Mensch wird sein Leben lang völlig auf die Kraft des Heiligen Geistes angewiesen sein.

Es gibt drei Gründe für ein Leben in der Abhängigkeit von dem innewohnenden Geist:

1. Unter dem Grundsatz der Gnade steht der Gläubige vor unmöglich zu erfüllenden himmlischen Lebensgrundsätzen. Da er ein Bürger des Himmels (Phil 3,20), ein Glied am Leibe Christi (Eph 5,30) und Mitbürger der Heiligen und Hausgenossen Gottes (Eph 2,19. 3,15) ist, ist das Kind Gottes aufgerufen, in Übereinstimmung mit seiner himmlischen Stellung zu handeln. Da dies eine übermenschliche Lebensweise ist (Joh 13,34; 2Kor 10,5; Eph 4,1-3.30; 5,20; 1Thes 5,16-17; 1Petr 2,9), muss er sich ganz auf den in ihm wohnenden Geist verlassen.

2. Der Christ hat es mit Satan zu tun – dem weltbeherrschenden Feind. Deshalb muss er „stark im Herrn“ sein (Eph 6,10-12; vgl. 1Jo 4,4; Jud 9).

3. Der Christ besitzt noch die alte Natur, die er aus sich selbst heraus nicht beherrschen kann. Die Bibel versichert uns darum, dass Gott nicht nur von der Schuld der Sünde befreit, sondern auch von der Macht der Sünde. Wenn der Christ dann endgültig im Himmel ist, wird er auch von der Gegenwart der Sünde befreit sein.

? Fragen

1. Warum sind nur Christen von der Sünde befreit?
2. Inwiefern ist Sünde für Christen ein Problem?
3. Was sagt die Schrift darüber aus, dass der Christ zwei Naturen besitzt?
4. In welcher Beziehung steht der Heilige Geist zur alten Natur des Christen?
5. In welchen Bedeutungen wird das Wort „Gesetz“ in der Bibel verwendet?

6. Wieso befähigt das Gesetz einen Menschen nicht gleichzeitig, es auch zu halten?
7. Warum steht der Christ nicht unter dem mosaischen Gesetz?
8. Warum muss sich der Christ nicht darum bemühen, von Gott angenommen zu werden?
9. Warum sollte ein Kind Gottes nicht versuchen, aus der Kraft seines eigenen Fleisches zu leben?
10. Welchen Bezug hatte Israel zur Gnade als einer Lebensregel im Vergleich zu der Gemeinde?
11. Inwiefern zeigt sich die Gnade in der „Errettung aus Gnade", und was ist von Gottes Seite nötig?
12. Welchen Zusammenhang gibt es zwischen der Gnade und der Bewahrung eines Gläubigen?
13. Inwiefern ist die Gnade eine vollständige Lebensregel?
14. Warum ist das Gesetzesprinzip zum Scheitern verurteilt?
15. Welche Einwände können gegen die Theorie erhoben werden, die alte Natur könne ausgerottet werden?
16. Warum ist es falsch zu denken, dass ein Mensch, nur weil er errettet ist, auch mühelos ein christliches Leben führen könne?
17. Wodurch ist die Befreiung von der Macht der Sünde möglich gemacht worden, und in welchem Zusammenhang steht dies zu Jesus Christus und zum Heiligen Geist?
18. Inwiefern ist Befreiung von der Macht der Sünde vom Glauben abhängig?
19. Warum machen es die für einen Christen unmöglich zu erfüllenden göttlichen Maßstäbe erforderlich, in Abhängigkeit vom in ihm wohnenden Geist zu leben?
20. Inwiefern macht die Macht Satans die Befreiung eines Gläubigen notwendig?
21. Inwiefern macht die Macht der alten Natur Befreiung erforderlich?
22. Vergleichen Sie das Ausmaß der Befreiung von Sünde hier auf der Erde mit dem im Himmel.

Kapitel 30

Vier Aspekte der Gerechtigkeit

Die Bibel betont einen sehr wichtigen Unterschied zwischen Gott und dem Menschen, nämlich dass Gott gerecht ist (1Jo 1,5), während gegen den Menschen in Römer 3,10 die grundsätzliche Anklage erhoben wird: „Da ist kein Gerechter, auch nicht einer." Zur Gnade Gottes gehört es dementsprechend, dass Er allen, die an Ihn glauben, aus freien Stücken eine vollkommene Gerechtigkeit verleiht, die mit einem fleckenlosen Hochzeitsgewand verglichen wird (Röm 3,22).

In der Bibel werden vier Arten von Gerechtigkeit unterschieden.

A. Gott ist gerecht

Diese Gerechtigkeit Gottes ist unveränderlich (Röm 3,25-26). Er ist vollkommen gerecht in Seinem Wesen und vollkommen gerecht in allem, was Er tut.

Gott ist gerecht in Seinem Wesen. Es ist unmöglich für Ihn, von Seiner Gerechtigkeit auch nur so weit abzuweichen, dass es „eines Wechsels Schatten" gibt (Jak 1,17). Er kann die Sünde auch nicht mit dem leisesten Maß an Duldung ansehen. Daher ist das göttliche Strafgericht auf alle Menschen gekommen, weil alle Menschen sowohl von ihrem Wesen her als auch nach ihren Taten Sünder sind. Diese Wahrheit anzunehmen ist sehr wichtig zum richtigen Verständnis des Evangeliums der göttlichen Gnade.

Gott ist gerecht in Seinem Handeln. Er kann keine Sünde übersehen oder aus reiner Nachsicht vergeben. Der Triumph des Evangeliums liegt nicht einer Verharmlosung der Sünde von Seiten Gottes; sondern er liegt vielmehr in der Tatsache begründet, dass alle Strafen, die Gott in Seiner unendlichen Gerechtigkeit über den Sünder verhängen musste, stellvertretend von dem Lamm getragen wurden. Dies ist ein Plan, den Gott selbst erdacht hat und der in Übereinstimmung mit Seiner eigenen Gerechtigkeit für alle ausreicht, die glauben. Durch diesen Plan kann Gott Seine Liebe zufriedenstellen, indem Er den Sünder errettet, ohne gegen Seine unveränderliche Gerechtigkeit zu verstoßen; und der Sünder, der auf sich selbst gestellt vollkommen verloren wäre, wird freigesprochen von aller Verdammung (Joh 3,18; 5,24; Röm 8,1; 1Kor 11,32).

Die Menschen verstehen Gott häufig als ein gerechtes Wesen, doch nur zu oft ist ihnen nicht klar, dass die Gerechtigkeit Gottes nicht geschmälert wird und auch nicht geschmälert werden kann, wenn Er Sünder errettet.

B. Die Selbstgerechtigkeit des Menschen

Der vollkommenen Gerechtigkeit Gottes steht gegenüber, dass aus der Sicht Gottes die Gerechtigkeit des Menschen (Röm 10,3) „wie ein beflecktes Kleid" ist (Jes 64,5). Obwohl die Sündhaftigkeit des Menschen immer wieder in der Bibel aufgezeigt wird, findet sich wohl keine vollständigere und endgültigere Beschreibung als die in Römer 3,9-18, und es sollte beachtet werden, dass dies, wie alle anderen Bewertungen der Sünde, die in der Bibel aufgezeigt sind, eine Beschreibung dessen ist, wie Gott Sünde sieht.

Die Menschen haben Maßstäbe aufgestellt für die Familie, für die Gesellschaft und für den Staat; doch diese sind in keiner Weise die Grundlage, auf der der Mensch steht und nach der er vor Gott gerichtet wird. In ihrer Beziehung zu Gott ist es nicht weise, wenn die Menschen sich untereinander vergleichen (2Kor 10,12). Denn nicht allein diejenigen, die von der Gesellschaft verurteilt werden, sind verloren, sondern alle diejenigen, die von der unveränderlichen Gerechtigkeit Gottes verurteilt werden (Röm 3,23). Daher gibt es keine Hoffnung für die Menschen, die außerhalb der Gnade Gottes stehen, denn niemand kann in den Himmel kommen, der nicht vor Gott genauso annehmbar ist wie Christus selbst. Dafür hat Gott vollkommene Vorsorge getroffen.

C. Die zugerechnete Gerechtigkeit Gottes

Wie schon in einem früheren Kapitel herausgearbeitet, ist die zugerechnete Gerechtigkeit Gottes (Röm 3,22) wesentlich zum Verständnis sowohl der Richtlinien, nach denen Gott einen Sünder verdammt, als auch der Richtlinien, nach denen Er den Christen rettet. Obgleich diese Lehre schwierig zu verstehen ist, ist ihr Verständnis sehr wichtig, weil sie einen Hauptaspekt der Offenbarung Gottes darstellt.

1. Zurechnung geschieht, indem die Sünde Adams auf die ganze Menschheit gelegt wird mit dem Ergebnis, dass alle Menschen von Gott als Sünder angesehen werden (Röm 5,12-21). Dies setzt sich darin fort, dass die Sünde des Menschen Christus angerechnet wurde, als Er für die ganze Welt das Sündopfer wurde (2Kor 5,14.21; Hebr 2,9; 1Jo 2,2). So wird auch die Gerechtigkeit Gottes allen Gläubigen zugerechnet, sodass sie in der Vollkommenheit Christi vor Gott stehen können. Aufgrund dieser göttlichen Vorsorge wird von den Erretteten gesagt, dass sie die Gerechtigkeit Gottes „wurden" (2Kor 5,21). Da es die Gerechtigkeit Gottes ist und nicht die des Menschen, und da sie außerhalb aller Werke und Gesetzeserfüllung steht (Röm 3,21), kann diese zugeschriebene Gerechtigkeit nicht durch den Menschen erreicht werden. Weil es die Gerechtigkeit Gottes ist, wird sie weder gesteigert durch die Güte dessen, dem sie zugerechnet wird, noch wird sie gemindert durch seine Schlechtigkeit.

2. Die Gerechtigkeit Gottes wird dem Gläubigen zugerechnet aufgrund der Tatsache, dass er durch die Taufe des Geistes in Christus ist. Aufgrund dieser Lebensgemeinschaft mit Christus durch den Geist wird der Gläubige ein Glied am Leib Christi (1Kor 12,13) und eine Rebe am wahren Weinstock (Joh 15,1.5). Weil diese Gemeinschaft real ist, sieht Gott den Gläubigen als einen lebendigen Teil Seines Sohnes. Darum liebt Er ihn wie Seinen eigenen Sohn (Joh 17,23), Er nimmt ihn an, wie Er Seinen eigenen Sohn annimmt (Eph 1,6; 1Petr 2,5), und Er sieht ihn als das an, was Sein Sohn ist – die Gerechtigkeit Gottes (Röm 3,22; 1Kor 1,30; 2Kor 5,21). Christus ist die Gerechtigkeit Gottes, darum sind die Erlösten die Gerechtigkeit Gottes *geworden*, weil sie *in Ihm* sind (2Kor 5,21). Sie sind vollendet in Ihm (Kol 2,19) und für immer vollkommen gemacht (Hebr 10,10.14).

3. Die Bibel gibt uns zahlreiche Sinnbilder für die Zurechnung. Kleider aus Fell, die das Vergießen von Blut nötig machten, wurden Adam und Eva von Gott gegeben (1Mo 3,21). Abraham wurde eine gerechte Stellung zugerechnet, weil er Gott *glaubte* (1Mo 15,6; Röm 4,9-22; Jak 2,23), und wie die Priester des Alten Testaments bekleidet wurden mit Gerechtigkeit (Ps 132,9), so ist der Gläubige bekleidet mit dem Hochzeitskleid der Gerechtigkeit Gottes, und in diesem Gewand wird er in der Herrlichkeit erscheinen (Offb 19,8).

Die Haltung des Apostels Paulus Philemon gegenüber ist ein Beispiel sowohl für zugerechnetes Verdienst als auch zugerechnetes Versagen. Paulus sagt dort über den Sklaven Onesimus: „Wenn du mich nun für deinen Gefährten hältst, so nimm ihn auf wie mich [zugerechnetes Verdienst]! Wenn er dir aber irgendein Unrecht getan hat oder dir etwas schuldig ist, so rechne dies mir an [zugerechnetes Versagen]" (Phim 17-18; lesen Sie auch Hi 29,14; Jes 11,5; 59,17; 61,10).

4. Zurechnung betrifft die Stellung und nicht den Zustand. Es gibt also eine Gerechtigkeit Gottes, die über allen menschlichen Werken steht und die *für* alle und *auf* allen ist, die glauben (Röm 3,22). Dies ist die ewige Stellung aller Erlösten. In ihrem täglichen Leben oder Zustand sind sie keineswegs vollkommen, und in diesem Bereich ihrer Beziehung zu Gott müssen sie wachsen „in der Gnade und Erkenntnis unseres Herrn und Retters Jesus Christus!" (2Petr 3,18).

5. Zugerechnete Gerechtigkeit ist die Grundlage für die Rechtfertigung. Nach neutestamentlichem Gebrauch haben die Wörter „Gerechtigkeit" und „rechtfertigen" denselben Stamm. Gott erklärt den Menschen auf ewig gerecht, den Er *in Christus* sieht. Es ist ein gerechtes Urteil, weil der Gerechtfertigte in die Gerechtigkeit Gottes gekleidet ist. Rechtfertigung ist keine Fiktion oder kein Gefühlszustand, sondern eine unveränderliche Größe im Denken Gottes. Wie die zugerechnete Gerechtigkeit, so kommt die Rechtfertigung durch Glauben (Röm 5,1), durch Gnade (Tit 3,4-7) und ist möglich gemacht durch den Tod und die Auferstehung Jesu Christi (Röm 3,24; 4,25). Sie ist bleibend und unveränderlich, weil sie allein auf dem Verdienst des ewigen Sohnes Gottes basiert.

Rechtfertigung ist mehr als Vergebung. Vergebung ist die Annullierung der Sünde, Rechtfertigung dagegen ist die Zurechnung von Gerechtigkeit. Vergebung ist negativ (Aufhebung der Verdammung), Rechtfertigung dagegen ist positiv (Verleihung des Verdienstes und der Stellung Christi).

Wenn Jakobus von einer Rechtfertigung durch Werke schreibt (2,14-26), hat er die Stellung des Gläubigen vor den Menschen im Blick; Paulus, der von der Rechtfertigung durch Glauben schreibt (Röm 5,1), hat die Stellung des Gläubigen vor Gott im Blick. Abraham wurde vor den Menschen gerechtfertigt, weil er seinen Glauben durch seine Werke bewies (Jak 2,21); gleichermaßen wurde er durch Glauben vor Gott gerechtfertigt aufgrund der ihm zugerechneten Gerechtigkeit (Jak 2,23).

D. Die Gerechtigkeit, die durch den Geist vermittelt wird

Wenn ein Kind Gottes mit dem Heiligen Geist erfüllt ist, wird es die gerechten Werke (Röm 8,4) der „Frucht des Geistes" (Gal 5,22-23) vollbringen und die Gaben für den Dienst offenbaren, die ihm vom Geist gegeben worden sind (1Kor 12,7). Diese Resultate werden eindeutig dem unmittelbaren Wirken des Geistes in und durch den Gläubigen zugeschrieben. Hier wird eine Lebensweise beschrieben, die in keiner Weise von dem Gläubigen selbst hervorgebracht wird; es ist vielmehr eine Lebensweise, die durch ihn von dem Geist allein gewirkt wird. Bei den Menschen, die nicht nach dem Fleisch, sondern nach dem Geist wandeln, erfüllt sich die Gerechtigkeit des Gesetzes, die in diesem Fall nichts weniger als die Verwirklichung des ganzen Willens Gottes für den Gläubigen meint, *in* ihm. Niemals könnte es *von* ihm selbst erfüllt werden. Wenn es solchermaßen von dem Geist gewirkt ist, ist es ein Leben der vermittelten Gerechtigkeit Gottes.

? Fragen

1. Wie werden Gott und Mensch hinsichtlich der Gerechtigkeit unterschieden?
2. Welche vier Aspekte der Gerechtigkeit werden in der Schrift aufgezeigt?
3. Wie äußert sich die vollkommene Gerechtigkeit Gottes?

4. Inwiefern ist der Mensch selbstgerecht, und warum reicht Selbstgerechtigkeit nicht aus, um errettet zu werden?
5. Warum braucht der Mensch die zugerechnete Gerechtigkeit Gottes?
6. Was sind die Folgen dieser Zurechnung für den Menschen?
7. Nennen Sie einige biblische Bilder für die Zurechnung.
8. Inwiefern beeinflusst die Zurechnung die Stellung und den Zustand des Menschen vor Gott?
9. Welcher Zusammenhang besteht zwischen zugerechneter Gerechtigkeit und Rechtfertigung?
10. Stellen Sie Rechtfertigung und Vergebung einander gegenüber.
11. Welches ist der Unterschied zwischen Rechtfertigung durch Werke und Rechtfertigung durch den Glauben?
12. Inwiefern wird Gerechtigkeit vom Geist vermittelt?

Kapitel 31

Heiligung

A. Die Wichtigkeit einer korrekten Deutung

Die Lehre von der Heiligung wird häufig missverstanden, obwohl die Bibel ausführliche Offenbarungen über dieses wichtige Thema enthält. Im Licht der Betrachtung dieser Lehre ist es wichtig, drei Gebote für die Interpretation zu beachten.

1. Für das richtige Verständnis der Lehre von der Heiligung ist es wichtig, alle Bibelstellen zu betrachten, die dieses Thema behandeln. Die Anzahl der Schriftstellen, die diese Lehre behandeln, ist recht groß und umfasst alle Passagen, in denen die Begriffe „heilig“, „heiligen/geheiligt“ und „Heilige“ in ihren verschiedenen Formen vorkommen.

2. Die Lehre der Heiligung kann nicht aus der Erfahrung heraus interpretiert werden. Nur einer von drei Aspekten der Heiligung beschäftigt sich mit der menschlichen Erfahrung im täglichen Leben. Daher kann eine Analyse einiger persönlicher Erfahrungen nicht als Ersatz dienen für das, was das Wort Gottes darüber sagt. Selbst wenn Heiligung auf menschliche Erfahrungen begrenzt wäre, könnte es niemals ein vollkommenes Beispiel dafür geben, noch könnte eine menschliche Aussage über diese Erfahrung wirklich das volle Ausmaß der göttlichen Realität beschreiben. Es ist die Aufgabe der Bibel, die Erfahrung zu deuten, nicht die Aufgabe der Erfahrung, die Bibel zu deuten. Jede von Gott gewirkte Erfahrung wird in Übereinstimmung mit der Schrift sein.

3. Die Lehre von der Heiligung muss im richtigen Zusammenhang zu allen anderen biblischen Lehren stehen. Eine unverhältnismäßig starke Betonung einer bestimmten Lehre oder die Angewohnheit, alles im Licht einer bestimmten biblischen Lehre zu betrachten, führt zu schwerwiegenden Fehleinschätzungen. Die Lehre der Heiligung stellt wie alle anderen biblischen Lehren einen bestimmten Bereich innerhalb des Planes Gottes dar, und da die Heiligung zu einem bestimmten Zweck geschieht, ist es genauso falsch, ihr einen zu großen Stellenwert einzuräumen, wie ihr zu wenig Bedeutung zukommen zu lassen.

B. Die Bedeutung von Begriffen, die mit der Heiligung zusammenhängen

1. Das Wort „heiligen" in seinen verschiedenen Formen wird 106-mal im Alten Testament und 31-mal im Neuen Testament verwendet. Es bedeutet „absondern" oder den Zustand des Abgesondertseins. Hiermit ist eine Einstufung in Bezug auf eine Stellung und Beziehung gemeint. Die Grundlage für diese Einstufung ist normalerweise, dass der geheiligte Mensch oder die geheiligte Sache in seiner/ihrer Stellung vor Gott abgesondert oder getrennt wurde von anderen bzw. von dem, was unheilig ist. Dies ist die allgemeine Bedeutung des Wortes.

2. Das Wort „heilig" in seinen verschiedenen Formen wird im Alten Testament mehr als 400-mal und im Neuen Testament etwa 12-mal in Bezug auf Gläubige verwendet. Es bezieht sich auf den Zustand des Abgesondertseins von dem, was unheilig ist. Christus war „heilig, sündlos, unbefleckt abgesondert von den Sündern" (Hebr 7,26). Das bedeutet: Christus war geheiligt. Bestimmte Faktoren gehören jedoch nicht notwendigerweise zur Verwendung des Wortes „heilig" in seinem biblischen Sinn.

a) Sündlose Vollkommenheit ist keine notwendige Voraussetzung für Heiligkeit, denn die Bibel spricht von einer „heiligen Nation", „heiligen Priestern", „heiligen Propheten", „heiligen Aposteln", „heiligen Männern", „heiligen Frauen", „heiligen Brüdern", von einem „heiligen Berge" und einem „heiligen Tempel". Keiner der Menschen war sündlos vor Gott. Sie waren heilig aufgrund eines besonderen Maßstabs, der die Grundlage für ihre Absonderung von anderen bildete. Sogar von den Christen in Korinth, die doch schwere Verfehlungen begangen hatten, wird gesagt, dass sie geheiligt waren. Viele unbelebte Dinge waren geheiligt, und diese konnten mit der Sündenfrage nicht einmal in Zusammenhang gebracht werden.

b) Das Wort „heilig" schließt nicht notwendigerweise eine Endgültigkeit mit ein. Alle diese gerade erwähnten Menschen wurden wiederholt zu einem höheren Maß an Heiligkeit aufgerufen. Sie wurden immer wieder abgesondert. Menschen oder Dinge wurden heilig, weil sie zu einem heiligen Zweck abgesondert wurden. Darum waren sie geheiligt.

3. Der Ausdruck „Heilige" wird etwa 50-mal in Zusammenhang mit dem Volk Israel verwendet und 62-mal im Zusammenhang mit Gläubigen.

Er wird nur für Menschen gebraucht und gibt die Einschätzung Gottes wieder. Niemals ist es eine Bewertung der Qualität ihres Alltagslebens. Sie sind Heilige, weil sie im Plan und Ziel Gottes besonders eingestuft und abgesondert sind. Durch ihre Heiligung sind sie Heilige.

Heiligkeit ist kein fortschreitender Prozess. Jeder wiedergeborene Mensch ist im Augenblick seiner Wiedergeburt ein Heiliger, und dazu kann in der Zeit und auch in Ewigkeit nichts hinzugefügt werden. Die ganze Gemeinde, Sein Leib, ist ein herausgerufenes, abgesondertes Volk; die Gläubigen sind die Heiligen dieses Zeitalters. Sie sind alle geheiligt und deshalb heilig.

Weil sie nicht um ihre Stellung in Christus wissen, glauben einige Gläubige nicht, dass sie Heilige sind. Und doch hat der Heilige Geist uns diesen Titel in der Bibel am zweithäufigsten gegeben: 184-mal werden die Gläubigen in der Bibel „Brüder“ genannt, „Heilige“ 62-mal und „Christen“ nur dreimal.

C. Die Mittel zur Heiligung

1. Wegen Seiner unendlichen Heiligkeit ist Gott selbst – Vater, Sohn und Heiliger Geist – auf ewig geheiligt. Er ist abgesondert und von der Sünde getrennt. Er ist heilig. Der Geist Gottes wird Heiliger Geist genannt. Er ist geheiligt (3Mo 21,8; Joh 17,19).

2. *Von Gott – Vater, Sohn und Geist – wird gesagt, dass Er Menschen heiligt.*

a) Der Vater heiligt (1Thes 5,23).
b) Der Sohn heiligt (Eph 5,26; Hebr 2,11; 9,12.14; 13,12).
c) Der Geist heiligt (Röm 15,16; 2Thes 2,13).
d) Gott der Vater heiligte den Sohn (Joh 10,36).
e) Gott heiligte die Priester und das Volk Israel (2Mo 29,44; 31,13)
f) Unsere Heiligung ist der Wille Gottes (1Thes 4,3).
g) Unsere Heiligung von Gott geschieht: durch unsere Gemeinschaft mit Christus (1Kor 1,2.30), durch das Wort Gottes (Joh 17,17; vgl. 1Tim 4,5), durch das Blut Christi (Hebr 9,13; 13,12), durch den Leib Christi (Hebr 10,10), durch den Geist (1Petr 1,2), aufgrund unserer eigenen Entscheidung (Hebr 12,14; 2Tim 2,21.22), durch den Glauben (Apg 26,18).

3. Gott hat Tage, Orte und Gegenstände geheiligt (1Mo 2,3; 2Mo 29,43).

4. Der Mensch kann Gott heiligen. Dies kann er tun, indem er Gott in seinen Gedanken als heilig absondert. „Geheiligt werde dein Name" (Mt 6,9). „... sondern haltet den Herrn, den Christus, in euren Herzen heilig" (1Petr 3,15).

5. Der Mensch kann sich selbst heiligen. Häufig ruft Gott das Volk Israel auf, sich zu heiligen. Er ermahnt uns: „Seid heilig, denn ich bin heilig" (1Petr 1,16). Und: „Wenn nun jemand sich von diesen [Gefäße zur Unehre] reinigt, wird er ein Gefäß zur Ehre sein, geheiligt, nützlich dem Hausherrn, zu jedem guten Werk bereitet" (2Tim 2,21). Selbstheiligung kann jedoch nur durch die von Gott zur Verfügung gestellten Mittel geschehen. Die Christen sind aufgefordert, ihre Leiber darzustellen als ein lebendiges Opfer, heilig und Gott wohlgefällig (Röm 12,1). Sie sollen „aus ihrer Mitte hinaus" gehen und sich absondern (2Kor 6,17). Da sie diese Verheißungen haben, sollen sie sich reinigen von „jeder Befleckung des Fleisches und des Geistes", indem sie „die Heiligkeit vollenden in der Furcht Gottes" (2Kor 7,1). „Ich sage aber: Wandelt im Geist, und ihr werdet die Begierde des Fleisches nicht erfüllen" (Gal 5,16).

6. Der Mensch kann andere Menschen und Gegenstände heiligen. „Denn der ungläubige Mann ist durch die Frau geheiligt, und die ungläubige Frau ist durch den Bruder geheiligt; sonst wären ja eure Kinder unrein, nun aber sind sie heilig" (1Kor 7,14). Mose heiligte das Volk (2Mo 19,14). Und sie „heiligten das Haus des HERRN" (2Chr 29,17).

7. Ein Gegenstand kann einen anderen heiligen. „Was ist denn größer, das Gold oder der Tempel, der das Gold heiligt?" – „Was ist denn größer, die Gabe oder der Altar, der die Gabe heiligt?" (Mt 23,17.19).

Diese kurze Betrachtung von Bibelstellen zum Thema Heiligung und Heiligkeit macht deutlich, dass Heiligung „absondern zu einem heiligen Zweck" bedeutet. Der abgesonderte Gegenstand wird manchmal gereinigt, manchmal nicht. Manchmal hat er teil an dem Wesen der Heiligkeit und manchmal nicht, wie in dem Fall eines unbelebten Gegenstandes. Und doch ist ein Gegenstand, der aus sich selbst heraus niemals heilig oder unheilig sein kann, wenn er abgesondert wird, genauso geheiligt wie der Mensch, dessen moralischer Charakter einer

Umgestaltung unterworfen ist. Es ist auch offensichtlich, dass, wo diese moralischen Qualitäten existieren, manchmal eine Waschung und Reinigung erforderlich ist, doch nicht immer (1Kor 7,14).

D. Drei wichtige Aspekte der Heiligung

Obwohl im Alten Testament sehr viel über die Lehre der Heiligung zu finden ist, vor allem im Zusammenhang mit dem Gesetz Moses und Israels, zeichnet das Neue Testament doch ein sehr viel klareres Bild von den wichtigen Aspekten der Heiligung. Die Lehre des Neuen Testaments unterteilt sich in drei Bereiche: 1. stellungsmäßige Heiligung, 2. praktische (erfahrungsabhängige) Heiligung, 3. endgültige Heiligung.

1. Stellungsmäßige Heiligung ist eine Heiligung und Heiligkeit, die Gott durch den Leib und das vergossene Blut unseres Herrn Jesus Christus wirkt. Gläubige sind erlöst und in Seinem kostbaren Blut gewaschen worden, alle Übertretungen sind ihnen vergeben, sie sind gerecht gemacht durch ihre neue Stellung in Ihm, gerechtfertigt und gereinigt. Sie sind Kinder Gottes. All dies deutet auf eine klare, tiefe und ewige Einstufung und Absonderung durch die rettende Gnade Christi hin. Sie beruht auf der Stellung, die jeder Christ einnimmt. Von jetzt an ist er *stellungsmäßig* geheiligt, heilig und damit ein Heiliger vor Gott. Diese Stellung steht nicht im Zusammenhang mit seinem täglichen Leben, außer dass sie ihn anregen sollte, heilig zu wandeln. Die Stellung des Christen in Christus ist nach der Schrift der größte Ansporn zu einem heiligen Leben.

In den großen Lehrbriefen ist diese Ordnung eingehalten. Sie sprechen zuerst von dem Wunder der rettenden Gnade und rufen dann auf zu einem Leben, das der göttlich gewirkten Stellung entspricht (vgl. Röm 12,1; Eph 4,1; Kol 3,1). Wir sind nicht angenommen in uns selbst: Wir sind angenommen in dem Geliebten. Wir sind nicht in uns selbst gerecht: Er ist unsere Gerechtigkeit geworden. Wir sind nicht erlöst in uns selbst: Er ist unsere Erlösung geworden. Wir sind nicht stellungsmäßig geheiligt durch unseren Wandel: Er ist uns zur Heiligung gemacht. Stellungsmäßige Heiligung ist genauso vollkommen, wie Er vollkommen ist. In dem Maße, wie Er abgesondert ist, sind auch wir, die wir in Ihm sind, abgesondert.

Stellungsmäßige Heiligung ist für einen schwachen Heiligen genauso vollständig wie für einen starken. Es hängt nur von seiner Vereinigung mit und seiner Stellung in Christus ab. Alle Gläubigen werden „die Heiligen" genannt. Darum sind sie auch „die Geheiligten" (lesen Sie Apg 20,32; 1Kor 1,2; 6,11; Hebr 10,10.14). Der Beweis dafür, dass auch unvollkommene Gläubige stellungsmäßig geheiligt und deshalb Heilige sind, ist im 1. Korintherbrief zu finden. Einige Christen in Korinth führten ein unheiliges Leben (1Kor 5,1-2; 6,1-8), doch zweimal wird von ihnen gesagt, dass sie geheiligt wurden (1Kor 1,2; 6,11).

Durch ihre Stellung werden Christen rechtmäßig „heilige Brüder" und „Heilige" genannt. Sie sind „geheiligt durch das ein für alle Mal geschehene Opfer des Leibes Jesu Christi" (Hebr 10,10) und sind nun Menschen, die „nach Gott geschaffen" sind „in wahrhaftiger Gerechtigkeit und Heiligkeit" (Eph 4,24). Stellungsmäßige Heiligung und stellungsmäßige Heiligkeit sind „wirkliche" Heiligung und Heiligkeit. In dieser Stellung in Christus steht der Christ auf ewig gerecht und angenommen vor Gott. Verglichen damit kann kein anderer Aspekt dieser Wahrheit eine gleichwertige Bedeutung haben. Doch niemand sollte nun daraus den Schluss ziehen, dass er auch im Leben heilig oder geheiligt sei, weil er stellungsmäßig heilig oder geheiligt ist.

Zwar sind alle Gläubigen stellungsmäßig geheiligt, doch es gibt keinen Hinweis in der Schrift, der sich in diesem Zusammenhang auf das tägliche Leben bezieht. Der Alltagsaspekt der Heiligung und Heiligkeit gehört in den Bereich der praktischen Heiligung.

2. Praktische Heiligung ist der zweite wichtige Aspekt der neutestamentlichen Lehre und spricht von der Heiligung als einer Erfahrung im Leben des Gläubigen. Wie die stellungsmäßige Heiligung vollkommen unabhängig vom täglichen Leben ist, so ist die praktische Heiligung vollkommen unabhängig von der Stellung in Christus zu betrachten. Praktische Heiligung kann bedingt sein durch a) den Grad der Hingabe an Gott, b) den Grad der Absonderung von der Sünde, c) den Grad der geistlichen Reife, den der Gläubige bereits erreicht hat.

a) Praktische Heiligung ist die Folge der Auslieferung an Gott. Vollkommene Hingabe ist unser vernünftiger Dienst: „Ich ermahne euch nun, Brüder, durch die Erbarmungen Gottes, eure Leiber darzustellen als ein lebendiges, heiliges, Gott wohlgefälliges Opfer, was euer vernünftiger Gottesdienst ist" (Röm 12,1). Dadurch wird der Christ aufgrund seiner eigenen Entscheidung abgesondert für Gott. Diese selbstbestimmte Absonderung für Gott ist ein wichtiger Aspekt der praktischen Heiligung. „Jetzt aber von der Sünde frei gemacht und Gottes Sklaven geworden, habt ihr eure Frucht zur Heiligkeit" (Röm 6,22).

Heiligung kann genauso wenig gefühlsmäßig erfahren werden wie Rechtfertigung oder Vergebung. Ein Mensch kann im Frieden und voller Freude sein, weil er *glaubt*, dass er für Gott abgesondert ist. Ebenso wird durch die Auslieferung an Gott vielleicht ein neues Erfülltsein mit dem Heiligen Geist möglich, wodurch der Gläubige ein gesegnetes Leben empfängt, das er zuvor nicht kannte. Dies kann entweder plötzlich oder ganz allmählich geschehen. In jedem Fall ist es nicht die Heiligung, die erfahren wird: Es ist der Segen des Heiligen Geistes, der durch die Heiligung oder eine vollständigere Absonderung für Gott kommt.

b) Praktische Heiligung ist die Folge der Befreiung von Sünde. Die Bibel trägt den Sünden des Christen Rechnung. Sie lehrt nicht, dass nur sündlose Menschen errettet oder bewahrt werden; im Gegenteil, für die Sünden der Heiligen ist Vorsorge getroffen worden. Diese Vorkehrungen sind sowohl vorbeugend als auch heilend.

Gott hat drei verschiedene Vorkehrungen getroffen, um zu verhindern, dass der Christ sündigt: 1. Das Wort Gottes mit seinen klaren Anweisungen (Ps 119,11), 2. der Fürsprecher- und Hirtendienst Christi im Himmel (Röm 8,34; Hebr 7,25; vgl. Lk 22,31-32; Joh 17,1-26), und 3. die befähigende Kraft des innewohnenden Geistes (Gal 5,16; Röm 8,4). Sollte ein Christ dennoch sündigen, so hält Christus im Himmel Fürsprache für ihn, indem Er sich auf Seinen für alle Sünden ausreichenden Opfertod beruft. Nur durch dieses Mittel bleibt ein unvollkommener Christ in seiner Errettung bewahrt.

Diese göttlichen Vorbeugungsmaßnahmen gegen die Sünde sind für alle Kinder Gottes unbedingt notwendig, da sie, so lange sie auf dieser Erde leben, ihre sündige Natur behalten (Röm 7,21; 2Kor 4,7; 1Jo 1,8). Die Bibel verspricht keine Ausrottung dieser Natur, sondern durch die Kraft des Geistes wird zu jedem Zeitpunkt der Sieg über die Sünde verheißen (Gal 5,16-23). Siegen wird ein Christ aber nur so lange, wie er diese Kraft im Glauben in Anspruch nimmt und die Voraussetzungen für ein geisterfülltes Leben gegeben sind.

An keiner Stelle wird gesagt, dass die sündige Natur gestorben ist. Sie wurde gekreuzigt, ist gestorben und wurde mit Christus begraben; doch da dies vor 2000 Jahren geschah, bezieht sich dieses Ereignis auf das göttliche Strafgericht über die Natur. Christus hat es auf sich genommen, als er „der Sünde starb" (Röm 6,10). Es gibt keine Bibelstelle darüber, dass einige Christen der Sünde gestorben seien und andere nicht. Immer sind *alle* Erlösten gemeint (Gal 5,24; Kol 3,3). Alle Gläubigen sind durch den Tod Christi der Sünde gestorben; doch nicht alle Gläubigen nehmen die Reichtümer in Anspruch, die dieser Tod ihnen anbietet. Wir werden nicht aufgefordert, Seinen Tod wirklich zu erleben; wir sind aufgefordert, uns selbst der Sünde für tot zu halten. Dies ist die Verantwortung des Menschen (Röm 6,1-14).

Jeder Sieg über die Sünde ist in sich eine Absonderung für Gott und von daher eine Heiligung. Solche Siege sollten immer häufiger werden, je mehr der Christ seine eigene Hilflosigkeit und die Wunder der göttlichen Macht erkennt.

c) Praktische Heiligung hängt mit geistlichem Wachstum zusammen. Christen sind zunächst unreif in Bezug auf Weisheit, Verständnis, Erfahrung und Bereitwilligkeit. In all diesen Dingen sollen sie nach Gottes Willen wachsen, und ihr Wachstum sollte sichtbar werden. Sie sollen wachsen „in der Gnade und Erkenntnis unseres Herrn und Retters Jesus Christus" (2Petr 3,18). Die Herrlichkeit des Herrn vor Augen werden sie „verwandelt in dasselbe Bild von Herrlichkeit zu Herrlichkeit, wie es vom Herrn, dem Geist, geschieht" (2Kor 3,18). Diese Umgestaltung wird eine immer stärkere Absonderung zur Folge haben. In diesem Maße werden sie mehr und mehr geheiligt werden.

Ein Christ mag „untadelig" sein, doch es kann nicht von ihm gesagt werden, dass er „fehlerlos" ist. Das Kind, das sich bemüht, seinen ersten Brief zu schreiben, mag untadelig sein in der Arbeit, die es tut, doch seine Arbeit wird sicher nicht fehlerlos sein. Wir mögen in dem vollen Maß unseres Verständnisses wandeln, und doch wissen wir, dass wir nicht in dem zusätzlichen Licht und der Erfahrung leben, die wir morgen besitzen werden. Doch es gibt Vollkommenheit inmitten der Unvollkommenheit. Wir, die wir unvollständig, unreif, so anfällig für die Sünde sind, dürfen in Ihm bleiben.

3. Endgültige Heiligung bezieht sich auf unsere abschließende Vollendung und wird uns erst in der Herrlichkeit zuteilwerden. Durch Seine

Gnade und umgestaltende Kraft wird Er uns verändern – an Geist, Seele und Leib –, dass wir sein werden „wie Er“ und „umgestaltet werden in Sein Bild“. Er wird uns dann „tadellos“ in der Gegenwart Seiner Herrlichkeit darstellen. Seine Braut wird frei sein von allen „Flecken und Runzeln“. Daher ist es angebracht, dass wir uns „von aller Art des Bösen“ fernhalten. „Er selbst aber, der Gott des Friedens, heilige euch völlig; und vollständig möge euer Geist und Seele und Leib untadelig bewahrt werden bei der Ankunft unseres Herrn Jesus Christus“ (1Thes 5,22-23).

? Fragen

1. Warum braucht es keine Missverständnisse in Bezug auf die Lehre der Heiligung zu geben?
2. Was ist die Bedeutung von Heiligung, und welche Worte werden in der Bibel dafür verwendet?
3. Welche Gefahren gibt es bei der Auslegung der Lehre der Heiligung aufgrund von Erfahrung?
4. Wie kann die Lehre der Heiligung in den richtigen Zusammenhang zu anderen biblischen Lehren gestellt werden?
5. Wie oft wird Heiligung in ihren verschiedenen Erscheinungsformen in der Bibel genannt?
6. Bedeutet Heiligung gleichzeitig sündlose Vollkommenheit oder eine endgültige Heiligung?
7. Welcher Zusammenhang besteht zwischen Heiligung und der Qualität des täglichen Lebens?
8. Warum ist Heiligkeit kein fortschreitender Prozess?
9. In welchem Maße werden Menschen durch Gott den Vater, den Sohn und den Geist geheiligt?
10. In welchem Maße werden Tage, Orte und Gegenstände von Gott geheiligt?
11. In welchem Sinn kann ein Mensch Gott heiligen?
12. In welchem Sinn kann ein Mensch sich selbst heiligen?
13. Kann ein Mensch auch andere Menschen und Gegenstände heiligen?

14. Können Gegenstände andere Gegenstände heiligen?
15. Welcher Zusammenhang besteht zwischen Heiligung in den verschiedenen Verwendungen dieses Begriffs und der Reinigung eines Gegenstandes?
16. Was sind die drei wichtigsten Aspekte von Heiligung?
17. Wie wird stellungsmäßige Heiligung gewirkt?
18. Welcher Zusammenhang besteht in den Lehrbriefen zwischen stellungsmäßiger Heiligung und heiligem Leben?
19. Inwiefern ist stellungsmäßige Heiligung sofort und für jedes Kind Gottes vollständig?
20. Wie unterscheidet sich praktische Heiligung von stellungsmäßiger Heiligung?
21. Wodurch ist die praktische Heiligung bedingt?
22. Welcher Zusammenhang besteht zwischen der Auslieferung an Gott und der praktischen Heiligung?
23. Welcher Zusammenhang besteht zwischen praktischer Heiligung und Gefühlen?
24. Welcher Zusammenhang besteht zwischen praktischer Heiligung und Befreiung von Sünde?
25. Welche drei Vorkehrungen hat Gott getroffen, um den Christen vor der Sünde zu bewahren?
26. Stellen Sie die göttliche Methode der Befreiung von Sünde der vorgeschlagenen Methode der Ausrottung der sündigen Natur des Gläubigen gegenüber.
27. Stimmt es, dass einige Christen der Sünde gestorben sind und einige nicht?
28. Was ist gemeint mit der Aufforderung, uns der Sünde für tot zu „halten“?
29. Welcher Zusammenhang besteht zwischen der praktischen Heiligung und dem Wachstum des Christen?
30. Welchen Unterschied gibt es zwischen einem „untadeligen“ und einem „fehlerlosen“ Christen?
31. Vergleichen Sie unsere gegenwärtige praktische Heiligung mit unserer endgültigen Heiligung im Himmel.
32. Vergleichen Sie die gegenwärtige geistliche Stellung und den Zustand des Gläubigen mit seiner Stellung und seinem Zustand im Himmel.

Kapitel 32

Heilsgewissheit

A. Die Wichtigkeit der Heilsgewissheit

Im Leben eines Christen ist die Gewissheit, dass er durch den Glauben an Christus errettet ist, von großer Bedeutung für das Wachstum in der Gnade und Erkenntnis Christi. Gewissheit ist eine Sache der Erfahrung und hängt zusammen mit persönlichem Vertrauen auf die gegenwärtige Errettung. Sie sollte nicht verwechselt werden mit der Lehre der Heilssicherheit, die im nächsten Kapitel behandelt werden wird. Heilssicherheit ist eine Tatsache, während Heilsgewissheit eine Angelegenheit des Glaubens an die persönliche Errettung zu einer bestimmten Zeit ist.

Heilsgewissheit hängt ab von drei wichtigen Aspekten der Erfahrung: 1. Verständnis der vollkommenen Errettung durch Jesus Christus; 2. das bestätigende Zeugnis der geistlichen Erfahrung; 3. Annahme der biblischen Verheißungen bezüglich der Errettung im Glauben.

B. Zum Verständnis des Wesens der Errettung

Die wesentliche Voraussetzung für echte Heilsgewissheit ist das klare Verständnis dessen, was Jesus Christus durch Seinen Tod am Kreuz vollbracht hat. Die Errettung ist kein Werk des Menschen für Gott, sondern ein Werk Gottes für den Menschen; sie hängt vollkommen von der göttlichen Gnade ab, ohne Berücksichtigung menschlichen Verdienstes. Jemand, der erkennt, dass Jesus Christus für ihn gestorben ist und eine vollkommene Errettung bewirkt hat, die für jeden gilt, der ernsthaft an Jesus Christus glaubt, hat Heilsgewissheit, sobald er glaubt und sein Vertrauen auf Christus als seinen Erlöser setzt. Häufig ist fehlende Heilsgewissheit bedingt durch ein falsches Verständnis des Wesens der Errettung. Wenn ein Mensch erst einmal verstanden hat, dass die Errettung eine Gabe Gottes ist, die nicht verdient werden kann, also nicht durch menschliche Bemühungen zu erringen ist, und dass sie als Geschenk Gottes allen Menschen zugänglich ist, die es im Glauben annehmen, ist die richtige Basis für Heilsgewissheit gegeben. Die Frage ist, ob ein Mensch wirklich auf Christus vertraut. Diese Frage kann beantwortet werden durch die bestätigenden Erfahrungen, die ein Mensch macht, der die Errettung empfangen hat.

Unter den verschiedenen göttlichen Werken, die zusammengenommen die Errettung ausmachen, wird in der Bibel immer wieder besondere Betonung auf die Übertragung des neuen Lebens von Gott gelegt. Mehr als 85-mal spricht die Bibel von diesem Merkmal der rettenden Gnade. Eine Betrachtung dieser Bibelstellen macht klar, dass dieses geschenkte Leben die *Gabe* Gottes an alle Menschen ist, die an Christus glauben (Joh 10,28; Röm 6,23); es ist *von* Christus (Joh 14,6); es *ist* Christus, der in dem Gläubigen wohnt in dem Sinne, dass ewiges Leben untrennbar ist von Ihm (Kol 1,27; 1Jo 5,11.12), und daher ist es ewig, wie Er ewig ist.

C. Das bestätigende Zeugnis der geistlichen Erfahrung

Aufgrund der Tatsache, dass Christus in dem Gläubigen wohnt, wird er angewiesen, sich selbst zu beurteilen, ob er im Glauben ist (2Kor 13,5), da es vernünftig ist zu erwarten, dass das Herz, in dem Christus wohnt, sich dieser wunderbaren Gegenwart auch bewusst ist. Jedoch wird der Christ nicht seinen eigenen irreführenden Gefühlen und seiner eigenen Vorstellung überlassen in Bezug auf die Art und Weise, wie sich der innewohnende Christus offenbart, denn dies ist in der Schrift klar festgehalten. Dem Christen, der sich dem Wort Gottes unterordnet, hilft diese bestimmte Offenbarung in zweierlei Hinsicht: Sie schützt ihn vor der Annahme, dass fleischlicher Gefühlsüberschwang von Gott sei – eine Annahme, die in der heutigen Zeit nur allzu häufig vorkommt –, und sie setzt Maßstäbe geistlicher Realität, die alle Kinder Gottes beständig erstreben sollten.

Es ist offensichtlich, dass ein nicht erretteter Mensch, auch wenn er noch so treu in Übereinstimmung mit religiösen Praktiken lebt, niemals das Leben, das Christus ist, nach außen deutlich machen kann. In ähnlicher Weise ist der fleischliche Christ unnormal in dem Sinn, dass er seine Errettung nicht zuverlässig durch seine Erfahrung beweisen kann. Obwohl das ewige Leben in sich selbst unbegrenzt ist, wird die alltägliche geistliche Erfahrung durch alles, was fleischlich ist, begrenzt (1Kor 3,1-4).

Ein fleischlicher Christ ist genauso vollkommen errettet wie ein geistlicher Christ, denn die Errettung ist nicht abhängig von Erfahrungen, Vorzügen oder vom Dienst. Zwar ist der fleischliche Christ nur ein Baby, aber dennoch ist er *in Christus* (1Kor 3,1). Seine Verpflichtung Gott gegenüber besteht nicht darin zu glauben, um errettet zu werden, sondern sich nach dem Sinn und Willen Gottes umgestalten zu lassen. Es ist von fundamentaler Bedeutung zu verstehen, dass normale geistliche Erfahrungen nur von geisterfüllten Christen gemacht werden können.

Das neue Leben in Christus, das auf die Errettung durch den Glauben gegründet ist, wird in gewissen wesentlichen Äußerungen sichtbar.

1. Das Wissen, dass Gott unser himmlischer Vater ist, gehört zu den wertvollsten Erfahrungen derer, die ihr Vertrauen auf den Herrn Jesus Christus gesetzt haben. In Matthäus 11,27 wird gesagt, dass niemand den Vater kennt außer dem Sohn und dem, dem der Sohn den Vater offenbart. Es ist eine Sache, von Gott zu wissen, ein Wissen, das auch ein nicht wiedergeborener Mensch haben kann, doch etwas ganz anderes ist es, Gott zu kennen. Dies kann nur geschehen, wenn der Sohn Ihn offenbart: „Dies aber ist das ewige Leben, dass sie dich, den allein wahren Gott ... erkennen“ (Joh 17,3). Gemeinschaft mit dem Vater und mit dem Sohn wird nur von denen erlebt, die „im Licht wandeln“ (1Jo 1,7). Die alltägliche geistliche Erfahrung schließt darum eine persönliche Wertschätzung der Vaterschaft Gottes mit ein.

2. Eine neue Gebetsrealität ist eine weitere bestätigende Erfahrung, die zur Heilsgewissheit führt. Das Gebet nimmt einen großen Raum im Leben eines geistlichen Christen ein. Es wird mehr und mehr zu seiner größten Kraftquelle. Durch den in ihm wohnenden Geist preist und lobt er Gott (Eph 5,18-19), und durch den Geist wird er befähigt, in Übereinstimmung mit dem Willen Gottes zu beten (Röm 8,26-27; Jud 20). Da Christi Dienst sowohl auf der Erde als auch im Himmel vom Gebet bestimmt war, wird auch derjenige, in dem Er wohnt, sich zum Gebet gedrängt fühlen.

3. Eine neue Fähigkeit, die Schrift zu verstehen, ist eine weitere wichtige Erfahrung, die im Zusammenhang mit der Errettung steht. Nach der

Verheißung Christi wird das Kind Gottes durch den Geist das Wesen Christi, das Wesen des Vaters und die zukünftigen Dinge verstehen (Joh 16,12-15). Auf dem Weg nach Emmaus öffnete Christus Seinen Begleitern die Schrift (Lk 24,32), und Er öffnete ihre Herzen für die Schrift (Lk 24,45). Eine solch wunderbare Erfahrung ist nicht nur bevorzugten Christen vorbehalten, sondern für alle bestimmt, die mit Gott ins Reine gekommen sind (1Jo 2,27), weil es eine natürliche Lebensäußerung des innewohnenden Christus ist.

4. Ein neues Verständnis für die Sündhaftigkeit der Sünde gehört zu der Erfahrung eines Erlösten. Wie das Wasser alles fortwäscht, was fremd und unrein ist (Hes 36,25; Joh 3,5; Tit 3,5-6; 1Petr 3,21; 1Jo 5,6-8), so nimmt das Wort Gottes alle menschlichen Vorstellungen fort und pflanzt die Maßstäbe Gottes in den Menschen hinein (Ps 119,11), und durch das Wirken des Wortes Gottes, das durch den Geist angewandt wird, ersetzt die göttliche Einschätzung der Sünde die menschliche. Es ist unvorstellbar, dass der sündlose Christus, der in ringendem Kampf vor Gott lag, als Er ein Sündopfer wurde, kein neues Verständnis für die verderbte Natur der Sünde in dem Menschen schaffen sollte, in dem Er wohnt – vorausgesetzt, Er ist frei, Seine Gegenwart zu offenbaren.

5. Eine neue Liebe für die Verlorenen wird geweckt. Die Tatsache, dass Christus für alle Menschen gestorben ist (2Kor 5,14-15.19), ist die Grundlage, auf der der Apostel Paulus sagen konnte: „Daher kennen wir von nun an niemand nach dem Fleisch“ (2Kor 5,16). Unabhängig von allen irdischen Unterscheidungen sind die Menschen für ihn nur Seelen, für die Christus gestorben ist. Gleichermaßen hörte Paulus nicht auf, für die Verlorenen zu beten (Röm 10,1) und zu eifern (Röm 15,20), und für sie war er bereit, „verflucht zu sein von Christus weg“ (Röm 9,1-3). Ein solches göttliches Mitleid sollte von jedem geisterfüllten Gläubigen empfunden werden als Auswirkung der göttlichen Gegenwart in seinem Herzen (Röm 5,5; Gal 5,22).

6. Es entsteht eine neue Liebe auch für die Erretteten. In 1. Johannes 3,14 wird die Liebe für die Brüder zum Prüfstein der persönlichen Errettung gemacht. Dies ist angebracht, da durch das Wirken des Geistes in der Wiedergeburt der Gläubige in eine neue Verwandtschaftsbeziehung zu dem Haushalt und der Familie Gottes gebracht wird, wobei Gott der Vater ist und alle Gläubigen Brüder und Schwestern. Die Tatsache, dass dieselbe göttliche Gegenwart in allen erlösten Menschen wohnt, stellt sie in enge Beziehung zueinander und schafft ein Band der Zuneigung zwischen ihnen. Die Liebe der Christen zueinander wird darum zum Wahrzeichen echter Jüngerschaft (Joh 13,34-35), und diese Zuneigung ist eine normale Erfahrung aller, die aus Gott geboren sind.

7. Als Folge der Errettung zeigt sich das Wesen Christi in dem Gläubigen. Seine anschließenden subjektiven Erfahrungen, die abhängig sind von der ungehinderten göttlichen Gegenwart in seinem Herzen, werden beschrieben durch die neun Worte: „Liebe, Freude, Friede, Langmut, Freundlichkeit, Güte, Treue, Sanftmut, Enthaltsamkeit" (Gal 5,22-23), und jedes Wort ist ein Zeugnis des grenzenlosen Wesens Gottes.

Ein solches Leben führte Christus (Joh 13,34; 14,27; 15,11); ein solches Leben ist ein christusähnliches Leben (Phil 2,5-7); und es ist das Leben, das Christus ist (Phil 1,21). Da diese Eigenschaften durch den Geist gewirkt werden, der in jedem Gläubigen wohnt, kann jeder diese Erfahrung machen.

8. Die miteinander verbundenen Erfahrungen des christlichen Lebens bringen ein Bewusstsein für die Errettung durch den Glauben in Christus. Der rettende Glaube in Christus ist eine eindeutige Erfahrung. Der Apostel Paulus sagt von sich selbst: „ich weiß, wem ich geglaubt habe" (2Tim 1,12). Die persönliche Auslieferung an den Retter ist ein so eindeutiger Akt des Willens und der Einstellung, dass man sich in Bezug darauf wohl kaum täuschen kann. Doch es liegt in der Absicht Gottes, dem Christen in seinem Herzen zu versichern, dass er von Ihm angenommen ist. Dem geistlichen Christen gibt der Geist Zeugnis, dass er ein Kind Gottes ist (Röm 8,16). Gleichermaßen verliert der Gläubige, wenn er Christus vertraut, das *Bewusstsein* der Verdammnis aufgrund der Sünde (Joh 3,18; 5,24; Röm 8,1; Hebr 10,2). Dies bedeutet nicht, dass der Christ sich der Sünde nicht bewusst ist, die er begeht; es hat vielmehr etwas zu tun mit dem Wissen um das ewige Angenommensein bei Gott durch Christus (Eph 1,6; Kol 2,13), das alle bekommen können, die glauben.

Noch einmal sollte betont werden, dass bei dieser Auflistung aller wichtigen Elemente eines geistlichen Lebens eine bloße fleischliche Gefühlsseligkeit ausgeschlossen ist und dass die Erfahrung des Gläubigen nur dann normal sein wird, wenn er im Licht wandelt (vgl. 1Jo 1,7).

D. Annahme der Glaubwürdigkeit der biblischen Verheißungen

1. Das Vertrauen darauf, dass die Bibel wahr ist und dass ihre Verheißungen der Errettung mit Sicherheit erfüllt werden, ist Voraussetzung für Heilsgewissheit. Über allem, was der Gläubige erfahren kann – die Erfahrung ist wegen der Fleischlichkeit häufig zu undeutlich –, steht das bleibende Zeugnis des verlässlichen Wortes Gottes. In seinem Brief an die Gläubigen schreibt der Apostel Johannes: „Dies habe ich euch geschrieben, damit ihr wisst, dass ihr ewiges Leben habt, die ihr an den Namen des Sohnes Gottes glaubt" (1Jo 5,13). Durch diese Bibelstelle wird allen Gläubigen, sowohl den fleischlichen als auch den geistlichen, versichert, dass sie *wissen können*, dass sie ewiges Leben haben. Diese Gewissheit beruht nicht auf einer veränderlichen Erfahrung, sondern auf dem unveränderlichen Wort Gottes (Ps 119,89.160; Mt 5,18; 24,35; 1Petr 1,23.25).

Die niedergeschriebenen Verheißungen Gottes sind wie eine Eigentumsurkunde (Joh 3,16.36; 5,24; 6,37; Apg 16,31; Röm 1,16; 3,22.26; 10,13) und fordern daher Vertrauen. Diese Verheißungen der Errettung bilden den bedingungslosen Bund Gottes unter Gnade und fordern als Voraussetzung keinen Verdienst des Menschen; ihre Wahrheit wird auch nicht durch irgendein menschliches Erlebnis bewiesen. Diese machtvollen Realitäten müssen als vollbracht angesehen werden, und zwar aus keinem anderen Grund als der Wahrhaftigkeit Gottes.

2. Zweifel an der Auslieferung an Christus und den Verheißungen Gottes wirken sich zerstörerisch auf den Glauben des Christen aus. Sehr viele Menschen sind sich gar nicht sicher, dass sie eine persönliche Übergabe an Christus erlebt haben. Es ist jedoch nicht wichtig, den genauen Tag und die Stunde dieser Entscheidung für Christus zu kennen; entscheidend ist, dass ein Mensch *jetzt* Christus vertraut, unabhängig davon, wann diese Vertrauensbeziehung begann. Der Apostel sagt, er sei überzeugt davon, dass Gott in der Lage sei, das Gut zu bewahren (wörtl.: „sein Pfand zu bewachen"), das er Ihm anvertraut habe (2Tim 1,12).

Offensichtlich kann die Unsicherheit hinsichtlich einer Annahme von Christus dadurch beseitigt werden, wenn man Christus *jetzt* annimmt in dem Wissen, dass keine eigenen Vorzüge oder religiösen Werke irgendeinen Wert haben – Jesus Christus allein kann retten. Ein

Mensch, dem die Gewissheit fehlt, dass er sein Leben wirklich durch den Glauben an Gott ausgeliefert hat zu der Errettung, die nur Gott allein wirken kann, sollte seine Ungewissheit beseitigen, indem er diesen bestimmten und klaren Glaubensschritt tut. Dies ist ein Akt des Willens, obwohl auch Gefühle dabei eine Rolle spielen können und die notwendige Voraussetzung dafür natürlich ein gewisses Verständnis der biblischen Lehre der Errettung ist. Vielen hat dabei schon ein ganz einfaches Gebet geholfen: „Herr, wenn ich mein Vertrauen noch nicht in dich gesetzt habe, dann tue ich das jetzt.“ Es gibt keine Heilsgewissheit, wenn ein Mensch nicht ausdrücklich Christus im Glauben als Retter angenommen hat.

3. Zweifel an der Treue Gottes zerstören die Heilsgewissheit. Einigen Menschen fehlt die Heilsgewissheit, weil sie sich nicht sicher sind, dass Gott sie tatsächlich angenommen und errettet hat. Dieses Gefühl entsteht, wenn man auf eine Veränderung der Gefühle wartet und nicht auf die Treue Christi blickt. Gefühle und Erfahrungen haben ihre Zeit; doch, wie schon vorher gesagt, der letztgültige Beweis der persönlichen Errettung ist die Treue Gottes, die nicht durch Gefühle und Erfahrungen zu beeinflussen ist. Was Er gesagt hat, wird Er auch vollbringen. Ein Mensch sollte, nachdem er sich Christus ein für alle Mal anvertraut hat, nicht mehr an seiner Errettung zweifeln.

4. Heilsgewissheit hängt folglich davon ab, dass wir das Wesen der vollkommenen Errettung verstehen, die Gott für diejenigen bereitet hat, die ihr Vertrauen auf Christus setzen. Eine Bestätigung kann auch in der christlichen Erfahrung gefunden werden, und normalerweise gibt es einige Veränderungen im Leben auf Seiten des Menschen, der sich Christus als seinem Retter anvertraut hat. Es ist jedoch äußerst wichtig, dass der Gläubige erkennt, dass die Gewissheit seiner Errettung von der Sicherheit und Gewissheit der Verheißungen Gottes abhängt und von der Gewissheit, dass der Einzelne sich entsprechend diesen Verheißungen im Glauben Jesus Christus anvertraut hat. Ein Mensch, der sich Gott ausgeliefert hat, kann sich auf die Treue Gottes verlassen. Gott kann nicht lügen, und Er macht Seine Verheißungen wahr und errettet den Gläubigen durch göttliche Gnade und Kraft.

? Fragen

1. Wie würden Sie Heilsgewissheit und Heilssicherheit unterscheiden?
2. Warum ist Heilsgewissheit so wichtig?
3. Welcher Zusammenhang besteht zwischen Heilsgewissheit und dem Verständnis der Bedeutung des Todes Christi?
4. Welcher Zusammenhang besteht zwischen Heilsgewissheit und dem Wissen darum, dass die Errettung ein Geschenk ist?
5. Welcher Zusammenhang besteht zwischen Heilsgewissheit und dem Wissen darum, dass die Errettung aus Gnade allein geschieht?
6. Kann man davon ausgehen, dass ein Christ weiß, dass er errettet ist?
7. Inwiefern kann ein fleischlicher Christ die Gewissheit seiner Errettung verlieren?
8. Welcher Zusammenhang besteht zwischen Heilsgewissheit und dem Wissen, dass Gott unser himmlischer Vater ist?
9. Inwiefern kann das Gebetsleben eine Bestätigung der Errettung sein?
10. Stellen Sie einen Zusammenhang her zwischen der Fähigkeit, die Schrift zu verstehen, und der Heilsgewissheit.
11. Welcher Zusammenhang besteht zwischen dem Empfinden für die Sündhaftigkeit der Sünde und der Heilsgewissheit?
12. Inwiefern bildet die Liebe zu Ungläubigen ein Erkennungsmerkmal für Heilsgewissheit?
13. Inwiefern vermittelt Liebe zu Mitchristen Heilsgewissheit?
14. Stellen Sie einen Zusammenhang her zwischen der Frucht des Geistes und der Heilsgewissheit.
15. Welche Hilfe kann es uns in Bezug auf Heilsgewissheit sein, wenn wir eine klare und bestimmte Glaubensentscheidung für Christus treffen?
16. Welcher Zusammenhang besteht zwischen dem Annehmen der Verheißungen der Bibel und der Errettung und der Heilsgewissheit?
17. Ist es notwendig, genau zu wissen, zu welchem Zeitpunkt man sein Leben Christus anvertraut hat?
18. Ist es wichtig zu wissen, dass man Christus jetzt als seinem Retter vertraut?
19. Was sollte ein Mensch tun, wenn er keine Heilsgewissheit hat?
20. Welcher Zusammenhang besteht zwischen Heilsgewissheit und Vertrauen auf die Treue Gottes?

Kapitel 33

Heilssicherheit

Die meisten Gläubigen akzeptieren die Lehre, dass sie Heilsgewissheit haben können, jedoch wird häufig die Frage gestellt: „Kann ein erretteter Mensch wieder verloren gehen?“ Da die Furcht darum, doch noch verloren gehen zu können, den Herzensfrieden eines Gläubigen sehr stören kann, und weil seine Zukunft so wichtig ist, ist diese Frage ein sehr bedeutender Aspekt der Lehre von der Errettung.

Die Behauptung, ein Erretteter könne auch wieder verloren gehen, gründet sich auf bestimmte Bibelstellen, die Fragen nach der Dauerhaftigkeit der Errettung aufzuwerfen scheinen. In der Kirchengeschichte gab es einander widersprechende Auslegungen. Der Calvinismus vertritt die Heilssicherheit, der Arminianismus vertritt dagegen die Ansicht, das Heil könne auch wieder verloren gehen (diese beiden Bewegungen wurden nach ihren wichtigsten Vertretern benannt, Johannes Calvin und Jakob Arminius).

A. Die arminianische Sicht von Heilssicherheit

Bis zu 85 Bibelstellen werden von den Vertretern der arminianischen Sichtweise genannt, die belegen sollen, dass das ewige Leben auch wieder verloren gehen kann. Die wichtigsten davon möchte ich hier nennen: Matthäus 5,13; 6,23; 7,16-19; 13,1-8; 18,23-35; 24,4-5.11-13.23-26; 25,1-13; Lukas 8,11-15; 11,24-28; 12,42-46; Johannes 6,66-71; 8,31-32.51; 13,8; 15,1-6; Apostelgeschichte 5,32; 11,21-23; 13,43; 14,21-22; Römer 6,11-23; 8,12-17; 11,20-22; 14,15-23; 1. Korinther 9,23-27; 10,1-21; 11,29-32; 15,1-2; 2. Korinther 1,24; 11,2-4; 12,21–13,5; Galater 2,12-16; 3,4–4,1; 5,1-4; 6,7-9; Kolosser 1,21-23; 2,4-8.18-19; 1. Thessalonicher 3,5; 1. Timotheus 1,3-7.18-20; 2,11-15; 4,1-16; 5,5-15; 6,9-12.17-21; 2. Timotheus 2,11-18.22-26; 3,13-15; Hebräer 2,1-3; 3,6-19; 4,1-16; 5,8-9; 6,4-20; 10,19-39; 11,13-16; 12,1-17.25-29; 13,7-17; Jakobus 1,12-26; 2,14-26; 4,4-10; 5,19-20; 1. Petrus 5,9.13; 2. Petrus 1,5-11; 2,1-22; 3,16-17;

1. Johannes 1,5–3,11; 5,4-16; 2. Johannes 6-9; Judas 5-12.20-21; Offenbarung 2,7.10-11.17-26; 3,4-5.8-22; 12,11; 17,14; 21,7-8; 22,18-19.

Die Beschäftigung mit diesen Bibelstellen wirft einige wichtige Fragen auf.

1. Die wahrscheinlich wichtigste Frage, die sich einem Bibelausleger zu diesem Thema stellt, ist die Frage, wer ein wahrer Gläubiger ist. Viele, die sich gegen die Heilssicherheit wenden, tun dies aufgrund der Tatsache, dass ein Mensch intellektuell glauben kann, ohne tatsächlich errettet zu sein. Anhänger der Heilssicherheit stimmen darin überein, dass ein Mensch eine oberflächliche Bekehrung oder eine äußere Veränderung in seinem Leben erfahren kann, dass er nach außen hin Christus annehmen, sich einer Gemeinde anschließen oder sich taufen lassen kann, ohne wirklich errettet und in Christus zu sein.

Zwar ist es unmöglich, bestimmte verbindliche Regeln aufzustellen, wie man einen erretteten Menschen von einem nicht erretteten unterscheiden kann, doch für Gott ist dies keine Frage. Jeder Gläubige muss zuerst sicher sein, dass er Christus wirklich als Retter angenommen hat. In diesem Zusammenhang ist es hilfreich, sich klarzumachen, dass Christus anzunehmen ein Willensakt ist, wobei auch ein Wissen um den Weg zum Heil und gewisse Gefühle eine Rolle spielen können. Die wesentliche Frage ist jedoch: „Habe ich wirklich Jesus Christus im Glauben als meinen persönlichen Retter angenommen?" Bevor diese Frage nicht ehrlich beantwortet ist, kann es natürlich keine Heilssicherheit und keine Heilsgewissheit geben. Viele, die die Heilssicherheit verneinen, sagen eigentlich nur, dass oberflächlicher Glaube nicht retten kann. Die Anhänger der Heilssicherheit stimmen in diesem Punkt mit ihnen überein. Die eigentliche Frage ist, ob ein Mensch, der tatsächlich errettet ist und das ewige Leben empfangen hat, dieses auch wieder verlieren kann.

2. Viele der von den Gegnern der Heilssicherheit angeführten Bibelstellen handeln von Werken des Menschen oder von äußeren Beweisen der Errettung. Ein wirklich erretteter Mensch sollte sein neues Leben in Christus sowohl in seinem Charakter als auch in seinen Werken sichtbar machen. Einen Menschen nach seinen Werken zu beurteilen, kann jedoch auch irreführend sein, da manchmal Nichtchristen ein Leben führen, das einigermaßen mit den moralischen Maßstäben eines Christenlebens übereinstimmt, während echte Christen manchmal in Fleischlichkeit und Sünde fallen und sich von den Unerretteten nicht mehr unterscheiden. Alle stimmen darin überein, dass eine rein moralische Besserung, wie in Lukas 11,24-26 erwähnt, keine echte Errettung ist und dass eine Rückwendung zum früheren Leben nicht gleichbedeutend mit dem Verlust der Errettung ist.

Mehrere Bibelstellen beschäftigen sich auch mit der wichtigen Tatsache, dass das christliche Bekenntnis in der Frucht des Geistes sichtbar wird. Die Errettung, die von Gott kommt, wird sich unter normalen Bedingungen durch die Frucht beweisen, die durch sie entsteht (Joh 8,31; 15,6; 1Kor 15,1-2; Hebr 3,6-14; Jak 2,14-26; 2Petr 1,10; 1Jo 3,10). Jedoch zeigt sich nicht bei allen Christen zu jeder Zeit diese Frucht der Errettung. Folglich beeinflussen alle Stellen, die sich mit den sichtbaren Zeichen der Errettung in Werken beschäftigen, nicht notwendigerweise die Lehre von der Heilssicherheit des Gläubigen, denn dabei geht es um eine objektive Tatsache, nämlich ob Gott selbst einen Menschen als errettet betrachtet.

3. Viele Bibelstellen, die im Zusammenhang mit der Theorie zitiert werden, dass ein Gläubiger das Heil auch wieder verlieren kann, sind Warnungen gegen jede Art von oberflächlichem Glauben. Juden werden im Neuen Testament gewarnt, dass sie, da ihre Opfer nicht mehr angenommen werden, sich Christus zuwenden oder verloren gehen müssen (Hebr 10,26). Gleichermaßen werden ungläubige Juden und Heiden ermahnt, nicht von dem erleuchtenden und bekehrenden Werk des Geistes abzufallen (vgl. Hebr 6,4-9). Ungeistliche Juden werden gewarnt, dass sie im kommenden Reich nicht angenommen werden (Mt 25,1-13). Die Heiden im Gegensatz zum Volk Israel werden vor der Gefahr gewarnt, dass sie durch Unglauben ihre Stellung im gegenwärtigen Zeitalter verlieren können (Röm 11,21).

4. Einige Stellen beziehen sich auf die Belohnung und nicht auf die Frage des Heils. Ein Mensch, der errettet und sicher in Christus ist, kann seine Belohnung verlieren (1Kor 3,15; Kol 1,21-23) und wegen seines mangelnden Dienstes für Christus getadelt werden (1Kor 9,27).

5. Ein wirklicher Christ kann aufgrund von Sünde auch seine Gemeinschaft mit Gott (1Jo 1,6) *und einige der gegenwärtigen Segnungen des Erlöstseins verlieren, zum Beispiel die Frucht des Geistes (Gal 5,22-23) und die Zufriedenheit, die durch einen wirksamen Dienst für Christus entsteht.*

6. Ein wirklicher Christ kann aufgrund seiner Widerspenstigkeit von Gott gezüchtigt oder gestraft werden wie ein Kind, das von seinem Vater bestraft wird (Joh 15,2; 1Kor 11,29-32; 1Jo 5,16), sogar bis hin zum körperlichen Tod. Eine solche Züchtigung ist jedoch kein Beweis für den Verlust des Heils, im Gegenteil, es ist vielmehr ein Beweis dafür, dass der betreffende Mensch ein Kind Gottes ist, mit dem der himmlische Vater sich beschäftigt.

7. Nach der Schrift kann ein Gläubiger auch „aus der Gnade fallen" (vgl. Gal 5,1-4). Wenn diese Stelle richtig ausgelegt wird, besagt sie nicht, dass ein Christ das ewige Leben verliert, sondern dass er den Anforderungen der Gnade nicht mehr genügt und die Freiheit verliert, die er in Christus hat, indem er in die Gesetzlichkeit zurückfällt. Er fällt somit aus einer Lebenshaltung heraus, nicht aus dem Werk der Errettung.

8. Viele Schwierigkeiten ergeben sich bei Stellen, die aus dem Zusammenhang gerissen werden, vor allem bei Bibelstellen, die sich auf ein anderes Heilszeitalter beziehen. Das Alte Testament macht keine klare Aussage in Bezug auf die Heilssicherheit, obwohl auf der Basis der Lehren des Neuen Testaments angenommen werden kann, dass ein alttestamentlicher Heiliger, der wirklich wiedergeboren war, genauso sicher errettet ist wie ein Gläubiger des gegenwärtigen Zeitalters. Bibelstellen, die sich auf ein vergangenes oder zukünftiges Zeitalter beziehen, müssen jedoch in ihrem Kontext ausgelegt werden, zum Beispiel Hesekiel 33,7-8 und andere wichtige Schriftstellen wie 5. Mose 28, die sich mit Segen und Fluch auf Israel aufgrund von Gehorsam oder Ungehorsam dem Gesetz gegenüber beziehen. Andere Stellen beziehen sich auf falsche oder nicht wiedergeborene Lehrer der letzten Tage (1Tim 4,1-2; 2Petr 2,1-22; Jud 17-19), die, obwohl sie vorgeben, Christen zu sein, niemals wirklich errettet waren.

9. Einige Bibelstellen, die als Beleg dafür angeführt werden, dass das Heil auch wieder verloren gehen kann, werden ganz einfach falsch ausgelegt, zum Beispiel Matthäus 24,13: „Wer aber ausharrt bis ans Ende, der wird gerettet werden." Dies bezieht sich nicht auf die Errettung von Schuld oder der Macht der Sünde, sondern auf die Befreiung von Feinden und Verfolgung. Der Vers spricht zu jenen, die die Große Drangsal überleben und durch Jesus Christus bei Seiner Wiederkunft errettet werden. Die Bibel lehrt ganz klar, dass viele wirklich Gläubige vor der

Wiederkunft Christi als Märtyrer sterben und nicht ausharren, d. h. überleben werden, bis Christus wiederkommt (Offb 7,14). Diese Stelle zeigt, wie Verse fälschlicherweise auf die Frage der Heilssicherheit oder des Verlustes des Heils angewendet werden können.

10. Die letztgültige Antwort auf dieses Problem beruht auf der Frage, wer das Werk der Errettung tut. Die Vorstellung, dass ein Gläubiger ein für alle Mal errettet ist, gründet sich auf die Tatsache, dass die Errettung das Werk Gottes ist; es beruht nicht auf irgendeinem Verdienst des Gläubigen und wird auch nicht durch eine Bemühung des Gläubigen aufrechterhalten. Wenn der Mensch die Errettung bewirken würde, wäre sie unsicher. Weil sie ein Werk Gottes ist, ist sie sicher.

Die verlässliche biblische Grundlage für den Glauben, dass ein einmal erretteter Mensch für immer errettet ist, wird von mindestens zwölf wichtigen Argumenten oder Werken Gottes untermauert. Vier dieser Werke werden vom Vater, vier vom Sohn und vier vom Heiligen Geist gewirkt.

B. Das Werk des Vaters in der Errettung

1. Die Schrift offenbart die souveräne, nicht an Bedingungen geknüpfte Verheißung Gottes, die jedem ewige Errettung verspricht, der an Christus glaubt (Joh 3,16; 5,24; 6,37). Offensichtlich kann Gott auch halten, was Er verspricht, und Seine unveränderliche Absicht wird in Römer 8,29-30 geoffenbart.

2. Die unendliche Kraft Gottes kann auf ewig erretten und erhalten (Joh 10,29; Röm 4,21; 8,31.38-39; 14,4; Eph 1,19-21; 3,20; Phil 3,21; 2Tim 1,12; Hebr 7,25; Jud 24). Gott ist nicht nur treu darin, dass Er Seine Verheißungen erfüllt, sondern Er hat die Macht, alles zu tun, was Er möchte. Die Schrift zeigt, dass die Errettung aller, die an Christus glauben, Sein Wille ist.

3. Die unendliche Liebe Gottes ist nicht nur bestimmend für Gottes ewigen Plan, sie ist auch die Garantie dafür, dass Sein Plan erfüllt wird (Joh 3,16; Röm 5,7-10; Eph 1,4). In Römer 5,8-11 wird gesagt, dass die Liebe Gottes zu den Erretteten größer ist als Seine Liebe zu denen Verlorenen, und dies gibt den Erretteten Heilssicherheit. Das Argument ist ganz einfach: Wenn Er die Menschen so liebt, dass Er Seinen

Sohn gegeben hat, damit Er für die „Sünder“ und „Feinde“ stirbt, wird Er sie noch viel mehr lieben, wenn sie durch Seine erlösende Gnade gerechtfertigt und mit Ihm versöhnt sind.

Die alles übersteigende Liebe Gottes zu jenen, die Er durch ein so großes Opfer erlöst hat, gibt uns die Gewissheit, dass Er niemals zulassen wird, dass sie aus Seiner Hand gerissen werden (Joh 10,28-29). Die Verheißung des Vaters, die unendliche Macht des Vaters und die unendliche Liebe des Vaters machen es einem Menschen, der sich einmal Gott dem Vater durch den Glauben an Jesus Christus ausgeliefert hat, unmöglich, das Heil zu verlieren, das Gott in seinem Leben gewirkt hat.

4. Die Gerechtigkeit Gottes gibt denen Heilssicherheit, die auf Christus vertraut haben, weil die Ansprüche der Gerechtigkeit Gottes durch den Tod Christi für die Sünden der ganzen Welt vollkommen abgegolten sind (1Jo 2,2). Die Vergebung der Sünden und die Zusicherung ewiger Errettung erfolgt nach vollkommen gerechten Maßstäben. Gott errettet den Sünder nicht aus Nachsicht, sondern Seine Sündenvergebung ist vollkommen gerechtfertigt, nicht nur bei den Gläubigen des Alten Testaments, die vor dem Kreuz Christi lebten, sondern auch für alle, die nachher leben (Röm 3,25-26). Folglich kann die Heilssicherheit des Gläubigen nicht angezweifelt werden, ohne dass man gleichzeitig die Gerechtigkeit Gottes in Zweifel zieht. Die Treue Gottes Seinen Verheißungen gegenüber, Seine unendliche Macht, Seine unendliche Liebe und Seine unendliche Gerechtigkeit geben dem Gläubigen Heilssicherheit.

C. Das Werk des Sohnes

1. Der stellvertretende Tod Christi am Kreuz ist die Garantie für die Sicherheit des Gläubigen. Der Tod Christi ist eine ausreichende Antwort auf die verdammende Macht der Sünde (Röm 8,34). Wenn behauptet wird, der Errettete könnte auch wieder verloren gehen, basiert diese Behauptung gewöhnlich auf Annahme einer möglichen Sünde. Dies wiederum würde bedeuten, dass Christus nicht *alle* Sünden getragen hätte, die ein Gläubiger jemals begehen wird, und dass Gott, nachdem Er einen Sünder errettet hat, später enttäuscht und überrascht werden könnte von einer unerwarteten Sünde. Gott ist jedoch allwissend. Er kennt im Voraus jede Sünde und jeden geheimen Gedanken, der jemals das Leben Seines Kindes verfinstern wird, und auch für jene Sünden ist das Opferblut Christi vergossen worden. Durch dieses Blut ist Gott versöhnt worden (1Jo 2,2).

Aufgrund dieses Blutes, das sowohl für die Sünden der Erretteten als auch für die der Verlorenen vergossen worden ist, kann Gott Seine rettende Gnade weiterhin denen erweisen, die sie nicht verdient haben, sofern sie sich von ihm haben retten lassen. Er bewahrt sie auf ewig; nicht allein um ihretwillen, sondern um Seiner Liebe und Gnade willen (Röm 5,8; Eph 2,7-10). Weil die Errettung und Bewahrung nur von dem Opfer und dem Verdienst Christi abhängig sind, ist alle Verdammnis auf ewig hinweggetan (Joh 3,18; 5,24; Röm 8,1; 1Kor 11,31-32).

2. Die Auferstehung als Gottes Siegel auf dem Tod Christi sichert dem Gläubigen die Auferstehung und das Leben zu (Joh 3,16; 10,28; Eph 2,6). Zwei wichtige Punkte im Zusammenhang mit der Auferstehung Christi geben dem Gläubigen Heilssicherheit. Das Geschenk Gottes ist ewiges Leben (Röm 6,23), und dieses Leben ist das Auferstehungsleben Christi (Kol 2,12; 3,1). Dieses Leben ist ewig, wie Christus ewig ist, und es kann genauso wenig aufgelöst oder zerstört werden, wie Christus aufgelöst oder zerstört werden kann. In der Auferstehung Christi wird ein Kind Gottes durch die Taufe mit dem Geist und den Empfang des ewigen Lebens Teil der neuen Schöpfung. Als ein souverän bestimmter Gegenstand des Schöpfungswerkes Gottes kann das Wesen den Schöpfungsakt nicht wieder rückgängig machen, und weil der Gläubige in Christus als dem letzten Adam ist, kann er nicht fallen, weil Christus nicht fallen könnte. Zwar wird ein Christ immer wieder versagen, doch dies beeinträchtigt nicht seine Stellung in Christus, die eine heilige ist aufgrund der Gnade Gottes und dem Tod und der Auferstehung Jesu Christi.

3. Das Werk Christi als unser Fürsprecher im Himmel schenkt uns Heilssicherheit (Röm 8,34; Hebr 9,24; 1Jo 2,1). Als Fürsprecher oder legaler Vertreter des Gläubigen macht Er Sein Werk am Kreuz als Sühnung oder Zufriedenstellung aller Forderungen Gottes an den Sünder geltend und versöhnt ihn mit Gott. Da das Werk Christi vollkommen ist, kann der Gläubige in der Sicherheit des vollkommenen Werkes

Christi ruhen, das durch Jesus Christus als Fürsprecher des Gläubigen im Himmel dargestellt wird.

4. Das Werk Christi als der, der für uns bittet, ergänzt und bestätigt Sein Werk als unser Fürsprecher (Joh 17,1-26; Röm 8,34; Hebr 7,23-25). Der Dienst Christi in der Herrlichkeit hat mit der Heilssicherheit der Erretteten auf der Erde zu tun. Unser Herr Jesus Christus bittet für uns und handelt als Rechtsbeistand für uns. Als der, der für uns bittet, hat Christus die Schwachheit, Unwissenheit und Unreife des Gläubigen im Blick – Dinge, die nichts mit Schuld zu tun haben. In diesem Dienst betet Christus nicht nur für uns, die wir in der Welt sind, an jedem Punkt, wo wir es bedürfen (Lk 22,31-32; Joh 17,9.15.20; Röm 8,34), sondern aufgrund Seiner wirksamen und unwandelbaren Priesterschaft garantiert Er, dass wir auch auf ewig bewahrt werden (Joh 14,19; Röm 5,10; Hebr 7,25).

Das gesamte Werk Christi in Seinem Tod, Seiner Auferstehung, Seinem Dienst als Fürsprecher und als der, der im Himmel für uns bittet, gibt dem Christen absolute Heilssicherheit. Weil die Errettung ein Werk Gottes für den Menschen und kein Werk des Menschen für Gott ist, ist sein Ausgang sicher, und die Verheißung in Johannes 5,24, dass der Gläubige nicht ins Gericht kommt, wird sich ganz gewiss erfüllen.

D. Das Werk des Heiligen Geistes

1. Das Werk der Erneuerung oder Wiedergeburt, in der der Gläubige am göttlichen Wesen teilhat, ist ein nicht wieder rückgängig zu machender Vorgang und das Werk Gottes (Joh 1,13; 3,3-6; Tit 3,4-6; 1Petr 1,23; 2Petr 1,4; 1Jo 3,9). So wie der Schöpfungsakt nicht wieder rückgängig zu machen ist, kann auch die Wiedergeburt nicht rückgängig gemacht werden. Wenn dies durch Gott und nicht von Menschen gewirkt ist und auf dem Prinzip der Gnade beruht, gibt es keinen Grund anzunehmen, dass es nicht auf ewig bleiben sollte.

2. Die innewohnende Gegenwart des Heiligen Geistes ist in diesem Heilszeitalter der bleibende Besitz des Gläubigen (Joh 7,37-39; Röm 5,5; 8,9; 1Kor 2,12; 6,19; 1Jo 2,27). In den Zeitaltern vor dem Pfingsttag wohnte der Geist nicht in allen wahren Gläubigen, obwohl auch sie Heilssicherheit hatten; doch im gegenwärtigen Zeitalter ist die Tatsache, dass der Leib eines Gläubigen, obwohl sündig und verderbt, der Tempel Gottes ist, ein weiterer bestätigender Beweis für die unabänderliche Absicht Gottes, das Werk zu vollenden, das Er mit der Errettung des Gläubigen begonnen hat. Während der Geist durch Sünden, die nicht bekannt werden, betrübt (Eph 4,30) und ausgelöscht werden kann in dem Sinne, dass der Gläubige dem Geist widersteht (1Thes 5,19), wird nirgendwo gesagt, dass ein Christ deswegen sein Heil verliert. Vielmehr ist seine Errettung und die Gegenwart des Heiligen Geistes in seinem Herzen die Grundlage für den Aufruf zur Rückkehr zu einem Wandel in der Gemeinschaft und der Übereinstimmung mit dem Willen Gottes.

3. Das Werk des Geistes in der Taufe, durch die der Gläubige auf ewig mit Christus und dem Leib Christi verbunden wird, ist ein weiterer Beweis für die Heilssicherheit. Durch die Taufe im Geist wird der Gläubige mit dem Leib verbunden, dessen Haupt der Christus ist (1Kor 6,17; 12,13; Gal 3,27), und darum heißt es, er ist *in Christus. In Christus zu sein* ist eine lebendige und bleibende Verbindung. In dieser Gemeinschaft sind die alten Dinge – in Bezug auf die Stellung und Beziehung, die früher die Grundlage des Gerichtes waren – vergangen, und alle Stellungen und Beziehungen sind neu geworden und von Gott (2Kor 5,17.18). Da das Kind Gottes für immer angenommen ist „in dem Geliebten" (Eph 1,6), ist es ebenso sicher wie Er, in dem es ist und in dem es steht.

4. Die Gegenwart des Heiligen Geistes in dem Gläubigen wird das Siegel Gottes genannt, das auf ihm sein wird bis zum Tag der Errettung, dem Tag der Verwandlung oder Auferstehung der Gläubigen (2Kor 1,22; Eph 1,13-14; 4,30). Da diese Versiegelung mit dem Heiligen Geist ein Werk Gottes ist und die Sicherheit des Menschen symbolisiert, der auf diese Weise versiegelt worden ist, bis Gott Seinen Plan vollendet und ihn fleckenlos im Himmel darstellt, ist sie ein weiterer Beweis dafür, dass ein Gläubiger, der einmal errettet wurde, auf ewig errettet ist.

Insgesamt gesehen beruht die Heilssicherheit auf dem Wesen der Errettung. Sie ist ein Werk Gottes, kein Werk des Menschen. Sie beruht auf der Macht und Treue Gottes, nicht auf der Kraft und Treue des Menschen. Wenn die Errettung durch Werke geschähe oder eine Belohnung für den Glauben als ein gutes Werk wäre, würde die Sicherheit des Menschen infrage stehen. Doch da sie vielmehr auf Gnade beruht und auf der Verheißung und dem Wirken Gottes, kann sich der Gläubige seiner Errettung sicher sein und mit Paulus sagen: Ich bin in guter Zuversicht, dass der, der ein gutes Werk in mir angefangen hat, es vollenden wird bis auf den Tag Christi Jesu (vgl. Phil 1,6).

Es kann also aus diesen umfassenden Beweisen geschlossen werden, dass Gott Seine ewigen Absichten bezüglich der Bewahrung derer, die Sein Eigentum sind, nicht ändert. Zu diesem Zweck hat Er jedes nur mögliche Hindernis beseitigt. Die Sünde, die uns normalerweise von Ihm getrennt hätte, ist von einem Stellvertreter getragen worden, der vor dem Thron Gottes für uns eintritt. Der Wille des Gläubigen steht unter göttlicher Herrschaft (Phil 2,13), und jede Prüfung wird durch die unendliche Gnade und Weisheit Gottes erträglich (1Kor 10,13).

In diesem Kapitel wurde zwar entsprechend dem üblichen Sprachgebrauch zwischen Errettung und Bewahrung als verschiedenen Werken Gottes unterschieden, jedoch ist deutlich zu betonen, dass die Bibel eine solche Unterscheidung nicht kennt. Nach der Schrift gibt es keine Errettung unter der Gnade, die nicht unbegrenzt vollkommen ist und für ewig bleibt.

? Fragen

1. Warum ist die Heilssicherheit so wichtig für einen Gläubigen?
2. Welches sind die sich widersprechenden Meinungen von Calvinismus und Arminianismus in Bezug auf die Heilssicherheit?
3. Wie viele Bibelstellen werden von den Arminianern etwa zur Unterstützung ihrer Theorie angeführt?
4. Was ist die wichtigste Frage in Bezug auf diese Bibelstellen?
5. In welchem Punkt hinsichtlich der Heilssicherheit stimmen die Vertreter beider Theorien überein?
6. Ist es eine Frage für Gott, ob ein Mensch errettet ist?
7. Stimmt es, dass ein oberflächlicher Glaube nicht errettet?
8. Wie bewerten Sie die vielen Bibelstellen, die gegen die Heilssicherheit ins Feld geführt werden und sich mit menschlichen Werken als sichtbarem Zeichen für die Errettung beschäftigen?
9. Sind Warnungen vor oberflächlichem Glauben an Christus als Warnungen zu betrachten, dass ein Gläubiger das ewige Heil verlieren könnte?

10. Kann ein wirklicher Christ seine Belohnung im Himmel verlieren und trotzdem errettet sein?
11. Kann ein wirklicher Christ die Gemeinschaft mit Gott verlieren und trotzdem errettet sein?
12. Kann ein Christ gezüchtigt oder gestraft werden und trotzdem errettet sein?
13. Wie erklären Sie den Ausdruck „aus der Gnade gefallen sein" in Bezug auf die Errettung eines Christen?
14. Warum gibt es im Alten Testament einige schwierige Bibelstellen in Bezug auf die Heilssicherheit?
15. Wie erklären Sie Matthäus 24,13?
16. Warum ist Heilssicherheit oder -unsicherheit abhängig von der Beantwortung der Frage, wer das Errettungswerk vollbringt?
17. Welche vier Werke des Vaters stützen die Heilssicherheit?
18. Warum sind die Werke Gottes des Vaters die *eine* Garantie für die Heilssicherheit?
19. Welche vier Werke des Sohnes Gottes stützen die Lehre der Heilssicherheit?
20. Welcher Zusammenhang besteht zwischen dem Tod Christi und der Heilssicherheit?
21. Welcher Zusammenhang besteht zwischen der Auferstehung Christi und der Heilssicherheit?
22. Welcher Zusammenhang besteht zwischen dem Werk Christi als unserem Fürsprecher und als dem, der für uns bittet, und der Heilssicherheit?
23. Welches sind die vier Werke des Heiligen Geistes im Zusammenhang mit der ewigen Heilssicherheit?
24. Ist die neue Geburt ein Vorgang, der rückgängig gemacht werden kann?
25. Gibt es ein Beispiel dafür, dass ein Mensch mehr als einmal wiedergeboren wurde?
26. Welcher Zusammenhang besteht zwischen dem in dem Gläubigen wohnenden Heiligen Geist und der Heilssicherheit?
27. Kann ein Gläubiger im gegenwärtigen Zeitalter den Heiligen Geist verlieren?
28. Welche Wirkung hat die Taufe mit dem Heiligen Geist in Bezug auf die Heilssicherheit?

29. Warum ist die Verheißung, dass der Heilige Geist bis zum Tag der Errettung ein Siegel ist, ein Versprechen der Heilssicherheit?
30. Fassen Sie die Gründe zusammen, warum Heilssicherheit auf dem Wesen der Errettung als einem Werk Gottes beruht.
31. Inwiefern schließt das Wesen der Errettung den Aspekt der Bewahrung eines Gläubigen mit ein?

Kapitel 34

Göttliche Erwählung

A. Definition von Erwählung

Die Schrift zeigt Gott als einen absoluten Souverän, der aus freiem Willen beschlossen hat, das Universum zu schaffen und seine Geschichte nach einem vorgefassten Plan zu leiten. Dass Gott souverän und in der Lage sein sollte, jeden Ihm wohlgefälligen Plan auszuführen, gehört zu der Vorstellung eines unendlichen, allmächtigen Gottes. Der menschliche Verstand kann einen solchen Plan nicht erfassen, vor allem kann er nicht verstehen, wie ein Mensch frei und verantwortlich innerhalb eines solchen programmierten Universums handeln kann.

Die Erklärungen der Menschen reichen von dem einen Extrem, das Gottes souveräne Absicht absolut setzt, bis zum anderen, das die Freiheit des Menschen so groß erscheinen lässt, dass Gott nicht mehr die Herrschaft über alles in der Hand hält. Bei dem Versuch, ein so schwieriges Problem zu lösen, ist die einzige Möglichkeit, sich an die göttliche Offenbarung zu wenden und die menschliche Erfahrung auf der Basis dessen, was die Bibel lehrt, zu deuten.

In der Bibel erstreckt sich Gottes souveräne Absicht sowohl auf einzelne Menschen als auch auf ganze Nationen. Israel wird als eine erwählte Nation bezeichnet (Jes 44,1; 45,4; 65,9.22). Der Ausdruck „erwählt“ wird häufig auf Menschen angewandt, die zur Errettung erwählt sind (vgl. Mt 24,22.24.31; Mk 13,20.22.27; Lk 18,7; Röm 8,33; Eph 1,4; Kol 3,12; 2Thes 2,13; 1Tim 5,21; 2Tim 2,10; Tit 1,1; 1Petr 1,1; 1Petr 2,9; 5,13; 2Jo 13). Derselbe Begriff wird verwendet für Christus (vgl. Jes 42,1; 1Petr 2,6) und auch für die Apostel (Joh 6,70; 13,18; Apg 1,2, „auserwählt“). Es wird auch von „Erwählung“ gesprochen (Röm 9,11; 11,5.7.28; 1Thes 1,4; 2Petr 1,10). Erwählung bedeutet, dass der erwähnte Einzelne oder die Gruppe zu einem göttlichen Zweck ausgewählt ist.

Einige Ausdrücke stehen im Zusammenhang mit dem Begriff der Erwählung, zum Beispiel „im Voraus … erkannt“ (1Petr 1,20) und

„vorherbestimmt" (Röm 8,29.30; Eph 1,5.11). Gemeint ist: im Voraus festlegen wie in Apostelgeschichte 4,28 oder im Voraus bestimmen wie in Judas 4 und Epheser 2,10. Auch wird häufig auf diesen Gedanken Bezug genommen, wenn das Wort „beschlossen" verwendet wird wie in 2. Chronik 25,16; Jesaja 19,17; Lukas 22,22; Apostelgeschichte 17,26 („bestimmt"). Mit allen diesen Ausdrücken ist gemeint, dass Gottes Wahl der Handlung vorausgeht und dass sie durch Seinen souveränen Willen bestimmt wird.

Erwählung, Vorhererkenntnis und Vorherbestimmung sind im Einklang mit dem göttlichen Plan (Eph 1,9; 3,11) und stehen in der Bibel auch im Zusammenhang mit Gottes Vorkenntnis (Apg 2,23; Röm 8,29; 11,2; 1Petr 1,2). Häufig wird auch das Wort „berufen" verwendet, wie in Römer 8,30 und vielen anderen Bibelstellen (1Kor 1,9; 7,18.20.21.22.24; Gal 5,13; Eph 4,1.4; Kol 3,15; 1Tim 6,12; Hebr 5,4; 9,15; 1Petr 2,21; 3,9; 1Jo 3,1). In Johannes 12,32 spricht unser Herr von der Berufung als einem Ziehen des Menschen zu Gott (vgl. Joh 6,44). Alle diese Stellen zeigen, dass ein souveräner Gott Seinen Plan ausführt; in Seinem Plan sind einzelne Menschen zur Errettung erwählt, und bestimmte Nationen, vor allem Israel, sind erwählt, einen bestimmten göttlichen Zweck zu erfüllen.

B. Die Tatsache der göttlichen Erwählung

Obwohl die Lehre der Erwählung den menschlichen Verstand übersteigt, ist sie ganz klar biblisch belegt. Gott hat bestimmte Menschen zur Errettung erwählt und sie vorherbestimmt, in das Bild Seines Sohnes Jesus Christus umgestaltet zu werden (Röm 16,13; Eph 1,4-5; 2Thes 2,13; 1Petr 1,2). Ganz offensichtlich hat diese Entscheidung ihren Ursprung in Gott und gehört zu Seinem ewigen Plan.

Die göttliche Erwählung ist kein Akt Gottes im Ablauf der Zeit, sondern Teil Seines ewigen Planes. Dies wird in zahlreichen Bibelstellen klar, zum Beispiel in Epheser 1,4, wo es heißt: „… wie er uns in ihm auserwählt hat vor Grundlegung der Welt, dass wir heilig und tadellos vor ihm sind in Liebe." Nach 2. Timotheus 1,9 ist unsere Erwählung „nach seinem eigenen Vorsatz und der Gnade, die uns in Christus Jesus vor ewigen Zeiten gegeben". Weil Gottes Plan ewig ist, muss auch die Erwählung als ein wesentlicher Bestandteil dieses Planes ewig sein.

Eines der schwierigen Probleme in der Lehre der Erwählung ist der Zusammenhang zwischen Erwählung und Vorkenntnis. Einige Ausleger neigen dazu, das Konzept der Erwählung abzuschwächen, und bauen auf der Idee auf, dass Gott schon im Voraus wisse, wer Christus annehmen wird, und diese auf der Grundlage dieses Vorherwissens zur Errettung erwählte.

Das Problem einer solchen Theorie ist jedoch, dass sie Gott einem Plan zu unterwerfen scheint, über den Er keine Autorität hat. Die Erwählung und die Vorkenntnis haben zwar dieselbe Reichweite, aber die Vorkenntnis kann nicht bestimmend sein.

Eine mögliche Lösung ist, dass man von vorneherein anerkennt, dass Gott allwissend ist, d. h. Er kannte alle möglichen Pläne für das Universum und wählte aus ihrer unendlichen Zahl einen Plan aus. Da Er diesen Plan in allen Einzelheiten kannte, konnte Er im Voraus diejenigen erkennen, die errettet oder erwählt sein würden, sowie alle mit ihrer Errettung verbundenen Umstände. Dabei stellt sich unmittelbar das Problem der menschlichen Freiheit. Die Erfahrung und auch die Schrift zeigen, dass der Mensch eine eigene Entscheidung treffen kann. Wie kann man ein fatalistisches System umgehen, in dem alles vorbestimmt ist und kein Raum mehr für moralische Entscheidungen existiert? Ist die Verantwortung des Menschen nur eine Farce oder gibt es sie wirklich? Dies sind die Probleme, vor dem der Schriftausleger in Bezug auf diese schwierige Lehre steht.

Obwohl die Theologen bis jetzt nicht in der Lage waren, dieses Problem der göttlichen Erwählung im Zusammenhang mit der Entscheidungsfreiheit und der moralischen Verantwortung des Menschen vollständig zu lösen, scheint die Antwort zu sein, dass Gott, indem Er sich für einen Plan entschied, den Plan als Ganzes wählte und nicht nur Stückwerk. Er wusste im Voraus, vor der Entscheidung für einen Plan, wer in diesem Plan errettet werden würde und wer nicht. Im Glauben müssen wir annehmen, dass Gott sich für den bestmöglichen Plan entschieden hat. Der Plan enthielt vieles, was Gott selbst tun würde, wie zum Beispiel die Schöpfung und die Einrichtung der Naturgesetze. Der Plan umfasste alles, was Gottes souverän beschlossen hat, selbst zu tun, zum Beispiel sich selbst durch die Propheten zu offenbaren und die Menschen in ihrer Entscheidung zu beeinflussen, auch wenn sie immer noch verantwortlich sind für die Entscheidung, die sie letztendlich treffen.

Mit anderen Worten: In dem Plan war auch eine gewisse Freiheit des Menschen enthalten zu tun, was er will, wofür er zur Verantwortung gezogen werden würde. Die Tatsache, dass Gott immer wusste, was der Mensch tun würde, bedeutet nicht, dass Gott den Menschen gezwungen hätte, etwas gegen seinen Willen zu tun und ihn dann dafür zu bestrafen.

Bei der Kreuzigung Christi, auf die der ganze Plan Gottes aufgebaut war, traf Pilatus aus freien Stücken die Entscheidung, Christus zu kreuzigen, und er wurde dafür zur Rechenschaft gezogen. Es war Judas Ischariots freie Entscheidung, Christus zu verraten, und er musste dafür Rechenschaft ablegen. Und doch gehörten beide Entscheidungen zu Gottes Plan, und sie standen schon fest, lange bevor sie getroffen wurden.

Die beste Lösung dieses Problems ist immer noch die Antwort, die die Bibel uns gibt, auch wenn das unseren menschlichen Verstand übersteigt. Bisweilen hilft auch eine genauere Übersetzung des Grundtextes zum besseren Verständnis, wie z. B. bei der Stelle in 1. Petrus 1,1-2, wo es nach vielen Übersetzungen heißt, die Christen seien „auserwählt … nach Vorkenntnis Gottes, des Vaters“, was bedeuten würde, dass die Erwählung der Vorkenntnis Gottes unterworfen ist. Das Wort „auserwählt“ gehört jedoch eigentlich zu dem Wort „Fremdlinge“ in Vers 1 (vgl. dazu auch die Schlachter-Übersetzung sowie Luther 1912) und lehrt nicht die logische Abhängigkeit der Erwählung von der Vorkenntnis Gottes, sondern zeigt die Tatsache, dass Vorkenntnis und Auserwählung nebeneinander stehen.

Das Verständnis wird erleichtert, wenn wir uns vor Augen halten, dass der ganze göttliche Plan der Erwählung und der Vorkenntnis ewig ist. Der Mensch kann zwar versuchen, eine logische Beziehung zu beiden herzustellen, doch alles war von Anbeginn der Zeit schon in Gottes Sinn. Mit anderen Worten: Es gab niemals einen anderen Plan, und von daher sind alle Aspekte des ewigen Planes Gottes gleich zeitlos.

Daraus muss geschlossen werden, dass die Erwählung und die ihr verwandten Begriffe in der Schrift klar gelehrt werden. Einige

Menschen sind von Gott zur Errettung erwählt worden, und andere scheinen nicht erwählt oder übergangen worden zu sein. Die Erwählung ist ewig und kein Akt Gottes in der Zeit. In der Erwählung passt sich Gott nicht der Vorkenntnis an, obwohl die Erwählung von der Allwissenheit Gottes auszugehen scheint. Zwar hat der Mensch ernsthafte Probleme, diese Lehre zu verstehen, doch er sollte sie der göttlichen Offenbarung unterwerfen.

C. Verteidigung der Lehre der Erwählung

Obwohl einige Theologen versucht haben, die Lehre der Erwählung wegzudiskutieren und das Problem zu lösen, indem sie verleugneten, was die Bibel dazu sagt, beruhen die Argumente gegen die göttliche Erwählung gewöhnlich auf einem Missverständnis. Häufig wird die Erwählung so dargestellt, als handle Gott willkürlich. Diese Meinung entsteht natürlich aus dem Unglauben. Gott ist souverän, doch Seine Souveränität ist immer weise, heilig, gut und liebevoll.

Auch wird von einigen behauptet, Gott sei ungerecht, weil einige Menschen von Seinem Heilsplan ausgeschlossen seien. Hier sollte beachtet werden, dass Gott nicht verpflichtet ist, jeden zu retten, und dass diejenigen, die Er rettet, sich entscheiden zu glauben. Das Wirken Gottes in der tatsächlichen Errettung eines Menschen ist zwar unergründlich, weil es ganz offensichtlich ein Akt der göttlichen Gnade ist, wenn jemand an Christus glaubt und errettet wird, aber die Bibel fordert ganz klar alle Menschen auf zu glauben (Apg 16,31). Niemand wird gegen seinen Willen errettet, und niemand bleibt gegen seinen Willen ungläubig.

Ein weitverbreiteter Einwand gegen diese Lehre ist, dass sie die missionarischen Bemühungen dämpft, den Verlorenen das Evangelium zu bringen, und auch diejenigen entmutigt, die errettet werden möchten. Gott hat aber in Seinen Plan miteingeschlossen, dass das Evangelium jeder Kreatur gepredigt werden soll, und Er möchte, dass alle errettet werden (2Petr 3,9). Bei der Schaffung eines moralischen Universums, in dem es den Menschen überlassen bleibt, zu glauben oder nicht zu glauben, ist es jedoch unausweichlich, dass einige gerettet werden und einige nicht.

Ein weiterer Einwand ist, dass, wenn einige erwählt sind zur Errettung und andere erwählt sind, nicht errettet zu werden, die nicht Erwählten in ihrem verlorenen Zustand ohne Hoffnung seien. Die Schrift betont ganz klar, dass einige zur Errettung erwählt sind. Die nicht Erwählten sind bestimmt zu ihrem Schicksal, nicht, weil sie die Errettung gewünscht und nicht erhalten haben, sondern immer, weil sie unerrettet bleiben wollten. Gottes Erbarmen zeigt sich in Seiner Langmut, wie in Römer 9,21-22 und 2. Petrus 3,9 gesagt wird. Niemand wird vor Gott stehen und sagen können: „Ich wäre gern errettet worden, doch ich konnte nicht, weil ich nicht erwählt war."

Zwar werden sich die größten Gelehrten und die einfachen Bibelleser auch weiterhin mit dieser schwierigen Lehre auseinandersetzen, doch die Tatsache der göttlichen Erwählung ist ganz klar in der Bibel belegt, und jene, die gerettet sind, obwohl sie sich zum Zeitpunkt ihrer Auslieferung an Christus dieser Tatsache vielleicht nicht bewusst waren, können sich freuen, dass sie von Ewigkeit her in Gottes Heilsplan eingeschlossen waren und dass ihre Errettung eine hervorragende Veranschaulichung der Gnade Gottes ist. Ein Gott, der souverän und ewig ist, hat natürlich einen Plan. Auf der Basis der biblischen Offenbarung kann ein Gläubiger in Christus nur daran glauben, dass Gottes Plan heilig, weise und gut ist, dass Gott ein langmütiger Gott ist und dass Er traurig ist über den verlorenen Zustand jener, die sich weigern, die Errettung anzunehmen, die Christus uns durch Sein Blut erworben hat.

? Fragen

1. Warum ist es vernünftig anzunehmen, dass Gott einen souveränen Plan für das Universum hat?
2. Welche zwei extremen Theorien vertreten die Menschen in Bezug auf Gottes souveräne Absichten?
3. Wie kann verdeutlicht werden, dass Gottes souveräner Plan sowohl Einzelne, Nationen und auch andere Gruppen einschließt?
4. Welche verschiedenen Ausdrücke werden für Erwählung verwendet?

5. Welches ist der Hauptgedanke aller dieser Ausdrücke in Bezug auf die Erwählung?
6. Was wird durch die göttliche Erwählung erreicht?
7. Wodurch wird die Annahme gestützt, dass die göttliche Erwählung von Ewigkeit her ist?
8. In welchem Zusammenhang stehen Erwählung und Vorkenntnis?
9. Wie kann das Problem der Beziehung zwischen menschlicher Entscheidungsfreiheit und göttlicher Erwählung gelöst werden?
10. Erklären Sie, inwiefern die menschliche Entscheidungsfreiheit in den Plan Gottes eingeschlossen ist.
11. Erklären Sie, inwiefern die Kreuzigung Christi eine hervorragende Verdeutlichung sowohl der Freiheit des Menschen als auch des ewigen Planes Gottes ist.
12. Warum sollte ein Mensch die Lehre der Erwählung annehmen, auch wenn er sie nicht versteht?
13. Wie kann der Behauptung, Gott sei willkürlich und ungerecht, weil Er bestimmte Menschen erwähle und andere angeblich nicht, begegnet werden?
14. Wie würden Sie die Behauptung widerlegen, die Lehre der Erwählung behindere missionarische Bemühungen?
15. Warum war es im Plan Gottes notwendigerweise vorgesehen, dass einige nicht errettet werden?
16. Bietet die Lehre der Erwählung nicht geretteten Menschen eine Entschuldigung für ihren verlorenen Zustand?
17. Gibt es einen Beleg dafür, dass Gottes Plan heilig, weise und gut ist und dass Gott langmütig und besorgt ist wegen des verlorenen Zustands derjenigen, die die Errettung zurückweisen?

Kapitel 35

Die Gemeinde: Ihre Glieder

A. Die Gemeinde im Plan Gottes für die Gegenwart

Die Gemeinde wird im Neuen Testament als die zentrale Absicht Gottes in dem gegenwärtigen Heilszeitalter geoffenbart. Im Gegensatz zu Gottes Plan für die einzelnen Menschen und Nationen des Alten Testaments und dem größeren Plan für das Volk Israel wird die Gemeinde geoffenbart als die Gemeinschaft der Gläubigen aus Juden und Heiden, die aus der Welt herausgerufen wurden und durch die Taufe des Geistes in eine lebendige Gemeinschaft zusammengefügt sind.

Der Begriff Gemeinde umfasst grundsätzlich zwei Aspekte. Die Hauptbetonung im Neuen Testament liegt auf der Gemeinde als einem lebenden Organismus, einer lebendigen Gemeinschaft aller wahren Gläubigen in Christus. Ihren Anfang nimmt sie am Pfingsttag mit der Ankunft des Geistes, und beendet wird sie mit der Wiederkunft Christi für Seine Gemeinde. Dann wird die Gemeinde aus der Welt herausgeholt und in den Himmel gebracht werden.

Der zweite Aspekt ist der der örtlichen Gemeinde oder der Gemeinde als Organisation. Damit ist die Gemeinschaft der bekennenden Gläubigen an einem bestimmten Ort (1Kor 1,2; Gal 1,2; Phil 1,1) gemeint oder eine Gruppe solcher örtlicher Versammlungen.

Das Wort „Gemeinde" ist eine Übersetzung des griechischen Wortes *ekklesia*. Es wird häufig für Versammlungen von Menschen zu religiösen oder politischen Zwecken verwendet. Eigentlich bedeutet es „die Herausgerufenen". Im antiken Griechenland wurden Städte häufig durch reine Demokratie regiert. Alle Bürger der Stadt versammelten sich und entschieden gemeinsam über die Angelegenheiten der Stadt. Da sie von ihrer Beschäftigung zu solchen Versammlungen gerufen wurden, wo sie abstimmen sollten, bezeichnete das Wort das Ergebnis des Herausgerufenwerdens oder diejenigen, die auf diese Weise versammelt wurden.

In der Septuaginta, einer griechischen Übersetzung des Alten Testaments, wird dieses Wort häufig verwendet, um verschiedene

Versammlungen zu bezeichnen. In ähnlichem Sinne wird es in Bibelstellen wie Apostelgeschichte 7,38 und Apostelgeschichte 19,32 gebraucht, wo es einfach nur für eine Menge steht, die sich versammelt hat. Wenn es für die Gemeinde als Leib Christi verwendet wird, wird es zu einem Sonderbegriff und bezieht sich auf die Menschen, die aus der Welt herausgerufen und zu einer lebendigen Gemeinschaft in Christus zusammengestellt sind. Diese Verwendung findet sich im Alten Testament nicht, obwohl Israel sich auch manchmal zu religiösen Zwecken versammelte. Wenn der Begriff jedoch für die Geretteten verwendet wird, bezieht er sich auf die besondere Gemeinschaft derer, die im gegenwärtigen Heilszeitalter auf der Erde oder im Himmel gerettet sind.

B. Die Gemeinde: eine neutestamentliche Offenbarung

Die Vorstellung einer Gemeinde, die gleichermaßen aus Juden und Heiden besteht, die alle errettet und durch das ewige Leben miteinander verbunden sind, ist im Alten Testament nicht zu finden. Nur das Neue Testament enthält die göttliche Offenbarung über dieses wichtige Thema. Nach dem Plan Gottes war es zuerst notwendig, dass Christus kommen, am Kreuz sterben, von den Toten auferstehen und in den Himmel auffahren musste. Mit der Ankunft des Geistes am Pfingsttag konnte Gott dann Seinen Plan von einer besonderen Gemeinschaft von Gläubigen verwirklichen, die die Unterschiede zwischen Israel und den Heiden nicht berücksichtigte und ihre eigene Stellung im ewigen Ratschluss Gottes hatte.

Nach Apostelgeschichte 2, wie auch durch die Erfahrung des Kornelius in Apostelgeschichte 10 bestätigt, wurden die an Christus gläubigen Menschen mit dem Geist getauft (1Kor 12,13) und Glieder am Leib Christi. Seit Pfingsten wird jeder Gläubige im Augenblick seiner Errettung ein Glied am Leib Christi. Wenn die Gemeinde vollständig ist und bei der Entrückung in den Himmel geholt werden wird, wird Gott in der anschließenden Großen Drangsal und auch im Tausendjährigen Reich wieder zwischen Juden und Heiden (Nationen) unterscheiden.

C. Die Juden, die Nationen und die Gemeinde Gottes

Im gegenwärtigen Zeitalter teilt die Bibel die Menschen in drei Gruppen ein: die Juden, die Nationen (Heiden) und die Gemeinde Gottes (1Kor 10,32). Diese drei Unterscheidungen zu beachten ist äußerst wichtig zum Verständnis des gegenwärtigen Planes Gottes.

1. Die Juden, oder die Kinder Israel, stammen von Abraham in der Linie über Isaak und Jakob ab und sind nach göttlichem Plan und Verheißung das auserwählte Volk Gottes auf der Erde. Diese Nation ist auf wunderbare Weise bis auf die heutige Zeit erhalten worden, und nach der Verheißung wird sie das herrschende, verherrlichte Volk auf der Erde im kommenden Tausendjährigen Reich sein (Jes 62,1-12).

Die ewigen Verheißungen des HERRN für dieses Volk können nicht geändert werden. Diese Verheißungen sind: eine Nation (Jer 31,36), ein Land (1Mo 13,15), ein Thron (2Sam 7,13), ein König (Jer 33,20-21) und ein Königreich (2Sam 7,16). In der Treue Gottes sind diese Verheißungen, die vorwiegend für die Erde gelten, bis auf die heutige Zeit erfüllt worden, und sie werden in alle Ewigkeit erfüllt werden; denn jedes dieser Bündnisse ist ewig.

Vier Worte beschreiben die Verwirklichung des göttlichen Zieles für dieses Volk: „erwählt", „zerstreut", „gesammelt", „gesegnet". Es ist offensichtlich, dass sie erwählt waren und nun unter allen Nationen der Erde zerstreut sind. Sie werden jedoch wieder gesammelt und gesegnet werden. Von dem besonderen Dienst dieses Volkes wird in Römer 9,4-5 berichtet (vgl. 1Mo 12,3).

2. Die Nationen (Heiden) sind die unzählbare Schar von Menschen außerhalb Israels, die seit Adam bis jetzt auf der Erde gelebt haben. Abgesehen von einzelnen Menschen wird von der Zeit von Adam bis Christus nicht berichtet, dass Gott eine besondere Beziehung zu ihnen gehabt oder ihnen Verheißungen gegeben hätte. Die Verheißungen des Alten Testaments sagen jedoch große irdische Segnungen voraus, die auf die Nationen in dem zukünftigen Reich auf der Erde kommen sollen, und im gegenwärtigen Zeitalter können sie gleichberechtigt mit den Juden an den Vorrechten des Evangeliums teilhaben.

3. Die Gemeinde Gottes bezieht sich nicht auf die Mitgliedschaft in einer organisierten Gemeinde, sondern auf die ganze Schar der Erlösten, die im gegenwärtigen Heilszeitalter errettet worden sind. Sie sind ein klar abgegrenztes

Volk, a) weil alle Angehörigen dieser Schar wiedergeboren sind und in das Reich Gottes kommen (Joh 3,5) und dazu bestimmt sind, in das Bild Christi umgestaltet zu werden (Röm 8,29); b) weil sie nicht mehr in Adam sind und keinen Teil mehr haben am Ruin der alten Schöpfung (2Kor 5,17), sondern in Christus sind und in der neuen Schöpfung an all dem teilhaben, was Christus in Seinem Auferstehungsleben und Seiner Herrlichkeit ist (Eph 1,3; Kol 2,10); c) weil sie nun in Gottes Augen eine andere Nationalität haben, denn sie stehen auf einem neuen Grund, wo es weder Juden noch Heiden gibt, sondern wo Christus alles in allem ist (Kol 3,11); d) weil sie nun Bürger des Himmels sind (Phil 3,20; Kol 3,3) und alle ihre Verheißungen, ihr Besitz und ihre Stellung im Himmel sind (2Kor 5,17-18). Dadurch unterscheidet sich dieses himmlische Volk von allen anderen Völkern der Erde.

D. Die Gemeinde, bestehend aus Juden und Heiden (Nationen)

Die jeweilige Stellung von Juden und Heiden auf der Erde ist bereits herausgearbeitet worden. Es sollte noch hinzugefügt werden, dass Gott um der Gnade willen während des gegenwärtigen Heilszeitalters Juden und Heiden auf einen gemeinsamen Boden gestellt hat (Röm 3.9). Von ihnen wird gesagt, sie seien „unter der Sünde“, was bedeutet, dass sie die Errettung nur durch Gnade erreichen können.

Den Juden fiel es sehr schwer, die Änderung im göttlichen Plan, die durch den Tod Christi eingetreten war, zu verstehen. Nun galt das Heil nicht mehr dem auserwählten Bundesvolk, sondern jedem, der glaubte, ob Jude oder Heide. Die Juden begriffen nicht, dass die sie betreffenden Bündnisse für eine bestimmte Zeit außer Kraft gesetzt, jedoch nicht aufgehoben waren. Von den Schwierigkeiten der Juden mit diesem Problem wird in der Apostelgeschichte berichtet.

Bis heute haben sich die Juden noch nicht auf diesen Plan eingestellt, und es wird vorausgesagt, dass sie bis zur Entrückung der Gemeinde zum Teil verstockt sein werden (Röm 11,25), wonach der Erretter selbst auf den Berg Zion kommen und alle Gottlosigkeiten von Jakob abwenden wird. Dies, so wird festgestellt, ist Gottes Bund mit dem Volk Israel, wenn Er alle ihre Sünden hinwegnehmen wird (Röm 11,26-27). Heute jedoch werden durch die Verkündigung des

Evangeliums sowohl Juden als auch Heiden gerettet und zur Gemeinde hinzugetan. Der Apostel Paulus verfügte, dass das Evangelium zuerst den Juden (Röm 1,16) gepredigt werden sollte, und sein eigener Dienst richtete sich nach diesem Programm (Apg 17,1-3).

Dem Apostel Paulus wurden zwei Offenbarungen gegeben: die eine über das Evangelium der Gnade Gottes – wahrscheinlich als er zu Beginn seines Dienstes in Arabien war (Gal 1,11-12); die andere von der Gemeinde als dem Leib Christi – wahrscheinlich als er im Gefängnis war (Eph 3,3-6). Das wesentliche Merkmal dieser zweiten Offenbarung ist, dass Gott nun sowohl aus den Juden als auch aus den Heiden (Nationen) einen neuen Leib formt (Eph 2,15). Dies war ein bis dahin nicht geoffenbartes göttliches Geheimnis. Dass Gott Pläne für Israel oder für die Heiden hatte, war Gegenstand der alttestamentlichen Prophezeiung und daher kein Geheimnis. Das Geheimnis, das verborgen war in Gott, war jedoch die Erschaffung eines neuen himmlischen Organismus aus Juden und Heiden gleichermaßen.

E. Mitgliedschaft in der Gemeinde

Die Antwort auf die Frage „Kann ein Mensch errettet und nicht Mitglied einer Gemeinde sein?" hängt ab von der Bedeutung, die dem Wort „Gemeinde" gegeben wird. Natürlich kann es sein, dass ein Mensch Christ ist und keiner örtlichen Gemeinde angehört. Alle Menschen sollten errettet sein, bevor sie sich einer Gemeinde anschließen. Ein erlöster Mensch sucht jedoch üblicherweise die Gemeinschaft des Volkes Gottes in der einen oder anderen Form.

Auf der anderen Seite ist es unmöglich, errettet und nicht Glied der Gemeinde als dem Leib Christi zu sein; denn es gehört zum göttlichen Werk der Errettung, die Geretteten durch die Taufe mit dem Heiligen Geist in Christus zu vereinen (1Kor 12,13). In Verbindung mit dem Werk des Geistes hat das Wort „Taufe" eine besondere Bedeutung, die weit über den äußerlichen Vorgang der Wassertaufe hinausgeht. „Taufe" bezeichnet dasjenige Werk des Geistes für den Gläubigen, das viel weitreichendere Folgen hat als jedes andere göttliche Werk in der Errettung. Es ist nicht verwunderlich, dass der Satan versucht hat, die offenkundige Bedeutung der Taufe durch den Geist und das göttliche Wirken, das sie bezeichnet, zu verzerren; denn nur aufgrund dieses Dienstes können wir die Schätze der göttlichen Gnade verstehen und in die himmlische Freude eingehen, die sie uns vermitteln.

Auf der Erde wird die Gemeinde als eine Pilgergruppe von Zeugen beschrieben. Sie sind nicht von dieser Welt, wie Christus nicht von dieser Welt ist (Joh 17,16), und wie der Vater den Sohn in die Welt gesandt hat, so sendet der Sohn diese Zeugen in die Welt. Was sie durch die Fülle dieser Gnade wirklich sind, „ist noch nicht offenbar geworden" (1Jo 3,2; vgl. Kol 3,4). Die Gemeinde ist das himmlische Volk im Gegensatz zu Israel als dem irdischen Volk. Sie wird nach der Verwirklichung ihres göttlichen Auftrages im Himmel als die Braut des Lammes erscheinen und mit dem König herrschen. Sie wird auf ewig an der Herrlichkeit des ewigen Sohnes Gottes teilhaben.

? Fragen

1. Wie unterscheiden sich die Absichten Gottes für die Gemeinde von den Absichten Gottes für die Menschen und Nationen im Alten Testament?
2. Welche zwei Hauptbedeutungen hat der Begriff „Gemeinde"?
3. Was ist die ursprüngliche Bedeutung des Wortes „Gemeinde"?
4. In welchem Sinne wird das Wort „Gemeinde" im Alten Testament gebraucht, und inwiefern unterscheidet sich seine Bedeutung von dem Gebrauch in Bezug auf die Gemeinde als dem Leib Christi?
5. Was war im Plan Gottes vor der Ankunft des Heiligen Geistes am Pfingsttag notwendig?
6. Welcher Zusammenhang besteht zwischen der Gemeinde und der Taufe mit dem Heiligen Geist?
7. Erklären Sie, in welche drei Gruppen die Menschheit im gegenwärtigen Heilszeitalter eingeteilt ist.
8. Welche ewigen Verheißungen hat Gott dem Volk Israel gegeben?
9. Welche Verheißungen hat Gott den Heiden gegeben?
10. In welchem Sinn ist die Gemeinde eine klar umrissene Menschengruppe?

11. Auf welche gemeinsame Grundlage hat Gott Juden und Heiden im gegenwärtigen Zeitalter gestellt?
12. Was ist mit den Bündnissen Israels im gegenwärtigen Zeitalter?
13. Wie wird Israel nach Römer 11,25 im gegenwärtigen Zeitalter beschrieben?
14. Was wird mit Israel nach der Entrückung der Gemeinde geschehen?
15. Nennen und definieren Sie die beiden hauptsächlichen Offenbarungen, die dem Apostel Paulus gegeben wurden.
16. In welchem Zusammenhang steht die Errettung eines Einzelnen zu seiner Mitgliedschaft in einer Gemeinde?
17. Ist es möglich, errettet und nicht Mitglied der Gemeinde als dem Leib Christi zu sein?
18. Was ist die Bestimmung der Gemeinde nach dem gegenwärtigen Heilszeitalter?

Kapitel 36

Die Gemeinde: Ihr Zweck und ihr Auftrag

Durch die Gemeinde macht Gott Seine Weisheit im gegenwärtigen Zeitalter bekannt und zeigt den Engelscharen Seine Gnade (Eph 3,10). Im Himmel wird die Gemeinde auf ewig die Verkörperung dessen sein, was Gottes Gnade tun kann (Eph 2,7). Doch genau genommen ist der göttliche Auftrag für die Gemeinde auch den einzelnen Gläubigen gegeben und nicht nur dem ganzen Leib. Christus als das Haupt der Gemeinde kann jeden Gläubigen nach seinem Willen führen, im Einklang mit den persönlichen Begabungen und Gottes Plan mit dem Leben des Einzelnen. All das steht jedoch in Übereinstimmung mit dem Plan Gottes für die Gemeinde im gegenwärtigen Zeitalter. In der Gemeinde als Ganzes erfüllt Gott eine gegenwärtige Absicht, die sich genauso entfaltet wie in der Bibel vorhergesagt.

A. Die gegenwärtige göttliche Absicht in der Welt

Der Plan Gottes für dieses Zeitalter besteht nicht darin, die Welt zu bekehren, sondern diejenigen aus der Welt herauszurufen, die an Christus glauben, damit sie den Leib Christi, die Gemeinde, bilden. Die Welt wird zwar „bekehrt" werden, und es wird auch noch ein Reich der Gerechtigkeit auf der Erde geben; doch nach der Bibel wird jener Tag einer umgestalteten Erde, der keinesfalls das Ergebnis des christlichen Dienstes ist, erst nach der Wiederkunft des Herrn sein. Dieses Ereignis wird nur möglich sein durch Seine persönliche Gegenwart und Seine Macht.

Erst *nach* dem Zerschlagen des großen Standbildes durch den Stein – einem Symbol für die Wiederkunft Christi – wird der Gott des Himmels ein ewigwährendes Reich auf der Erde aufrichten (Dan 2,44-45). Erst *nachdem* der Herr wiedergekommen ist und sich auf den Thron Seiner Herrlichkeit gesetzt hat, wird Er die Schafe an Seiner Rechten in das irdische Reich führen, das Er für sie bereitet hat (Mt 25,31-34). Erst *nachdem* Er vom Himmel herabgestiegen ist, wird Christus 1000

Jahre auf der Erde herrschen (Offb 19,11–20,9; vgl. Apg 15,13-19; 1Kor 15,20-25).

Als Christus von den besonderen Merkmalen dieses Zeitalters sprach (Mt 13,1-50), hob Er drei Punkte besonders hervor: 1. Israels Platz in dieser Welt würde sein wie ein Schatz, der in einem Acker vergraben ist (Mt 13,44); 2. das Böse würde bis zum Ende des Zeitalters herrschen (Mt 13,4.25.33.48); 3. die Kinder des Reiches – sie werden mit dem Weizen, einer kostbaren Perle und guten Fischen verglichen – werden herausgesammelt werden (Mt 13,30.45.46.48).

Aus diesen drei Merkmalen des Zeitalters lässt sich schlussfolgern, dass das letzte, die Sammlung der Kinder des Reiches, Gottes höchstes Ziel in diesem Zeitalter ist. In Übereinstimmung damit heißt es in Römer 11,25, dass Israels Verstockung anhält, bis die Gemeinde vollständig sein wird (lesen Sie auch Eph 1,22-23), d. h. bis zum Ende des Zeitalters der besonderen Segnung der Heiden.

Auch wird das „Geheimnis der Gesetzlosigkeit" (2Thes 2,7) oder das Böse im gegenwärtigen Zeitalter wirksam sein, wenn auch zurückgehalten, bis der, welcher jetzt zurückhält, nämlich der Geist Gottes, aus dem Wege ist (2Thes 2,7). Da der Geist erst weggenommen werden wird, wenn Er das Herausrufen der Gemeinde beendet hat, ist das unmittelbare Ziel Gottes nicht die Korrektur des Bösen in der Welt, sondern das Herausrufen aller Gläubigen. Israels Bündnisse werden noch erfüllt (Röm 11,27), und das Böse wird von der Erde verbannt werden (Offb 21,1); doch das augenblickliche Ziel Gottes, von dem alle anderen Ziele offensichtlich abhängen, ist die Vollendung der Gemeinde.

In Apostelgeschichte 15,13-19 wird das Wesentliche der Ansprache des Jakobus am Ende des ersten Konzils der Gemeinde in Jerusalem wiedergegeben. Dieses Konzil beschäftigte sich mit dem gegenwärtigen Ziel Gottes. Die Urgemeinde bestand vorwiegend aus Juden, und diese waren verwirrt hinsichtlich ihrer nationalen Stellung im Licht der Tatsache, dass das neue Evangelium nun auch den Heiden verkündigt wurde. Jakobus sagt, dass nach der Erfahrung, die Petrus im Haus des Heiden Kornelius gemacht hat, Gott nun zuerst die Nationen heimsucht, um aus ihnen ein Volk zu nehmen für Seinen Namen. „Nach diesem" (V. 16) wird der Herr wiederkehren und Seinen Plan für Israel und die Heiden erfüllen.

All dies zeigt uns, dass im gegenwärtigen Zeitalter weder der einzelne Gläubige noch die Gemeinde von Gott zu einem Weltverbesserungsprogramm berufen ist; vielmehr ist der Gläubige aufgerufen, in aller Welt ein Zeuge für Christus und Seine rettende Gnade zu sein, und durch diesen Dienst der Verkündigung des Evangeliums wird der Geist Gottes die höchste göttliche Absicht für dieses Zeitalter erfüllen.

B. Der Bau der Gemeinde

Christus sagt voraus, dass Er Seine Gemeinde *bauen* wird (Mt 16,18), und der Apostel Paulus vergleicht die Gemeinde mit einem Bauwerk aus lebendigen Steinen, das zu einem „heiligen Tempel im Herrn" zusammenwächst und „aufgebaut" wird zu einer „Behausung Gottes im Geist" (Eph 2,21-22). Gleichermaßen setzt sich auch der Dienst des Gläubigen fort, der darin besteht, Seelen zu gewinnen und den Leib Christi aufzuerbauen, „bis wir alle hingelangen zu der Einheit des Glaubens und der Erkenntnis des Sohnes Gottes, zur vollen Mannesreife, zum Maß der vollen Reife Christi" (Eph 4,13). Das Maß des vollen Wuchses der Fülle des Christus bezieht sich hier nicht auf die Entwicklung christusähnlicher Menschen, sondern eher auf die Entwicklung des Leibes Christi bis zu seiner Vollendung (Eph 1,22-23). Dieser Aspekt zeigt sich auch in Epheser 4,16, wo die Glieder des Leibes, die mit lebendigen Zellen im menschlichen Körper verglichen werden, als unablässig tätig dargestellt werden, um Seelen zu gewinnen, und somit „das Wachstum des Leibes" bewirken.

C. Der Auftrag des Gläubigen

Christus sagte voraus, dass die Aussaat des Samens, die unsere gegenwärtige Heilszeit kennzeichnet, zum Ergebnis haben würde, dass nur etwa ein Viertel Frucht tragen würde (Mt 13,1-23). Trotzdem hat das Kind Gottes den Auftrag, zur Zeit und zur Unzeit beständig zu sein in seinen Bemühungen, die Verlorenen zu gewinnen – auch wenn die Verkündigung des Evangeliums zum Tod wie zum Leben führen kann (2Kor

2,16). Das Kind Gottes hat den Auftrag, in alle Welt zu gehen und der ganzen Schöpfung das Evangelium zu verkündigen (Mk 16,15) in dem Wissen, dass der Glaube durch das Hören und das Hören durch das Wort Gottes kommt (Röm 10,17). Auch wird in 2. Korinther 15,19 gesagt, dass Gott, der in Christus war und die Welt mit sich selbst versöhnt hat, uns das Wort der Versöhnung aufgetragen hat. „So sind wir nun Gesandte an Christi statt, indem Gott gleichsam durch uns ermahnt; wir bitten für Christus: Lasst euch versöhnen mit Gott!" (2Kor 5,20).

Dieser Dienst ist jedem Gläubigen gleichermaßen aufgetragen und kann auf verschiedene Weise ausgeübt werden.

1. Das Evangelium kann den Ungläubigen durch Opfergaben nahegebracht werden. Ganz sicher gibt es viele ernsthafte Christen, die gern eine Seele für Christus gewinnen würden, denen jedoch nicht klargeworden ist, wie wirkungsvoll es ist, für diesen Zweck freigebig von ihrem Besitz zu opfern. Der Botschafter kann nicht gehen, wenn er nicht ausgesandt wird; derjenige, der ihn aussendet, hat teil an seinem Dienst und hat damit ein Kapital angelegt, das ewige Dividende abwerfen wird.

2. Das Evangelium kann den Ungläubigen als Antwort auf Gebet nahegebracht werden. Der gesagt hat: „Wenn ihr mich etwas bitten werdet in meinem Namen, so werde ich es tun" (Joh 14,14), wird ganz sicher als Antwort auf das Gebet Arbeiter in die Ernte schicken. Immer wieder hat sich gezeigt, dass es keinen fruchtbareren Dienst für ein Kind Gottes gibt als das Gebet; doch wie wenigen scheint klar zu sein, dass Seelen durch diesen Dienst errettet werden.

3. Das Evangelium kann den Ungläubigen durch das persönliche Gespräch nahegebracht werden. Da alle diese Aufgabe erhalten haben, sollten einige wichtige Vorbedingungen beachtet werden: a) Der Botschafter sollte bereit sein, sich an den Platz stellen zu lassen, wo der Geist ihn haben will; b) der Botschafter sollte Bescheid wissen über die Wahrheiten des Evangeliums der Gnade, das er weitergeben soll; c) der Botschafter muss geisterfüllt sein, sonst wird er nicht die anspornende Liebe für die Verlorenen haben, die allein zum furchtlosen und unermüdlichen Dienst antreibt. „Wenn der Heilige Geist auf euch gekommen ist", sagt Christus, werdet ihr „meine Zeugen sein" (Apg 1,8). Wenn diese Geisterfüllung nicht da ist, kann kein Gläubiger ein Zeuge sein. Doch wenn er geisterfüllt ist, kann ihn nichts daran hindern, die göttliche Liebe auszuströmen (Apg 4,20).

4. Das Evangelium kann durch viele technische Mittel weitergegeben werden, durch Literatur, Hörfunk, Fernsehen und christliche Musik. Welche Mittel auch angewandt werden, die Wahrheit muss so dargestellt werden, dass der Heilige Geist sie auch gebrauchen kann.

5. Zweifellos hat Gott noch viele andere Möglichkeiten, das Evangelium zu verbreiten, zum Beispiel durch Bibelschulen, in denen die Menschen darin ausgebildet werden, das Evangelium zu verkünden, durch Missionsflugdienste, die die Botschafter des Evangeliums an ihre Bestimmungsorte bringen, und durch das gedruckte Wort. Obwohl nicht jeder Christ in der direkten Verkündigung des Evangeliums gleich wirksam sein mag, so trägt doch jeder Christ einen Teil der Verantwortung, dafür zu sorgen, dass das Evangelium der ganzen Schöpfung verkündigt wird.

? Fragen

1. Inwiefern soll die Gemeinde die Gnade Gottes deutlich machen?
2. Wer führt jeden Gläubigen auf dem Weg des Willens des Herrn?
3. Vergleichen Sie die Absicht Gottes im gegenwärtigen Zeitalter mit der Absicht Gottes im Tausendjährigen Reich.
4. Was ist notwendig, bevor die Welt „bekehrt" werden kann?
5. Nennen sie drei Hauptpunkte, die nach Matthäus 13 die besonderen Merkmale des gegenwärtigen Zeitalters sind.
6. Welches werden einige unmittelbare Folgen für Israel und die Welt sein, wenn Gottes gegenwärtiger Plan für die Gemeinde bei der Entrückung erfüllt sein wird?
7. Was ist nach Apostelgeschichte 15 Gottes Plan hinsichtlich des Segens für die Heiden und für die Juden?
8. Was sind Gottes gegenwärtige Absichten beim Bau Seiner Gemeinde?
9. Was ist der Auftrag des Gläubigen in der heutigen Zeit?
10. Nennen Sie die unterschiedlichen Wege, auf denen der Gläubige sein Vorrecht, das Evangelium zu verkünden, ausüben kann.
11. Was sind einige der grundlegenden Voraussetzungen dafür, ein wirkungsvoller Botschafter des Evangeliums zu sein?
12. In welchem Sinne ist jeder Christ dafür verantwortlich, dass das Evangelium allen Menschen verkündigt wird?

Kapitel 37

Die Gemeinde: Ihr Dienst und ihre Haushalterschaft

A. Der Dienst der Gemeinde für Gott

Dienst ist jedes Werk, das zum Wohl eines anderen getan wird. Verfolgt man dieses Thema durch die Bibel hindurch, wird eine Reihe von Ähnlichkeiten und Unterschieden zwischen dem Alten und dem Neuen Testament auffallen. Fast jede Lehre des Neuen Testaments wird im Alten Testament vorweggenommen, und fast jede Lehre des Alten Testaments ist unvollständig, bis sie im Neuen Testament vollendet wird. Das Thema des Dienstes ist keine Ausnahme; die Beschäftigung damit wird zeigen, dass der Dienst im Neuen Testament größtenteils ein Gegenstück zu den alttestamentlichen Vorbildern ist.

Ein von Gott zugewiesener Dienst, ob nun im Alten oder im Neuen Testament, wird in erster Linie nur einer von Gott zugerüsteten Priesterschaft aufgetragen. In der alttestamentlichen Ordnung war die Priesterschaft eine Hierarchie innerhalb des Volkes, und in ihrem Dienst standen die Priester unter der Autorität des Hohenpriesters. In der neutestamentlichen Ordnung ist jeder Gläubige ein Priester für Gott (1Petr 2,5-9; Offb 1,6). Alle dienenden Priester des Neuen Testaments stehen unter der Autorität Christi, des wahren Hohenpriesters, für den alle früheren Hohenpriester nur Vorbilder waren. Daher wird nach neutestamentlicher Ordnung der Dienst allen Gläubigen aufgrund ihrer priesterlichen Beziehung zu Gott gleichermaßen zugewiesen. In ihrem Priesterdienst wurden die Priester des Neuen Testaments, wie die des Alten Testaments, dazu bestimmt, sowohl Gott als auch Menschen zu dienen.

Da im Alten Testament den Nationen das Evangelium nicht verkündigt wurde, beschränkte sich der Gottesdienst für die Priester auf die Durchführung der von Gott geforderten Rituale in der Stiftshütte oder im Tempel. Im Gegensatz dazu umfasst der priesterliche Dienst im Neuen Testament sehr viel mehr, nicht nur einen Dienst für Gott und die Mitgläubigen, sondern für alle Menschen.

1. Der Dienst des Opferns weist sowohl im Alten als auch im Neuen Testament auffallende Ähnlichkeiten auf. Der alttestamentliche Priester wurde geheiligt und abgesondert dadurch, dass er als Nachkomme Aarons in die priesterliche Familie Levi hineingeboren und mit einer vorgeschriebenen Zeremonie in das Priesteramt eingesetzt wurde; diese Ernennung geschah auf Lebenszeit. Zu Beginn seines Dienstes wurde er zeremoniell gereinigt durch eine einmalige Waschung (2Mo 29,4).

Als Erfüllung des Gegenbildes wird der Gläubige und Priester vollständig und ein für alle Mal gereinigt im Augenblick seiner Errettung (Kol 2,13; Tit 3,5), und aufgrund seiner Errettung wird er für Gott abgesondert. Durch seine Wiedergeburt in die Familie Gottes wird er geheiligt. Außerdem wird von dem neutestamentlichen Priester gefordert, dass er sich *bereitwillig* Gott hingibt.

In Bezug auf diese Selbsthingabe lesen wir: „Ich ermahne euch nun, Brüder, durch die Erbarmungen Gottes, eure Leiber darzustellen als ein lebendiges, heiliges, Gott wohlgefälliges Opfer, was euer vernünftiger Gottesdienst ist“ (Röm 12,1). Die Formulierung „durch die Erbarmungen Gottes“ bezieht sich auf die großartigen Tatsachen der Errettung, die in den vorhergehenden Kapiteln des Römerbriefes erklärt werden. Jeder Gläubige kommt im Augenblick seiner Errettung in den Genuss dieser Erbarmungen, während die Darstellung des Leibes als ein lebendiges Schlachtopfer die völlige Hingabe alles dessen, was der Gläubige ist und hat, an den Willen Gottes ist. Einen Menschen, der sich Gott so ausgeliefert hat, kann Er annehmen und in den Dienstbereich stellen, den Er ihm zugedacht hat (Eph 2,10).

Dieser göttliche Akt der Annahme und In-Dienst-Stellung ist nach der Schrift die Weihung. Daher kann der Gläubige und Priester sich zwar *hingeben*, sich aber niemals Gott *weihen.* In Verbindung mit dem göttlichen Akt des Weihens sollte beachtet werden, dass durch das gegenwärtige Wirken Christi als Hoherpriester – in dem Er den Dienst der Gläubigen annimmt, führt und verwaltet – erfüllt wird, was durch den Dienst der alttestamentlichen Priester in der Weihung der Söhne Levis versinnbildlicht war.

Nachdem sich der Gläubige und Priester Gott ausgeliefert hat und dieser Welt nicht mehr gleichförmig ist, wird er ein durch die Macht des Heiligen Geistes umgestaltetes Leben führen können und dadurch zeigen, „was der Wille Gottes ist, das Gute und Wohlgefällige und Vollkommene“ (Röm 12,2).

Nach der neutestamentlichen Ordnung ist der priesterliche Dienst im Opfer für Gott ein vierfacher: a) die Auslieferung des ganzen Menschen, von der gesagt wird, dass sie ein „vernünftiger Gottesdienst“ ist (Röm 12,1) oder wörtlich, ein „geistlicher Gottesdienst“. Wie Christus selbst sowohl der Opfernde als auch das Opfer war, so kann der Gläubige Gott verherrlichen durch die Darbietung seines ganzen Leibes als ein lebendiges Opfer für Gott; b) das Opfer der Lippen, die Stimme des Lobes, das unablässig dargebracht werden soll (Hebr 13,15); c) das Opfer des Besitzes (Phil 4,18); d) das Opfer der guten Werke (Hebr 13,16).

In Bezug auf die Reinigung der Priester sollte noch einmal darauf hingewiesen werden, dass der alttestamentliche Priester ein für alle Mal durch eine einmalige, *ganzheitliche* Waschung von einem anderen gereinigt wurde (2Mo 29,4); später jedoch, obwohl er ganz gereinigt war, musste er sich vor jeder priesterlichen Handlung durch eine *partielle* Waschung am ehernen Waschgefäß reinigen. Genauso muss der neutestamentliche Priester, obwohl er bei seiner Errettung ganzheitlich gereinigt und ihm alle Schuld vergeben worden ist, doch immer wieder jede erkannte Sünde bekennen, damit er gereinigt werden und die Voraussetzung für die Gemeinschaft mit Gott erfüllen kann (1Jo 1,9). Die Bestimmung zum Priester im Alten Testament war lebenslang, so ist auch der neutestamentliche Priester sein Leben lang ein Priester für Gott.

2. Der Dienst der Anbetung, über den noch in einem späteren Kapitel ausführlicher gesprochen werden wird, kann als Teil des Gottesdienstes eines jeden Gläubigen und Priesters im gegenwärtigen Zeitalter angesehen werden, so wie es auch schon im Alten Testament der Fall war. Wie die Einrichtung des Heiligtums die Anbetung der Priester nach der alttestamentlichen Ordnung symbolisierte und jeder Einrichtungsgegenstand und jedes Merkmal dieses Ortes von Christus sprechen, so geschieht die Anbetung des Gläubigen durch Christus allein. Die Anbetung des Gläubigen kann im Opfer seiner selbst bestehen (Röm 12,1), in der Darbringung von Lob und Dank (Hebr 13,15) oder in Gaben, die Gott dargebracht werden.

Im Zusammenhang mit der Anbetung der alttestamentlichen Priester wurden zwei Verbote erteilt, und auch diese haben eine typische Bedeutung. Es durfte kein „fremdes“ Räucherwerk geopfert werden (2Mo 30,9) – ein Symbol für rein formellen Dienst für Gott; auch durfte kein „fremdes“ Feuer verwendet werden (3Mo 10,1) – ein Symbol dafür, dass im Dienst für Gott echte Hingabe an Christus durch den Geist durch fleischliche Emotionen ersetzt oder die Liebe zu Christus durch die Liebe zum Unwichtigen verdrängt werden kann (1Kor 1,11-13; Kol 2,8.16-19).

3. Der Dienst der Fürbitte, von dem auch in einem späteren Kapitel noch die Rede sein wird, ist eine wichtige Aufgabe des Gläubigen und Priesters. Wie der Prophet Gott vor den Menschen vertritt, so vertritt der Priester die Menschen vor Gott. Da die Priesterschaft eine göttliche Einrichtung ist, ist der notwendige Zutritt zu Gott immer vorhanden; jedoch durfte außer dem Hohenpriester kein Priester des Alten Testaments das Allerheiligste betreten, und er auch nur einmal im Jahr aufgrund des Opferblutes (Hebr 9,7).

In diesem Heilszeitalter ist Christus als der Hohepriester nun durch Sein eigenes Blut in das himmlische Allerheiligste eingetreten (Hebr 4,14-16; 9,24; 10,19-22) und vertritt die Seinen, die in der Welt sind (Röm 8,34; Hebr 7,25). Als Christus starb, zerriss der Vorhang im Tempel – ein Symbol dafür, dass der Weg ins Allerheiligste nun offen ist, nicht für die Welt, sondern für alle, die auf der Grundlage des vergossenen Blutes Christi zu Gott kommen (Hebr 10,19-22).

Da der neutestamentliche Priester durch das Blut Christi ungehinderten Zugang zu Gott hat, besitzt er das Vorrecht, in der Fürbitte zu dienen (Röm 8,26-27; Hebr 10,19-22; 1Tim 2,1; Kol 4,12).

B. Der Dienst dem Menschen gegenüber

Der Abfolge von Wahrheiten, die wir in Römer 12,1-8 finden, liegt eine göttliche Ordnung zugrunde. Hier, wie überall in der Schrift, wird der Dienst des Christen erst erwähnt, wenn das wichtige Thema der Hingabe und Weihung behandelt wurde. Unmittelbar darauf wird das Thema der von Gott geschenkten Gaben zum Dienst eingeführt, und in diesem Zusammenhang ist es wichtig, den großen Unterschied zu erkennen, den das Wort „Gabe“ in der Bibel und in der Alltagssprache haben kann. Mit einer Gabe ist in der Regel eine angeborene Fähigkeit gemeint, die einen Menschen befähigt, etwas ganz Bestimmtes zu tun. Nach der biblischen Verwendung dieses Wortes ist eine Gabe ein Dienst des innewohnenden Geistes. Der Geist vollbringt einen Dienst und bedient sich dabei des Gläubigen als eines Instruments. Keinesfalls ist es etwas, das der Gläubige allein gewirkt hätte oder durch den Gläubigen mithilfe des Geistes gewirkt worden wäre. Der christliche Dienst wird eine „Offenbarung des Geistes" (1Kor 12,7) genannt, so wie das Wesen eines Christen eine „Frucht des Geistes" ist (Gal 5,22-23).

Jeder Gläubige besitzt eine ihm von Gott gegebene Gabe (1Kor 12,7; Eph 4,7), und es gibt sehr viele verschiedene Gaben (Röm 12,6; 1Kor 12,4-11; Eph 4,11). Die Christen haben nicht alle denselben Auftrag. Hierin besteht ein Unterschied zu dem priesterlichen Dienst, in dem *alle* Gläubigen opfern, anbeten und Fürbitte tun. Obwohl bestimmte repräsentative, allgemeine Gaben in der Schrift aufgeführt sind (Röm 12,6-8; 1Kor 12,8-11; Eph 4,11) und obwohl einige davon offensichtlich in der heutigen Zeit nicht mehr vorhanden sind (1Kor 13,8), ist anzunehmen, dass der Dienst des Geistes durch die Gläubigen so unterschiedlich ist wie die Umstände, in denen sie zum Dienst aufgerufen sind.

Gaben werden dem Diener Gottes zum „Nutzen" ausgeteilt (1Kor 12,7). Damit wird indirekt gesagt, dass der Dienst, der in der Kraft des Fleisches gewirkt wird, nicht zum Nutzen ist. In der Ausübung eines Dienstes zeigt sich der Geist wie ein Strom lebendigen Wassers (Joh 7,37-39) und ist die Verwirklichung von jenen „guten Werken, die Gott vorher bereitet hat, damit wir in ihnen wandeln sollen" (Eph 2,10).

Ohne dass sie gedrängt werden müssen, sind geisterfüllte Gläubige unablässig tätig in der Ausübung ihrer Gaben. Fleischliche Christen sind nicht aktiv, sie reagieren auch nicht auf Ermahnungen. Wenn sie Gott jedoch ihre Sünden bekennen, Ihm ihr Leben ausliefern und in Abhängigkeit vom Geist ihren Weg gehen, werden sie geisterfüllt, und als Folge davon haben sie den Wunsch, den Willen Gottes zu tun, und durch Seine Kraft, die in ihnen wirkt, werden sie nützlich in dem Dienst, zu welchem sie von Gott vorherbestimmt sind. Christen sind nicht geisterfüllt, weil sie tätig sind; sie sind tätig, weil sie geisterfüllt sind. Gleichermaßen ist es manchmal der Wille Gottes, dass alle Aktivität zum Stillstand kommt und der müde Diener ausruhen kann. Es war Christus, der gesagt hat: „Kommt her zu mir, ... Und ich werde euch Ruhe geben."

C. Die Haushalterschaft der Gemeinde

Die Verantwortung des Christen in der Haushalterschaft ist eine dreifache: 1. Geld zu verdienen, 2. Geld zu besitzen, 3. Geld zu geben. Ein Kind Gottes muss seine Verantwortung als Haushalter über die ihm anvertrauten materiellen Güter erkennen. Vor dem Richterstuhl Christi wird es dafür einmal Rechenschaft ablegen müssen (Röm 14,10-12). Viel zu oft ist der Umgang der Kinder Gottes mit ihrem Besitz nicht von ihrer Beziehung zu Gott bestimmt.

1. Ein Christ muss auch seinen Beruf in einer Weise ausüben, die seiner Beziehung zu Gott würdig ist. Wir werden ermahnt: „Ob ihr nun esst oder trinkt oder sonst etwas tut, tut alles zur Ehre Gottes" (1Kor 10,31). Es ist von Gott so gefügt, dass der Mensch sich abmühen muss (1Mo 3,19; 2Thes 3,10), und der Christ ist dabei keine Ausnahme. Für den geistlichen, belehrten Gläubigen ist Geldverdienen jedoch mehr als nur die Sorge für seinen Lebensunterhalt; es bedeutet, den Willen Gottes zu tun. Jede Beschäftigung, sei sie noch so niedrig, sollte von dem Kind Gottes angenommen werden als ein besonderer Auftrag von Gott, der *für* Ihn oder überhaupt nicht getan werden sollte.

Der nebensächlichere Umstand, dass es Gott gefällt, Seinem Kind Essen und Kleidung durch tägliche Arbeit zu geben, sollte nicht die größere Wahrheit verdunkeln, dass Gott in unendlicher Liebe für Seine Kinder sorgt, und zwar unabhängig von ihren Verdienstmöglichkeiten (Phil 4,19; Hebr 13,5). Das Sprichwort „Gott sorgt nur für die, die nicht für sich selbst sorgen können" ist nicht zutreffend. Er sorgt zu allen Zeiten für Seine Kinder, da alles, was sie haben, von Ihm ist (1Sam 2,7).

In den Beziehungen der Menschen untereinander gibt es Übereinkünfte und Löhne, denn „der Arbeiter ist seines Lohnes wert" (Lk 10,7); doch in der Beziehung zu seinem Vater sollte das höchste Ideal des Christen sein, alles, was er tut, als einen Auftrag Gottes auszuführen, um Seinetwillen und als Ausdruck der Hingabe an Ihn. Gleichermaßen ist das, was er bekommt, nicht *verdient*, sondern vielmehr ein

Ausdruck der liebenden Fürsorge des Vaters. Eine solche Haltung ist nicht sentimental oder wirklichkeitsfremd; sie ist die einzige Basis, auf der der Gläubige seine Mühen heiligen kann, indem er inmitten der Lasten seines Lebens alles zur Ehre Gottes tut und sich allezeit freut (1Thes 5,16).

2. Der Besitz von Geld wird zu einer großen Verantwortung für jeden ernsthaften Christen. Angesichts der erschreckenden Not überall um uns herum und dem vielen Guten, das mithilfe von Geld getan werden kann, muss sich jeder geistliche Christ die praktische Frage stellen, inwieweit er seinen Besitz für sich zurückhalten soll. Zweifellos ist es häufig der Wille Gottes, dass der Besitz aufbewahrt wird; doch der hingegebene Christ kann dies nicht ohne Weiteres als gegeben annehmen. Sein Besitz sollte so verwendet werden, wie Gott es haben will, und er sollte Seiner Herrschaft unterstehen. Die Motive, die sowohl Reiche als auch Arme antreiben – der Wunsch, reich zu sein (1Tim 6,8-9.17-18; Jak 1,11; Hebr 13,5; Phil 4,11), der Wunsch, für den Notfall vorzusorgen (Mt 6,25-34), und der Wunsch, für andere zu sorgen –, sind nur dann richtig, wenn sie dem besonders geoffenbarten Willen Gottes im Leben des Einzelnen entsprechen.

3. Das Geben von Geld wird zu einem wichtigen Aspekt im Dienst eines Gläubigen für Gott. Die Selbstsucht und die Geldliebe sind gleichermaßen Wurzeln von viel Bösem, und beim Ausgeben des Geldes wird, wie auch beim Geldverdienen und beim Geldbesitz, von dem Christen erwartet, dass er dies aus einer Beziehung zu Gott tut, die von der Gnade geprägt ist. Diese Beziehung setzt voraus, dass er zuerst einmal sich selbst bedingungslos an Gott hingegeben hat (2Kor 8,5); und eine wirkliche Hingabe an Gott schließt alles mit ein, was der Mensch ist und hat (1Kor 6,20; 7,23; 1Petr 1,18-19) – sein Leben, seine Zeit, seine Kraft, seine Fähigkeiten, seine Ideale und seinen Besitz.

Bei der Frage des Gebens von Geld beinhaltet der Grundsatz der Gnade, dass der Gläubige Gottes souveräne Autorität über alles, was er ist und hat, anerkennt. Dies steht im Gegensatz zu dem gesetzlichen System des Zehnten im Alten Testament, das als ein Teil des Gesetzes in Kraft war, bis das Gesetz hinweggetan wurde (Joh 1,16-17; Röm 6,14; 7,1-6; 2Kor 3,1-18; Gal 3,19-25; 5,18; Eph 2,15; Kol 2,14). Obwohl bestimmte Prinzipien des Gesetzes erhalten blieben und unter der Gnade neu formuliert wurden, wird die Abgabe des Zehnten dem

Gläubigen in dieser Heilszeit ebenso wenig auferlegt wie die Beachtung des Sabbats. So wie der Tag des Herrn den Sabbat abgelöst hat und den Prinzipien der Gnade entspricht, wie es beim Sabbat niemals möglich gewesen wäre, so ist die Abgabe des Zehnten von einem neuen System abgelöst worden, das den Lehren der Gnade entspricht, wie das beim Zehnten nicht möglich war.

Vom Geben des Christen unter der Gnade wird in 2. Korinther 8,1–9,15 gesprochen, wo Paulus den Korinthern über die Gemeinden Mazedoniens berichtet. In diesem Abschnitt finden wir:

a) Christus war ihr Vorbild. Die Selbsthingabe des Herrn (2Kor 8,9) ist das Vorbild allen Gebens unter der Gnade. Er gab nicht den Zehnten; Er gab alles.

b) Sie gaben trotz großer Armut. Auffallende Satzkombinationen werden verwendet, um zu beschreiben, was die mazedonischen Christen durch ihr Geben erfuhren (2Kor 8,2): „… dass bei großer Bewährung in Bedrängnis sich der Überschwang ihrer Freude und ihre tiefe Armut als überreich erwiesen haben in dem Reichtum ihrer Aufrichtigkeit im Geben." Auch sollte man in Bezug auf die Freigebigkeit trotz großer Armut an die Gabe der Witwe denken (Lk 21,1-4), die die Aufmerksamkeit des Herrn auf sich zog. Was sie gegeben hatte, war kein Teil dessen, was sie besaß, sondern alles.

c) Sie gaben nicht nach Aufforderung oder aus Zwang. Unter dem Gesetz war der Zehnte *gefordert,* und seine Zahlung war ein *Zwang;* unter der Gnade sucht Gott nicht die Gabe, sondern den Ausdruck der Hingabe des Gebers. Unter der Gnade gibt es kein Gesetz, und es wird nicht vorgeschrieben, wie viel gegeben werden soll; und obwohl es stimmt, dass Gott in dem hingebungsvollen Herzen sowohl das Wollen als auch das Vollbringen wirkt (Phil 2,13), so hat er Wohlgefallen doch nur an der Gabe, die fröhlich gegeben wird (2Kor 9,7).

Wenn es ein Gesetz gäbe, das den zu gebenden Betrag vorschreiben würde, würden ganz sicher manche widerwillig danach streben, es zu erfüllen. Ihre Gabe würde „mit Verdruss" und „aus Zwang" gegeben. Wenn auch manche sagen, dass wir zur Unterstützung des Werkes des Evangeliums Geld haben müssen, ob es fröhlich gegeben wird oder nicht, so muss andererseits festgehalten werden, dass nicht der gegebene *Betrag*, sondern vielmehr der göttliche Segen, der auf der Gabe ruht, für das Erreichen des erwünschten Ziels entscheidend ist.

Christus hat 5000 Menschen mit fünf Broten und zwei Fischen gespeist. Es gibt genügend Beispiele dafür, dass, wo immer die Kinder Gottes von ihrem Privileg des Gebens unter der Gnade Gebrauch gemacht haben, ihre Freigebigkeit dazu geführt hat, dass sie „allezeit alle Genüge" hatten, was sie „überreich" machte zu jedem guten Werk, denn Gott ist mächtig, auch die Gnade des Gebens „überreichlich" zu machen für jeden Gläubigen (2Kor 9,8).

d) Die ersten Christen gaben vor allem sich selbst. Voraussetzung für annehmbare Gaben ist die völlige eigene Hingabe (2Kor 8,5). Dies weist auf die wichtige Wahrheit hin, dass das Geben unter der Gnade wie das Geben unter Gesetz auf eine bestimmte Gruppe von Menschen beschränkt ist. Der Zehnte war von Gott keiner anderen Nation als dem Volk Israel auferlegt worden. So ist auch das christliche Geben beschränkt auf die Gläubigen, und es ist Gott am wohlgefälligsten, wenn es von Gläubigen kommt, die ihr Leben Gott ausgeliefert haben.

e) Die Christen in der Urgemeinde gaben auch systematisch. Wie bei der Abgabe des Zehnten wurde eine Regelmäßigkeit im Geben unter der Gnade vorgeschlagen. „An jedem ersten Tag der Woche lege ein jeder von euch bei sich zurück und sammle an, je nachdem er Gedeihen hat" (1Kor 16,2). Diese Verfügung ist an „jeden Menschen" (jeden Christen) gerichtet, und somit hat niemand eine Ausrede. Die Gabe wird genommen von dem, was zurückgelegt wurde.

f) Gott erhält den Geber. Er wird das Geben unter der Gnade mit Seinen grenzenlosen zeitlichen Reichtümern unterstützen (2Kor 9,8-10; Lk 6,38). In diesem Zusammenhang ist es auffällig, dass jene, die reichlich geben, gewöhnlich auch mit zeitlichen Dingen gesegnet sind; doch da es hierfür kein Gesetz gibt (Gal 5,1), ist es offensichtlich, dass dieser Wohlstand die Erfüllung der Verheißung unter der Gnade ist und nicht die Erfüllung der Verheißung unter dem Gesetz. Der Segen ist also nicht abhängig vom Geben des Zehnten.

Die Segnungen werden uns zuteil, weil das Herz sich durch die Gabe selbst ausgedrückt hat. Jede von Herzen kommende Gabe wird Gott gnädig annehmen. Hierbei gibt es keine Gelegenheit für berechnende Leute, durch Gaben für Gott reich zu werden. Das Geben muss von Herzen kommen, und Gottes Antwort wird entsprechend Seinem vollkommenen Willen für Sein Kind ausfallen. Er kann den Geber mit geistlichen oder auch materiellen Segnungen beschenken, ganz wie es Ihm gefällt.

g) Aller wahre Reichtum kommt von Gott. Die Christen von Korinth waren mit himmlischen Gaben reich gemacht worden. Ein Mensch kann reich an materiellen Gütern sein und doch nicht reich vor Gott (Lk 12,21). Solche Menschen sind eingeladen, von Ihm das Gold zu kaufen, das im Feuer geläutert ist (Offb 3,18). Durch die vollkommene Armut Christi in Seinem Tod können alle reich werden (2Kor 8,9). Es ist möglich, reich an Glauben zu sein (Jak 2,5) und an guten Werken (1Tim 6,18); doch in Christus Jesus erhält der Gläubige den „Reichtum seiner Gnade" (Eph 1,7) und den „Reichtum seiner Herrlichkeit" (Eph 3,16).

? Fragen

1. Wem ist in erster Linie der Dienst für Gott aufgetragen?
2. Vergleichen Sie den Dienst der alttestamentlichen und neutestamentlichen Priesterschaft.
3. Welche Ähnlichkeiten weist der Dienst des Opferns im Alten und im Neuen Testament auf?
4. In welcher besonderen Weise soll sich der neutestamentliche Priester freiwillig Gott hingeben?
5. Welcher Unterschied besteht zwischen Hingabe und Weihung?
6. Welche Erfahrungen kann der neutestamentliche Gläubige und Priester machen, wenn er sich Gott hingibt?
7. Nennen Sie das vierfache Opfer des neutestamentlichen Priesters.
8. Vergleichen Sie die Zeremonie der ganzheitlichen Waschung des alttestamentlichen Priesters und die partielle Waschung am ehernen Waschgefäß.
9. Inwiefern ist die Reinigung des alttestamentlichen Priesters eine Vorschattung der Reinigung des neutestamentlichen Priesters?
10. In welchem Zusammenhang steht der Priester mit der Anbetung?
11. Welche Verbote wurden in Bezug auf die Anbetung im Alten Testament erlassen, und welche Anwendung finden sie auf den neutestamentlichen Priester?
12. Vergleichen Sie das Werk des Hohenpriesters im Alten Testament mit dem der anderen Priester.

13. Vergleichen Sie das Werk Christi als unserem Hohenpriester mit unserem Werk als Priester.
14. Welcher Zusammenhang besteht zwischen der Vielfalt der Gaben und dem Dienst des neutestamentlichen Priesters?
15. Welchen Einfluss hat die Fleischlichkeit auf die Ausübung einer geistlichen Gabe?
16. Was sind die drei Bereiche der christlichen Haushalterschaft?
17. Welcher Zusammenhang besteht zwischen dem Geldverdienen und dem Wandel eines Christen mit Gott?
18. Inwiefern stellt der Besitz von irdischen Gütern für den ernsthaften Christen eine Verantwortung dar?
19. Inwiefern spiegelt das Geben von Geld bei einem Christen seine Beziehung der Gnade zu Gott wider?
20. Inwiefern ist Christus unser Vorbild beim Geben?
21. Welche Beziehung besteht zwischen Geben und Armut?
22. Was hat das Geben mit Anordnung oder Zwang zu tun?
23. Was hat das Geben damit zu tun, dass man sich selbst zuerst ganz hingeben soll?
24. Wie kann das Geben systematisiert werden?
25. Wie erhält Gott den Geber?
26. Vergleichen Sie irdische und himmlische Reichtümer miteinander.

Kapitel 38

Die Gemeinde: Ihr Gottesdienst in Gebet und Danksagung

Wie schon herausgearbeitet, hat der Gläubige nach Römer 12,1-2 und Hebräer 13,15-16 als neutestamentlicher Priester vier Opfer zu bringen: 1. das Opfer seines Leibes (Röm 12,1-2); 2. das Opfer des Lobes (Hebr 13,15); 3. das Opfer der guten Werke (Hebr 13,16); 4. das Opfer der Haushalterschaft oder des Mitteilens, wie in dem Vers „Das Wohltun und Mitteilen aber vergesst nicht!" (Hebr 13,16) zum Ausdruck kommt; „an solchen Opfern hat Gott Wohlgefallen" (Hebr 13,16). Nachdem wir uns mit dem Opfer von guten Werken und dem Umgang mit materiellen Besitztümern beschäftigt haben, wollen wir uns nun dem Dienst des Gläubigen für Gott in Gebet und Lob zuwenden, dem wesentlichen Bestandteil der Anbetung.

Im gegenwärtigen Zeitalter ist die Anbetung keine Angelegenheit der äußeren Form und der Umstände, sondern wie Christus zu der samaritischen Frau sagte: „Gott ist Geist, und die ihn anbeten, müssen in Geist und Wahrheit anbeten" (Joh 4,24). Folglich ist die Anbetung nicht beschränkt auf Gottesdienste in großen Kathedralen, sondern es ist die Anbetung im Herzen eines Christen, in dem er seinem himmlischen Vater seinen Lobpreis und seine Fürbitte im Namen Christi mitteilt. Gebet und Lobpreis sind die Hauptelemente der Anbetung und eine direkte Kommunikation des Menschen mit Gott. Die Beschäftigung mit dem Gebet und dem Lobpreis im Alten und Neuen Testament zeigt, dass sich in diesem Bereich eine fortschreitende Offenbarung und ein größer werdendes Vorrecht der Gläubigen entwickelt.

A. Das Gebet vor dem Kommen Jesu in die Welt

Obwohl gottesfürchtige Menschen zu allen Zeiten zu Gott gebetet haben, war es doch vorwiegend die Aufgabe der Patriarchen, für ihren Haushalt zu beten (Hi 1,5) und, in der Zeit zwischen Mose und Christus, die Aufgabe der Priester und Herrscher als Stellvertreter für das Volk. In diesen Jahrhunderten bestand das Gebet hauptsächlich in der Berufung auf die Bündnisse des HERRN (1Kö 8,22-26; Neh 9,32; Dan 9,4) und auf Sein heiliges Wesen (1Mo 18,25; 2Mo 32,11-14), und es hatte das Vergießen von Opferblut zur Grundlage (Hebr 9,7).

B. Das Gebet in Erwartung des Reiches

Das Reich Jesu Christi und sein Anspruch, der Messias zu sein, sind vom Volk Israel zurückgewiesen worden; doch in der ersten Zeit Seines Predigens, und als Israel das Reich angeboten wurde, lehrte Er Seine Jünger, dafür zu beten, dass das Reich auf dieser Erde aufgerichtet werden möge.

Das allgemein bekannte „Vaterunser" steht in Matthäus 6,9-13. Es enthält die Bitte: „Dein Reich komme" (Mt 6,10). Dieses Gebet hat in erster Linie die Verwirklichung des Tausendjährigen Reiches im Blick, wenn Christus auf der Erde herrschen wird. Das Gebet schließt mit der Lobpreisung: „Denn dein ist das Reich und die Kraft und Herrlichkeit in Ewigkeit. Amen" (Mt 6,13, Luther 1984). Dieser Vers ist in vielen alten Manuskripten des Matthäusevangeliums nicht zu finden, und auch im Parallelbericht in Lukas 11,2-4 fehlt es. Darum sind viele der Meinung, es sei später von jenen, die die Schrift abgeschrieben haben, als angemessener Schlusssatz beigefügt worden. Ob es nun tatsächlich in Matthäus gestanden hat oder nicht, es bestätigt auf jeden Fall die Lehre des kommenden Reiches.

Da im „Vaterunser" viele andere Punkte enthalten sind, die für alle Zeiten und Umstände passend sind – zum Beispiel die Anbetung des Vaters, die Bitte um das tägliche Brot und um die Errettung von der Versuchung –, hat es oft als Vorbild gedient. Es ist jedoch zu bezweifeln, ob dies die Absicht Christi gewesen ist. Das wirkliche „Vaterunser" ist in Johannes 17 zu finden, wo unser Herr für Seine Gemeinde eintritt und dabei Gottes Absichten für das gegenwärtige Heilszeitalter in vollem Maße Rechnung trägt.

Einige haben eingewendet, dass der Gebrauch des „Vaterunsers" in der gegenwärtigen Heilszeit nicht angebracht sei, und doch haben seine vielen zeitlosen Merkmale und seine Einfachheit es vielen Gläubigen liebgemacht; außerdem ist durchaus nicht unangemessen für die im heutigen Zeitalter lebenden Menschen, im Gebet das Kommen des Tausendjährigen Reiches zu erhoffen. Jedoch muss klar verstanden sein, dass dieses Reich nicht durch menschliche Bemühungen vor dem zweiten Kommen Christi kommen wird, wie einige lehren, sondern erst nach der herrlichen Wiederkunft des Messias, der durch Seine Kraft und Macht Sein Königreich auf dieser Erde aufrichten wird.

C. Das Hohepriesterliche Gebet

In Johannes 17 steht das wirkliche „Vaterunser". Es zeigt die große Freiheit in der Gemeinschaft zwischen dem Sohn und dem Vater. In diesem Kapitel übt unser Herr Jesus Christus Sein Amt als Hoherpriester aus, und das Thema Seines Gebets ist die Not der Gläubigen auf der Erde in dem kommenden Zeitalter nach Pfingsten.

Vor Seinem Tod hat Jesus viel Zeit im Gebet verbracht (Mt 14,23), sogar die ganze Nacht (Lk 6,12), und es ist wahrscheinlich, dass Er in allen Seinen Gebeten in ähnlich vertrauter Form mit Seinem Vater gesprochen hat wie in Johannes 17. Das Gebet Christi dreht sich offensichtlich nicht um Verheißungen oder Bündnisse, sondern beruht auf Seiner eigenen Person und Seinem priesterlichen Dienst des Opferns. Das Gebet Christi in Johannes 17 ist eine Offenbarung Seines Dienstes als Fürsprecher zur Rechten des Vaters, der durch die ganze gegenwärtige Heilszeit hindurch andauert.

D. Das Gebet unter der Gnade

Das Gebet ist nicht in allen Zeitaltern dasselbe, sondern wie alle anderen Verantwortungsbereiche des Menschen dem jeweiligen Heilszeitalter angepasst. Da das Neue Testament eine weitaus größere Offenbarung Gottes gibt, nimmt auch das Gebet andere Formen an; es geschieht nun im Namen Jesu Christi in der vollen Erkenntnis Seines Opfers am Kreuz.

Zu den sieben Merkmalen des Lebens eines Gläubigen unter der Gnade, die Christus beim letzten Abendmahl und bis zum Garten Gethsemane nannte (Joh 13,1–17,26), gehört auch das Gebet. Die

Lehren Christi zu diesem höchst wichtigen Thema sind in drei Bibelstellen wiedergegeben (Joh 14,12-14; 15,7; 16-23-24). Nach diesem Wort Christi erheben sich die gegenwärtigen Möglichkeiten des Gebets unter der Gnade über irdische Beschränkungen hinaus in die Sphäre der unendlichen Beziehungen, die in der neuen Schöpfung Geltung haben. Diese Form des Gebets kann unter vier Aspekten betrachtet werden.

1. Das Gebet besteht nicht nur aus Lobpreis, sondern der Gläubige bringt dem Herrn seine Nöte und tritt für andere ein. Nach Ansicht der Rationalisten ist das Gebet unvernünftig, weil ein alleswissender Gott viel besser weiß, was notwendig ist, als der betende Mensch. Doch Gott in Seiner Souveränität hat das Gebet verordnet als ein Mittel, Seinen Willen in dieser Welt zu vollbringen, und Er hat diejenigen, die an Ihn glauben, angewiesen, ihre Bitten vor Ihm kundwerden zu lassen. Die Bedeutung des Gebets wird in Johannes 14,13-14 klar, wo Christus verspricht zu tun, um was immer in Seinem Namen gebetet werden würde. Folglich hat Gott zum großen Teil sogar Sein Handeln von dem gläubigen Gebet der Christen abhängig gemacht.

Diese Verantwortung ist uns gegeben. Es ist keine Frage der Vernunft, sondern des Gehorsams. Wir können gar nicht alles wissen, was damit zusammenhängt, doch wir wissen sehr wohl, dass das Kind Gottes durch den Dienst des Gebetes ganz wesentlich am Werk Gottes teilhat, wie es auf andere Weise gar nicht möglich wäre. Da der Christ an der Herrlichkeit teilhaben darf, die daraus folgt, ist ihm auch die Möglichkeit gegeben worden, daran mitzuwirken, dass sie erreicht wird. Diese Verantwortung in der Teilhaberschaft wird dem Gläubigen nicht als ein besonderes Zugeständnis zuteil, sondern gehört zu den normalen Aufgaben eines Menschen, für den das Opferblut vergossen worden ist (Hebr 10,19-20) und der mit Christus in der neuen Schöpfung verbunden ist. Es ist nicht unvernünftig zu glauben, dass ein Mensch, der ein lebendiger Teil Christi ist (Eph 5,30), sowohl an dessen Dienst als auch an dessen Herrlichkeit teilhat.

Es sollte beachtet werden, dass Christus gerade im Zusammenhang mit diesem neuen Dienst des Gebets als einer Teilhaberschaft das zu erreichende Ziel so formuliert: „Wer an mich glaubt, der wird auch die Werke tun, die ich tue, und wird größere als diese tun“ (Joh 14,12). Darauf folgt unmittelbar die Zusicherung, dass es allein Ihm zufällt, auf diesen Dienst des Gebets zu antworten. So wichtig ist diese Verbindung zwischen Gebetsbemühung und dem, was in der Antwort darauf göttlich gewirkt ist, dass Christus dem Gläubigen das *Tun* von größeren Werken zuschreibt.

2. Das Vorrecht des Betens im Namen des Herrn Jesus Christus, das unter der Gnade jedes Kind Gottes in Anspruch nehmen kann, verleiht dem Gebet eine Eigenschaft, die es weit über jede andere Form des Gebets erhöht, die es je gegeben hat oder geben wird. Dementsprechend ersetzt die gegenwärtige Form des Gebets alle vorhergehenden Privilegien; denn als Christus sagte: „Bis jetzt habt ihr nichts gebeten in meinem Namen." (Joh 16,24), setzte Er damit alle anderen Gebetsformen zur Seite, die je existiert haben.

Wir dürfen sicher sein, dass der Name des Herrn Jesus Christus die Aufmerksamkeit des Vaters hervorruft und dass der Vater nicht nur zuhören wird, wenn dieser Name ausgesprochen wird, sondern dass Er geneigt sein wird, um Seines geliebten Sohnes willen zu tun, worum Er gebeten wurde. Der Name Christi ist gleichbedeutend mit der Person Christi, und dieser Name ist den Gläubigen nicht gegeben worden, damit sie durch ihn Gott wirksam zu jedem Handeln veranlassen könnten. Beten im Namen Christi bedeutet, dass man sich selbst als einen lebendigen Teil Christi in der neuen Schöpfung anerkennt und damit die Gebetsanliegen auf Punkte beschränkt, die in direktem Einklang mit den Absichten und der Herrlichkeit Christi stehen. Es bedeutet, so zu beten, wie Christus gebetet hätte. Da das Gebet im Namen Christi gleichbedeutend ist mit Seiner Unterschrift unter unsere Bitte, ist es einsichtig, dass unser Gebet auf diese Weise begrenzt wird.

Nachdem er gezeigt hat, dass geistliche Armut manchmal zustandekommt, weil man „nicht bittet", sagt Jakobus weiter: „Ihr habt nichts, weil ihr nicht bittet; ihr bittet und empfangt nichts, weil ihr übel bittet, um es in euren Lüsten vergeuden" (Jak 4,2-3). Das Gebet kann also eine Bitte um eigensüchtige Anliegen sein oder um die Anliegen des Herrn. Der Gläubige, der vom Eigenleben errettet worden ist und in der lebendigen Gemeinschaft mit Christus steht (2Kor 5,17-18; Kol 3,3), befasst sich nicht länger mit sich selbst. Dies bedeutet nicht, dass damit seine besten Interessen aufgegeben werden, sondern es bedeutet, dass diese Interessen nun zu einer neuen Sphäre gehören, in der „Christus alles in allem ist". Wenn wir in Christus sind, dann beten wir auch in Seinem Namen und nicht mehr für unsere eigenen Wünsche, die nicht der Verherrlichung Christi dienen.

Da das Gebet nur möglich ist durch das vergossene Blut Christi und durch die lebendige Gemeinschaft mit Christus, kann das Gebet des Unerretteten von Gott nicht angenommen werden.

3. Die Reichweite des Gebets unter der Gnade ist ausgedrückt in dem Wort „was immer", jedoch innerhalb einsichtiger Grenzen. Es bedeutet: Was immer wir bitten im Namen Christi, bitten wir in Übereinstimmung mit den Absichten und der Ehre unseres Herrn Jesus Christus. Bevor ein wirkliches Gebet gesprochen werden kann, muss das Herz in den Sinn Christi umgestaltet werden. Darum heißt es: „Wenn ihr in mir bleibt und meine Worte in euch bleiben, so werdet ihr bitten, was ihr wollt, und es wird euch geschehen" (Joh 15,7). Denn mit einer solchen umgestalteten Herzenshaltung wird ein Kind Gottes nur um Dinge bitten, die innerhalb des Willens Gottes liegen.

Unter der Gnade wird dem Menschen, in dem Gott sowohl das Wollen als auch das Vollbringen nach seinem Wohlgefallen wirkt (Phil 2,13), vollkommene Handlungsfreiheit eingeräumt. Auch hat der Mensch, der innerhalb des Willens Gottes betet, unbegrenzte Freiheit in Bezug auf seine Bitten. Dem geisterfüllten Gläubigen wird gesagt: „Ebenso aber nimmt auch der Geist sich unserer Schwachheit an; denn wir wissen nicht, was wir bitten sollen, wie es sich gebührt, aber der Geist selbst verwendet sich für uns in unaussprechlichen Seufzern. Der aber die Herzen erforscht, weiß, was der Sinn des Geistes ist, denn er verwendet sich für Heilige Gott gemäß" (Röm 8,26-27). Dem Gebet unter der Gnade sind keine engen Grenzen gesteckt; es ist so unendlich wie die ewigen Interessen des Einen, in dessen Namen wir das Vorrecht haben zu beten.

4. Jeder treue Gläubige sollte der Ausübung des Gebetes sorgfältige Beachtung schenken. Es ist äußerst wichtig, dass Christen regelmäßige Gebetszeiten einhalten. Sie sollten ehrfurchtslose Gebete oder nutzlose Wiederholungen vermeiden, wie sie die heidnische Welt kennzeichnen, und der göttlichen Ordnung folgen, die für das Gebet unter der Gnade aufgestellt ist. „Und an jenem Tag werdet ihr mich nichts fragen. Wahrlich, wahrlich, ich sage euch: Was ihr den Vater bitten werdet in meinem Namen, wird er euch geben" (Joh 16,23); auch sollten wir „im Heiligen Geist" beten (Jud 20).

Diese Ordnung ist nicht willkürlich aufgezwungen. Zu Christus zu beten bedeutet jedoch, auf Seine Mittlerschaft zu verzichten, indem wir *zu* Ihm beten und nicht *durch* Ihn. Dadurch geben wir ein äußerst wichtiges Merkmal des Gebets unter der Gnade auf – das Gebet in Seinem Namen. Nicht in der Kraft des Geistes Gottes zu beten bedeutet, dass wir an diesem Punkt von unserem eigenen Vermögen abhängig sind.

Das Gebet unter der Gnade sollte also dem Vater gelten, im Namen des Sohnes und in der Kraft des Heiligen Geistes.

E. Das Gebet der Danksagung

Aufrichtige Danksagung ist der freiwillige Ausdruck tief empfundener Dankbarkeit für eine erhaltene Wohltat. Wie wirkungsvoll dies ist, hängt ab von ihrer Ernsthaftigkeit, so wie ihre Eindringlichkeit von dem Wert abhängt, der dieser Wohltat beigemessen wird (2Kor 9,11). Danksagung ist sehr persönlicher Natur. Es gibt Verpflichtungen, die uns von anderen abgenommen werden können; doch niemand kann uns unsere Danksagung abnehmen (3Mo 22,29 – King James Bibel).

Danksagung ist in keiner Weise eine Bezahlung für die erhaltene Wohltat, vielmehr ist sie die freundliche Anerkennung der Tatsache, dass derjenige, der die Wohltat erhalten hat, dem Geber verpflichtet ist. Da die unermesslichen und unzähligen Wohltaten Gottes niemals vergolten werden können, ist es unsere Pflicht, dankbar zu sein. Dies wird in der Bibel immer wieder zum Ausdruck gebracht, und Danksagung hängt eng zusammen mit Anbetung und Lobpreis.

In der alten Ordnung wurde die geistliche Beziehung zu Gott in materiellen Dingen ausgedrückt. Dazu gehörte das Dankopfer (3Mo 7,12.13.15; Ps 107,22; 116,17). In diesem Zeitalter gehört es auch zu den Vorrechten des Gläubigen, Gott Dankopfer zu bringen. Wenn jedoch ein Dankopfer als eine Art Vergütung gesehen wird, ist der wesentliche Sinn der Danksagung zerstört.

Im Alten Testament wird häufig vom Gebet gesprochen, vor allem in den Psalmen. Es werden ausdrückliche Anweisungen für die Darbringung von Dankopfern aufgestellt (3Mo 7,12-15), und unter der Erweckung zur Zeit Nehemias werden vor allem der Lobpreis und die

Danksagung betont (Neh 12,24-40). Die prophetische Botschaft des Alten Testaments sagt die Danksagung als ein besonderes Anbetungsmerkmal im kommenden Reich voraus (Jes 51,3; Jer 30,19). Auch der Himmel wird von nicht endender Danksagung erfüllt sein (Offb 4,9; 7,12; 11,17).

Ein wichtiges Merkmal der Danksagung des Alten Testaments ist die Würdigung der Person Gottes, abgesehen von all Seinen Wohltaten (Ps 30,4; 95,2; 97,12; 100,1-5; 119,62). Obwohl sie so häufig vernachlässigt wird, ist die Danksagung doch sehr wichtig, und ein solcher Lobpreis ist vernünftig und angemessen. „Es ist gut, den HERRN zu preisen, und deinen Namen, du Höchster, zu besingen“ (Ps 92,1).

Im Neuen Testament wird das Thema Danksagung etwa 45-mal genannt, und diese Form des Lobpreises wird für zeitliche und geistliche Segnungen dargebracht. Die Tatsache, dass Christus jedes Mal für das Essen gedankt hat (Mt 15,36; 26,27; Mk 8,6; 14,23; Lk 22,17.19; Joh 6,23; 1Kor 11,24), sollte allen Gläubigen als Beispiel dienen. Auch der Apostel Paulus war in diesem bestimmten Punkt treu (Apg 27,35; Röm 14,6; 1Tim 4,3-4).

Es ist wertvoll, der Danksagung des Apostels Paulus nähere Beachtung zu schenken. Er verwendet den Satz „Gott sei Dank“ in Verbindung mit Christus als eine „unaussprechliche Gabe“ (2Kor 9,15), mit dem Sieg über das Grab, der durch die Auferstehung gesichert ist (1Kor 15,57) und dem Triumph, der durch Christus unser ist (2Kor 2,14). Seine Danksagung zu Gott für alle Gläubigen (1Thes 1,2; 3,9) und für Titus in ganz besonderer Weise (2Kor 8,16), und seine Ermahnung, dass Danksagung getan werden sollte für alle Menschen (1Tim 2,1), gilt gleichermaßen für alle Kinder Gottes.

Zwei wichtige neutestamentliche Merkmale der Danksagung sollten beachtet werden:

1. Danksagung sollte Gebet ohne Unterlass sein. Da die anbetungswürdige Person Gottes unveränderlich ist, Seine Wohltaten niemals aufhören und die überfließende Gnade Gottes durch die Danksagung vieler zur Herrlichkeit Gottes überströmt (2Kor 4,15), sollte Ihm ohne Unterlass Danksagung gebracht werden. Von dieser Form des Preises lesen wir: „Durch ihn nun lasst uns Gott stets ein Opfer des Lobes darbringen! Das ist: die Frucht der Lippen, die seinen Namen bekennen“ (Hebr 13,15; vgl. Eph 1,16; 5,20; Kol 1,3; 4,2). Dieses Merkmal der

Danksagung wird auch im Alten Testament hervorgehoben (Ps 30,12; 79,13; 107,22; 116,17).

2. Danksagung sollte für alles dargebracht werden, wie es in Epheser 5,20 heißt: „Sagt allezeit für alles dem Gott und Vater Dank im Namen unseres Herrn Jesus Christus." Eine ähnliche Anweisung findet sich in 1. Thessalonicher 5,18: „Sagt in allem Dank! Denn dies ist der Wille Gottes in Christus Jesus für euch" (vgl. Phil 4,6; Kol 2,7; 3,17).

Allezeit für alles dankzusagen ist etwas ganz anderes, als *manchmal für manches* dankzusagen. Wenn man jedoch die Wahrheit angenommen hat, dass *alle* Dinge zum Guten zusammenwirken für diejenigen, die Gott lieben, dann ist es nur angemessen, dass Gott Dank gebracht wird für *alle* Dinge. Ein solcher Lobpreis, der Gott ehrt, kann nur von Menschen dargebracht werden, die errettet und geisterfüllt sind (Eph 5,18.20). Daniel dankte Gott trotz seines Todesurteils (Dan 6,10), und Jona sagte Gott Dank im Bauch des großen Fisches in der Tiefe des Meeres (Jona 2,9).

Die sehr häufige Sünde der Undankbarkeit Gott gegenüber wird durch den Bericht über eines der Ereignisse im Wirken Jesu verdeutlicht. Zehn Aussätzige wurden geheilt, doch nur einer kam zurück, um sich zu bedanken, und er war dazu noch ein Samariter (Lk 17,11-19). Hier sollte noch einmal darauf hingewiesen werden, dass Undankbarkeit eine Sünde ist, die zu den Sünden der „letzten Tage" gehört (vgl. 2Tim 3,1).

Es ist wahrscheinlich, dass viele Unerrettete ernsthaft versuchen, Gott für irdische Wohltaten zu danken; doch da sie die Gabe Seines Sohnes nicht zu schätzen wissen, sind sie in Seinen Augen sehr undankbar. Der Sünder, der Christus zurückweist, kann Gott keinen annehmbaren Lobpreis darbringen.

? Fragen

1. Was sind die vier Opfer des Gläubigen?
2. Welche Bedeutung würden Sie der Tatsache beimessen, dass Lobpreis zu diesen vier Opfern gehört?
3. In welchem Zusammenhang steht Anbetung mit äußeren Formen und Umständen?

4. Wodurch war das Gebet vor dem Kommen Jesu Christi in diese Welt gekennzeichnet?
5. Was war der Zweck des „Vaterunsers", wie wir es in Matthäus 6,9-13 finden?
6. In welchem Sinn ist es für uns angemessen, darum zu beten, dass das Reich kommt?
7. Warum sollte Johannes 17 als das wirkliche „Gebet des Herrn" angesehen werden?
8. Was erfahren wir in der Bibel über das Gebetsleben Christi, und was sagt Johannes 17 über die Form Seiner Fürbitte aus?
9. Warum schließt im gegenwärtigen Zeitalter der Gnade das Gebet trotz der Allwissenheit Gottes auch unsere Fürbitte mit ein?
10. Welche Zusicherung hat der Gläubige, dass Gott seine Gebete erhören wird?
11. Was ist mit dem Beten im Namen des Herrn Jesus Christus gemeint, und inwiefern gibt uns dies Sicherheit?
12. Was ist die doppelte Gefahr, auf die Jakobus im Zusammenhang mit dem Gebet hinweist?
13. Was ist die unbegrenzte Reichweite des Gebets unter der Gnade?
14. Welche Funktion übernimmt der Geist bei unseren Bitten?
15. Welche Gefahren bergen unregelmäßige Gebetszeiten einerseits und nutzlose Wiederholungen andererseits in sich?
16. Warum sollte das Gebet unter der Gnade dem Vater im Namen des Sohnes und in der Kraft des Heiligen Geistes dargebracht werden?
17. Warum ist Danksagung eine persönliche Angelegenheit?
18. In welchem Sinne ist Danksagung ein Opfer?
19. Wieso sollte unsere Danksagung der Person Gottes gelten und nicht nur Seinen Werken?
20. Welches sind einige der herausragenden Beispiele für Danksagung im Neuen Testament?
21. Welche zwei wichtigen Merkmale der Danksagung sind im Neuen Testament aufgeführt?
22. Warum ist Undankbarkeit eine Sünde?
23. Warum kann Danksagung nur von Gläubigen angemessen dargebracht werden?

Kapitel 39

Die Gemeinde: Ihre Organisation und ihre Verordnungen

A. Die Gemeindeführung

Zur Gemeinde als dem Leib Christi gehört jeder Christ, der mit Christus als dem Haupt des Leibes durch die Taufe mit dem Heiligen Geist verbunden ist. Die Gemeinde als Organismus funktioniert ähnlich wie der menschliche Körper, denn jedes Glied steht mit den anderen in Verbindung, und der ganze Körper wird durch das Haupt gelenkt. Der Leib Christi braucht keine Organisation, da seine Verbindung geistlich und übernatürlich ist.

In der örtlichen Gemeinde scheint allerdings eine gewisse Organisation notwendig zu sein, sowohl zur Zeit der Bibel als auch heute. Drei Formen der Kirchenleitung sind in der Kirchengeschichte zu finden, die alle aus gewissen Merkmalen der apostolischen Zeit abgeleitet werden, obwohl sie dem apostolischen Vorbild nicht mehr entsprechen.

1. Die episkopale Form der Kirchenleitung erkennt einen Bischof oder einen Kirchenführer mit einer anderen Bezeichnung an, der kraft seines Amtes die Macht hat, die örtliche Gemeinde zu führen. Diese Form hat sich zum Beispiel in der römisch-katholischen Kirche zu einer riesigen Organisation ausgeweitet, während sie in der Episkopalkirche oder der methodistischen Episkopalkirche einfacher gestaltet ist, wo Bischöfe ernannt werden, um die Aktivitäten der Ortsgemeinden in einem bestimmten Gebiet zu überwachen.

2. Die repräsentative Form der Kirchenleitung erkennt die Autorität von ordnungsgemäß bestimmten Repräsentanten an, die gewöhnlich von einer regionalen Gruppe von Gemeinden bestimmt werden. Beispiele hierfür sind die Reformierte und die Presbyterianische Kirche. Häufig stehen Vertreter einer örtlichen Gruppe von Gemeinden (Presbyterium) unter der Oberaufsicht und Führung eines größeren Gremiums oder einer Synode, die Synode wiederum steht unter der Aufsicht einer

Generalversammlung. Zwar sind die Satzungen und die Machtbefugnisse in den einzelnen Gemeinden nicht überall gleich verteilt, doch der Grundgedanke ist, dass ordnungsgemäß bestimmte Vertreter die Autorität in der Kirche ausüben.

3. Die kongregationalistische Gemeindeführung gibt der örtlichen Versammlung die Autorität, und wichtige Angelegenheiten werden in den Gemeinden ohne Rücksicht auf die Autorität anderer Gemeinden oder Kirchenführer entschieden. Ein Beispiel für diese Kirchenführung sind die Freien Gemeinden oder die Baptisten. Zwar können die örtlichen Gemeinden bis zu einem gewissen Maß einer höheren Instanz Rechenschaft schuldig sein, doch der Grundsatz lautet, dass die örtlichen Gemeinden ihre Angelegenheiten selbst entscheiden, ihre Verantwortlichen wählen und ihre Finanzen eigenständig verwalten.

In der frühen Gemeinde waren diese drei Formen der Gemeindeleitung nicht vorhanden. Die frühen Gemeinden erkennen die Apostel als oberste Autorität an. Die Apostel benennen jedoch keine Nachfolger, sodass es nach der ersten Generation der Christen solche Autoritäten nicht mehr gibt. Apostolische Leitungsvollmacht zeigt sich auch bei dem Konzil in Jerusalem in Apostelgeschichte 15, wo den Aposteln und Ältesten in Jerusalem die Autorität in der Entscheidung über lehrmäßige Fragen zustand, die in den Gemeinden entstanden waren. Diese Männer waren jedoch weder gewählt noch Repräsentanten der Gemeinde im heutigen Sinne. Als die Gemeinden langsam reifer wurden und die apostolische Überwachung entfiel, ging die Führung an die örtlichen Gemeinden über. Dies ist bei den sieben Gemeinden in Asien der Fall gewesen, die in Offenbarung 2 und 3 genannt werden. Sie waren keiner menschlichen Autorität untertan und unterstanden nur der Autorität Christi. Die aufgrund menschlicher Tradition ausgeweitete und komplizierte Gemeindeführung, wie sie manchmal in heutigen Kirchen vorkommt, ist vom Zeugnis der Schrift her fragwürdig. Eine Rückkehr zur biblischen Einfachheit scheint angebracht zu sein.

B. Die Ordnung der Gemeinde

Der Begriff der Gemeindeordnung steht im Zusammenhang mit der Gemeindeführung. Zur Gemeinde im Neuen Testament gehörten die als Aufseher und Älteste benannten Christen, d. h. die verantwortlichen Führer der Gemeinde. Wahrscheinlich waren Aufseher (gr. *episkopois*, davon abgeleitet „Bischof") auch Älteste (gr. *presbyterois*, davon abgeleitet „Presbyter") und umgekehrt, obwohl die beiden Bezeichnungen nicht ganz dasselbe bedeuten.

Die Einrichtung der Ältesten im Neuen Testament war vermutlich abgeleitet vom Vorbild der Ältesten im Alten Testament, die die Autorität über Israel ausübten (Mt 16,21; 26,47.57; Apg 4,5.23). Der Begriff bezeichnet einen Menschen, der in seinem Urteil reif und fähig war, eine Position einzunehmen, in der er Autorität ausüben konnte. Ein Ältester hatte also die persönliche Qualifikation für eine Führungsposition, während der Ausdruck „Aufseher" oder „Bischof" das Amt oder die Funktion der betreffenden Person bezeichnet. Wir dürfen davon ausgehen, dass diese Begriffe in der frühen Gemeinde synonym verwendet worden sind (Tit 1,5.7).

In der apostolischen Zeit gab es durchgängig *mehrere* Aufseher und Älteste in den Gemeinden, obwohl einige vermutlich eine stärkere Führungsrolle innehatten als andere. Aufseher und Älteste hatten einen bestimmten Verantwortungsbereich, zum Beispiel die Leitung der Gemeinde (1Tim 3,4-5; 5,17), den Schutz der Gemeinde vor moralischen und lehrmäßigen Irrtümern (Tit 1,9) und die Überwachung oder Aufsicht der Gemeinde, wie ein Hirte seine Herde hütet (Joh 21,16; Apg 20,28; Tit 1,5; 1Petr 5,2).

Neben den Ältesten und Aufsehern wurden Diakone ernannt. In der Urgemeinde befassten sie sich mit der Hilfe für Arme und Bedürftige, obwohl sie auch geistliche Gaben hatten (Apg 6,1-6; 1Tim 3,8-13). Wie die Ältesten wurden sie von den Aposteln zum Dienst abgesondert (Apg 6,6; 13,3; 2Tim 1,6) oder von den Ältesten dazu bestimmt (1Tim 4,14). Wie im Fall der Ältesten und Bischöfe kann unterschieden werden zwischen der Aufgabe als Diakon und dem Dienst, den ein Diakon ausübt. Philippus war ein Diakon, aber durch seine geistliche Gabe war er Evangelist (Apg 6,5; 21,8).

In der heutigen Zeit neigen einige Gemeinden dazu, einen einzigen Pastor als Ältesten zu bestimmen und ihm andere als Diakone in geistlichen Dingen zur Seite zu stellen. Dies steht jedoch offensichtlich im Widerspruch zur biblischen Praxis.

C. Die Verordnungen der Gemeinde

Die meisten protestantischen Gemeinden erkennen nur zwei Verordnungen an, die Taufe und das Abendmahl. Ausnahmen können in bestimmten anderen Gemeindeformen gefunden werden, bei denen zum Beispiel die Fußwaschung eine weitere Verordnung ist (Joh 13). Die römisch-katholische Kirche fügt noch zahlreiche andere Verordnungen („Sakramente“) hinzu. Nur die Taufe und das Mahl des Herrn sind fast überall anerkannt.

1. Die Verordnung der Wassertaufe ist in der Kirchengeschichte Gegenstand zahlreicher Auseinandersetzungen gewesen und hat zu größeren Trennungen in den bestehenden Kirchen geführt. Auseinandersetzungen gab es über zwei Punkte: 1. ob die Wassertaufe nur ein Ritual ist oder dem Getauften tatsächlich eine übernatürliche Segnung zuteilwerden lässt; 2. die Frage nach der Art der Taufe, ob sie ausschließlich durch Untertauchen oder auch als Besprengung praktiziert werden kann.

Diejenigen, die die Wassertaufe für ein Ritual halten, sind der Meinung, sie stelle eine geistliche Wahrheit dar, vermittle dem Getauften jedoch selbst keinerlei übernatürliche Gnade oder göttliches Leben. Dies ist die bessere Auslegung. Andere glauben an die „Taufwiedergeburt“, d. h. sie meinen, die Wassertaufe bewirke die Wiedergeburt des Gläubigen. Wieder andere vertreten die Ansicht, sie vermittle nur eine gewisse Gnade sowie die Neigung zum Glauben und zum Gehorsam dem Evangelium gegenüber.[2] Jene, die die Wassertaufe nicht nur als *Ritual* verstehen, sprechen von ihr als einer *wirklichen* Taufe, die untrennbar in Beziehung steht zur Taufe mit dem Geist und zur Wiedergeburt des Gläubigen.

Ein zweites Problem erhebt sich bei der Durchführung der Taufe. Hier scheint sich die Kontroverse um die Frage zu drehen, ob bei

2 Für diese Ansichten gibt es in der Bibel jedoch keine sicheren Anhaltspunkte. (Anm. d. dt. Hg.)

der Verordnung der Taufe der primäre oder sekundäre Sinn gemeint ist. Die primäre Bedeutung von „taufen“ ist „versenken“ oder „eintauchen“ in eine Substanz wie z. B. Wasser. Das griechische Wort für „untertauchen“ wird im Zusammenhang mit der Wassertaufe nie gebraucht. Daraus schließen einige, dass Taufe im übertragenen Sinne von *Einführung* (Initiation) gemeint sei, wobei der Getaufte von einer früheren Beziehung in eine neue übergehe.

Christus spricht von Seinem Leiden im Tod als einer Taufe (Mt 20,22-23), und von den Israeliten, die durch das Rote Meer gingen, ohne dass sie mit dem Wasser in Berührung kamen, wird gesagt, dass sie getauft wurden in der Wolke und im Meer (1Kor 10,2). Darum wird argumentiert, das völlige Untertauchen im Wasser sei nicht notwendig für eine schriftgemäße Taufe.

In der Kirchengeschichte entstand die Praxis, Wasser über den Täufling zu gießen, in Anlehnung an das Symbol der Ausgießung des Geistes in der Errettung, oder ihn mit Wasser zu „besprengen“. Die Geschichte dieser Lehre ist gekennzeichnet von endlosen Diskussionen. In einigen Fällen, wie zum Beispiel bei der Taufe Christi, scheint der Täufling untergetaucht worden zu sein. In anderen Beispielen, wie bei der Taufe des Kerkermeisters von Philippi (Apg 16,33) erscheint es unwahrscheinlicher, dass der Kerkermeister und sein ganzer Haushalt in der Dunkelheit des frühen Morgens untergetaucht wurden.

Weil die Taufe durch Untertauchen von allen als rituelle Taufe anerkannt ist, neigen viele Gemeinden dazu, diese Taufart zu wählen. Zweifellos ist der Taufart eine unangemessen große Bedeutung zugeschrieben worden, da die viel wichtigere Frage ist, ob der Täufling wiedergeboren und durch den Geist in den Leib Christi hineingetauft ist. In Bibellexika können Argumente für und gegen die verschiedenen Definitionen der Bedeutung und der Art der Taufe gefunden werden.

Ein weiteres Problem in Bezug auf die Taufe als Ritual ist die Frage der Kindertaufe im Gegensatz zur Glaubenstaufe. Über die Kindertaufe ist in der Bibel nichts zu finden. Ihre Anhänger betrachten die Kindertaufe gewöhnlich als das heilszeitgemäße Symbol für das Abgesondertsein für Gott, ähnlich wie die Beschneidung im Volk Israel. Obwohl ganze Haushalte getauft wurden, wie in Apostelgeschichte 16, gibt es keinen eindeutigen Fall von Kindertaufe. Deshalb bevorzugen einige Gemeinden die Segnung der Kinder. Getauft werden nur

Menschen, die wirklich an Christus glauben und die alt genug sind, eine solche Entscheidung zu treffen.

Die Kindertaufe könnte auch nicht mehr als ein Ausdruck des Glaubens und der Hoffnung der Eltern sein, dass ihr Kind später einmal errettet wird. Die Erwachsenentaufe sollte in jedem Fall den Erweis echten Glaubens an Christus zur Voraussetzung haben. Obwohl die Taufart nicht unbedingt mit der Frage nach der Kindertaufe zusammenhängt, werden Kinder in den Kirchen in der Regel durch Besprengung getauft und nicht durch Untertauchen. Diejenigen, die nur das Untertauchen als Taufart akzeptieren, sind in der Regel auch für die Glaubenstaufe.

Ungeachtet der Taufart ist die symbolische Bedeutung der Taufe, dass der Gläubige abgesondert wird von dem, was er ohne Christus war, zu dem, was er nun in Christus ist, da er teilhat an den Auswirkungen des Todes und der Auferstehung Christi. Die Urgemeinde hat das Ritual der Taufe konsequent befolgt, und in praktisch allen Zweigen der christlichen Gemeinschaften gibt es heutzutage die Wassertaufe in irgendeiner Form.

2. Die Verordnung des Mahls des Herrn wurde eingesetzt am Vorabend vor der Kreuzigung Christi als ein Symbol dafür, dass der Gläubige teilhat an dem, was Sein Tod bewirkt hat. Als solches löste es das Passahfest ab, das die Juden seit ihrem Auszug aus Ägypten feiern.

Als Christus Seine Jünger anwies, das Brot zu nehmen, sagte Er ihnen nach 1. Korinther 11,23-29, dass das Brot Seinen Leib verkörpere, der für sie geopfert werden sollte. Sie sollten dieses Ritual zu seinem Gedächtnis während der Zeit Seiner Abwesenheit befolgen. Der Becher mit Wein wurde von Christus als der Neue Bund in Seinem Blut bezeichnet; indem sie von diesem Becher tranken, sollten die Jünger ganz besonders an Seinen Tod denken. Sie sollten dieses Mahl des Herrn feiern bis zu Seiner Rückkehr.

Die Geschichte der Kirche ist gekennzeichnet durch endlose Kontroversen über die verschiedenen Sichtweisen zum Mahl des Herrn. Drei Anschauungen wurden vertreten: Die römisch-katholische Kirche vertritt die Theorie der Transsubstantiation, das heißt, Brot und Wein verwandeln sich angeblich in den Leib und das Blut Christi, und wer an ihnen teilhat, hat tatsächlich teil am Leib und Blut Christi, obwohl seine Sinne die Dinge vielleicht immer noch als Brot und Wein wahrnehmen. Die Lutherische Kirche vertritt die Lehre der sogenannten „Konsubstantiation". Allerdings ist dieser Begriff von den Lutheranern nicht allgemein anerkannt. Nach dieser Theorie bleibt das Brot zwar Brot und der Wein bleibt Wein, doch die Gegenwart des Leibes Christi ist in beiden Elementen, und auf diese Weise hat der Gläubige teil am Leib Christi.

Die dritte Theorie stammt von Zwingli und wird die Gedächtnis-Theorie genannt. Danach wird das Mahl des Herrn zum Gedächtnis an Seinen Tod gefeiert, und es findet keine übernatürliche Veränderung der Elemente statt. Eine Abwandlung dieser Theorie wurde von Calvin vertreten, der der Meinung war, Christus sei geistlich in diesen Elementen vorhanden.

Die Schrift scheint eher die Gedächtnis-Theorie zu bestätigen. Brot und Wein enthalten und symbolisieren nicht die Gegenwart Christi; sie beinhalten eine Anerkennung der Tatsache, dass Christus jetzt nicht leiblich gegenwärtig ist. Deshalb soll das Mahl des Herrn auch gefeiert werden, „bis Er kommt" (1Kor 11,26).

Bei der Beschäftigung mit dem Mahl des Herrn sollten die sorgfältigen Anweisungen des Apostels Paulus in 1. Korinther 11,27-29 angemessene Beachtung finden. Das Mahl des Herrn sollte nur mit der nötigen Ehrfurcht und nach eingehender Selbstprüfung genommen werden. Ein Christ, der unwürdig oder achtlos an dieser Feier teilnimmt, bringt Gericht über sich. Paulus sagt: „Der Mensch aber prüfe sich selbst, und so esse er von dem Brot und trinke von dem Kelch" (1Kor 11,28).

Das Mahl des Herrn wird zu Recht von vielen Christen als eine heilige Zeit des Gedächtnisses an den Tod Christi betrachtet. Wie von Paulus angedeutet, soll die Vorbereitung auf das Mahl eine Zeit der Selbstprüfung, des Sündenbekenntnisses und eine Zeit der Wiederherstellung sein. Es erinnert uns an das neue Leben, das uns durch den Tod Christi zuteilgeworden ist.

So wie das Mahl des Herrn zurückweist auf die historische Tatsache des ersten Kommens Christi in diese Welt und auf Seinen Tod am Kreuz, so weist es auch in die Zukunft auf Seine Wiederkunft, wenn es nicht mehr nötig sein wird, das Mahl des Herrn zu feiern. Zwar wird in der Schrift nicht gesagt, wie häufig das Mahl des Herrn gefeiert werden sollte, doch es ist wahrscheinlich, dass die ersten Christen es häufig feierten, vermutlich an jedem ersten Tag der Woche, wenn sie sich versammelten, um an die Auferstehung Christi zu denken. Auf jeden Fall sollte das Mahl des Herrn nicht nur hin und wieder gehalten werden, sondern in angemessenem und respektvollem Gehorsam dem Gebot Christi gegenüber, dies zu tun, bis Er kommt.

? Fragen

1. Vergleichen Sie das Konzept der Gemeinde als einem Organismus mit dem der Gemeinde als einer Organisation.
2. Was sind die drei Formen der Kirchenleitung in der Kirchengeschichte?
3. Was sind die wesentlichen Merkmale der episkopalen Form der Kirchenleitung?
4. Was sind die Merkmale einer repräsentativen Kirchenleitung, und wie zeigt sich dies in den Denominationen der heutigen Zeit?
5. Was sind die Merkmale der Kirchenleitung der Kongregationalisten, und wie zeigt sich dies in den Gemeinden der heutigen Zeit?
6. Was sind nach der Schrift Aufseher und Älteste, und wie werden sie unterschieden?
7. Welche Aufgaben hat ein Aufseher?
8. Welche Aufgaben hat ein Diakon?
9. Was sind die beiden Verordnungen der Gemeinde?
10. Welche zusätzlichen Verordnungen sind in den heutigen Kirchen noch zu finden?
11. Was ist gemeint, wenn die Wassertaufe als ein Ritual bezeichnet wird?
12. Welche Bedeutung hat die Wassertaufe, wenn ihr geistliche Auswirkungen zugeschrieben werden?
13. Welche verschiedenen Taufarten gibt es?
14. Was ist die primäre und die übertragene Bedeutung des Wortes „taufen“?
15. Welche Beispiele sind im Neuen Testament von der Taufe im übertragenen Sinne zu finden?
16. Welche Beispiele gibt es für die Taufe durch Untertauchen?

17. Wie wichtig ist die Taufart?
18. Warum befürworten einige die Kindertaufe?
19. Warum sind einige gegen die Kindertaufe?
20. Was ist die letztgültige Bedeutung der Taufe ungeachtet der Taufart?
21. Wann wurde das Mahl des Herrn eingesetzt?
22. Welche Unterweisung gab Christus Seinen Jüngern in Bezug auf die Bedeutung von Brot und Wein?
23. Welche drei Theorien gibt es über das Mahl des Herrn?
24. Was bedeutet die Theorie der Transsubstantiation, und wer vertritt diese Sichtweise?
25. Welche Ansicht über das Mahl des Herrn vertritt die Lutherische Kirche gewöhnlich?
26. Was ist die Gedächtnis-Theorie, die von Zwingli vertreten wurde, und wie sah Calvin Brot und Wein beim Mahl des Herrn?
27. Welche Theorie findet die beste Stützung in der Bibel?
28. Wie sollte ein Christ sich auf das Mahl des Herrn vorbereiten?
29. Beschreiben Sie die zweifache Bedeutung des Mahls des Herrn in Bezug auf die Geschichte und die Prophetie.

Kapitel 40

Die Gemeinde: Der Leib und die Braut Christi und ihre Belohnung

A. Die sieben Bilder für Christus und Seine Gemeinde

In der Bibel werden sieben Bilder für die Beziehung zwischen Christus und Seiner Gemeinde verwendet.

1. Das Bild des Hirten und seiner Schafe, das im 23. Psalm vorweggenommen ist, wird in Johannes 10 gebraucht, wo Christus der Hirte und die an Ihn Gläubigen Seine Schafe sind. Nach dieser Bibelstelle a) kam Christus durch die Tür, das heißt, Er war ein direkter Nachkomme Davids; b) ist Er der wahre Hirte, dem die wahren Schafe folgen; c) ist Christus die Tür für die Schafe, die Tür zur Errettung und die Tür, die Sicherheit gibt (Joh 10,28-29); d) gibt der Hirte den Schafen Leben und Nahrung; e) sind andere Hirten im Gegensatz dazu nur Mietlinge und würden ihr Leben nicht für die Schafe geben; f) besteht eine Gemeinschaft zwischen den Schafen und dem Hirten – wie der Vater den Sohn kennt und der Sohn den Vater, so kennen die Schafe den Hirten; g) gibt es im gegenwärtigen Zeitalter nur noch eine Herde und einen Hirten, in dem Juden und Heiden gleichermaßen die Errettung haben (Joh 10,16), obwohl Israel im Alten Testament einer anderen Herde angehörte; h) gibt Christus als der Hirte Sein Leben nicht nur für die Schafe, sondern lebt auf ewig, um für sie einzutreten und ihnen geistliches Leben und die Nahrung zu geben, die sie brauchen (Hebr 7,25). Nach Psalm 23,1 gilt: „Der HERR ist mein Hirte, mir wird nichts mangeln."

2. Christus ist der wahre Weinstock, und die Gläubigen sind die Reben. Die Beziehung zwischen Israel und Gott wird im Alten Testament im Bild eines Weinstocks beschrieben. Christus jedoch ist der wahre Weinstock, und die Gläubigen sind nach Johannes 15 die Reben. Dieses Bild spricht sowohl von der Vereinigung mit Christus als auch von der Gemeinschaft mit Christus. Die Gläubigen werden ermahnt, in der ungehinderten Gemeinschaft mit Christus zu bleiben (15,10), und die Folgen dieses Bleibens sind Reinigung oder Beschneidung (V. 2), wirksames Gebet (V. 7), vollkommene Freude (V. 11) und ewige Frucht (V. 16). Die grundlegende Wahrheit, die in dem Bild vom Weinstock und seinen Reben zum Ausdruck kommt, lautet, dass der Gläubige weder sein Leben als Christ genießen noch in seinem Dienst fruchtbar sein kann, wenn er nicht in lebendiger Gemeinschaft mit Christus, dem wahren Weinstock lebt.

3. Christus ist der Eckstein, die Gemeinde sind die übrigen Steine des Gebäudes. Im Gegensatz zum Alten Testament, wo Israel einen Tempel hatte (2Mo 25,8), ist die Gemeinde im gegenwärtigen Zeitalter selbst ein Tempel (Eph 2,21). In diesem Bild wird Christus gezeigt als der Eckstein und die einzelnen Gläubigen als die anderen Steine dieses Gebäudes (Eph 2,19-22). Es ist Gottes Absicht für die gegenwärtige Heilszeit, Seine Gemeinde zu bauen (Mt 16,18). Bei der Errichtung dieses Gebäudes ist jeder Gläubige ein lebendiger Stein, weil er an der göttlichen Natur teilhat (1Petr 2,5); Christus ist der Eckstein und der feste Grund (1Kor 3,11; Eph 2,20-22; 1Petr 2,6), und das Gebäude als Ganzes wird „zu einer Behausung Gottes im Geist“ (Eph 2,22). In dem Bild von dem Gebäude wird die Abhängigkeit jedes Gläubigen von Christus als dem Grund und Eckstein und von den Steinen untereinander deutlich. Das Gebäude als solches ist der Tempel Gottes durch den Geist.

4. Christus wird im Neuen Testament gezeigt als unser Hoherpriester, die Gläubigen sind Priester. Wie schon erwähnt, bringt der Gläubige als Priester ein vierfaches Opfer: a) er opfert sich, indem er sich selbst ein für alle Mal Gott darbietet (Röm 12,1-2); b) er opfert Anbetung, indem er Gott Lobpreis und Danksagung bringt (Hebr 13,15) und Fürbitte tut für seine eigenen Bedürfnisse und die der anderen (Röm 8,26-27; Kol 4,12; 1Tim 2,1; Hebr 10,19-22). Als unser Hoherpriester ist Christus durch Sein Blut, das Er auf Golgatha vergossen hat, in den Himmel eingetreten (Hebr 4,14-16; 9,24; 10,19-22) und vertritt uns nun (Röm 8,34; Hebr 7,25).

Als Angehörige der königlichen Priesterschaft ist es wichtig für uns zu sehen, dass die Gläubigen c) auch ein Opfer der guten Werke bringen und d) ihren Besitz opfern (Hebr 13,16).

5. Christus als das Haupt der Gemeinde und die Gemeinde als der Leib Christi offenbart die Absichten Gottes für die gegenwärtige Zeit. Dieses Bild wird später noch eingehender betrachtet werden.

6. Christus als der letzte Adam und die Gemeinde als eine neue Schöpfung sind ein Bild, in dem Christus als der Auferstandene an die Stelle Adams, dem Haupt der alten Ordnung, tritt und das Haupt der neuen Schöpfung in Christus wird. Dieses Bild beruht auf der Auferstehung Christi und der wichtigen Tatsache, dass Er durch Seine Auferstehung eine neue Ordnung geschaffen hat. Der Gläubige ist durch die Taufe mit dem Geist in Christus und nicht mehr in Adam. In dieser neuen Stellung in Christus hat er Anteil an allem, was Christus für ihn getan hat, als Er ihm die Möglichkeit verschaffte, Gerechtigkeit vor Gott und neues Leben in Christus zu erlangen. Weil Christus das Haupt einer neuen Schöpfung ist, wird ein neuer Gedächtnistag notwendig, der erste Tag der Woche, im Gegensatz zum Sabbat, der zur alten Ordnung gehörte.

7. Christus als der Bräutigam und die Gemeinde als die Braut sind ein prophetisches Bild sowohl für die Gegenwart als auch für die zukünftige Beziehung zwischen Christus und Seiner Gemeinde. Im Gegensatz zu Israel, das im Alten Testament dargestellt wird als die untreue Frau des HERRN, wird die Gemeinde im Neuen Testament gezeigt als eine jungfräuliche Braut, die die Ankunft ihres Bräutigams erwartet. Dies wird noch Gegenstand ausführlicherer Erläuterungen in diesem Kapitel sein. So wie die Gemeinde als der Leib Christi das wichtigste Bild für die gegenwärtigen Absichten Gottes ist, so ist die Gemeinde als die Braut das wichtigste Bild für die zukünftige Beziehung der Gemeinde zu Christus.

B. Die Gemeinde als der Leib Christi

Bei der Beschäftigung mit der Taufe mit dem Heiligen Geist haben wir schon gesehen, dass die Gemeinde im Neuen Testament zusammengefügt und durch die Taufe mit dem Geist zum Leib Christi verbunden ist. In 1. Korinther 12,13 heißt es: „Denn in *einem* Geist sind wir alle zu *einem* Leib getauft worden, es seien Juden oder Griechen, es seien Sklaven oder Freie, und sind alle mit *einem* Geist getränkt worden." Drei Dinge sind in diesem Bild gezeigt: 1. Die Gemeinde ist ein Leib, der sich selbst auferbaut; 2. den Gliedern dieses Leibes sind besondere Gaben gegeben und besondere Dienste zugewiesen worden; 3. der Leib ist eine lebendige Einheit oder ein Organismus.

1. In Epheser 4,11-16 wird von der Gemeinde gesprochen als einem Leib, der sich selbst auferbaut. Sie besteht aus vielen Gliedern, die geistliche Gaben besitzen. Einige sind Apostel, andere Propheten, Evangelisten, Hirten oder Lehrer. Die zentrale Aussage ist, dass die Gläubigen nicht nur ermahnt werden, Gott in verschiedenen Aufgaben zu dienen, sondern sie sind ausgerüstet, ein bestimmtes Werk zu tun, zu dem Gott sie berufen hat. Ein Gläubiger tut seinen Dienst, wenn er seine bestimmte, ihm zugewiesene Aufgabe im Leib Christi erfüllt und seinen Beitrag leistet, den Leib Christi vollkommen zu machen (Eph 4,13).

2. Die Glieder am Leib Christi werden entsprechend ihrer Gaben zu einem bestimmten Dienst berufen. Wie die Glieder eines menschlichen Körpers verschiedene Aufgaben haben, so ist das auch beim Leib Christi. Es ist sehr wichtig, dass der Gläubige sich nüchtern überprüft, um zu sehen, welche Gaben ihm gegeben sind, und diese Gaben dann zur Ehre Gottes einsetzt. Wichtige Gaben sind in Römer 12,3-8 und 1. Korinther 12,28 aufgeführt. Jeder Gläubige hat Gaben und kann mehr als eine Gabe erhalten. Obwohl die geistlichen Gaben manchmal mit natürlichen Fähigkeiten verbunden sind, dürfen sie nicht miteinander verwechselt werden. Ein Mensch kann zum Beispiel die natürliche Gabe des Lehrens haben, doch nur Gott kann die Gabe schenken, geistliche Dinge zu lehren.

Geistliche Gaben können nicht durch Streben erworben werden, sondern der Geist teilt Gaben zu, „jedem besonders aus, wie er will" (1Kor 12,11). In der apostolischen Gemeinde wurden einige Gaben gegeben, die bis ins gegenwärtige Zeitalter andauern, andere waren Zeichengaben, die offensichtlich nach der ersten Generation aufhörten. Jede Gabe jedoch ist der Autorität des Wortes Gottes unterworfen; sie darf kein Anlass zum Hochmut sein, sondern sie bringt eine große Verantwortung mit sich, für die der Gläubige einmal Rechenschaft ablegen muss.

Während die örtlichen Gemeinden vielleicht große Organisationen aufbauen, wird die Arbeit Gottes vorwiegend durch die Gemeinde als Organismus getan, der von Christus als dem Haupt geführt wird, indem Er die Gaben an die einzelnen Glieder verteilt. Es ist nicht ungewöhnlich, dass ein Gläubiger aufgefordert wird, Aufgaben zu erledigen, für die er nicht besonders begabt ist, doch seine wichtigste Funktion ist es, die Aufgabe zu erledigen, für die er in den Leib Christi hineingestellt ist. Wenn er seinen Leib als ein lebendiges Opfer Gott hingibt, kann er Gottes vollkommenen Willen kennenlernen (Röm 12,1-2).

3. Der Leib ist ein lebendiger Organismus, der auf ewig in Christus vereinigt ist. Die Einheit des Leibes, der aus Juden und Heiden, aus Menschen verschiedener Rassen und Kulturen zusammengesetzt ist, wird in Epheser 1,23; 2,15-16; 3,6; 4,12-16; 5,30 dargelegt. Die Gemeinde als der Leib Christi besitzt eine wunderbare Einheit, in der es keine Unterscheidung zwischen Juden und Heiden gibt und beide dieselben Vorrechte haben. Der Leib Christi steht im krassen Unterschied zu der Beziehung Gottes zum Volk Israel und den Heiden im Alten Testament. Er ist eine einzigartige Erscheinung, die auf die gegenwärtige Heilszeit begrenzt ist. Die Glieder dieses Leibes haben nach Epheser 3 Anteil an der wunderbaren Wahrheit, die den Propheten des Alten Testaments verborgen war, im Neuen Testament jedoch geoffenbart wurde, nämlich dass die Heiden Miterben desselben Leibes sind, denselben Anteil an der Verheißung in Christus durch das Evangelium haben wie die Juden (Eph 3,6). Die Einheit des Leibes wird in Epheser 4,4-7 gezeigt als eine ewige Verbindung, die die Basis der christlichen Gemeinschaft und des Dienstes im gegenwärtigen Zeitalter und die Grundlage für die ewige Gemeinschaft in zukünftigen Zeitaltern ist.

C. Christus als der Bräutigam und die Gemeinde als die Braut

Von den sieben Bildern für Christus und die Gemeinde hat nur das Bild des Bräutigams prophetische Bedeutung. Im Gegensatz zu Israel, der untreuen Frau des HERRN, wird im Neuen Testament von der Gemeinde gesprochen als der jungfräulichen Braut, die die Ankunft ihres Bräutigams erwartet (2Kor 11,2). Das Bild von Christus als dem Bräutigam wird zum ersten Mal in Johannes 3,29 von Johannes dem Täufer verwendet.

Die wichtigste Offenbarung darüber findet sich jedoch in Epheser 5,25-33, in der Beschreibung der richtigen Beziehung zwischen Männern und Frauen in Christus in der Ehe. Hier wird das dreifache Werk Christi gezeigt: a) In der Vergangenheit hat Christus in Seinem Kreuzestod „die Gemeinde geliebt und sich selbst für sie hingegeben“ (V. 25);

b) Christus wirkt gegenwärtig, „um sie zu heiligen, sie reinigend durch das Wassserbad im Wort“ (V. 26); c) das zukünftige Wirken Christi wird so beschrieben: „damit er die Gemeinde sich selbst verherrlicht darstellte, die nicht Flecken oder Runzel oder etwas dergleichen hat, sondern dass sie heilig und tadellos ist“ (V. 27).

Durch Seinen Tod am Kreuz erfüllte Jesus symbolisch die orientalische Sitte, dass Er den Preis für Seine Braut bezahlte. Im gegenwärtigen Zeitalter reinigt Christus Seine Braut und bereitet sie auf ihre zukünftige Beziehung vor durch die Waschung mit Wasser, dem Leben nach dem Wort Gottes und der Heiligung. Am Ende des Zeitalters, bei der Entrückung der Gemeinde, wird der Bräutigam kommen, um Seine Braut in den Himmel zu holen. Dort wird Er sie als die Gemeinde darstellen, die Seine eigene Herrlichkeit widerspiegelt, vollkommen, ohne Flecken oder Runzel, eine heilige Braut für einen heiligen Bräutigam. Bei dem anschließenden Hochzeitsfest, wahrscheinlich verwirklicht in der geistlichen Gemeinschaft im Tausendjährigen Reich, werden sich alle Heiligen vereinigen und die Hochzeit des Christus und Seiner Gemeinde feiern. Dieses Hochzeitsfest wird in Offenbarung 19,7-8 angekündigt; es wird stattfinden, bevor der Herr Jesus Christus zur Erde kommt, um Sein Reich aufzurichten.

Die Liebe Christi zu Seiner Gemeinde in diesem Bild ist ein Sinnbild für die unendliche Liebe Gottes. Fünf Merkmale der göttlichen Liebe sollten herausgehoben werden.

1. Gottes Liebe hört nie auf, weil Gott Liebe ist (Joh 4,8). Er hat sich die Liebe nicht durch eigene Bemühungen oder Kultivierung des Charakters erworben, auch ist die Liebe kein Besitz, den Er nach Belieben aufgeben kann. Die Liebe ist ein Wesenszug Seines Seins. Sie begann, als Er begann, und Er hat keinen Anfang. Wenn Seine Liebe aufhören würde, würde damit ein sehr wesentlicher Teil der Person Gottes verschwinden. Er ist, was Er ist, vor allem wegen Seiner Liebe. Die Liebe Gottes kennt keine Veränderung. Zu Israel sagte Er: „Ja, mit ewiger Liebe habe ich dich geliebt“ (Jer 31,3), und von Christus steht geschrieben: „... da er die Seinen, die in der Welt waren, geliebt hatte, liebte er sie bis ans Ende“ (oder „für immer, bis zur Vollendung“; Joh 13,1; vgl. 15,9). Gottes Liebe zu den Menschen wird sich nicht ändern oder aufhören.

2. Die Liebe Gottes ist die Triebkraft für Sein unaufhörliches Handeln. Obwohl die Liebe Gottes sich ein für alle Mal in der Opferung

Seines geliebten Sohnes manifestierte (Röm 5,8; 1Jo 3,16), war das, was sich in diesem einen Augenblick zeigte, die ewige Haltung Gottes dem Menschen gegenüber. Hätten wir vor der Schöpfung des materiellen Universums in das Herz Gottes blicken können, hätten wir sehen können, dass schon jede Vorsorge getroffen war für das Lamm, das für die Sünde der Welt geschlachtet werden sollte (Offb 5,6). Könnten wir jetzt einen Blick in das Herz Gottes tun, würden wir dieselbe ungebrochene Liebe zu den Verlorenen sehen, die sich im Tod Seines Sohnes zeigte. Der Tod Jesu Christi war nicht nur eine augenblickliche Regung der göttlichen Zuneigung; er war die Verkündigung von Gottes ewiger, unveränderlicher Liebe für eine verlorene Welt.

3. Die Liebe Gottes ist von durchscheinender Reinheit. Um diesen Aspekt der Liebe Gottes zu beschreiben, reichen die menschlichen Worte nicht aus. In der göttlichen Liebe ist keine Selbstsucht, Gott hat niemals etwas für sich selbst gewollt. Er empfängt nichts, Er gibt alles. Petrus ermahnt die Gläubigen, einander mit Inbrunst aus reinem Herzen zu lieben (1Petr 1,22); doch wie wenige lieben Gott für das, was Er in sich selbst ist, ganz abgesehen von Seinen Wohltaten! Wie anders ist dagegen Gottes Liebe! Manchmal denken wir, Er brauche unser Geld, unseren Dienst oder unseren Einfluss. Er braucht gar nichts von uns; aber Er braucht *uns*, und das nur, weil Seine unendliche Liebe ohne uns nicht erfüllt sein kann. Die Anrede „Geliebte“ für Gläubige drückt dies aus. Denn in ihrer Beziehung zu Gott ist es ihre höchste Stellung, *Geliebte zu sein*.

4. Die Liebe Gottes ist unendlich stark. Das Kostbarste im Universum ist das Blut des einzigen Sohnes Gottes; und doch hat Gott die Welt so sehr geliebt, dass Er Seinen eingeborenen Sohn gab. Das Opfer Seines Sohnes für die Menschen, als sie noch „Sünder“ und „Feinde“ waren, scheint die äußersten Grenzen der Unendlichkeit zu sprengen; doch zu uns wird von einer „viel größeren“ Liebe gesprochen. Es ist die Liebe Gottes zu jenen, die durch Christi Tod am Kreuz versöhnt und gerechtfertigt worden sind (Röm 5,8-10) – wahrhaftig, nichts vermag uns zu scheiden „von der Liebe Gottes, die in Christus Jesus ist, unserem Herrn“ (Röm 8,39).

5. Die Liebe Gottes ist von unerschöpflicher Güte. Außerhalb der wunderbaren Liebe Gottes sogar zu den Sündern gibt es keine Hoffnung für diese verlorene Welt. Doch die göttliche Liebe ist nicht passiv. Von Seiner Liebe getrieben handelte Gott zugunsten derer, die Er sonst auf ewig von Seinem Angesicht hätte verbannen müssen. Gott konnte die gerechte Verdammung des Sünders, die Seine Heiligkeit erforderlich machte, nicht einfach ignorieren; doch Er konnte den Fluch, der dem Sünder galt, auf sich selbst nehmen: „Größere Liebe hat niemand, als die, dass er sein Leben hingibt für seine Freunde" (Joh 15,13) – und genau das hat Er getan, damit Er, ohne Seine eigene Heiligkeit zu verletzen, die Schuldigen erlösen konnte (Röm 3,26). Nachdem der stellvertretende Tod Christi dies möglich gemacht hat, kennt Gott keine Einschränkungen mehr und hört nicht auf zu wirken, bis Er, zu Seiner eigenen Zufriedenheit, den zu Recht verlorenen Sünder in die höchste Herrlichkeit erhebt, ihn sogar in das Bild Christi umgestaltet.

Rettende Gnade ist mehr als Liebe; sie ist Gottes Liebe in vollkommener Freiheit, die über Seine gerechte Verurteilung des Sünders triumphiert. „Denn aus Gnade seid ihr gerettet, durch den Glauben" (Eph 2,8; vgl. 2,4; Tit 3,4-5).

Gott empfindet auch eine vollkommene Abscheu gegen die Sünde, die Ihn, wie als Gegenstück zu Seiner Liebe, treibt, den Sünder von Seinem Schicksal zu erretten. Diese Abscheu gegenüber der Sünde zusammen mit Seiner Liebe macht Gott zu einem Vater, der Sein Kind züchtigt. „Ich überführe und züchtige, so viele ich liebe" (Offb 3,19), und „wen der Herr liebt, den züchtigt er" (Hebr 12,6).

Durch seine Lebensgemeinschaft mit Christus (1Kor 6,17) ist der Gläubige vom Vater so geliebt, wie Christus geliebt ist (Joh 17,23), und diese unendliche Liebe wird niemals vermindert, auch nicht in der Stunde der Zurechtweisung oder der Prüfung.

Außer diesen direkten Beispielen der Liebe Gottes können noch viele indirekte Beispiele angeführt werden. Im Neuen Testament gibt es wenig Hinweise auf menschliche Liebe; dagegen ist häufig die Rede von der eingepflanzten göttlichen Liebe, die nur von dem geisterfüllten Gläubigen erfahren wird. Die Botschaft von Römer 5,5 ist, dass die Liebe Gottes durch den Heiligen Geist ausgegossen ist in unsere Herzen. Da die göttliche Liebe eine „Frucht des Geistes" ist (Gal 5,22), ist Er ihre Quelle. So offenbart sich die göttliche Liebe in indirekter Weise, indem sie durch das Herz des Gläubigen strömt. Der erste Johannesbrief betont, dass wir, wenn wir aus Gott geboren sind, auch lieben werden, wie Gott liebt, und 1. Korinther 13 ist eine Beschreibung des übernatürlichen Charakters dieser Liebe. Keine menschliche Ekstase ist dem ungehinderten Ausströmen der Liebe Gottes vergleichbar.

Hier geht es nicht um die Liebe *zu* Gott, sondern um die Liebe, die Gott selbst eigen ist. Was diese Liebe betrifft, sollten einige Dinge beachtet werden:

Sie wird erfahren als Antwort auf das Gebet Christi (Joh 17,26). Gott liebt die verlorene Welt (Joh 3,16; Eph 2,4), und zugleich verabscheut Er das Weltsystem, das böse ist (1Jo 2,15-17). Gott liebt diejenigen, die Er erlöst hat (Joh 13,34-35; 15,12-14; Röm 5,8; Eph 5,25; 1Jo 3,16; 4,12). Gott liebt das Volk Israel (Jer 31,3). Gott liebt diejenigen, die von Ihm weg in die Irre gegangen sind (Lk 15,4.20). Gottes Liebe ist ewig (Joh 13,1). Gottes Liebe ist bereit, Opfer zu bringen, sogar Seinen einzigen Sohn zu opfern (1Jo 3,16; 2Kor 8,9; Eph 5,2). Aufgrund dieses eingepflanzten göttlichen Mitleids war der Apostel Paulus bereit, für seine Brüder, seine Verwandten nach dem Fleisch, durch einen Fluch von Christus entfernt zu sein (Röm 9,1-3).

Die Ausübung der göttlichen Liebe ist das erste Gebot Christi unter der Gnade (Joh 13,34-35; 15,12-14) und sollte das herausragende Merkmal eines jeden Christen sein (Gal 5,13; Eph 4,2.15; 5,2; Kol 2,2; 1Thes 3,12; 4,9). Die Liebe Gottes kann nicht allmählich herangebildet oder aus dem Fleisch hervorgebracht werden. Sie ist die normale Erfahrung jener, die mit dem Geist erfüllt sind (Gal 5,22).

D. Die geschmückte Braut und ihre Belohnung

Unter den zahlreichen Gerichten, von denen die Schrift spricht, ist der Richterstuhl Christi, vor dem die Gemeinde beurteilt und belohnt wird, einer der wichtigsten. In Bezug auf die Sünde lehrt die Bibel, dass ein Kind Gottes unter Gnade nicht in das Gericht kommen wird (Joh 3,18; 5,24; 6,37; Röm 5,1; 8,1; 1Kor 11,32); in seiner Stellung vor Gott und aufgrund der Tatsache, dass die Strafe für alle Sünde – die vergangene, die gegenwärtige und die zukünftige (Kol 2,13) – von Christus als dem vollkommenen Stellvertreter bereits getragen worden ist, ist der Gläubige nicht nur von aller Verdammnis befreit, sondern „in Christus“, d. h. in der Vollkommenheit Christi, angenommen (1Kor 1,30; Eph 1,6; Kol 2,10; Hebr 10,14), und er ist geliebt von

Gott, wie Christus geliebt ist (Joh 17,23). Doch über sein tägliches Leben und seinen Dienst für Gott muss der Christ Rechenschaft ablegen vor dem Richterstuhl Christi (Röm 14,10; 2Kor 5,10; Eph 6,8). Dieses Gericht wird bei dem Kommen Christi zur Entrückung Seiner Gemeinde stattfinden (1Kor 4,5; 2Tim 4,8; Offb 22,12; vgl. Mt 16,27; Lk 14,14).

Wenn die Ungläubigen vor dem großen weißen Thron stehen werden, um ihr Urteil zu empfangen, werden sie gerichtet werden „nach ihren Werken" (Offb 20,11-15). Der Zweck dieses Gerichtes ist nicht festzustellen, ob die Anwesenden errettet oder verloren sind, sondern es wird das Maß der Strafe bestimmt, die die Verlorenen aufgrund ihrer bösen Werke erhalten sollen. Auch die Erretteten werden vor dem Richterstuhl Christi nach ihren Werken beurteilt werden, und auch hierbei wird nicht festgestellt werden, ob sie errettet oder verloren sind, sondern es wird die Belohnung oder der Verlust der Belohnung für den Dienst eines jeden Gläubigen bestimmt.

Diejenigen, die vor dem Richterstuhl Christi stehen, werden nicht nur errettet und sicher, sondern auch schon im Himmel sein; nicht aufgrund des Verdienstes ihrer Werke, sondern aufgrund der göttlichen Gnade, die ihnen durch die Rettungstat Christi erwiesen worden ist. Unter der Gnade kann und wird die Art des Lebens und Dienstes des Gläubigen in keiner Weise seine ewige Errettung beeinflussen, und daher wird Christus – dem wir gehören und dem wir dienen – das Leben und den Dienst des Gläubigen ohne Bezug auf die gesicherte Errettung beurteilen.

Wenn Israel und die Nationen einst vor dem „Thron Seiner Herrlichkeit" (Mt 25,31) versammelt sind, wird auch für sie die Belohnung auf der Basis des Verdienstes festgelegt werden, aber unabhängig von der Frage der persönlichen Errettung (Mt 25,31; vgl. Mt 6,2-6; 24,45-46; 25,1-46).

Vor allem drei Bilder in der Schrift zeigen das Wesen der Belohnung des Gläubigen vor dem Richterstuhl Christi.

1. Das Bild der Haushalterschaft wird in Römer 14,10-12 eingeführt. Hier wird in Verbindung mit der Verurteilung anderer Gläubiger die Ermahnung gegeben: „Du aber, was richtest du deinen Bruder? Oder auch du, was verachtest du deinen Bruder? Denn wir werden alle vor den Richterstuhl Gottes gestellt werden. Denn es steht geschrieben:

‚So wahr ich lebe, spricht der Herr, mir wird sich jedes Knie beugen, und jede Zunge wird Gott bekennen.' Also wird nun jeder von uns für sich selbst Gott Rechenschaft geben."

In dieser Stelle werden wir ermahnt, nicht zu versuchen, die Werke eines Mitchristen zu bewerten. Dies bedeutet nicht, dass Sünde nicht verurteilt und dem Betreffenden vorgehalten werden sollte, sondern diese Verse beziehen sich auf den Wert oder die Qualität seines Lebens. Viel zu häufig kritisieren Christen andere Christen, damit ihr eigenes Leben ihnen besser erscheint. Mit anderen Worten, sie achten ihren Bruder gering, um sich selbst zu erhöhen.

In dieser Bibelstelle wird die Tatsache geoffenbart, dass jeder Christ Gott wird Rechenschaft ablegen müssen. Das Bild ist das eines Verwalters oder Treuhänders. Alles, was ein Christ im Leben besitzt – seien es intellektuelle Gaben, natürliche Gaben, Gesundheit, geistliche Gaben oder Besitz –, ist eine Gabe Gottes an ihn. Je mehr ihm anvertraut ist, über umso mehr wird er Rechenschaft ablegen müssen. Wie es in 1. Korinther 6,19-20 heißt: „Oder wisst ihr nicht … dass ihr nicht euch selbst gehört? Denn ihr seid um einen Preis erkauft worden." Als Verwalter alles dessen, was Gott uns gegeben hat, werden wir vor dem Richterstuhl Christi Rechenschaft ablegen müssen, und wir werden nicht zur Verantwortung gezogen werden für das, was Gott anderen gegeben hat, sondern nur für das, was uns anvertraut worden ist. Was in diesem Gericht zählt, ist nicht Erfolg oder das Lob von Menschen, sondern Treue im Gebrauch dessen, was Gott uns anvertraut hat.

2. In 1. Korinther 3,9-15 wird das Leben des Gläubigen als ein Gebäude gesehen, das auf Christus als dem Fundament errichtet worden ist. Hierbei sollte beachtet werden: a) Hier sind nur die Erretteten gemeint. Die persönlichen Fürwörter „wir" und „ihr" schließen alle Erretteten ein und alle nicht Erretteten aus. Auch bezieht sich das Wort „Mensch" (V. 21) nur auf den, der auf den Felsen Jesus Christus gegründet ist.

b) Nachdem der Apostel Paulus den Korinthern das Evangelium, durch das sie errettet worden sind, dargelegt hatte – die Errettung ist alleine der Fels, auf dem der Gerettete steht –, vergleicht er sich mit einem weisen Baumeister, der das Fundament gelegt hat; doch jeder Gläubige errichtet nun für sich selbst den Aufbau auf diesem Fundament, der ihm durch die Gnade Gottes gegeben worden ist.

Darum fordert er jeden auf, darauf zu achten, wie er auf diesen Grund baut. Dies ist kein Hinweis auf irgendeine „Charakterformung", für die es keine Basis in den Schriftstellen gibt, die an die Heiligen dieses Zeitalters gerichtet sind; von ihrem Charakter wird gesagt, dass er die „Frucht des Geistes" ist (Gal 5,22-23). Er wird nicht durch fleischliche Bemühungen herausgebildet, sondern indem man durch den Geist wandelt (Gal 5,16). Der Gläubige baut einen Aufbau aus Werken, die durch Feuer erprobt werden – möglicherweise durch die Augen des Herrn, vor dem wir stehen werden, die wie eine Feuerflamme sind (Offb 1,14).

c) Das „Werk" (V. 13), das der Christ auf Christus Jesus baut, kann aus Holz, Heu oder Stroh, also brennbarem Material sein, das durch Feuer zerstört werden kann; es kann aber auch aus Gold, Silber und Edelsteinen sein, die das Feuer nicht zerstören kann, sondern die sogar durch das Feuer noch geläutert werden.

d) Derjenige, dessen Werk auf Christus gebaut ist und bestehen wird, wird eine Belohnung bekommen; doch derjenige, dessen Werk verbrennen wird, wird Schaden oder Verlust erleiden, nicht den Verlust seines Heils, das ihm durch das vollendete Werk Christi sicher ist, sondern den Verlust seiner Belohnung. Selbst wenn er durch das Feuer geht, das das Werk jedes Christen prüfen wird, und selbst wenn er den Verlust seiner Belohnung erleidet, so wird er selbst doch gerettet.

3. In 1. Korinther 9,16-27, und vor allem in den Versen 24-27, wird das Bild eines Rennens verwendet, bei dem ein Preis gewonnen werden kann, um die Qualität des Lebens und Dienstes des Christen zu kennzeichnen. Hinsichtlich seines eigenen Dienstes in der Verkündigung des Evangeliums fragt der Apostel Paulus: „Was ist nun mein Lohn?" Die Antwort auf diese Frage hängt natürlich von der Art und der Qualität des Dienstes ab, den er für Gott getan hat. Der Apostel fährt darum fort mit einer Aufzählung seiner eigenen Treue in seinen Werken (V. 18-23); niemand wird die Wahrhaftigkeit dieses Berichtes anzweifeln. Dann vergleicht er den christlichen Dienst mit einem Rennen, an dem alle Gläubigen teilnehmen, und wie das bei einem Rennen üblich ist, kann nur einer den Preis gewinnen – und das nur durch äußerste Anstrengung.

Auch der Gläubige sollte in seinem Dienst für den Herrn seine ganze Kraft einsetzen, um die Belohnung zu bekommen – laufen, wie in dem Beispiel, um die anderen hinter sich zu lassen. So wie der Athlet in allem enthaltsam ist, um einen vergänglichen Siegeskranz zu erringen, so sollte der Christ in allen Dingen enthaltsam sein, um einen unvergänglichen Siegeskranz zu erringen. Die Selbstbeherrschung des Apostels zeigte sich in der Tatsache, dass er seinen eigenen Körper in Zucht hielt, damit er nicht durch einen unwürdigen oder halbherzigen Dienst für andere selbst verwerflich würde. Das griechische Wort für „verwerflich" ist *adokimos*, die negative Form von *dokimos*. Wie *dokimos* mit „bewährt, gebilligt" übersetzt wird (Röm 14,18; 16,10; 1Kor 11,19; 2Kor 10,18; 2Tim 2,15), so sollte *adokimos* mit „missbilligt" übersetzt werden. Da die Erlösung des Apostels keinesfalls infrage stand, hatte er auch keine Angst, dass er von Gott auf ewig verworfen werden könnte, doch er befürchtete sehr wohl, dass sein Dienst missbilligt werden könnte.

Von der Belohnung des Christen wird manchmal als „Preis" gesprochen (1Kor 9,24) und manchmal auch als „Siegeskranz" („Krone" in älteren Übersetzungen) (1Kor 9,25; Phil 4,1; 1Thes 2,19, „Ruhmeskranz"; 2Tim 4,8; Jak 1,12; 1Petr 5,4; Offb 2,10; 3,11). Diese Siegeskränze können je nach der Form des christlichen Dienstes und Leidens in fünf verschiedene Kategorien unterschieden werden, und das Kind Gottes wird ermahnt, darauf zu achten, dass es seine Belohnung nicht verliert (Kol 2,18; 2Jo 8; Offb 3,11).

Die Lehre von den Belohnungen ist das notwendige Gegenstück zu der Lehre der Errettung durch Gnade. Da Gott das Verdienst oder die Werke des Gläubigen nicht auf dessen Errettung anrechnen kann und will, ist es notwendig, dass die guten Werke des Gläubigen göttlich anerkannt werden. Der Errettete schuldet Gott keine Bezahlung für seine Erlösung, die ihm als ein Geschenk zuteilwird; doch er schuldet Gott sehr wohl ein Leben ungeteilter Hingabe, und für dieses Leben der Hingabe ist ihm eine Belohnung im Himmel verheißen.

Obwohl die Belohnungen des Gläubigen durch Siegeskränze symbolisiert werden, heißt es in Offenbarung 4,10, dass die Siegeskränze, die Symbole für die Belohnung, dem Retter im Himmel zu Füßen niedergelegt werden. Was wird denn dann die Belohnung für den treuen Dienst des einzelnen Gläubigen sein?

Die Wahrscheinlichkeit ist groß, dass der treue Dienst auf der Erde durch einen privilegierten Platz des Dienstes im Himmel belohnt werden wird. In Offenbarung 22,3 heißt es: „Und seine Knechte werden ihm dienen." Die Gläubigen werden ihre höchste Erfüllung im Dienst für den Erlöser finden, der sie geliebt und sich selbst für sie hingegeben hat. In dem Gleichnis von den Talenten, das Christus in Matthäus 25,14-30 erzählt, wird sowohl dem Mann, der fünf Talente erhalten hatte, als auch dem Mann, der nur zwei Talente erhalten hatte (beide verdoppelten das, was ihnen von ihrem Herrn anvertraut worden war), gesagt: „Über weniges warst du treu, über vieles werde ich dich setzen; geh hinein in die Freude deines Herrn" (Mt 25,21.23). Dieses Urteil scheint zwar nicht in direktem Zusammenhang mit der Gemeinde zu stehen, doch das Prinzip lässt sich auf alle Gläubigen aller Zeitalter anwenden, die in der Ewigkeit ihre Belohnung bekommen werden. Treue in unserem Dienst hier wird einen bevorzugten Dienst in der Ewigkeit zur Folge haben.

Die Schlüsselstelle über den Richterstuhl Christi, 2. Korinther 5,10-11, offenbart, dass hier gute Werke von bösen unterschieden werden, und dass der Gläubige aufgrund seiner guten Werke belohnt wird. Wie schon herausgearbeitet, geht es hierbei nicht um Sünde, die zu richten wäre, weil der Gläubige bereits gerechtfertigt ist. Es geht auch nicht um Heiligung, wie bei der jetzigen Züchtigung für nicht bekannte Sünden (1Kor 11,31-32; 1Jo 1,9), weil der Gläubige bereits vollkommen in der Gegenwart Gottes steht.

Der einzige Gegenstand dieser Beurteilung ist demnach die Qualität des Lebens, das der Gläubige geführt hat, und die Werke, die Gott im Gegensatz zu den wertlosen für gut befindet. Die ernste Tatsache, dass jeder Gläubige eines Tages vor Gott stehen wird und über sein Leben Rechenschaft ablegen muss, sollte uns ermutigen, treu zu sein, uns selbst angemessen zu beurteilen und unsere Prioritäten im Leben an der Frage auszurichten, wie sie einmal in der Ewigkeit bewertet werden.

? Fragen

1. Nennen Sie die sieben Bilder, die für Christus und Seine Gemeinde verwendet werden.
2. Was sind die wichtigsten Aussagen des Bildes vom Hirten und Seinen Schafen?

3. Erklären Sie, inwiefern das Bild von Christus als dem wahren Weinstock und den Gläubigen als den Reben von Einheit, Gemeinschaft und Fruchtbarkeit spricht.
4. Was ist der Hauptgedanke des Bildes der Gemeinde als eines Gebäudes, von dem Christus der Eckstein ist?
5. Was sind die wichtigsten Funktionen des Gläubigen als Priester?
6. Was sagt das Bild von Christus als dem letzten Adam und der Gemeinde als einer neuen Schöpfung aus?
7. Inwiefern hat das Bild von Christus als dem Bräutigam und der Gemeinde als Seiner Braut eine prophetische Bedeutung?
8. Was sind die drei wichtigsten Wahrheiten, die das Bild von der Gemeinde als dem Leib Christi vermittelt?
9. Inwiefern bestimmen geistliche Gaben den jeweiligen Dienst eines Menschen für Gott?
10. Was besagt das Konzept der Gemeinde als ein lebendiger Organismus?
11. Was ist der dreifache Dienst Christi in dem Bild des Bräutigams?
12. Legen Sie dar, was Christus in der heutigen Zeit für Seine Braut tut.
13. Nennen Sie die fünf Merkmale der göttlichen Liebe, die sich in der Liebe Christi zu Seiner Gemeinde offenbaren.
14. Was sagt die Liebe Christi zu Seiner Gemeinde über die Liebe des Vaters zu allen Gläubigen aus?
15. Was zeigt uns Gottes Liebe zur Gemeinde für unsere eigene Liebe?
16. Warum wird ein Gläubiger im Preisgericht der Kinder Gottes niemals für seine Sünden verdammt werden?
17. Was ist der wichtigste Zweck des Preisgerichts der Christen vor dem Richterstuhl Christi?
18. Wie unterscheidet sich das Preisgericht der Christen von dem Gericht vor dem großen weißen Thron?
19. Inwiefern symbolisiert das Bild der Haushalterschaft das Wesen des Preisgerichts der Christen?
20. Inwiefern symbolisiert ein Aufbau, der auf Christus als dem Fundament steht, das Preisgericht der Christen?
21. Was bedeutet das Bild vom Sieg in einem Rennen in Bezug auf den Richterstuhl Christi?
22. Welche Belohnung erhält der Gläubige?
23. Wie wichtig ist der Richterstuhl Christi, und in welchem Zusammenhang steht er mit der Bewertung unseres jetzigen Lebens?

Kapitel 41

Der Sabbat und der Tag des Herrn

A. Der Sabbat im Alten Testament

Schon am Anfang, bei Seinem Schöpfungswerk, beschloss Gott, ein Siebtel aller Zeit zu heiligen oder auszusondern. Israel schrieb Er vor, dass der siebte Tag der Woche ein Ruhetag sein sollte; im siebten oder Sabbatjahr sollte das Land ruhen (2Mo 23,10-11; 3Mo 25,2-7), und das 50. Jahr war ein Jubeljahr der Freude in Anerkennung der abgelaufenen sieben mal sieben Jahre. In verschiedenen Punkten sind das Sabbatjahr und das Jubeljahr prophetisch ein Bezug auf das Zeitalter des Reiches, da dies das siebte und letzte der Heilszeitalter ist und von einer Sabbatruhe für die ganze Schöpfung gekennzeichnet wird. Obwohl in Erinnerung an die Auferstehung Christi der Ruhetag im gegenwärtigen Zeitalter vom siebten Tag der Woche auf den ersten gelegt ist, weil die neue Schöpfung bereits begonnen hat, ist doch die Zeiteinteilung gleich geblieben – ein Tag von sieben.

Das Wort „Sabbat" bedeutet „Aufhören, vollkommene Ruhe von aller Tätigkeit". Abgesehen von den Brandopfern und an Festen war dieser Tag in keinem Fall ein Tag der Anbetung oder des Gottesdienstes.

Angesichts der weitverbreiteten Verwirrung, die in Bezug auf den Sabbat herrscht, und vor allem angesichts der Bemühungen, ihn heutzutage als immer noch gültig darzustellen, ist es unerlässlich, die präzisen Aussagen der Schrift über den Sabbat sorgfältig zu bewerten.

Einige Klarheit wird erreicht, wenn man den Sabbat in den verschiedenen Zeitaltern betrachtet:

In der Zeit von Adam bis Mose wird berichtet, dass Gott am Ende des sechsten Schöpfungstages ruhte (1Mo 2,2-3; 2Mo 20,10-11; Hebr 4,4). Doch an keiner Stelle im Wort Gottes wird etwas darüber gesagt, dass der Mensch den Sabbat achten sollte oder ihn achtete, bis das Volk Israel aus Ägypten zog.

Das Buch Hiob zeigt das religiöse Leben und die Erfahrungen der Patriarchen, und obwohl von ihren verschiedenen Verantwortungsbereichen Gott gegenüber gesprochen wird, ist keine Andeutung darüber zu finden, dass der Sabbat zu heiligen wäre. Auf der anderen Seite wird ganz klar gesagt, dass die Einsetzung des Sabbats durch Mose der Anfang der Heiligung des Sabbats bei den Menschen war (2Mo 16,29; Neh 9,14; Hes 20,12).

Gleichermaßen wird aus den Berichten über die Einsetzung des Sabbats klar (2Mo 16,1-35), dass an dem bestimmten Tag, der eine Woche oder sieben Tage vor dem ersten berichteten Sabbat lag, die Kinder Israels eine den Sabbat brechende Reise von vielen Kilometern von Elim zu der Wüste Sin machten. Dort murrten sie gegen den HERRN, und an diesem Tag begann die Versorgung mit Nahrung vom Himmel. Sechs Tage lang sollte das Manna gesammelt werden, doch am siebten Tag sollte es nicht gesammelt werden. Darum ist es offensichtlich, dass der Tag ihrer Reise, der der Sabbat gewesen wäre, nicht als Sabbat beachtet wurde.

In der Zeit von Mose bis Christus war der Sabbat rechtmäßig in Kraft. Er war eingebettet in das Gesetz (2Mo 20,10-11), und auch die Strafe für eine Nichtbeachtung war in den Anweisungen für die Opfer vorgesehen. In diesem Zusammenhang ist es wichtig zu sehen, dass der Sabbat nicht für die Heiden galt, sondern ein besonderes Zeichen zwischen dem HERRN und Israel war (2Mo 31,12-17). Unter Israels Sünden wird sein Versagen, den Sabbat und das vorgeschriebene Sabbatjahr zu halten, besonders erwähnt.

Inmitten dieser Zeit des Gesetzes prophezeit Hosea, dass neben den Strafen, die auf Israel kommen sollten, auch der Sabbat ein Ende finden sollte (Hos 2,11). Diese Prophezeiung muss sich zu einer gewissen Zeit erfüllen, denn der Mund des Herrn hat sie gesprochen.

Da sich das vorhergehende Zeitalter bis zu Christi Tod erstreckte, standen Sein Erdenleben und Sein Dienst unter dem Gesetz. Aus diesem Grund hat Er das Gesetz gehalten, es ausgelegt und angewendet. Weil Er erkannte, dass das Sabbatgesetz unter den Traditionen und Lehren der Menschen verschüttet war, wies Er darauf hin, dass der Sabbat um des Menschen willen, nicht der Mensch um des Sabbat willen geschaffen sei (Mk 2,27). Christus erfüllte treu das mosaische Gesetz, das auch den Sabbat einschloss, weil dieses System zu Seinen Lebzeiten in Kraft war. Doch dies ist keine Basis für die Forderung, ein Christ, der unter Gnade und in einem anderen Heilszeitalter lebt, solle Christus in Seiner Beachtung des Sabbat-Gebots folgen.

B. Der Sabbat im heutigen Heilszeitalter der Gemeinde

Nach der Auferstehung Christi gibt es keinen Bericht mehr darüber, dass die Gläubigen den Sabbat hielten. Zweifellos hielt die Mehrheit der jüdischen Christen am Sabbat fest; doch darüber steht keine Anordnung im Wort Gottes. Auch wird nach der Auferstehung Christi weder Juden noch Heiden noch Christen aufgetragen, den Sabbat zu beachten, noch wird das Brechen des Sabbats unter den möglichen Sünden aufgeführt. Im Gegenteil, es wird sogar davor gewarnt, dass Kinder Gottes unter der Gnade sich an den Sabbat klammern.

Galater 4,9-10 verurteilt es, dass „Tage und Monate und bestimmte Zeiten und Jahre“ besonders beachtet wurden. Diese wurden normalerweise eingehalten, um die Gunst Gottes zu gewinnen, und von jenen, die manchmal an Gott dachten, Ihn aber sonst vernachlässigten.

Hebräer 4,1-13 betrachtet den Sabbat als eine Art Ruhe (von den eigenen Werken), in die der Gläubige eingeht, wenn er errettet ist.

In Kolosser 2,16-17 wird das Kind Gottes ganz klar angewiesen, sich *nicht* richten zu lassen in Bezug auf einen Sabbattag. Eine solche Haltung ist vernünftig angesichts all dessen, was Christus für den Gläubigen, der jetzt zur neuen Schöpfung gehört, geworden ist (Kol 2,9-17). Hier wird ganz klar hingewiesen auf wöchentliche Sabbate, und weniger auf die besonderen oder außergewöhnlichen Sabbate, die zum zeremoniellen Gesetz gehörten.

Römer 14,5 sagt, dass ein Gläubiger, wenn er „in seinem eigenen Sinn völlig überzeugt“ sei, alle Tage gleich halten könne. Dies bedeutet nicht, dass die treue Anbetung vernachlässigt werden dürfte, sondern vielmehr, dass für einen Christen *jeder* Tag voll Hingabe an Gott sein sollte.

Aufgrund der Tatsache, dass im Neuen Testament der Sabbat niemals im Zusammenhang mit dem Leben und Dienst eines Christen Erwähnung findet, ist der Begriff „christlicher Sabbat“ falsch. In diesem Zusammenhang sei gesagt, dass anstelle des Sabbats im Gesetz nun der Tag des Herrn der neuen Schöpfung steht, der den Sabbat in seiner Herrlichkeit, seinen Vorrechten und seinen Segnungen weit übersteigt.

C. Der Sabbat im kommenden Heilszeitalter

In voller Übereinstimmung mit der neutestamentlichen Lehre, dass der Tag des Herrn nur für die Gemeinde gilt, wird prophezeit, dass der Sabbat wieder eingesetzt wird, sobald die Gemeinde entrückt wurde, und somit den Tag des Herrn ablösen wird. Auch in der kurzen Zeit der Großen Drangsal, die zwischen dem Ende dieses Heilszeitalters und dem kommenden Tausendjährigen Reich steht, wird der Sabbat wieder in Kraft sein (Mt 24,20); doch die Prophezeiung sagt den Sabbat vor allem als wesentliches Merkmal des Tausendjährigen Reiches voraus (Jes 66,23; Hes 46,1).

D. Die Auferstehung Christi und der erste Tag der Woche

Seit der Auferstehung Christi bis zur heutigen Zeit feiert die Gemeinde den ersten Tag der Woche. Dies ist durch neutestamentliche Berichte, durch die Schriften der frühen Kirchenväter und die Kirchengeschichte belegt. In fast jedem Jahrhundert hat es Menschen gegeben, die sich – da sie die Absichten Gottes für das gegenwärtige Heilszeitalter nicht verstanden – für die Heiligung des siebten Tages, des Sabbats, eingesetzt haben. In der heutigen Zeit verbinden jene, die auf die Einhaltung des Sabbats drängen, dies mit anderen nicht schriftgemäßen Lehren. Da der Gläubige von Gott angewiesen ist, den ersten Tag der Woche unter der neuen Beziehung der Gnade zu beachten, entsteht Verwirrung, wenn dieser Tag mit den Eigenschaften und den Gesetzen des Sabbats belastet wird. Solche Lehren ignorieren die neutestamentliche Lehre der neuen Schöpfung.

E. Die neue Schöpfung

Das Neue Testament zeigt, dass die Absicht Gottes im gegenwärtigen Heilszeitalter das Herausrufen der Gemeinde ist (Apg 15,13-18), und diese erlöste Gemeinschaft ist die neue Schöpfung, ein himmlisches Volk. Zwar wird angedeutet, dass diese Gemeinschaft als ganze herrlich und vollkommen sein wird (Eph 5,25-27), doch es ist auch gesagt, dass *jeder Einzelne* Gegenstand göttlicher Bemühungen und Umgestaltung sein wird. So wie der Leib als Ganzes in Beziehung steht zu Christus (1Kor 12,12), so ist auch der einzelne Gläubige wesensmäßig mit dem Herrn verbunden (1Kor 6,17; Röm 6,5; 1Kor 12,13).

Von dem einzelnen Gläubigen sagt die Bibel, dass 1. jeder Einzelne in dieser Gemeinschaft gereinigt und gerechtfertigt wird und dass ihm seine Sünden vergeben worden sind; 2. jedem der innewohnende Geist gegeben worden ist, das ewige Leben, und dass jeder ein rechtmäßiger Erbe Gottes und Miterbe Christi geworden ist; 3. jeder zur Gerechtigkeit Gottes *gemacht* worden ist, wodurch er angenommen ist in dem Geliebten auf ewig (2Kor 5,21; Eph 1,6), ein Glied am Leib Christi, zu Seiner herrlichen Braut gehörend, und dass er lebendigen Anteil an der neuen Schöpfung hat, von der Christus das Haupt ist. Wir lesen: „Daher, wenn jemand in Christus ist, so ist er eine neue Schöpfung; das Alte [in Bezug auf die Stellung, nicht die Erfahrung] ist vergangen, siehe, Neues ist geworden. Alles [diese neue Stellung] aber [ist] von Gott" (2Kor 5,17-18; vgl. Gal 6,15; Eph 2,10; 4,24).

Petrus schreibt von dieser Gemeinschaft der Gläubigen: „Ihr aber seid ein auserwähltes Geschlecht" (1Petr 2,9), was bedeutet, ein eigenständiges, aus dem Himmel geborenes Volk, eine Art, die durch die Kraft Gottes geschaffen worden ist. So wie der erste Adam ein Geschlecht hervorbrachte, das an seinem eigenen menschlichen Leben und seiner Unvollkommenheit teilhatte, so bringt Christus als der letzte Adam nun durch den Geist ein neues Geschlecht hervor, das an Seinem ewigen Leben und Seiner Vollkommenheit teilhat. „‚Der erste Mensch, Adam, wurde zu einer lebendigen Seele', der letzte Adam zu einem lebendig machenden Geist" (1Kor 15,45).

Da der Gläubige Anteil hat am Auferstehungsleben Christi und *in Christus* ist, wird von ihm gesagt, dass er bereits auferstanden ist (Röm 6,4; Kol 2,12-13; 3,1-4). Jedoch wird er den herrlichen Auferstehungsleib Christi erst später erhalten (Phil 3,20-21). In Bestätigung dessen lesen wir auch, dass Christus wie die „Erstlingsfrucht" (1Kor 15,20) war, als Er direkt nach Seiner Auferstehung im Himmel erschien, was darauf hinweist, dass die ganze Gemeinschaft, die Ihm nachfolgt, sein wird wie Er (1Jo 3,2), auch in Bezug auf ihre verherrlichten Leiber. Im Wort Gottes steht die neue Schöpfung – die mit der Auferstehung Christi begann und aus einer neugeborenen, himmlischen Gemeinschaft der Gläubigen besteht, die *in* Christus ist – immer der alten Schöpfung gegenüber, von der der Gläubige errettet und befreit worden ist.

Wie der Sabbat eingesetzt wurde, um die alte Schöpfung zu feiern (2Mo 20,10-11; 31,12-17; Hebr 4,4), so feiert der Tag des Herrn die neue Schöpfung. So wie der Sabbat nur für das Volk Israel als das irdische Volk Gottes galt, so ist der Tag des Herrn begrenzt auf die Gemeinde als das himmlische Volk Gottes.

F. Der Tag des Herrn

Neben der Tatsache, dass den Kindern Gottes an keiner Stelle aufgetragen wurde, den Sabbat zu heiligen, gibt es viele Hinweise, die für den ersten Tag der Woche sprechen.

1. Ein neuer Tag ist prophezeit und unter der Gnade bestimmt worden. Nach Psalm 118,22-24 und Apostelgeschichte 4,10-11 war Christus in Seiner Kreuzigung der Stein, den Israel als die „Bauleute“ verworfen haben; doch durch Seine Auferstehung ist Er zum Eckstein geworden. Dieses wunderbare Werk ist von Gott, und der Tag, an dem dies vollbracht wurde, ist ein Tag der Freude. Christus grüßt die Frauen am Auferstehungsmorgen mit: „Seid gegrüßt!“ (Mt 28,9, was wörtlich eigentlich „welche Freude!“ heißen müsste), und da dies der Tag ist, „den der Herr gemacht hat“ (Ps 118,24), wird er zu Recht der „Tag des Herrn“ genannt.

2. Bei verschiedenen Gelegenheiten wird auf die Beachtung des ersten Tages hingewiesen.

a) An diesem Tag stand Christus von den Toten auf (Mt 28,1).
b) An diesem Tag traf Er zum ersten Mal die Jünger in der neuen Gemeinschaft (Joh 20,19).
c) An diesem Tag gab Er ihnen Anweisungen (Lk 24,13-45).
d) An diesem Tag fuhr Er in den Himmel auf als die „Erstlingsfrucht“ oder die „geschwungene Garbe“ (vgl. 3Mo 23,10-12; Joh 20,17; 1Kor 15,20.23).
e) An diesem Tag hauchte Er die Jünger an (Joh 20,22).
f) An diesem Tag kam der Geist vom Himmel (Apg 2,1-4).
g) An diesem Tag predigte der Apostel Paulus in Troas (Apg 20,6-7).
h) An diesem Tag kamen die Gläubigen zusammen, um das Brot zu brechen (Apg 20,6-7).

i) An diesem Tag sollte jeder für sich „zurücklegen“, wie Gott ihm gegeben hatte (vgl. 1Kor 16,2).
j) An dem Tag erschien Christus dem Johannes auf Patmos (Offb 1,10).

3. Der achte Tag war der Tag der Beschneidung. Das Ritual der Beschneidung versinnbildlicht die Trennung des Gläubigen vom Fleisch und der alten Ordnung durch den Tod Christi (Kol 2,11), und der achte Tag, da er der erste Tag einer neuen ganzen Woche ist, steht symbolisch für einen Neuanfang.

4. Der neue Tag ist aus Gnade gegeben. Am Ende einer Arbeitswoche wurde dem Volk, das in Beziehung zu Gott stand durch die Werke des Gesetzes, ein Tag der Ruhe zugesagt, während dem Volk unter Gnade, dessen Werke in Christus vollendet sind, ein Tag der Anbetung festgesetzt ist, der, da er der erste Tag der Woche ist, den Arbeitstagen vorangeht. In der Segnung des ersten Tages erlebt der Gläubige die folgenden sechs Tage. Der Ruhetag gehört dem Volk, das durch zu vollbringende Werke in Beziehung zu Gott stand; der Tag der unablässigen Anbetung und des Gottesdienstes gehört dem Volk, das durch das vollendete Werk Christi mit Gott verbunden ist. Der siebte Tag war charakterisiert durch das starre Gesetz; der erste Tag ist charakterisiert durch die Freiheit, die die Gnade uns gibt. Der siebte Tag wurde beachtet in der Hoffnung, dass man dadurch Gott annehmbar würde; der erste Tag wird geachtet in der Gewissheit, dass man von Gott angenommen ist. Die Heiligung des siebten Tages wurde vom Fleisch gewirkt, die des ersten Tages durch den in uns wohnenden Geist.

5. Der neue Tag ist von Gott gesegnet. In diesem ganzen Heilszeitalter haben die meisten geisterfüllten, gottesfürchtigen Gläubigen, denen der Wille Gottes ganz klar offenbart worden ist, den Tag des Herrn gehalten und sich nicht verpflichtet gefühlt, den siebten Tag zu heiligen. Es ist vernünftig anzunehmen, dass sie dieser Sünde überführt worden wären, wenn sie sich des Sabbatbrechens schuldig gemacht hätten.

6. Der neue Tag ist nur den Gläubigen gegeben worden. Er gilt nicht für die Nichtgläubigen. Ganz sicher ist es höchst irreführend, den Nichtgläubigen Grund zur Annahme zu geben, sie würden eher von Gott angenommen, wenn sie einen bestimmten Tag heiligen würden; denn außerhalb der Erlösung, die in Christus ist, sind alle Menschen gleich verloren.

Aus sozialen oder gesundheitlichen Gründen mag ein Tag der Ruhe für alle Menschen angebracht sein; doch den nicht wiedergeborenen Menschen sollte klar sein, dass die Beachtung eines solchen Tages ihr Verdienst bei Gott nicht erhöht.

Die Beachtung des Tages des Herrn ist nicht der Gemeinde als Ganzes aufgetragen. Die Verantwortung der Heiligung des ersten Tages ist nur dem Einzelnen Gläubigen gegeben, und die Art, ihn zu verbringen, wird dem einzelnen in dem, was Christus am Morgen Seiner Auferstehung sagte, nahegelegt: „Welche Freude!" und „Geht und verkündet" (vgl. Mt 28,9.10). Dies fordert auf zu unablässiger Tätigkeit in allen Formen der Anbetung und des Dienstes; eine solche Tätigkeit steht im Gegensatz zu der Ruhe des siebten Tages.

7. An keiner Stelle wird uns geboten, den ersten Tag zu heiligen. Da alles aus Gnade geschehen ist, gibt es kein geschriebenes Gebot zur Einhaltung des Tages des Herrn, auch wird nichts darüber ausgesagt, wie er verbracht werden soll. Durch diese weise Voraussicht wird niemand ermutigt, diesen Tag aus Pflichtgefühl einzuhalten; er soll von Herzen gehalten werden. Die Israeliten standen vor Gott als unreife Kinder, die Vormünder und Verwalter und die Gebote brauchten, die einem Kind gegeben werden (Gal 4,1-11); die Gemeinde steht vor Gott als erwachsene Söhne. Das Leben des Gläubigen unter Gnade ist klar umrissen, doch es ist gefasst in Ermahnungen Gottes mit der Erwartung, dass alles *willig* erfüllt wird (Röm 12,1-2; Eph 4,1-3). Es ist keine Frage, wie ein gut unterwiesener, geisterfüllter Christ (und die Schrift geht von der Voraussetzung aus, dass dies die Eigenschaften eines Christen sind) diesen Tag verbringt, der an Christi Auferstehung und die neue Schöpfung erinnert. Wenn ein Kind Gottes sich Gott nicht ausliefert, wird keine bereitwillige Beachtung eines bestimmten Tages sein fleischliches Herz korrigieren, noch würde Gott diese Einhaltung erfreuen. Der korrekturbedürftige Punkt zwischen Gott und einem fleischlichen Gläubigen ist ein hingegebenes Leben, keine äußerliche Handlungen.

8. Die Art, wie der Tag des Herrn gehalten wird, kann auf alle Tage ausgedehnt werden. Christus war nicht an einem Tag Seinem Vater ergebener als an einem anderen. Die Sabbatruhe konnte sich nicht auf alle Tage erstrecken, doch während der Christ am ersten Tag der Woche mehr Zeit und Muße zur Anbetung, zur Freude und zum Dienst hat, so sollte diese Haltung, soweit das möglich ist, auch alle anderen Tage der Woche kennzeichnen (Röm 14,5).

? Fragen

1. Erklären Sie, warum in Israel der Sabbat, das Sabbatjahr und das Jubeljahr eingeführt wurden.
2. Für welchen Zeitabschnitt war das Sabbatjahr typisch?
3. Was bedeutet das Wort „Sabbat"?
4. Wie wurde der Sabbat vor dem mosaischen Gesetz gehandhabt?
5. Wann wurde nach der Schrift der Sabbat zum ersten Mal eingehalten und von wem?
6. Galt die Sabbatregelung auch für Nicht-Israeliten?
7. Welche Einstellung vertrat Christus in Bezug auf den Sabbat?
8. Gibt es nach Pfingsten Berichte darüber, dass Christen den Sabbat geheiligt hätten oder dass ihnen aufgetragen worden wäre, dies zu tun?
9. Warum ist der Begriff „christlicher Sabbat" unzutreffend?
10. Wann wird nach der Prophezeiung der Sabbat wieder geheiligt werden?
11. Warum ist für die Christen der erste Tag der Woche der Tag des Herrn?
12. Welches sind einige der herausragenden Merkmale der neuen Schöpfung?
13. Auf wen ist die Beachtung des Tages des Herrn beschränkt?
14. Wurde die Beachtung eines neuen Tages vorhergesagt?
15. Welche wichtigen Ereignisse fanden am ersten Tag der Woche statt?
16. In welchem Zusammenhang steht der erste Tag der Woche mit der Beschneidung?
17. Welche Bedeutung hat die Beachtung des letzten Tages der Woche im Gegensatz zur Beachtung des ersten Tages der Woche?
18. Wie erklären Sie die Tatsache, dass kein Gebot erlassen wurde, das die Einhaltung des ersten Tages vorschreibt, und auch keine Anweisungen, wie der erste Tag der Woche verbracht werden sollte?
19. Inwiefern kann sich die Einhaltung des Tages des Herrn auf jeden Tag der Woche erstrecken?

Kapitel 42

Die Nationen in Geschichte und Prophetie

A. Die Nationen im Plan Gottes

Sowohl in der Geschichte als auch in der Prophetie kann eine Einteilung der Menschheit in drei Gruppen beobachtet werden. Nach 1. Korinther 10,32 sind dies die Juden, die Nationen (oder Heiden) und die Gemeinde Gottes.

Im Gegensatz zu den Absichten Gottes für das Volk Israel, das zuerst der vorrangige Gegenstand der göttlichen Offenbarung war und den Messias hervorbringen sollte, und im Gegensatz zu Seinen Absichten für die Gemeinde, durch die Er Seine Gnade offenbaren will, scheint Gottes Absicht für die Nationen zu sein, Seine Souveränität und Allmacht zu demonstrieren.

B. Die frühen Prophetien in Bezug auf die Nationen

In einem gewissen Sinn begann die Prophetie für die Nationen bereits im Garten Eden, da sie an den Absichten Gottes in der Errettung teilhatten. Am Anfang des 1. Buches Mose wird eine Prophetie gegeben in Bezug auf die Sintflut in Noahs Zeit, die die ganze Menschheit außer Noah und seiner Familie auslöschte. Gleichermaßen wird von dem Gericht Gottes über die Nationen zur Zeit des Turmbaus zu Babel berichtet (1Mo 11,1-9). Mit 1. Mose 12 beginnt jedoch die Einteilung der Menschheit in zwei Gruppen, indem Gott anfängt, den verheißenen Samen zu bestätigen, der aus Abraham, Isaak und Jakob hervorgehen wird. Alle anderen nehmen auch weiterhin ihren Platz als Nationen ein. Auch von dem Handeln Gottes mit den Nationen in ihrer Beziehung zu dem Volk Israel wird in der Bibel berichtet.

Die erste große heidnische Macht war Ägypten, und in Ägypten wuchs Israel aus einer kleinen Familie zu einem großen Volk heran. Davon wird in den ersten fünf Büchern des Alten Testaments berichtet.

Nachdem Israel unter David und Salomon zu einem bedeutenden Staat geworden war, wurden die zehn Stämme von der zweiten großen heidnischen Macht, den Assyrern, 721 v. Chr. in die Gefangenschaft geführt. Das Gericht Gottes, das durch die Assyrer über Israel kam, war in den Jahren vor diesem Ereignis vorhergesagt worden.

Die wichtigste Rolle der Nationen in Bezug auf das Volk Israel beginnt jedoch mit dem babylonischen Weltreich, dem dritten in einer Reihe von großen Weltreichen. Es ist das erste von vier Weltreichen, die von Daniel prophezeit wurden.

C. Die Zeiten der Nationen

Gott offenbarte Daniel, dem Propheten, zwei Seiner Pläne: Seinen Plan mit Israel und mit den Nationen. In einer Reihe göttlicher Offenbarungen anfangend mit dem Traum Nebukadnezars in Daniel 2 und weitergehend mit den nachfolgenden Offenbarungen für Daniel zeigt Gott, dass vier große Weltreiche, wovon Babylon das erste sein würde, die Zeit der Herrschaft der Nationen über Israel prägen würden. Dies wird gezeigt in dem Bild aus Daniel 2: Der Kopf aus Gold stand für Babylon, der obere Teil des Körpers aus Silber für das Reich der Meder und Perser, der untere Teil des Körpers aus Erz für das Weltreich Griechenland und die eisernen Beine und Füße für das römische Weltreich. Dies wird durch Daniel 7 noch einmal untermauert, wo die vier Ungeheuer für dieselben vier Weltreiche stehen.

Daniel selbst erlebte noch, wie das zweite Weltreich (das der Meder und Perser) 539 v. Chr. Babylon eroberte. Davon wird in Daniel 5 berichtet. 200 Jahre später eroberte das griechische Weltreich unter Alexander dem Großen die Überreste des Reiches der Meder und Perser. Dann, im 2. Jahrhundert vor Christi Geburt, erhob sich das römische Weltreich und wurde zum größten und einflussreichsten Reich aller Zeiten.

Jesus Christus spricht von der Zeit der vier Weltreiche anfangend mit Babylon als den „Zeiten der Nationen" (Lk 21,24), in der Jerusalem unter heidnischer Herrschaft steht. Obwohl die heidnische Herrschaft über Jerusalem für kurze Zeit immer wieder unterbrochen wurde, wird die endgültige Befreiung Jerusalems erst bei der Wiederkunft Christi stattfinden.

Der größte Teil der Zeit der Nationen ist bereits erfüllt, das zeigt der Aufstieg und Fall Babylons, Medo-Persiens, Griechenlands und Roms. Doch die letzte Phase des römischen Weltreichs, symbolisiert durch die Füße im Bild aus Daniel 2 und durch die zehn Hörner des Tieres in Daniel 7, hat noch keine vollkommene Erfüllung gefunden. Das vierte Tier wird nach der Schrift von dem Menschensohn zerstört werden, der vom Himmel kommt, wie Daniel 7 zeigt; in Daniel 2 wird dies durch den großen Stein verdeutlicht, der das Bild Nebukadnezars zerstört.

Aufgrund dieser Prophetie sind viele Ausleger der Meinung, das römische Weltreich werde wieder auferstehen, nachdem die Gemeinde in den Himmel entrückt ist, und noch vor der Wiederkunft Christi. Diese Situation wird in der „Zeit des Endes" entstehen (Dan 11,35) und die Weltgeschichte bestimmen, bis der Herr Jesus Christus wiederkommt.

Nach der Vollendung der Zeit der Nationen bei der Wiederkunft Christi auf die Erde werden errettete Heiden, die auf der Erde im Tausendjährigen Reich sind, besonderen Segen von Gott erfahren, wie später noch bei der Beschäftigung mit dem Tausendjährigen Reich herausgearbeitet werden wird.

Insgesamt ist der Grundriss der biblischen Prophetie in Bezug auf die Nationen der Grundriss der Weltgeschichte, der viele Ereignisse der Vergangenheit erklärt und einen Blick auf die Zukunft wirft. Die gegenwärtigen Zustände in der Welt stehen im Einklang mit allem, was die Bibel prophezeit, und deuten auf ein rasches Herannahen der Vollendung der Zeit hin, der die Entrückung der Gemeinde vorausgeht und zu der die Ereignisse im Zusammenhang mit der Zeit des Endes und die Wiederkunft Christi zur Aufrichtung des Tausendjährigen Reichs gehören.

Das gegenwärtige Heilszeitalter scheint die Erfüllung der Prophetie für die Nationen nicht voranzutreiben und scheint auch nicht in der Vorschau des im Alten Testament vorhergesagten Planes für die Nationen zu liegen. Es scheint, als ob die prophetische Vorschau am Pfingsttag ausgesetzt hätte und am Tag der Entrückung wieder aufgenommen würde. Und doch scheinen die Tendenzen der gegenwärtigen

Weltentwicklung darauf hinzudeuten, dass die Szene vorbereitet wird für das Ende des Heilszeitalters. Dieses Heilszeitalter nähert sich seinem Abschluss, und damit rückt auch die Erfüllung der Prophetien für die Nationen in greifbare Nähe. Die Beschäftigung mit der Prophetie für die Nationen ist ein wichtiger Aspekt im gesamten prophetischen Plan Gottes und vermittelt viele Einsichten in das, was Gott heute tut und welche Absichten Gott für die Zukunft hat.

? Fragen

1. Erklären Sie, inwiefern die Nationen (Heiden) zu einer der drei Hauptgruppen der Menschheit im gegenwärtigen Heilszeitalter gehören.
2. Fassen Sie die frühe Geschichte der Nationen vor Abraham zusammen.
3. Welches waren die ersten beiden heidnischen Weltreiche, und in welchem Zusammenhang stehen diese beiden mit der Geschichte Israels?
4. Welche beiden großen Pläne Gottes wurden Daniel geoffenbart?
5. Nennen Sie vier Weltreiche, die Daniel als Grundriss der heidnischen Weltgeschichte geoffenbart wurden.
6. Was sind die „Zeiten der Nationen", und wie werden sie von Christus in Lukas 21,24 beschrieben?
7. Wann werden nach Daniel die „Zeiten der Nationen" beendet sein?
8. Was ist den Nationen nach der Wiederkunft Christi zur Erde versprochen?
9. Was hat das gegenwärtige Zeitalter der Gemeinde mit den Zeiten der Nationen zu tun?
10. Können wir die zukünftige Erfüllung der letzten Phase der Zeiten der Nationen erwarten?

Kapitel 43

Israel in Geschichte und Prophetie

A. Israel in Verbindung mit den Heilszeitaltern

Die Geschichte Israels beginnt in 1. Mose 12 mit der Berufung Abrahams. Sie ist ein wichtiges Thema des Alten Testaments. In den Evangelien und der Apostelgeschichte wird zusätzliche Einsicht vermittelt über den Zustand Israels im 1. Jahrhundert, und auch in den anderen Büchern des Neuen Testaments werden Hinweise historischer und prophetischer Art auf Israel gegeben.

Israel spielt in allen Heilszeitaltern seit dem Zeitalter der Verheißung (siehe Kapitel 20, „Die Heilszeitalter") eine große Rolle. Im Zeitalter der Verheißung legt der Bund mit Abraham den Grund für Gottes Handeln mit Israel in den nachfolgenden Generationen. Das Zeitalter des Gesetzes, das in 2. Mose 19 beginnt, ist deshalb das wichtigste Heilszeitalter des Alten Testaments und bestimmt das Leben Israels, bis es am Kreuz beendet wurde. Der größte Teil der von Israel berichteten Geschichte hängt zusammen mit dem Heilszeitalter des Gesetzes.

Im Zeitalter der Gnade teilt Israel mit den Nationen die Vorrechte der Gnade, sowohl in der Errettung als auch in Bezug auf die Lebensregeln. Im zukünftigen Heilszeitalter des Reiches wird Israel wieder eine herausragende Stellung einnehmen, sein verheißenes Land besitzen und Christus als seinem König untertan sein. Obwohl dieses Volk im Vergleich zu den Nationen unverhältnismäßig klein ist, spielt Israel doch eine sehr wichtige Rolle im ganzen Weltgeschehen von Abraham bis zum Ende der Zeit (weitere Einzelheiten in Kapitel 20).

B. Israel im Zusammenhang mit den Bundesschlüssen

Es besteht ein enger Zusammenhang zwischen den biblischen Bundesschlüssen und den Heilszeitaltern. In jedem dieser Bundesschlüsse kommt Israel eine wichtige Rolle zu, angefangen mit dem Bund mit Abraham (siehe Kapitel 21, „Die Bundeschlüsse").

Die fünf Bundesschlüsse sind wichtige Bestandteile der Geschichte und Prophetie Israels. Der Abrahamsbund ist die Grundlage für Gottes Plan mit Israel. Der Sinaibund, der seinen Anfang in 2. Mose 19 nimmt, bestimmt das Leben des Volkes Israel im Heilszeitalter des Gesetzes. Der Palästinabund bezieht sich vor allem auf die Inbesitznahme des Landes, sagt jedoch auch die letztgültige Einnahme des Landes im Tausendjährigen Reich voraus. Der Davidsbund bestimmt Israels Beziehung zum davidischen Königtum und nimmt prophetisch das zukünftige Königreich vorweg, wenn Christus im Tausendjährigen Reich auf der Erde herrschen wird. David wird dann als Sein Fürst herrschen. Der Neue Bund, der im Alten Testament vorhergesagt wird, hängt zusammen mit den Segnungen Israels im Reich und ersetzt den Sinaibund. Die Einzelheiten dieser Bundesschlüsse mit Israel wurden in Kapitel 21 herausgearbeitet.

C. Die alttestamentliche Geschichte Israels

Obwohl die eigentliche Geschichte Israels erst mit Jakob beginnt, dem der Name Israel gegeben wurde, gehört doch auch das Leben von Abraham und Isaak, dem Großvater und dem Vater Jakobs, dazu. Abraham wohnte ursprünglich in Ur in Chaldäa. Er zog mit seinem Vater etwa 1600 Kilometer nordwestlich nach Haran und wurde dort ein reicher Viehbesitzer. Nach dem Tod seines Vaters zog Abraham auf Gottes Gebot mit seiner Frau Sara und seinem Neffen Lot nochmals 1600 Kilometer von Haran weiter südwestlich ins Gelobte Land. Dort begann Gott Seine Geschichte mit Abraham.

Gott hatte Abraham im Abrahamsbund versprochen, dass er ein großer Mann werden würde, der Vater einer großen Nation, und dass durch seine Nachkommen die ganze Welt gesegnet werden würde (siehe Kapitel 21). Diese Verheißungen haben sich wortwörtlich erfüllt.

Wunderbarerweise wurde Isaak geboren, obwohl Abraham und Sara eigentlich schon zu alt waren, um Kinder zu bekommen. Dann wurden dem Isaak und der Rebekka Jakob und Esau geboren, und obwohl Jakob der Jüngere war, hatte Gott ihn erwählt, der Stammvater des Volkes Israel zu werden.

Das Leben von Abraham, Isaak und Jakob wird in den Kapiteln 12–50 des 1. Buches Mose beschrieben und war Gott offensichtlich ganz besonders wichtig, wenn man bedenkt, dass der Schöpfungsbericht nur zwei Kapitel umfasst (1Mo 1–2) und die Geschichte des Sündenfalls nur eines (1Mo 3). Vom göttlichen Standpunkt aus ist die Geschichte Israels der Schlüssel zur gesamten Weltgeschichte.

In Übereinstimmung mit der Prophetie an Abraham in 1. Mose 15,13-14 flüchtete Jakob mit seiner Familie während der Hungersnot nach Ägypten. Sein Weg war von Josef vorbereitet worden, der große Macht in Ägypten gewonnen hatte. Jakob und seine Familie wurden im Land Ägypten willkommen geheißen und waren zu Lebzeiten Josefs dort gern gesehen.

Die mehreren hundert Jahre des Aufenthalts der Israeliten in Ägypten endeten in einer Katastrophe, als ein Herrschaftswechsel sie ihres privilegierten Status beraubte und zu Sklaven machte. In ihrer Sklaverei schrien sie zum HERRN, und der HERR ließ Mose und Josua aufstehen, damit sie sie aus dem Land Ägypten ins Gelobte Land brächten. Obwohl Israel Gott in Kadesch-Barnea (4Mo 14) ungehorsam war und deshalb 40 Jahre in der Wüste umherirren musste, ermöglichte Gott es ihnen, das Land auf der Ostseite des Jordan zu erobern und nach dem Tod Moses den Jordan zu überqueren und den größten Teil des Gelobten Landes einzunehmen.

Ihre Rückkehr ins Gelobte Land und ihre Etablierung als Nation machte zu Lebzeiten Josuas große Fortschritte, doch schon bald wandte sich Israel von Gott ab und wurde, wie im Buch Richter beschrieben, moralisch immer verwerflicher.

Dann ließ Gott den Propheten Samuel erstehen, der Israel in vieler Hinsicht geistlich wieder aufrichtete und den Boden bereitete für das ruhmreiche Königreich unter Saul, David und Salomo. Obwohl Saul als erster König Israels versagte, konnte sein Nachfolger David als großer Kriegsherr einen bedeutenden Teil des Gebietes erobern, das zum Gelobten Land gehörte.

Davids Sohn Salomo konnte so den größten Teil des Landes, das Abraham versprochen worden war, unter seine Herrschaft stellen, vom Bach Ägyptens bis zum Euphrat. Er verletzte jedoch das Gebot Gottes, nicht viele Frauen zu haben und sich nicht auf Pferde als militärischen Machtfaktor zu verlassen (5Mo 17,16-17), und er neigte sein Herz anderen Göttern zu. Dieser Ungehorsam führte zur Teilung des Königreiches und dem schnellen Verfall der Stärke Israels nach seinem Tod. Salomos Kinder wurden größtenteils von heidnischen Frauen aufgezogen, die das Gesetz Gottes nicht achteten. Kurz nach Salomos Tod trennten sich die zehn Stämme des Nordens (Israel) von Juda. Ihre Könige waren böse. Gottes Gericht kam über sie durch die assyrische Gefangenschaft im Jahre 721 v. Chr. Die beiden verbleibenden Stämme des südlichen Königreiches (Juda) hatten zwar auch einige gottesfürchtige Könige, folgten jedoch im Großen und Ganzen demselben Kurs und wurden 605 v. Chr. in die babylonische Gefangenschaft geführt.

Nach 70 Jahren in der babylonischen Gefangenschaft durfte Israel, wie es in Jeremia 29,10 verheißen war, wieder in sein Land zurückkehren. Das Buch Esra berichtet über die Rückkehr des Volkes und seinen 20-jährigen Kampf, den Tempel wiederaufzubauen. Nehemia vervollständigte dieses Werk, indem er etwa ein Jahrhundert später die Stadtmauern Jerusalems und die Stadt selbst wiederaufbaute. Obwohl Israel nun wieder in seinem Land war, folgte es nicht dem HERRN und verblieb 200 Jahre lang unter der Herrschaft der Meder und Perser und der Griechen; dann, nach dem Tod Alexanders des Großen im Jahr 323 v. Chr., stand es im Mittelpunkt der Auseinandersetzung zwischen Syrien und Ägypten.

In der Zwischenzeit erweiterte Rom mit der Eroberung Siziliens im Jahr 242 v. Chr. seine Macht. Im Jahre 63 v. Chr. wurde Jerusalem durch den römischen General Pompeius unterworfen. Israel wurde von den Römern grausam behandelt; Hunderttausende von Juden wurden in die Sklaverei verschleppt. Schließlich wurde auch Jesus Christus auf römischen Befehl hin gekreuzigt, und später (70 n. Chr.) die Stadt Jerusalem zerstört, das Volk Israel aus seinem Heimatland vertrieben und in die ganze Welt zerstreut. Erst im 20. Jahrhundert begann Israel, sich wieder zu sammeln und in seine Heimat zurückzukehren. Im Jahr 1948 wurde es wieder eine Nation und zu einem anerkannten politischen Staat.

D. Die Geschichte Israels und die erfüllte Prophetie

Die Geschichte im Alten Testament ist zum großen Teil die Erfüllung der großen Prophetien der Schrift. Hunderte Prophetien haben sich bereits wortwörtlich erfüllt. Wie es Abraham verheißen wurde, ist Israel zu einer großen Nation geworden. Im Alten Testament wird vorhergesagt, dass Israel dreimal das Land genommen werden würde, und dies hat sich erfüllt 1. durch den Auszug Jakobs nach Ägypten und die anschließende Sklaverei, Befreiung und Rückkehr in das Verheißene Land, 2. durch die assyrische und babylonische Gefangenschaft, die das Volk Israel noch einmal aus dem Land hinwegführte, und seine Rückkehr nach 70 Jahren der Gefangenschaft und 3. durch die erneute Vertreibung nach der Zerstörung Jerusalems im Jahr 70 n. Chr. Das Hin und Her zwischen Inbesitznahme des Landes und Vertreibung bildet den bedeutsamen Hintergrund für die ganze Geschichte des Volkes (1Mo 15,13-16; 5Mo 28,62-67; Jer 25,11-12; vgl. auch 3Mo 26,3-46; 5Mo 30,1-3; Neh 1,8; Ps 106,1-48; Jer 9,16; 18,15-17; Hes 2,14-15; 20,23; 22,15; Jak 1,1).

Wichtig für die Geschichte Israels sind auch die Prophezeiungen, die sich auf den Charakter und das Schicksal der Söhne Jakobs beziehen (1Mo 49,1-28). Zahlreiche Prophezeiungen im Alten Testament sprechen von Gottes Handeln mit den zwölf Stämmen Israels.

Ein weiteres wichtiges Thema der Prophetie und ihrer Erfüllung ist das davidische Königtum. Der Davidsbund verheißt David und seinen Nachkommen den Thron auf ewig (2Sam 7,16; Ps 89,35-36; Jer 33,21; Dan 7,14). Die Ankündigungen sowohl des Segens als auch des Fluches sind wortwörtlich erfüllt worden in Gottes Handeln mit Saul, David und Salomo und den nachfolgenden Königreichen Israel und Juda.

E. Die Prophetie der 490 Jahre Israels

Eine der wichtigsten Prophetien, die Daniel gegeben wurden, steht in Daniel 9,24-27. Hier gibt der Engel Gabriel Daniel die Information, dass Israels Zukunft „siebzig Wochen" oder siebzig Mal sieben (490 Jahre) umfassen sollte. In Daniel 9,24 heißt es: „Siebzig Wochen sind über dein Volk und über deine heilige Stadt bestimmt, um das Verbrechen zum Abschluss zu bringen und den Sünden ein Ende zu machen und die Schuld zu sühnen und eine ewige Gerechtigkeit einzuführen und Vision und Propheten zu versiegeln und ein Allerheiligstes zu salben."

Nach der Prophetie sollte Jerusalem wiederaufgebaut werden (Dan 9,25), und 483 Jahre der 490 sollten erfüllt sein, bevor der Messias, der Fürst, kommen würde. Obwohl die Gelehrten in der Auslegung dieser Bibelstelle sehr unterschiedlicher Meinung sind, ist es vielleicht die beste Sichtweise, mit diesem 490 Jahre umfassenden Zeitabschnitt bei dem Wiederaufbau Jerusalems durch Nehemia im Jahr 445 v. Chr. zu beginnen. Diese Periode würde dann im Jahr 32 n. Chr. ihren Höhepunkt finden, das ist ungefähr die Zeit, in der Christus am Kreuz starb. Neue Forschungen haben den Tod Christi sogar ins Jahr 33 n. Chr. datiert, obwohl die meisten Ausleger der Meinung sind, es sei schon 30 n. Chr. oder noch früher gewesen.

Nach Daniels Prophetie sollte, nachdem der Messias fortgenommen war – was nach den 483 Jahren und offensichtlich vor den letzten sieben Jahren der Prophetie passieren sollte –, Jerusalem zerstört werden (Dan 9,26). Dies wurde erfüllt mit der Zerstörung Jerusalems im Jahr 70 n. Chr.

In Daniels Prophezeiung ist angedeutet, dass eine beträchtliche Zeitspanne zwischen dem Ende der 483 Jahre oder den 69 „Wochen" und dem Beginn der letzten sieben Jahre oder der 70. „Woche" liegen kann, da sie zwei Ereignisse umfasst, die viele Jahre auseinander liegen. Die letzte Woche sollte durch einen Bund gekennzeichnet sein, der offensichtlich mit dem zukünftigen Fürsten des Volkes, das die Stadt zerstörte, geschlossen werden sollte. Da das Volk, das die Stadt Jerusalem zerstörte, die Römer waren, wird der „kommende Fürst" (vgl. Dan 9,26) wohl ein Herrscher des wiederauferstandenen römischen Reiches sein. Viele Ausleger sehen darin ein zukünftiges Ereignis, das erst nach der Entrückung der Gemeinde stattfinden wird.

Der zukünftige Herrscher wird einen siebenjährigen Bund mit dem Volk Israel schließen, der in Daniel 9,27 beschrieben ist. Dieser Bund wird in der Mitte der Woche gebrochen werden, und die letzten dreieinhalb Jahre werden eine Zeit der Verfolgung und der Drangsal für Israel sein. Dieser Zeitabschnitt ist Gegenstand ausführlicher

Prophetie in Offenbarung 6–18. Er wird mit der Wiederkunft Christi in Offenbarung 19 beendet sein. Von besonderem Interesse ist die Vorhersage, dass dieser zukünftige Herrscher Schlachtopfer und Speisopfer aufhören lassen und den Tempel zerstören wird. Dies bedeutet, dass der Tempel in Jerusalem wieder stehen und das Opfersystem des Mose von den orthodoxen Juden in der Zeit vor der Wiederkunft Christi wieder aufgenommen werden wird.

Es ist auffallend, dass die ersten 483 Jahre sich wortwörtlich erfüllt haben. Jerusalem wurde in den ersten 49 Jahren, wie in Daniel 9,25 vorhergesagt, wiederaufgebaut. Der Messias wurde nach 483 Jahren hinweggetan. Die Ereignisse der letzten Woche liegen jedoch noch in der Zukunft. Sie ermöglichen eine Zeitrechnung für die Zeit des Endes, die zum zweiten Kommen Christi führen wird.

F. Prophetien hinsichtlich des Kommens des Messias

Aus 1. Petrus 1,10-11 wird deutlich, dass die Propheten des Alten Testaments nicht in der Lage waren, zwischen dem ersten und dem zweiten Kommen des Messias zu unterscheiden. Das gegenwärtige Heilszeitalter war ein so vollkommenes Geheimnis im Ratschluss Gottes, dass für die Propheten die Ereignisse, die durch das erste Kommen des Messias erfüllt wurden, und diejenigen, die erst durch Sein zweites Kommen erfüllt sein werden, in ihrer Erfüllung zeitlich nicht getrennt erschienen.

Dies wird in Jesaja 61,1-2 deutlich. Als Christus diese Bibelstelle in der Synagoge in Kapernaum vorlas, brach Er ab, nachdem Er von den Zeichen gesprochen hatte, die für Sein erstes Kommen vorausgesagt waren (Lk 4,18-21). Er erwähnte die Aussagen, die sich auf Seine Wiederkunft bezogen, nicht. Ähnlich verband auch der Engel Gabriel, als er Christi Geburt ankündigte, das Wirken bei Seinem ersten und bei Seinem zweiten Kommen miteinander (Lk 1,31-33).

Nach der alttestamentlichen Prophetie sollte Christus sowohl als ein Opferlamm kommen (Jes 53,1-12) als auch als der erobernde und ruhmreiche Löwe aus dem Stamm Juda (Jes 11,1-12; Jer 23,5-6). Wenn man diese beiden umfassenden Linien der Vorhersage betrachtet, ist es kein Wunder, dass bei den alttestamentlichen Propheten Verwirrung herrschte, in welcher Zeit all dies erfüllt werden sollte (1Petr 1,10-11).

Weiter wird vorausgesagt, dass der Messias aus dem Stamm Juda kommen (1Mo 49,10), vom Hause David sein (Jes 11,1; Jer 33,21) und von einer Jungfrau geboren würde (Jes 7,14), und zwar in Bethlehem in Judäa (Micha 5,2), dass Er einen Opfertod würde sterben müssen (Jes 53,1-12) durch Kreuzigung (Ps 22,1-21), von den Toten auferstehen (Ps 16,8-11) und zur Erde zurückkehren würde (5Mo 30,3) auf den Wolken des Himmels (Dan 7,13). Jesus von Nazareth hat alle Punkte der Verheißung über den Messias erfüllt oder wird sie noch erfüllen. Niemand anderes kann diesen Anspruch erheben.

G. Prophetie hinsichtlich der letzten Zerstreuung und der Sammlung des Volkes Israel

Sehr wichtige Prophetien im Alten Testament sind solche, die in Zusammenhang stehen mit der letzten Zerstreuung Israels und seiner endgültigen Sammlung. Durch die assyrische Gefangenschaft des Nordreiches und die babylonische Gefangenschaft des Südreiches und als eine nationale Strafe für Sünde, wurde das ganze Haus Israel aus seinem Land geführt und unter die Nationen der Erde zerstreut. Dies war die Erfüllung einer Vielzahl von Prophetien (3Mo 26,32-39; 5Mo 28,63-68; Neh 1,8; Ps 44,11; Jer 9,16; 18,15-17; Hes 12,14-15; 20,23; 22,15; Jak 1,1).

In keinem Fall würde während der Jahrhunderte der Zerstreuung Israels nationale Identität verlorengehen (Jer 31,36; Mt 24,34). Die Israeliten wiesen das göttliche Angebot der Sammlung und der Herrlichkeit des Reiches zurück, das ihr Messias ihnen bei Seinem ersten Kommen machte (Mt 23,37-39); so wie in Kadesch-Barnea die Zeit ihrer Wüstenwanderung verlängert wurde (4Mo 14,1-45), wurde ihre Züchtigung fortgesetzt und wird weitergehen, bis Er wiederkommt. Zu jener Zeit wird Er Sein Volk sammeln in seinem eigenen Land und ihm die Herrlichkeit und den Segen aller in den Bundesschlüssen zugesagten Verheißungen zuteilwerden lassen (5Mo 30,1-10; Jes 11,11-12; Jer 23,3-8; Hes 37,21-25; Mt 24,31).

H. Prophetien in Bezug auf die Endzeit

Wie in der kurzen Beschäftigung mit Daniel 9,27 angedeutet, wird Israel eine dramatische Rolle in den Endzeitereignissen spielen, die zur Wiederkunft Christi führen werden. Nach der Schrift gibt es vier Prophetien, die sich für Israel erfüllen werden:

1. Israel soll als politischer Staat wiederhergestellt werden. Um einen Bund mit dem „kommenden Fürsten" (Dan 9,26) schließen zu können, muss Israel wieder ein politischer Staat sein. Dies hat sich auf dramatische Weise im Mai 1948 erfüllt, als Israel als Nation anerkannt wurde und man ihm einen Teil des Verheißenen Landes zuerkannte. In den darauffolgenden Jahren hat Israel seine Grenzen beständig erweitert und an Macht zugenommen. Heute nun spielt Israel, obwohl zahlenmäßig recht klein, eine wichtige Rolle im Weltgeschehen. Dies ist nur ein Vorspiel zu den anderen Prophezeiungen, deren Erfüllung noch aussteht.

2. Nach Daniel 9,27 wird Israel einen auf sieben Jahre angelegten Bund mit einem nichtjüdischen, römischen Herrscher des Mittelmeergebietes schließen. Dies wird die Bündnisperiode einleiten, in der Israel in Ruhe und Sicherheit leben wird. In diesem Zeitabschnitt werden zweifellos viele Juden ins Verheißene Land zurückkehren, und das Land wird finanziell und politisch gedeihen.

3. Der Bund mit Israel wird jedoch nach dreieinhalb Jahren gebrochen, und Israel wird verfolgt werden. Dies ist die „Zeit der Bedrängnis für Jakob" (Jer 30,7) und die Große Drangsal (Dan 12,1; Mt 24,21; Offb 7,14). Die nächsten beiden Kapitel werden sich noch ausführlicher mit diesem Zeitabschnitt beschäftigen.

4. Israels ruhmreiche Wiederherstellung im Tausendjährigen Reich wird auf die Wiederkunft Christi folgen und sich während der tausendjährigen Herrschaft Christi auf der Erde fortsetzen.

Wie wichtig es ist, diese vier Phasen der Wiederherstellung Israels zu verstehen, wird klar in der Tatsache, dass die erste Phase bereits begonnen hat und die zweite Phase wahrscheinlich erst nach der Entrückung der Gemeinde stattfinden wird. Diese Phase wird die dramatischen Endzeitereignisse einleiten, in denen Israel eine wichtige Rolle spielen wird.

I. Prophetie in Bezug auf das messianische Reich und den Tag des Herrn

Kein anderes Thema der alttestamentlichen Prophetie wird in der Schrift so häufig und umfangreich behandelt wie die des messianischen Reiches. Auf all die vorhergesagten Züchtigungen, die über Israel kommen werden, folgt die Herrlichkeit, die Israel zuteilwerden wird, wenn es wieder in seinem eigenen Land versammelt sein wird, mit unermesslichen geistlichen Segnungen und unter der ruhmreichen Herrschaft seines Messias. Diese Vision wurde allen Propheten gegeben. So sicher wie Israel aus seinem Land vertrieben wurde und viel Leid im Laufe der Jahrhunderte erdulden musste, so sicher wird es wieder gesammelt werden und wunderbare Segnungen erfahren auf einer erlösten und verherrlichten Erde (Jes 11–12; 24,22–27,13; 35,1-10; 52,12; 54–55; 59,20–66,24; Jer 23,3-8; 31,1-40; 32,37-41; 33,1-26; Hes 34,11-31; 36,32–37,28; 40,1–48,35; Dan 2,44-45; 7,14; Hos 3,4-5; 13,9–14,9; Joel 2,28–3,21; Am 9,11-15; Zef 3,14-20; Sach 8,1-22; 14,9-21).

Alttestamentliche Voraussagen über das Reich sind häufig Teil der Voraussagen in Bezug auf die Wiederkunft des Königs. Wenn diese beiden Themen zu einem zusammengefasst werden, wird dieser Zeitpunkt „der Tag des Herrn" genannt, der sich auf die Zeit von der Entrückung der Gemeinde und die auf dieses Ereignis folgende Gerichte bis zum Ende des Tausendjährigen Reiches bezieht (Jes 2,10-22; Sach 14).

Es gibt eine Reihe von Hinweisen, dass der Tag des Herrn unmittelbar nach der Entrückung der Gemeinde beginnt. Die wichtigsten Ereignisse des Tages des Herrn scheinen folglich die Große Drangsal und Gottes Gerichte über die Welt zu sein, die der Wiederkunft Christi vorausgehen, sowie die Gerichte, die die Wiederkunft Christi begleiten, und die tausendjährige Herrschaft Christi auf der Erde.

Weil viele der großen Verheißungen zu der Zeit, als das Alte Testament vollendet wurde, noch nicht erfüllt waren, sind die zusätzlichen Offenbarungen des Neuen Testaments wesentlich zur Gewinnung eines vollständigen und detaillierten Bildes sowohl der erfüllten Prophezeiungen des Alten Testaments als auch der vielen Prophezeiungen, die sich noch nicht erfüllt haben. Der Weg des Volkes Israel in Geschichte und Prophetie ist zum großen Teil schon erfüllt, doch bedeutende zukünftige Ereignisse stehen noch aus. Es gibt viele Hinweise darauf, dass die Endzeit, in der Israel wieder in sein von Gott zugesagtes Eigentum kommen wird, sehr nahe ist. Weitere Einzelheiten werden in den folgenden Kapiteln behandelt.

? Fragen

1. Wann genau beginnt die Geschichte Israels in der Bibel?
2. In welchem Zusammenhang steht Israel mit den Heilszeitaltern seit Abraham?
3. Nennen Sie die fünf Bundesschlüsse, die im Wesentlichen die Geschichte und Prophetie Israels bestimmen.
4. Fassen Sie die wichtigsten Ereignisse im Leben von Abraham, Isaak und Jakob zusammen, wie sie im 1. Buch Mose beschrieben sind.
5. Beschreiben Sie die Geschichte Israels von Josua bis Samuel.
6. Fassen Sie die Geschichte Israels während der Herrschaft von Saul, David und Salomo zusammen.
7. Beschreiben Sie die Teilung des Königreiches Israel nach dem Tod Salomos und die assyrische und babylonische Gefangenschaft.
8. Wie wurde Israel nach der babylonischen Gefangenschaft ins Gelobte Land zurückgeführt und der Tempel in Jerusalem wiederaufgebaut?
9. Beschreiben Sie kurz die Beziehung des römischen Weltreiches zu Israel.
10. Welches sind die drei Vertreibungen und Zerstreuungen des Volkes Israel?
11. Welche wichtigen Verheißungen wurden im Davidsbund gegeben?
12. Welche Ereignisse fanden in den 490 Jahren der Geschichte Israels nach Daniel 9,24-27 statt?
13. Wann hat dieser Zeitabschnitt wahrscheinlich begonnen?
14. Welche zwei Ereignisse fanden nach der 69. Woche oder nach 483 Jahren statt?
15. Warum sind viele Ausleger der Meinung, diese letzten sieben Jahre lägen noch in der Zukunft?

16. Welches sind nach Daniel 9,27 die wichtigsten Ereignisse dieser letzten sieben Jahre?
17. Wo sind im Neuen Testament die letzten dreieinhalb Jahre der Geschichte Israels in allen Einzelheiten beschrieben?
18. Beschreiben Sie die miteinander verbundenen Angaben zum ersten und zweiten Kommen des Christus im Alten Testament.
19. Welche ausdrücklichen Verheißungen sind im Alten Testament in Bezug auf das Kommen des Messias gegeben?
20. Warum ist es angesichts der Tatsache, dass Israel sich nach den ersten beiden Vertreibungen aus dem Land wieder gesammelt hat, vernünftig anzunehmen, dass sich auch die dritte Sammlung erfüllen wird?
21. Welches ist der erste der vier Schritte zu Israels zukünftiger Wiederherstellung, und weshalb lässt die Erfüllung dieses ersten Schrittes darauf schließen, dass auch die anderen folgen werden?
22. Welches ist der zweite Schritt zu Israels zukünftiger Wiederherstellung, der noch in der Zukunft liegt?
23. Welches ist der dritte Schritt zu Israels Wiederherstellung, und in welchem Zusammenhang steht dieser Schritt mit der Großen Drangsal?
24. Welches ist der vierte Schritt zu Israels Wiederherstellung, und in welchem Zusammenhang steht dieser Schritt zum Tausendjährigen Reich?
25. Was sagt die Tatsache, dass Gott bereits begonnen hat, Israel wieder zu sammeln, über das unmittelbare Bevorstehen der Entrückung der Gemeinde aus?
26. Welches sind einige der wichtigen Verheißungen in Bezug auf Israels Segnungen im Tausendjährigen Reich?
27. Was ist gemeint mit dem Ausdruck „der Tag des Herrn“, und welchen Zeitabschnitt umfasst er?
28. Was sagt die wortwörtliche Erfüllung des prophetischen Planes für das Volk Israel in der Vergangenheit über die Gewissheit der wortwörtlichen Erfüllung derjenigen Prophezeiungen aus, die sich auf die Zukunft beziehen?

Kapitel 44

Ereignisse, die der Wiederkunft Christi vorausgehen

A. Die wichtigsten Ereignisse des gegenwärtigen Zeitalters

Im Laufe dieses Zeitalters der Gnade erfüllen sich viele Prophetien. Der allgemeine Charakter des Zeitalters wird an sieben Gleichnissen in Matthäus 13 dargestellt. In dem einführenden Gleichnis vom Sämann wird beschrieben, wie unterschiedlich die Botschaft Gottes aufgenommen wird. Die Samenkörner als Bild für die Wahrheit fallen manchmal auf harten Boden, wo sie von den Vögeln gefressen werden. Andere Körner fallen auf steinigen Boden, und wenn sie anfangen aufzugehen, verdorren sie, weil sie keine tiefgehenden Wurzeln haben. Andere wiederum fallen auf guten Boden, auf dem aber auch Dornen wachsen, die den Keimling ersticken. Nur ein kleiner Teil der Samenkörner fällt auf guten Boden und bringt hundert-, sechzig- oder dreißigfältige Frucht (Mt 13,1-9.18-23).

Das Gleichnis vom Unkraut, das unter den Weizen gesät wird, deutet die Gefahr eines falschen, nur auf äußerlichem Bekenntnis beruhenden Christentums an, das erst zur Zeit der Ernte gerichtet werden wird (V. 24-30.36-43). Das Gleichnis vom Senfkorn verdeutlicht das schnelle Anwachsen der bekennenden Christenheit von einem kleinen Anfang zu einer großen Bewegung (V. 31-32). Das Gleichnis vom Sauerteig spricht von dem Bösen, das in das gute Mehl gemischt wird, bis alles durchsäuert ist (V. 33-35). Der versteckte Schatz von Matthäus 13,44 bezieht sich wahrscheinlich auf Israel, das in Bezug auf seine nationale Einheit im gegenwärtigen Zeitalter verborgen ist, aber dennoch von Christus durch Seinen Tod erkauft ist. Die kostbare Perle (V. 45-46) scheint von der Gemeinde zu sprechen, für die Christus gestorben ist, ein wichtiges Merkmal dieser gegenwärtigen Zeit. Das letzte Gleichnis von dem Netz mit den Fischen (V. 47-51) verdeutlicht die Trennung der Erretteten von den Nicht-Erretteten am Ende des Zeitalters.

Grundsätzlich spricht Matthäus 13 von der gesamten Zeitspanne zwischen dem ersten und zweiten Kommen Christi ohne Hinweis auf die Entrückung oder die Besonderheiten der Gemeinde als dem Leib Christi. Dieses Kapitel beschreibt den Bereich des christlichen Glaubensbekenntnisses und die Vermischung von Gut und Böse. Diese parallele Entwicklung des Guten wie auch des Bösen, die ihren Höhepunkt im Gericht und in der Trennung findet, kennzeichnet diesen gegenwärtigen Zeitabschnitt. Es gibt keine Rechtfertigung für die „postmillennialistische" Ansicht, das Reich Gottes werde schließlich doch triumphieren durch die Verkündigung des Evangeliums und menschliche Bemühungen. Auf der anderen Seite gibt es auch keinen Grund zum Pessimismus, weil Gott Seinen Plan erfüllen wird. Einige Samenkörner werden auf guten Boden fallen und Frucht bringen. Zwischen dem Weizen wird Unkraut wachsen, und gute Fische werden sich unter den schlechten finden. Die 1900 Jahre seit Pfingsten haben gezeigt, wie richtig diese große Prophetie aus Matthäus 13 ist.

Ein ähnliches Bild des gegenwärtigen Zeitalters mit Blick auf das Ende finden wir in Matthäus 24. In den Versen 4-14 werden uns neun Zeichen für die Endzeit gegeben: 1. falsche Christusse (V. 5), 2. Kriege und Kriegsgerüchte (V. 6), 3. Hungersnöte (V. 7), 4. Seuchen (V. 7), 5. Erdbeben (V. 7), 6. Märtyrer (V. 9-10), 7. falsche Propheten (V. 11), 8. Überhandnehmen von Gesetzlosigkeit und Erkalten der Liebe (V. 12), 9. das Evangelium des Reiches wird gepredigt werden auf dem ganzen Erdkreis (V. 14).

Ein weiteres Merkmal des gegenwärtigen Zeitalters wird der ständig zunehmende Abfall auf Seiten der Nicht-Erretteten innerhalb der bekennenden Christenheit sein. In 2. Petrus 2–3 wird dieser fortschreitende Abfall in vier Aspekten zusammengefasst: 1. Leugnung der Person und Gottheit Christi (2,1), 2. Leugnung des Werkes Christi, das Er durch Seinen Tod am Kreuz für uns vollbracht hat (2,1), 3. moralischer Verfall durch das Aufgeben von moralischen Wertmaßstäben (2,2-22), 4. Abfall von der Lehre der Wiederkunft Christi und dem damit verbundenen Gericht (3,1-13). Auch andere Stellen im Neuen Testament sprechen von dem Abfall (1Tim 4,1-3; 2Tim 3,19; Jud 3-19). Alle diese Prophezeiungen über den fortschreitenden Abfall in der Christenheit erfüllen sich seit dem 1. Jahrhundert in zunehmendem Maße. Der endgültige Abfall wird nach der Entrückung der

Gemeinde sein, wenn nur noch die nicht erretteten Angehörigen der bekennenden Christenheit auf der Welt sind.

Das gegenwärtige Zeitalter wird mit der Entrückung der Gemeinde ein abruptes Ende finden. Bei diesem Ereignis – für das an keiner Stelle in den Prophezeiungen des Alten Testaments ein Zeitpunkt genannt ist – werden die Toten in Christus auferstehen und die lebenden Christen, ohne sterben zu müssen, in den Himmel geholt werden (1Kor 15,51-58; 1Thes 4,13-18). Mit der Entrückung wird der Plan Gottes für Seine Gemeinde als einer abgesonderten Gemeinschaft der Heiligen erfüllt sein, und die Entrückung der Gemeinde wird den Boden bereiten für die Ereignisse, die zur Wiederkunft Christi und zur Aufrichtung Seines Tausendjährigen Reiches führen werden. Drei wichtige Zeitabschnitte werden zwischen der Entrückung und der Wiederkunft Christi liegen: 1. die Zeit der Vorbereitung, 2. die Zeit des Friedens, 3. die Zeit der Verfolgung.

B. Die Zeit der Vorbereitung nach der Entrückung

Die Entrückung, bei der jeder errettete Mensch von der Erde genommen werden wird, wird ein dramatischer Einschnitt in der Geschichte der Menschheit sein. Sie wird eine Reihe von Ereignissen einleiten, die sich schnell auf einen Höhepunkt, auf die Wiederkunft Christi, zubewegen werden. Ganz offensichtlich wird die Entrückung aller Christen von der Erde Auswirkungen auf die Weltgeschichte als Ganzes haben und die Erfüllung der satanischen Pläne auf eine Weise ermöglichen, wie sie vorher niemals möglich gewesen wäre.

Die erste Phase unmittelbar nach der Entrückung wird eine Zeit der Vorbereitung auf die großen späteren Ereignisse sein. Diese Ereignisse werden im Zusammenhang stehen mit den Prophezeiungen für die Gemeinde, Israel und die Heiden.

1. Die nur äußerlich bekennende, scheinchristliche Kirche wird nach der Entrückung auf der Erde bleiben. Häufig ist darüber spekuliert worden, ob die wahre Gemeinde durch die Große Drangsal wird gehen müssen. Viele Ausleger sind jedoch der Meinung, dass die Gemeinde als der Leib Christi bereits durch die Entrückung von der Erde fortgenommen sein wird und nur die äußerlich bekennende Christenheit, die gänzlich aus nicht erretteten Menschen bestehen wird, auf der Erde zurückbleibt, um bestimmte Prophezeiungen in Bezug auf das abgefallene Christentum zu erfüllen.

Die bekennende, scheinchristliche Kirche nach der Entrückung ist durch die Hure in Offenbarung 17 symbolisiert, die auf einem scharlachroten Tier sitzt und mit den politischen Machthabern Hurerei treibt. Ihr Herrschaftsgebiet ist die ganze Welt, symbolisiert durch die vielen Wasser (Offb 17,1.15). Von der Beschreibung scheint klar zu sein, dass die Weltkirche, die sich heute schon in einem gewissen Entwicklungsstadium befindet, in dieser Prophetie im Stadium des vollkommenen Abfalls von Gott gezeigt wird, nachdem jeder wahre Christ von der Erde fortgenommen worden ist. Die Zeit nach der Entrückung wird auf religiösem Gebiet gekennzeichnet sein durch die Bestrebung, eine Weltkirche und eine Weltreligion zu schaffen, die nicht die erlösenden Merkmale der wahren christlichen Lehre tragen wird.

2. Für Israel wird diese Phase eine Zeit der Erweckung sein. Nach Römer 11,25 wird Israels gegenwärtige Blindheit teilweise fortgenommen werden, und vielen in Israel werden die Augen aufgetan werden. Sie werden erkennen, dass Jesus Christus wirklich ihr Messias und Erlöser ist. In den unmittelbar auf die Entrückung folgenden Tagen werden sich wahrscheinlich Tausende von Juden Christus zuwenden und sich Bibeln und Bücher über die christliche Lehre beschaffen, die die Christen zurückgelassen haben, sowie biblische Abhandlungen über die Hoffnung auf einen Messias, die ja unter vielen Juden bereits lebendig ist. Zweifellos werden sie sich fragen, was mit den Christen geschehen ist, die verschwunden sind. Ihre Suche wird belohnt werden, und viele werden sich bekehren. Wie im ersten Jahrhundert der Gemeinde, so werden die Juden zu Verkündigern des Evangeliums werden und sowohl ihr eigenes Volk als auch die Heiden für Christus gewinnen; auf diese Weise wird das Evangelium erneut in die ganze Welt gebracht werden. Die Tatsache, dass die Juden bereits in alle Welt zerstreut sind und viele der Weltsprachen sprechen, macht sie zu geeigneten Missionaren in ihren jeweiligen Ländern, und viele werden sich zu Christus bekehren. Doch wie im 1. Jahrhundert werden sich nicht alle Juden zu Christus hinwenden. Die Errettung wird nur für jene sein, die glauben.

3. Für die politische Entwicklung der Heidenvölker (der Nationen) wird die Zeit der Vorbereitung die Wiederbelebung des alten römischen

Reiches bedeuten. Wie schon früher erwähnt, hat sich die Prophezeiung über die Füße des Standbildes in Daniel 2 und das zehnhörnige vierte Tier in Daniel 7,7 noch nicht erfüllt. Diese Prophezeiungen, zusammen mit der zusätzlichen Erklärung in Offenbarung 13, deuten darauf hin, dass das römische Weltreich in der Form von zehn Nationen, die sich zu einer Konföderation zusammenschließen werden, wiederauferstehen wird. Die Europäische Gemeinschaft könnte durchaus ein Vorläufer davon sein, doch das Zentrum der politischen Macht wird wohl eher im Mittelmeergebiet liegen und nicht in Europa. Vielleicht werden sogar die großen Nationen von Nordafrika, Westasien und Südeuropa dazugehören. Wieder einmal wird das Mittelmeer ein „römisches Meer" werden. (Die Bibel gibt jedoch hierzu keine detaillierten Angaben. Anm. d. dt. Hg.)

Wenn sich diese zehn Nationen zusammengeschlossen haben, wird ein Herrscher aufstehen, der in Daniel 7,8 als „kleines Horn" beschrieben wird. Dieser Herrscher wird offensichtlich ein Diktator sein und zuerst drei, später alle zehn Nationen beherrschen. Er wird politisch gesehen der mächtigste Mann des Nahen Osten sein, und er wird mit der Weltkirche zusammenarbeiten, um Macht über die ganze Welt zu bekommen. Nachdem er sich erst einmal etabliert hat, ist der Weg geebnet für die zweite Phase, die Zeit des Bundes.

C. Die Zeit des Friedens

Nach Daniel 9,27 wird der Diktator des Mittleren Ostens, der „kommende Fürst" (Dan 9,26), einen Bund mit Israel schließen, der auf sieben Jahre ausgelegt sein wird. Die Einzelheiten dieses Bundes sind in der Schrift nicht genannt, doch es wird angedeutet, dass es sich um ein Schutzbündnis handeln wird. Offensichtlich liegt es in der Absicht des Diktators, den Konflikt zwischen Israel und den umliegenden Völkern beizulegen; er wird ein Protektorat erstellen und auf diese Weise die politische Situation im Nahen Osten beruhigen und Frieden schaffen. Zwar gibt es keinen Hinweis darauf, dass dies eine Zeit des völligen Friedens sein wird, doch auf jeden Fall wird Israel verhältnismäßig sicher sein, gewisse Handelsprivilegien besitzen und so frei von Spannungen leben, wie das seit der Staatsgründung im Jahr 1948 nie der Fall war. Zweifellos wird die veränderte Situation noch mehr Juden veranlassen, in das ihnen verheißene Land zurückzukehren, und Israel wird finanziell gedeihen.

Während dieser Periode wird auch die Macht der Weltkirche immer größer werden. Sie wird mit dem Herrscher im Mittelmeergebiet zusammenarbeiten, um eine Weltreligion zu schaffen. Gleicherweise wird die Evangelisation Israels weitergehen, und viele werden sich Christus zuwenden.

Auf der anderen Seite werden auch viele ins orthodoxe Judentum zurückgehen. In dieser Zeit wird ein Tempel in Jerusalem gebaut werden, und die orthodoxen Juden werden das mosaische Opfersystem erneuern, das seit der Zerstörung des Tempels im Jahr 70 n. Chr. außer Kraft gesetzt war. Dies wird angedeutet in Daniel 9,27, wo vorausgesagt wird, dass die Opfer aufhören werden, eine Tatsache, die durch Daniel 12,11 gestützt wird, wo die Rede davon ist, dass das beständige Opfer abgeschafft wird. Natürlich können die Opfer nur abgeschafft werden, wenn sie vorher wieder eingesetzt worden sind, und die Einsetzung der Opfer kann nur geschehen, wenn vorher der Tempel in Jerusalem wiederaufgebaut wird. Wann genau der Tempel wiederaufgebaut wird, weiß niemand, doch während dieser Zeit des Friedens wird er offensichtlich stehen.

Der Frieden im Nahen Osten wird jedoch durch ein dramatisches Ereignis erschüttert werden, das in Hesekiel 38 und 39 beschrieben ist, den Angriff eines „Fürsten" aus dem Norden und seiner Verbündeten auf Israel. Die Schriftausleger sind sich in ihrer Analyse und der zeitlichen Einordnung dieses Ereignisses uneinig. Nach Hesekiel 38 wird es eine Zeit geben, in der Israel im Frieden leben wird, eine Zeitspanne, die der Situation nach dem Bündnis mit dem römischen Herrscher entspricht. Dieser Angriff richtet sich nicht nur gegen Israel, sondern auch gegen das Bündnis zwischen dem Beherrscher des Mittelmeers und Israel. Tatsächlich ist es ein Versuch dieser Verbündeten, die politische und wirtschaftliche Herrschaft über den Nahen Osten an sich zu ziehen. Da es sich um einen Überraschungsangriff handelt, wird nichts von einer Aufrüstung gegen die Invasoren berichtet. Stattdessen wird Gott auf übernatürliche Weise eingreifen, um Sein Volk zu retten und die einfallenden Militärkräfte durch eine Reihe von Katastrophen, wie sie in Hesekiel 38,18-23 beschrieben sind, auslöschen. Dieser Krieg wird den Frieden erschüttern und den letzten und endgültigen Zeitabschnitt einleiten.

D. Die Zeit der Verfolgung

Der Sieg über die feindliche Armee beendet nicht nur den vorhergehenden Zeitabschnitt, sondern ist die Ursache für eine dramatisch veränderte Weltsituation. Offensichtlich gibt es zu jener Zeit ein Gleichgewicht der Mächte zwischen 1. dem Beherrscher des Mittelmeergebietes und den mit ihm verbündeten Nationen und 2. der Macht aus dem Norden und den mit ihr verbündeten Nationen. Da die angreifende Armee aus dem Norden zeitweilig zerstört sein wird, ergreift der Herrscher über das Mittelmeergebiet die Gelegenheit, sich selbst zum Weltdiktator auszurufen. Über Nacht reißt er die politische, wirtschaftliche und religiöse Macht an sich. Er macht sich zum Herrscher über jeden Stamm und jedes Volk, über jede Sprache und Nation (Offb 13,7). Daniel sagt voraus, dass er die ganze Erde verschlingen und sie zertreten und zermalmen wird (Dan 7,23). Auch wird er die wirtschaftliche Macht innehaben, und es wird niemanden geben, der ohne seine Erlaubnis etwas kaufen oder verkaufen kann (Offb 13,16-17).

Auch für Israel wird es große Veränderungen geben, da der Herrscher sein Bündnis brechen und praktisch ohne Vorwarnung zu einem Verfolger Israels wird. Dies leitet ein, was in Jeremia 30,7 als die Zeit der Drangsal für Jakob beschrieben wird. Überall sonst wird diese Zeit als die Zeit der Großen Drangsal beschrieben (Dan 12,1; Mt 24,21; Offb 7,14). Israels Drangsal beginnt mit der Abschaffung der Opferdienste (Dan 9,27; 12,11; Mt 24,15). Christus gibt Israel den Rat, dann sofort in die Berge zu fliehen (Mt 24,16-20). Es wird eine Zeit unaussprechlicher Bedrängnis für Israel sein, und Tausende Juden werden getötet werden (Sach 13,8). Der Tempel wird entweiht werden, ein Bild des Weltherrschers wird in ihm aufgestellt werden (Offb 13,15), und von Zeit zu Zeit wird er selbst darin sitzen und sich anbeten lassen (2Thes 2,4). Dies ist der „Gräuel der Verwüstung" (Mt 24,15), der im Zusammenhang mit der Abschaffung der Opferungen beschrieben wird. Der Weltherrscher wird sich zum Gott erheben und fordern, dass alle ihn anbeten. Wer sich weigert, den erwartet die Todesstrafe (Offb 13,8.15).

Dieser letzte Zeitabschnitt wird in der Mitte der sieben Jahre beginnen, auf die das Bündnis mit Israel ursprünglich angelegt war, und demnach 42 Monate dauern (Offb 11,2; 13,5; vgl. Dan 7,25; 9,27; 12,11-12).

Wegen dieser üblen Gotteslästerung und der Verfolgung sowohl der Juden als auch der Menschen, die sich noch zum Christentum bekennen, wird der Weltherrscher über das Mittelmeergebiet – häufig auch Antichrist genannt und in Daniel 9,26 als der „kommende Fürst" beschrieben – unter das schreckliche Gericht Gottes kommen. All dies ist in Offenbarung 6–19 beschrieben. Einzelheiten dieser Ereignisse sind in der Offenbarung berichtet, wo von dem Brechen der sieben Siegel (Offb 6,1–8,1), dem Klang der sieben Trompeten (Offb 8,2-21; 11,15-19) und dem Ausgießen der sieben Zornschalen Gottes (Offb 16) gesprochen wird.

Noch nie dagewesene Gerichte werden die Erde erschüttern. Christus hat sie in Matthäus 24,21-22 beschrieben als eine so schreckliche Zeit, die, würde sie nicht durch Seine Wiederkunft beendet werden, zur Auslöschung der ganzen Menschheit führen würde. Kriege, Seuchen, Hungersnöte, vom Himmel fallende Sterne, Erdbeben, Besessenheit durch Dämonen und die Entfesselung großer Naturgewalten in der Welt werden offensichtlich einen großen Teil der Weltbevölkerung vernichten.

Das daraus entstehende Chaos ruft Widerstand gegen den Weltherrscher im Nahen Osten hervor. Er ist nicht in der Lage, seine Versprechungen von Frieden und Wohlstand einzuhalten. Es wird eine weltweite Revolution geben, und der größte Teil der Menschheit wird sich gegen ihn auflehnen. Diese Ereignisse werden zu einem Weltkrieg führen, der in Daniel 11,40-45 und Offenbarung 9,13-21 und 16,13-21 beschrieben ist. Alle Weltnationen werden in Kämpfe verwickelt werden, und große Armeen des Südens und des Nordens und eine riesige Armee des Orients wird ins Heilige Land kommen, um zu kämpfen. Auf dem Höhepunkt dieses Konflikts wird Jesus Christus in Macht und Herrlichkeit wiederkommen und den bösen Menschen, die diesen Kampf austragen, Gericht bringen und Sein Tausendjähriges Reich aufrichten.[3]

---

3 Die Einordnung und detaillierte Erklärung mancher Prophetien über die Endzeit wird von Bibelauslegern z. T. auch abweichend von der Schau des Autors dieses Werkes gesehen. (Anm. d. dt. Hg.)

Die Ereignisse, die zur Wiederkunft Christi führen, sind sowohl im Alten als auch im Neuen Testament bis ins Detail beschrieben. Diese Zeit wird einzigartig sein in der Geschichte der Menschheit. Vieles deutet darauf hin, dass die Welt sich auf einen solchen Höhepunkt zubewegt, und darum gewinnen die Lehren der Bibel in Bezug auf die unmittelbar bevorstehende Wiederkunft des Herrn für die Seinen zur Entrückung der Gemeinde immer mehr Gewicht.

? Fragen

1. Was sagt das Gleichnis vom Unkraut im Ackerfeld über die Zeit zwischen dem ersten und zweiten Kommen Jesu Christi aus?
2. Nennen Sie sechs andere Gleichnisse aus Matthäus 13 und erklären Sie ihre Grundaussagen.
3. Was sagt Matthäus 13 als Ganzes über den gesamten Zeitabschnitt zwischen dem ersten und zweiten Kommen Christi?
4. Ist in Matthäus 13 eine Rechtfertigung zu finden für die Ansicht, dass das Reich Gottes schließlich doch durch die Verkündigung des Evangeliums und menschliche Bemühungen triumphieren werde?
5. Welches sind die neun Zeichen für das Ende des Zeitalters, die in Matthäus 24,3-14 beschrieben sind?
6. Welches sind die vier Hauptaspekte des Abfalls, der in 2. Petrus 2–3 beschrieben ist?
7. Welche drei Zeitabschnitte nach der Entrückung führen zur Wiederkunft Christi und zum Aufrichten Seines Reiches?
8. Wie wird die Situation für die Christenheit, für Israel und für die Heiden aussehen in der Zeit der Vorbereitung, die unmittelbar auf die Entrückung folgt?
9. In welchem Sinn wird die Christenheit dann noch auf der Erde sein?
10. Welches wird die wichtige Rolle Israels in der Zeit der Vorbereitung sein?
11. Welche wichtigen politischen Ereignisse werden in der Zeit der Vorbereitung stattfinden?

12. Beschreiben Sie die Situation für Israel und die Weltkirche während der Zeit des Friedens nach dem Bündnis mit Israel.
13. Wodurch wird die Ruhe des Nahen Ostens am Ende der Zeit des Friedens erschüttert werden?
14. Beschreiben Sie die plötzlichen Veränderungen für Israel, die Welt und die Weltkirche, die mit der Zeit der Verfolgung beginnen werden.
15. Welche Gerichte wird Gott über die Welt während der Zeit der Verfolgung ausgießen?
16. Beschreiben Sie den letzten, schrecklichen Weltkrieg.
17. Inwiefern deutet die Weltsituation darauf hin, dass die Entrückung unmittelbar bevorsteht?

Kapitel 45

Die Große Drangsal

A. Die Große Drangsal im Gegensatz zu allgemeinen Drangsalen

Über die Lehre von der Großen Drangsal ist viel Verwirrung entstanden, weil nicht unterschieden wurde zwischen den allgemeinen Drangsalen und Leiden des Volkes Gottes und dieser bestimmten Periode der Großen Drangsal, wie sie im Alten und Neuen Testament beschrieben ist. Drangsal bedeutet Druck, Betrübnis, Leid und ganz allgemein Schwierigkeiten. Eine Drangsalssituation ist folglich eine nicht ungewöhnliche Erfahrung der Menschheit. Sie ist durch ihre Sünde und Rebellion gegen Gott hervorgerufen und eine Folge der Auseinandersetzung zwischen Gott und dem Satan in der Welt.

Nach Hiob 5,7 ist der Mensch „zur Mühsal geboren, wie die Funken nach oben fliegen". Christus versichert Seinen Jüngern in Johannes 16,33: „In der Welt habt ihr Bedrängnis." Die Versuchungen Hiobs im Alten Testament und die Probleme des Paulus mit dem Stachel in seinem Fleisch im Neuen Testament sind symptomatisch für die Menschheit, die seit Adam in vielerlei Versuchungen geführt wird. Dies wird sich auch nicht ändern, bis die Menschheitsgeschichte zu ihrer Erfüllung kommt, obwohl das Tausendjährige Reich viele Erleichterungen bringen wird.

Im Gegensatz zu diesen Anfechtungen im Allgemeinen spricht die Bibel von einer besonderen Zeit der Drangsal, die am Ende des gegenwärtigen Heilszeitalters beginnen und eine Zeit der besonders großen Drangsale sein wird. Sie wird sich über eine Zeit von 42 Monaten erstrecken und zur Wiederkunft Christi führen.

B. Die alttestamentliche Lehre der Großen Drangsal

Schon in 5. Mose 4,29-30 wurde Israel ermahnt, sich an den Herrn zu wenden, wenn am Ende der Zeit die Bedrängnis kommen wird. Diese Zeit wird im Propheten Jeremia besonders in den Blickpunkt gerückt. In Jeremia 30,1-10 wird vorausgesagt, dass dieser Zeit der Drangsal die Rückkehr der Kinder Israel in ihr Land vorausgehen wird: „Denn siehe, Tage kommen, spricht der HERR, ... Und ich bringe sie in das Land zurück, das ich ihren Vätern gegeben habe, damit sie es in Besitz nehmen" (V. 3).

Unmittelbar darauf wird in den Versen 4-7 die Zeit der Drangsal beschrieben, die über sie kommen wird, wenn sie in das Land zurückgekehrt sind. Israel wird Schmerzen erleiden wie eine schwangere Frau bei der Geburt. Von dieser Zeit der Drangsal wird vor allem in Jeremia 30,7 gesagt: „Wehe! Denn groß ist jener Tag, keiner ist wie er, und es ist eine Zeit der Bedrängnis für Jakob; doch wird er aus ihr gerettet werden."

Israel wird die Verheißung gegeben, dass, obwohl es diese große Zeit der Drangsal erleiden wird, Gott das Joch seiner Knechtschaft zerbrechen und es nicht mehr länger den Heiden dienen wird. Stattdessen werden die Israeliten nach Vers 9 „dem HERRN, ihrem Gott, dienen und ihrem König David, den ich ihnen erwecke". Dieser Vers bezieht sich auf das Tausendjährige Reich, wo David auferweckt und mit Christus über das Haus Israel herrschen wird. Folglich wird Israel nicht ausgelöscht werden, denn es ist Gottes Absicht, dass Jakob zurückkehren wird „und Ruhe haben und sicher sein, und niemand wird ihn aufschrecken" (V. 10).

Die Zeit der Drangsal Jakobs, oder der Großen Drangsal, steht auch in Daniel 9,27 im Mittelpunkt, nachdem der Bund gebrochen worden ist. Hier wird vor allem gezeigt, dass diese Zeit sich über die Hälfte von sieben Jahren, oder dreieinhalb Jahre, erstrecken wird (Dan 9,26). „Und stark machen wird er einen Bund für die Vielen, eine Woche lang" (V. 27), das heißt, einen Bund, der auf sieben Jahre ausgelegt ist. Diesen Bund wird er in der Mitte der Woche brechen – das heißt nach dreieinhalb Jahren –, „und zur Hälfte der Woche wird er Schlachtopfer und Speisopfer aufhören lassen" und die Entweihung des Tempels herbeiführen.

Daniel 12,11 gibt weiteren Aufschluss: „Und von der Zeit an, da das beständige Opfer abgeschafft wird, und zwar um den verwüstenden Gräuel aufzustellen, sind tausendzweihundertundneunzig Tage." Dies sind einige Tage mehr als dreieinhalb Jahre. Dieser Zeitabschnitt umfasst offensichtlich auch die Wiederkunft Christi und die anschließenden frühen Gerichte. Der Segen, in Daniel 12,12 beschrieben, wird nach 1335 Tagen kommen. Dieser Zeitraum umfasst nicht nur die Zeit der Großen Drangsal, die Wiederkunft Christi und die Gerichte, sondern auch die Errichtung des Tausendjährigen Reiches auf der Erde. Folglich kann für die Große Drangsal ein Zeitraum von 42 Monaten oder dreieinhalb Jahren gerechnet werden.

Die Große Drangsal wird eindeutig mit der Wiederkunft Christi beendet werden. Nach Daniel 7,13-14 wird dann der Menschensohn vom Himmel kommen, und alle Völker werden unter Seine Herrschaft kommen. Der böse Diktator und die Regierung, die vor der Wiederkunft Christi auf der Erde herrschen, werden zerstört werden, und das ewige Reich wird aufgerichtet werden, zuerst durch das Tausendjährige Reich auf der Erde, danach durch die Herrschaft Gottes im neuen Himmel und auf der neuen Erde. Die alttestamentliche Lehre ist relativ vollständig, doch ergänzend dazu kann die neutestamentliche Offenbarung hinzugezogen werden.

Nach Daniel 11,36-39 wird die Endzeit gekennzeichnet sein durch eine atheistische Religion, deren Oberhaupt der Weltherrscher ist. In diesen Versen wird er beschrieben als ein absoluter Herrscher, der alle vorhergehenden Religionen missachtet und sich selbst über Gott erhebt. Er verehrt nur den Gott der Festungen, d. h. den Kriegsgott. Er ist Materialist und Atheist. Sein Reich endet in einem riesigen Krieg, der in den Versen 40-45 beschrieben wird. Armeen vom Süden, vom Norden und vom Osten werden ihn bedrängen. Obwohl er offensichtlich in der Lage sein wird, ihnen einige Zeit zu widerstehen, werden die kriegerischen Auseinandersetzungen bei der Wiederkunft Christi, die die große Drangsal beendet, noch im Gange sein.

C. Die Lehre von der Großen Drangsal im Neuen Testament

Als Jesus von Seinen Jüngern gefragt wird, wann Seine Wiederkunft sein wird, gibt Er ihnen zuerst eine Reihe von Zeichen, die sich für uns zum größten Teil bereits erfüllt haben, Ereignisse und Situationen, die die Zeit zwischen dem ersten und dem zweiten Kommen Christi in diese Welt charakterisieren (Mt 24,3-14).

Auf die Frage der Jünger nach besonderen Zeichen beschreibt Christus in Matthäus 24,15-29 selbst die Große Drangsal: „Wenn ihr nun den Gräuel der Verwüstung, von dem durch Daniel, den Propheten, geredet ist, an heiliger Stätte stehen seht" (V. 15). Dabei bezieht Er sich auf die Entheiligung des Tempels und die Erhebung des Herrschers über das Mittelmeergebiet zum Gott. Er fordert die Kinder Israel auf, in die Berge zu fliehen, wenn dies geschieht. Demnach wird dies ein besonderes Ereignis an einem bestimmten Tag sein.

In Matthäus 24,21-22 führt Christus weiter aus: „Denn dann wird große Bedrängnis sein, wie sie von Anfang der Welt bis jetzt nicht gewesen ist und auch nie sein wird. Und wenn jene Tage nicht verkürzt würden, so würde kein Fleisch gerettet werden; aber um der Auserwählten willen werden jene Tage verkürzt werden." Ganz klar spricht Christus hier von der Zeit der Großen Drangsal im Gegensatz zu anderen Zeiten der Mühsal. Die Drangsal wird so groß sein, wie die Erde sie noch nie gesehen haben wird.

Die Drangsal wird so groß sein, dass kein menschliches Wesen sie überleben würde, wenn sie nicht verkürzt (wörtl. beendet) werden würde. Dies bedeutet nicht, wie einige aus dem Wort „verkürzt" geschlossen haben, dass sie weniger als 42 Monate dauern wird, sondern nur, dass die Große Drangsal, wenn sie nicht durch die Wiederkunft Christi beendet werden würde, die ganze Menschheit auslöschen würde. Für die „Auserwählten" – ob damit nun die erretteten Israeliten, die während der Drangsal erretteten Heiden oder beide gemeint sind – wird die Wiederkunft Christi, obwohl eine Zeit des Gerichts für die Welt, eine Zeit der Befreiung sein.

In den nachfolgenden Versen beschreibt unser Herr einige der Merkmale dieses Zeitabschnitts. Es werden falsche Propheten und Christusse auftreten (Mt 24,23-24). Es wird falsche Berichte darüber geben, dass Christus bereits im Geheimen wiedergekommen sei

(V. 26). Er warnt Seine Jünger, sich nicht täuschen zu lassen, denn die Wiederkunft des Christus werde ein deutlich sichtbares Ereignis sein, gleichwie der Blitz ausfährt vom Osten und scheint bis gen Westen (V. 27). Die Große Drangsal selbst wird auch in Vers 29 beschrieben als eine Zeit, in der die Sonne verfinstert werden „und der Mond seinen Schein nicht geben" wird, „und die Sterne werden vom Himmel fallen, und die Kräfte der Himmel werden erschüttert werden". Darauf wird die Wiederkunft Christi geschehen.

Die Beschreibung der Großen Drangsal, die Jesus Seinen Jüngern als Antwort auf ihre Frage gibt, wird bestätigt durch zusätzliche Informationen in Offenbarung 6–18. Das Buch mit sieben Siegeln aus Offenbarung 5,1 wird in Kapitel 6 geöffnet.

Mit jedem gebrochenen Siegel kommen große Katastrophen über die Welt. Dies beginnt mit dem ersten Siegel, das eine Weltherrschaft beschreibt (Offb 6,1-2). Darauf folgen ein Krieg (V. 3-4), eine Hungersnot (V. 5-6) und der Tod von einem Viertel der Menschheit (V. 7-8). Das fünfte Siegel steht für die Märtyrer, die in dieser Zeit sterben werden (V. 9-11), und große Unruhe im Himmel – Sterne fallen vom Himmel, die Sonne verfinstert sich, und der Mond wird wie Blut (V. 12-14). Diese eindrucksvolle Entfaltung göttlicher Macht in der Welt weckt Furcht auf Seiten der Ungläubigen. Sie werden die Berge anflehen, doch auf sie zu fallen, um sie zu retten vor dem „großen Tag ihres Zornes" (V. 15-17).

Nachdem das siebte Siegel gebrochen ist (Offb 8,1), kommen sieben weitere Gerichte, ausgelöst von Engeln mit Posaunen (Offb 8,2–9,21; 11,15-19). Diese großen Gerichte sind zum größten Teil Naturkatastrophen, die viele Menschenleben fordern werden, und ein Drittel der Erde wird verbrennen; ein Drittel des Meeres wird zu Blut und ein Drittel der Lebewesen im Meer vernichtet werden; Sterne werden vom Himmel fallen auf ein Drittel der Flüsse (8,7-11). Die vierte Posaune betrifft die Sterne; der dritte Teil von Sonne, Mond und Sternen wird verfinstert werden, und es werden schreckliche Katastrophen für die folgenden drei Posaunen vorausgesagt.

Die fünfte Posaune (9,1-12) beschreibt, wie nicht errettete Menschen fünf Monate lang von Dämonen gequält werden, doch nicht einmal in der Lage sind, ihrem Leben ein Ende zu setzen. Die sechste Posaune (9,13-21) steht in Zusammenhang mit der großen Armee, die vom Orient heraufzieht und den Euphrat überquert, um an dem großen Krieg am Ende der Zeit der Großen Drangsal teilzunehmen. Die siebte Posaune (11,15) steht am Ende dieser Zeit der Drangsal und kündigt die Wiederkunft Christi und die Aufrichtung Seines Reiches an.

Sie ist jedoch erst das Vorspiel zu einer neuen Reihe von sieben Gerichten, die in schneller Folge über die Erde hereinbrechen. Sie sind beschrieben in Offenbarung 16 als die Zornschalen Gottes. Jedes dieser Gerichte ist noch schrecklicher als die sieben Posaunengerichte, und sie stellen das letzte Ausgießen des Zornes Gottes auf diese Erde dar und bereiten die Wiederkunft Christi vor.

Die sechste Schale steht im Zusammenhang mit der Vorbereitung auf die große Schlacht Gottes, die auf einem Ort mit Namen Harmagedon stattfinden wird. Darum wird sie die Schlacht von Harmagedon genannt. Die Könige der Erde und ihre Armeen werden sich nach Offenbarung 16,14 sammeln, um gegeneinander zu kämpfen. Der scheinbare Widerspruch, dass Satan die Könige der Erde veranlasst, sich gegen den Weltherrscher aufzulehnen, den Satan selbst auf den Thron der Weltregierung gesetzt hat, lässt sich dadurch erklären, dass Satan seine Streitkräfte sammelt und sie in dem Glauben lässt, sie würden um die Weltherrschaft kämpfen, doch eigentlich sind sie von Satan zu den Waffen gerufen worden, um gegen die Armeen zu kämpfen, die Christus bei Seiner Wiederkunft begleiten werden (Offb 19,14).

Die letzte Schale, Offenbarung 16,17-21, wird ein großes Erdbeben bringen, das die großen Städte dem Erdboden gleichmachen und Babylon ins Gericht führen wird. Inseln und Berge werden verschwinden. Der Höhepunkt ist ein großer Hagelsturm, wobei der Hagel mit einem Talent Gewicht angegeben wird – das sind mehr als 30 Kilogramm. Alles, was noch übriggeblieben ist, wird durch diesen Hagel zerstört werden. Die Welt wird ein Chaos sein, wenn Christus wiederkommt.

Welch ein falscher Traum ist doch von einigen Theologen geträumt worden, die dachten, mit der Ausbreitung des Evangeliums würde die Welt Stück für Stück ein wenig besser, Schritt für Schritt vom Evangelium überwunden und unter den Gehorsam gegenüber Christus gebracht! Vielmehr beschreibt die Schrift die Welt zu diesem Zeitpunkt als in einem Zustand höchster Bösartigkeit und Auflehnung gegen Gott, angeführt von einem atheistischen Weltbeherrscher, der ein Gotteslästerer ist und alle die verfolgt, die sich zu Gott bekennen.

Das gerechte Reich Gottes auf der Erde wird durch das zweite Kommen Christi aufgerichtet werden, nicht durch die Bemühungen der Menschen. Es wird ein dramatisches Gericht über die Bosheit in der Welt sein, aber auch eine wundervolle Befreiung für die, die in jenen fürchterlichen Tagen ihr Vertrauen auf Christus gesetzt haben.

Die Tatsache, dass die Große Drangsal so schrecklich sein wird und auf den Ungläubigen und Gotteslästerer zugeschnitten ist und nicht auf das Kind Gottes, ist ein weiterer Grund dafür, dass viele Christen glauben, dass die Entrückung der Gemeinde vor dieser schrecklichen Zeit sein wird. Auffälligerweise wird die Gemeinde an keiner der Stellen erwähnt, die sich auf diese Zeit beziehen; zwar werden auch während der Großen Drangsal Menschen zu Christus kommen, die dann Heilige genannt werden, doch an keiner Stelle werden die besonderen Bezeichnungen verwendet, die ihre Zugehörigkeit zur Gemeinde belegen würden. Die Heiligen dieser Zeit sind errettete Juden oder Heiden, von denen viele ein Martyrium werden durchmachen müssen, während nur relativ wenige diese schreckliche Zeit überleben werden.[4]

Insgesamt gesehen ist die Große Drangsal das Vorspiel zur Wiederkunft Christi. Sie zeigt, wie nötig das Eingreifen Gottes ins Weltgeschehen ist – sowohl zum Gericht über die Bösen als auch zur Befreiung für die Heiligen. Der Kontrast zwischen der Finsternis der Stunde der Drangsal und der Herrlichkeit des nachfolgenden Reiches tritt umso stärker hervor.

? Fragen

1. Unterscheiden Sie zwischen Drangsal im Allgemeinen und der Großen Drangsal.
2. Welches ist der erste Hinweis in der Bibel auf die zukünftige Große Drangsal?

4 Siehe Kapitel 44 am Schluss. (Anm. d. dt. Hg.)

3. Welches ist nach Jeremia 30,1-10 die Reihenfolge der Ereignisse am Ende dieses Zeitalters?
4. Wie verhält sich die Große Drangsal zu der Prophetie in Daniel 9,27?
5. Welches Ereignis signalisiert den Bruch des Bündnisses und den Beginn der Großen Drangsal?
6. Was wird die Religion in der Großen Drangsal kennzeichnen?
7. Beschreiben Sie den Krieg am Ende der Großen Drangsal nach dem Propheten Daniel.
8. Welches Ereignis wird nach dem Propheten Daniel die Große Drangsal beenden?
9. Welches Ereignis leitet nach der Aussage Christi die Große Drangsal ein?
10. Was soll Israel in der Zeit der Großen Drangsal nach den Aussagen Christi tun?
11. Was würde nach Christi Aussage passieren, wenn die Große Drangsal nicht durch Seine Wiederkunft beendet werden würde?
12. Nennen Sie einige der Ereignisse und Situationen, die nach Matthäus 24 dem zweiten Kommen Christi unmittelbar vorausgehen.
13. Wie wird das zweite Kommen Christi in Matthäus 24 beschrieben?
14. Welche Ereignisse stehen nach Offenbarung 6,1–8,1 im Zusammenhang mit dem Brechen der sieben Siegel?
15. Welche Ereignisse kommen nach Offenbarung 8,2–9,21 durch die sieben Posaunen über die Erde?
16. Welches ist die Situation, die durch das Ausgießen der sieben Schalen in Offenbarung 16 beschrieben wird?
17. Beschreiben Sie alle Einzelheiten, die sich ereignen, wenn die siebte Schale auf die Erde ausgegossen wird.
18. Inwiefern zeigt die Beschreibung der Siegel, der Posaunen und der Schalen, dass die Ansicht, die Erde würde durch die Ausbreitung des Evangeliums immer besser werden, falsch ist?
19. Wie wird das gerechte Reich Gottes in dieser Welt aufgerichtet werden?
20. Inwiefern untermauern die drastischen Gerichte der Großen Drangsal die Lehre, dass die Entrückung vorher geschieht, und wieso wird dadurch den Christen Tröstung und Ermutigung vermittelt?

Kapitel 46

Das zweite Kommen Christi

A. Die Bedeutung des zweiten Kommens

Bei der früheren Beschäftigung mit der Lehre der Wiederkunft Christi sind die wichtigsten Faktoren der Entrückung, das Kommen Christi *für* Seine Heiligen (Kapitel 12) und das zweite Kommen Christi *mit* Seinen Heiligen (Kapitel 13), bereits dargestellt worden. In diesem Kapitel soll das Kommen Christi mit Seinen Heiligen als ein wichtiges Ereignis im prophetischen Plan betrachtet werden. In engem Zusammenhang mit diesem Kapitel stehen die nachfolgenden, die sich mit den wichtigen Themen der Auferstehungen, dem Gericht Gottes über Israel und andere Nationen und dem Tausendjährigen Reich beschäftigen. Diese Themen zusammengenommen bilden das schriftgemäße Ziel der Geschichte, das zum großen Teil die Auslegung der ganzen Bibel bestimmt.

Sowohl im Alten als auch im Neuen Testament wird die Bedeutung der Wiederkunft Christi zur Errichtung Seines Reiches an vielen Stellen herausgestellt. Diese Wiederkunft ist weit mehr als ein bloßes Ende der Menschheitsgeschichte; vielmehr ist sie ein großer Höhepunkt, der den Plan Gottes zu seinem höchsten Ziel bringt. Aus diesem Grund sind alle theologischen Systeme, die dazu neigen, das zweite Kommen Christi und die vielen Schriftstellen, die sich auf das Reich Christi auf der Erde beziehen, zu ignorieren oder ihm nur geringe Bedeutung zuzumessen, falsch und könnten nur gerechtfertigt werden, indem die ganz klare wörtliche Bedeutung der vielen Prophezeiungen übersehen wird.

Die Wiederkunft Christi und das darauffolgende Reich sind in der Tat wichtig für das Fortschreiten der Schriftoffenbarung und bilden das Hauptthema der alttestamentlichen Prophetie. Die großen Bündnisse der Schrift stehen im Zusammenhang mit Gottes Plan – vor allem die Bündnisse mit Abraham, Israel und David und der Neue Bund. Viele der Aussagen der Psalmen und der Propheten drehen sich um dieses

Thema. Große prophetische Bücher wie Daniel, Sacharja und die Offenbarung handeln von der Wiederkunft Christi, der Vollendung der Geschichte und dem Reich. Aus diesem Grund bestimmt die Lehre der Wiederkunft in großem Maße die Lehre der Bibelausleger und rechtfertigt den Versuch, die noch nicht erfüllten prophetischen Aussagen schriftgetreu einzuordnen.

B. Die alttestamentlichen Prophezeiungen über das zweite Kommen Christi

Während die Entrückung der Gemeinde eine neutestamentliche Lehre ist, die im Alten Testament mit keinem Wort Erwähnung findet (weil die Gemeinde ein im Alten Testament noch nicht enthülltes Geheimnis war), gibt es viele Stellen im Alten Testament, die sich auf das zweite Kommen Christi beziehen.

Die wahrscheinlich erste der eindeutigen Prophetien der Wiederkunft Christi wird in 5. Mose 30,1-3 gegeben. In dieser Prophezeiung in Bezug auf die Sammlung Israels in seinem Land wird vorhergesagt, dass Israel geistlich zum Herrn umkehren wird, und Gott wird „dein Geschick wenden und sich über dich erbarmen. Und er wird dich wieder sammeln aus all den Völkern, wohin der HERR, dein Gott, dich zerstreut hat" (V. 3). Der Ausdruck „wieder sammeln" deutet auf ein Eingreifen Gottes hin, und im Licht späterer Bibelstellen wird dieser Satz ganz klar in Zusammenhang gestellt mit der Wiederkunft Christi.

Obwohl die Psalmen das Buch der Anbetung im Alten Testament sind, weisen sie häufig auf das zweite Kommen Christi hin. Nach der einleitenden Beschreibung des Gerechten im Vergleich zum Ungerechten in Psalm 1 beschreibt Psalm 2 Gottes Auseinandersetzung mit den Nationen. Obwohl die Herrscher über die Welt Gott und Seine Herrschaft über sie zurückweisen, erklärt Gott Seine Absichten: „„Habe ich doch meinen König geweiht auf Zion, meinem heiligen Berg!"" (2,6). Der Psalm sagt weiter voraus, dass dieser König die Ungerechten mit eisernem Zepter zerschmettern, wie ein Töpfergefäß zerschmeißen wird (V. 9).

Die drei Psalmen 22, 23 und 24 zeigen Christus als den guten Hirten, der Sein Leben für Seine Schafe gibt (Joh 10,11), als den großen

Hirten, der auf ewig lebt und für Sein Eigentum eintritt (Hebr 13,20), und als den Oberhirten, der kommen wird als der König der Herrlichkeit und Seine treuen Schafe belohnen wird (1Petr 5,4). In Psalm 24 wird die Situation des Tausendjährigen Reiches beschrieben: „Des HERRN ist die Erde" (V. 1). Die Tore Jerusalems sollen erhoben werden, damit der König der Herrlichkeit einziehen kann (24,7-10).

Die Herrschaft Christi von Zion aus wird auch in Psalm 50,2 erwähnt. Wie wir später bei der Beschäftigung mit dem Tausendjährigen Reich noch sehen werden, beschreibt Psalm 72 die Situation, wenn Christus bereits auf die Erde zurückgekommen ist und über die Nationen herrschen wird. Psalm 89,36 spricht von Christi Thron, der in Erfüllung des Davidbundes nach Seiner Wiederkunft aufgerichtet worden ist. Psalm 96 fordert, nachdem er die Ehre und Herrlichkeit Gottes beschrieben hat, Himmel und Erde auf, sich zu freuen „vor dem HERRN! Denn er kommt, denn er kommt, die Erde zu richten. Er wird die Welt richten in Gerechtigkeit und die Völker in seiner Wahrheit" (V. 13).

Dass Christus gegenwärtig zur Rechten des Vaters ist, wird in Psalm 110 gesagt, aber es wird auch vorhergesagt, dass der Tag kommen wird, wenn Er über Seine Feinde herrschen und Seine Macht ausgehen wird von Zion (V. 2 u. 6). Aus diesen vielen Prophezeiungen wird deutlich, dass das zweite Kommen Christi und Seine Herrschaft auf der Erde eine wichtige Offenbarung des gesamten Alten Testaments wird.

Dies wird auch in den großen und kleinen Propheten bestätigt. In Jesaja 9,5-6 wird Christus beschrieben als ein neugeborenes Kind, das gleichzeitig ein „starker Gott" ist. Von Seiner Herrschaft auf dem Thron Davids wird gesagt, dass sie eine ewige ist. Jesaja 11–12 spricht ausführlich von den Folgen der Wiederkunft Christi und der Aufrichtung Seines Reiches. Bei der Beschäftigung mit dem Tausendjährigen Reich wird auf diese Kapitel noch näher eingegangen werden. Die Aufrichtung des Reiches jedoch hängt ab von der Lehre einer tatsächlichen Wiederkunft Christi auf die Erde und von der Entfaltung göttlicher Macht beim Gericht über die Ungerechten. Diese Szene wird auch in Jesaja 63,1-6 erwähnt, wo das Gericht Christi auf der Erde bei Seiner Wiederkunft anschaulich beschrieben ist.

In den Prophezeiungen Daniels, die sich mit den Zeiten der Nationen und Gottes Absichten für das Volk Israel beschäftigen, ist die

Vollendung beider in Zusammenhang gestellt mit dem Kommen des Menschensohnes vom Himmel (Dan 7,13-14). Diese Stelle gibt eine klare Beschreibung der Wiederkunft: „Ich staunte in Visionen der Nacht: Und siehe, mit den Wolken des Himmels kam einer wie der Sohn eines Menschen. Und er kam zu dem Alten an Tagen und man brachte ihn vor ihn. Und ihm wurde Herrschaft und Ehre und Königtum gegeben, und alle Völker, Nationen und Sprachen dienten ihm. Seine Herrschaft ist eine ewige Herrschaft, die nicht vergeht, und sein Königtum so, dass es nicht zerstört wird." Daniel hatte dieselbe Wahrheit auch bei der Auslegung des Traumes Nebukadnezars vorausgesehen und in Daniel 2,44 ein Königreich vorausgesagt, „das ewig nicht zerstört werden" wird.

Auch die meisten kleineren Propheten greifen dieses Thema auf, vor allem Sacharja. In Sacharja 2,14-15 sagt der Herr: „Juble und freue dich, Tochter Zion! Denn siehe, ich komme und werde in deiner Mitte wohnen, spricht der HERR. Und an jenem Tag werden viele Nationen sich dem HERRN anschließen. So werden sie mein Volk sein. Und ich werde in deiner Mitte wohnen, und du wirst erkennen, dass der HERR der Heerscharen mich zu dir gesandt hat." Dies ist ganz klar ein Hinweis auf das Tausendjährige Reich und die Herrschaft Christi auf der Erde nach Seiner Wiederkunft. Noch deutlicher ist Sacharja 8,3-8: „So spricht der HERR: Ich kehre nach Zion zurück und wohne mitten in Jerusalem. Und Jerusalem wird ‚Stadt der Treue' und der Berg des HERRN der Heerscharen ‚heiliger Berg'" (V. 3). Die Verse 4-8 zeichnen ein Bild der Straßen Jerusalems voller spielender Jungen und Mädchen, und die Kinder Israel sind gesammelt aus aller Welt und wohnen in Jerusalem.

Sacharja 14,1-4 spricht von der Wiederkunft Christi auf dem Höhepunkt des Weltkrieges, der im Nahen Osten und in der Stadt Jerusalem entbrannt ist. Dort heißt es: „Und seine Füße werden an jenem Tag auf dem Ölberg stehen, der vor Jerusalem im Osten liegt; und der Ölberg wird sich von seiner Mitte aus nach Osten und nach Westen spalten, zu einem sehr großen Tal, und die Hälfte des Berges wird nach Norden und seine andere Hälfte nach Süden weichen" (V. 4).

Diese plastische Beschreibung der Spaltung des Ölberges zur Zeit der Wiederkunft Christi macht klar, dass kein Ereignis der Vergangenheit mit der Wiederkunft verglichen werden kann. Die lächerliche

Auslegung, das zweite Kommen habe sich am Pfingsttag oder bei der Zerstörung Jerusalems im Jahr 70 n. Chr. erfüllt, wird nicht nur durch spätere Prophezeiungen, die von der Wiederkunft Christi als einem zukünftigen Ereignis sprechen (wie zum Beispiel in der Offenbarung), widerlegt, sondern auch durch die Tatsache, dass der Ölberg noch unverändert steht.

Wenn die Füße Christi diesen Berg berühren werden, von dem Er in Apostelgeschichte 1 in den Himmel aufgefahren ist, wird dies in Vorbereitung auf das anschließende Reich eine Veränderung der ganzen Landschaft um Jerusalem herum zur Folge haben. Folglich kann die Vorhersage der Wiederkunft Christi im Alten Testament nicht abgetan werden als ein vergangenes Ereignis oder eine gegenwärtige geistliche Erfahrung – zum Beispiel, dass Christus für Seine Heiligen kommt, wenn sie sterben. Vielmehr ist das zweite Kommen Christi nach dem Alten Testament die große Erfüllung der Menschheitsgeschichte, in der der Sohn Gottes kommt, um Anspruch zu erheben auf die Welt, für die Er gestorben ist und Seine Macht auszuüben über die Welt, die nicht wollte, dass der Herr Jesus Christus über sie herrscht.

C. Das zweite Kommen Christi im Neuen Testament

In der neutestamentlichen Offenbarung in Bezug auf das zweite Kommen Christi wird mit der Entrückung der Gemeinde ein neuer Faktor eingeführt. Im Alten Testament werden das erste und das zweite Kommen Christi oft wie ein Ereignis gesehen. Da die Prophezeiungen des ersten Kommens nun erfüllt sind, gibt es keine Probleme mehr, die Prophezeiungen in Bezug auf Sein Leiden und Seine Herrlichkeit auseinanderzuhalten.

Im Neuen Testament ist es jedoch wegen derselben Terminologie oft nicht leicht, das zweite Kommen Christi *für* Seine Heiligen und das zweite Kommen Christi *mit* Seinen Heiligen zu unterscheiden. Die jeweilige Bedeutung muss dem Kontext entnommen werden. Die Wiederkunft Christi ist auf jeden Fall ein sehr wichtiges Thema im Neuen Testament, und es wird geschätzt, dass etwa jeder 25. Vers darauf Bezug nimmt. Wenigstens 20 Stellen können als die wichtigsten zu diesem Thema in der neutestamentlichen Offenbarung genannt werden

(Mt 19,28; 23,39; 24,3–25,46; Mk 13,24-37; Lk 12,35-48; 17,22-37; 18,8; 21,25-28; Apg 1,10-11; 15,16-18; Röm 11,25-27; 1Kor 11,26; 2Thes 1,7-10; 2Petr 3,3-4; Jud 14-15; Offb 1,7-8; 2,25-28; 16,15; 19,11-21; 22,20).

Neben dem, was die Beschäftigung mit Matthäus 13 ergeben hat, sollten noch einige andere Punkte Erwähnung finden.

1. Das zweite Kommen Christi findet nach der Großen Drangsal und vor dem Tausendjährigen Reich statt. Die wörtliche Auslegung der Prophezeiungen in Bezug auf das zweite Kommen Christi machen nicht nur klar, dass es das Vorspiel zur Errichtung des Tausendjährigen Reiches Christi auf der Erde ist, sondern sie dienen auch dazu, das zweite Kommen Christi von der Entrückung der Gemeinde, dem Kommen Christi für Seine Heiligen, zu unterscheiden.

Einige Ausleger neigten dazu, die Prophezeiungen in Bezug auf ein zukünftiges Reich auf der Erde zu vergeistlichen und die Aussagen über die Entrückung und das zweite Kommen Christi zu einem Ereignis zusammenzufassen. Somit würden beide Ereignisse gleichzeitig geschehen und die Entrückung zu einem Ereignis werden, das nach der Großen Drangsal geschieht. Dieselbe wörtliche Auslegung der Schriftstellen, die besagen, dass das Tausendjährige Reich auf der Erde nach der Wiederkunft Christi aufgerichtet werden wird, dient auch dazu, diese von der Entrückung der Gemeinde zu unterscheiden. Diese beiden Ereignisse sind ganz klar unterschiedlich in ihren Absichten, in ihrem Wesen und in ihrem Zusammenhang. Zwar sind sich die Theologen in Bezug auf diese Themen immer noch uneinig; Klarheit darüber ist jedoch abhängig von den angewandten Prinzipien der Auslegung. Diejenigen, die die Prophezeiungen wörtlich auslegen und alle Einzelheiten der Prophezeiungen in ihre Auslegung miteinbeziehen, können die Schlussfolgerung angemessen belegen, dass das zweite Kommen Christi nach der Großen Drangsal und vor dem Tausendjährigen Reich geschieht.

2. Die Darstellungen der Wiederkunft Christi in allen wichtigen Bibelstellen machen deutlich, dass Er leibhaftig wiederkommen wird. Dies wird natürlich untermauert durch die Offenbarung der Engel in Apostelgeschichte 1,11, wo den Jüngern, die zum Himmel aufschauen, gesagt wird: „Dieser Jesus, der von euch weg in den Himmel aufgenommen worden ist, wird so kommen, wie ihr ihn habt hingehen sehen in den Himmel." Dies bezieht sich auf das zweite Kommen Christi und nicht auf die Entrückung. So wie Er leibhaftig in den Himmel aufgefahren ist, wird Er auch leibhaftig wiederkehren. Diese Ansicht wird gestützt durch andere wichtige Stellen wie Matthäus 24,27-31 und Offenbarung 19,11-16.

Dieselben Stellen, die besagen, dass Seine Wiederkehr leibhaftig sein wird, machen auch deutlich, dass es eine körperliche Wiederkehr sein wird. Während die Gottheit Christi allgegenwärtig ist und gleichzeitig im Himmel und auf der Erde sein kann, wird der Körper Christi als an einen Ort gebunden gesehen – derzeit zur Rechten des Vaters. Bei Seiner Wiederkehr wird Christus körperlich wiederkehren – so wie Er körperlich in den Himmel aufgefahren ist. Dies wird gestützt durch Sacharja 14,4 – „Und seine Füße werden an jenem Tag auf dem Ölberg stehen" – und durch die Aussage von Apostelgeschichte 1, dass Seine Wiederkehr genauso geschehen wird wie Seine Himmelfahrt.

3. Im Gegensatz zur Entrückung, wo an keiner Stelle etwas davon gesagt wird, dass die Welt die Herrlichkeit Christi sehen wird, wird das zweite Kommen Christi sowohl sichtbar als auch herrlich sein. Christus selbst beschrieb Seine Wiederkehr als einen Blitz, der ausfährt im Osten und noch im Westen sichtbar sein wird (Mt 24,27). Genau wie die Himmelfahrt in Apostelgeschichte 1,11 sichtbar war, wird Christus wiederkommen, „wie ihr ihn habt hingehen sehen in den Himmel".

Christus sagte in Matthäus 24,30: „Und sie werden den Sohn des Menschen kommen sehen auf den Wolken des Himmels mit großer Macht und Herrlichkeit." Die wichtigste Aussage des Buches der Offenbarung ist, dass Christus der Welt geoffenbart werden wird in Seiner Wiederkunft und Seinem Reich. In Offenbarung 1,7 heißt es: „Siehe, er kommt mit den Wolken, und jedes Auge wird ihn sehen, auch die, welche ihn durchstochen haben, und wehklagen werden seinetwegen alle Stämme der Erde."

Sie werden Christus nicht in Niedrigkeit als den Nazarener in Seinem Leiden und Tod sehen oder auch nur Seinen Auferstehungsleib, bei dem die Herrlichkeit während Seiner Zeit auf der Erde noch verhüllt war. Bei der Wiederkunft Christi wird die Herrlichkeit des Sohnes Gottes volle Entfaltung finden, wie Johannes in Offenbarung 1,12-18 und 19,11-16 in allen Einzelheiten beschreibt. Das zweite Kommen Christi wird folglich eines der dramatischsten Ereignisse aller Zeiten sein und der Höhepunkt im Plan Gottes seit Adams Sündenfall im Garten Eden.

4. Das zweite Kommen Christi wird sich auf der Erde abspielen und wird nicht nur ein Treffen in der Luft sein wie bei der Entrückung der Gemeinde. Viele Stellen sprechen davon, dass Christus in Zion herrschen, auf den Zion kommen oder von dort weggehen wird. Damit ist jeweils die reale Stadt Jerusalem gemeint (Ps 14,7; 20,2; 53,6; 110,2; 128,5; 134,3; 135,21; Jes 2,3; Joe 3,16; Am 1,2; Sach 14,1-4; Röm 11,26). Nach der Schrift werden nicht nur Seine Füße auf dem Ölberg stehen, sondern Seine Wiederkunft wird im Zusammenhang stehen mit der Vernichtung der Armeen, die versuchen werden, Jerusalem zu erobern (Sach 14,1-3).

5. Bei Seiner Wiederkunft wird Christus begleitet sein von allen Engeln und den Heiligen aller Zeitalter, die im Himmel sind. Es handelt sich das Kommen Christi *mit* Seinen Heiligen und nicht *für* Seine Heilige. Ein wichtiger Grund für das zweite Kommen ist, dass die bedrängten Heiligen, die noch auf der Erde leben, befreit werden; und die Beschreibung dieses Ereignisses in Matthäus 25,31 besagt, dass alle Engel mit Ihm sein werden. In Offenbarung 19,11-21 heißt es sogar, dass die himmlischen Kriegsheere Ihm folgen werden. Dazu gehören zweifellos die heiligen Engel und die Heiligen im Himmel. Die Wiederkunft wird eine Zeit sein, wo sich alle Erwählten versammeln – die auferstandenen, die verwandelten und sogar diejenigen, die noch in ihrem natürlichen Leib auf der Erde leben. Alle werden in der einen oder anderen Weise an diesem dramatischen Ereignis teilnehmen.

6. Der ausgesprochene Zweck der Wiederkunft ist, die Erde zu richten (Ps 96,13). Dies wird in der nachfolgenden Beschäftigung mit dem Gericht über Israel, die Nationen und Satan und die gefallenen Engel noch deutlich werden. In Matthäus 19,28 sagt Christus den zwölf Aposteln, dass sie mit Ihm zusammen die zwölf Stämme Israels richten würden. Matthäus 25,31-46 beschreibt das Gericht über die Nationen auf der Erde zur Zeit der Wiederkunft. Hesekiel 20,35-38 sagt das Gericht über Israel bei der Wiederkunft voraus. Diejenigen, die während der Zeit der Verfolgung sterben, werden nach Offenbarung 20,4 auferstehen und gerichtet werden.

Dasselbe besagen auch die verschiedenen Gleichnisse in den Evangelien, die sich auf die Endzeit beziehen, und einige andere Stellen (Lk 12,37.45-47; 17,29-30; 2Thes 1,7-9; 2,8; Jud 15; Offb 2,27;

19,15-21). Die Menschen, denen im Augenblick gestattet ist, ihre Sündhaftigkeit und ihren Unglauben auszuleben, und die zum größten Teil so leben, als existiere Gott gar nicht, werden unter das gerechte Gericht Gottes fallen.

Das Gericht wird sehr hart sein, die Erde jedoch nicht vollständig zerstören. Das in 2. Petrus 3,10 beschriebene Feuergericht wird erst am Ende des Tausendjährigen Reiches stattfinden, wenn der Himmel und die Erde vergehen und ein neuer Himmel und eine neue Erde entstehen werden.

Der Tag des Herrn, der mit der Entrückung beginnt und die Gerichte einschließt, die der Wiederkunft vorausgehen und ihr unmittelbar folgen, wird beendet werden mit dem Ende des Tausendjährigen Reiches und mit der endgültigen Zerstörung des gegenwärtigen Himmels und der Erde. Der Triumph der Sünde in unserer modernen Welt ist nur von absehbarer Dauer. Der Triumph der Gerechtigkeit Gottes ist sicher.

Bei Seiner Wiederkunft wird Christus diejenigen erlösen, die das Martyrium während der Drangsal überlebt haben, sowohl aus dem Volk Israel als auch aus den Heiden. Wenn das zweite Kommen Christi die fürchterlichen Gerichte, die nach Matthäus 24,22 über die Erde ausgegossen werden, nicht beenden würde, würde die ganze Menschheit ausgerottet werden. Diese Ansicht wird gestützt durch Lukas 21,28, wo von der Wiederkunft Christi als „eure[r] Erlösung" gesprochen wird. In alttestamentlichen Stellen wie zum Beispiel Sacharja 14,4 wird diese Befreiung ebenfalls beschrieben.

7. Die Wiederkunft Christi bringt jedoch nicht nur Gericht über die Ungerechten und Befreiung der Gerechten, sondern leitet einen neuen geistlichen Zustand ein, der noch bei der Beschäftigung mit dem Tausendjährigen Reich Gegenstand der Betrachtung sein wird. Dasselbe Ereignis, das den Bösen Gericht bringen wird, wird denen geistliche Neubelebung bringen, die dem Herrn vertraut haben. Dies wird gestützt durch Römer 11,26-27 und ist verkörpert in dem Neuen Bund von Jeremia 31,31-34.

8. Jesus Christus kehrt auch wieder, um das davidische Königreich erneut aufzurichten. In Apostelgeschichte 15, bei der Aussprache im Konzil von Jerusalem über die Beziehung der Judenchristen zu den Gläubigen aus den Nationen, wird deutlich, dass in der Prophezeiung von Amos 9,11-15 die göttliche Reihenfolge den Segen über die Nationen an die erste Stelle setzt und die Errichtung der Hütte Davids darauf folgen lässt. Diese sollte zusammenfallen mit der Sammlung Israels in dem Land, das es von da an auf ewig besitzen sollte (Am 9,14-15; vgl. Hes 39,25-29).

Die Rückkehr Israels, die Wiederaufrichtung des Königreiches Davids und das Ausgießen des Geistes Gottes auf das Haus Israel (Hes 39,29) zusammengenommen bereiten Israel und die Welt auf die Herrlichkeit des kommenden Reiches vor. Nach Hesekiel 37,24 werden die alttestamentlichen Heiligen an dem Reich teilhaben, in dem David als Fürst über Israel unter Christus herrschen wird. Es war die Absicht Gottes, wie der Jungfrau Maria in Lukas 1,31-33 angekündigt wurde, dass Christus auf ewig über das Haus Israel herrschen sollte.

Insgesamt gesehen ist das zweite Kommen Christi ein überwältigendes Ereignis, das am Ende der Großen Drangsal stattfinden und das Tausendjährige Reich einführen wird. Es wird eine persönliche und körperliche Wiederkehr sein, die von der ganzen Welt gesehen werden und ihr die Herrlichkeit Gottes offenbar machen wird. Sie wird nicht im Himmel, sondern auf der Erde stattfinden, genauer in Jerusalem auf dem Ölberg.

Christus wird bei Seiner Wiederkunft von den heiligen Engeln und den Heiligen aller Zeitalter begleitet werden. Sein Ziel ist es, die Welt zu richten, Juden und Nationen, die Ihm vertraut haben, zu befreien, Israel und der ganzen Welt geistliche Erneuerung zu bringen, das Königreich Davids wiederaufzurichten und das letzte Zeitalter, das Zeitalter Seines Tausendjährigen Reiches, auf der Erde zu beginnen. Im Zusammenhang mit diesem Ereignis sollen nun die Lehre der Auferstehung und die Gerichte betrachtet werden, die mit dem zweiten Kommen zu tun haben.

? Fragen

1. Welche großen Themen stehen im Zusammenhang mit der Lehre von dem zweiten Kommen Christi?
2. Wie ausführlich wird das zweite Kommen Christi im Alten Testament behandelt?

3. Welchen Beitrag leistet 5. Mose 30,1-3 zur Lehre von der Wiederkunft Christi?
4. Inwiefern beschäftigt sich Psalm 2 mit der Wiederkunft?
5. Welche großen Themen werden in den Psalmen 22, 23 und 24 entfaltet?
6. Fassen Sie die Aussagen über das zweite Kommen Christi und das Tausendjährige Reich in den Psalmen 50, 72, 89, 96 und 110 zusammen.
7. Was wird in Jesaja 9,6-7 ausgesagt?
8. Wie beschreibt Daniel 7 das zweite Kommen?
9. Was sagt Sacharja 2, 8 und 14 über das zweite Kommen Christi?
10. Inwiefern widerlegt Sacharja 14 die Ansicht, Christus habe die Verheißung Seiner Wiederkunft bereits erfüllt?
11. Inwiefern werden das erste und zweite Kommen Christi in den alttestamentlichen Propheten nicht klar unterschieden?
12. Welche Schwierigkeiten gibt es im Neuen Testament bei der Unterscheidung zwischen der Entrückung der Gemeinde und der Wiederkunft Christi, um Sein Reich aufzurichten?
13. Belegen Sie, warum das zweite Kommen Christi am Ende der Großen Drangsal und am Anfang des Tausendjährigen Reiches steht.
14. Inwiefern hängt die Ansicht, das zweite Kommen Christi geschehe vor dem Tausendjährigen Reich, von den Prinzipien der Bibelauslegung ab?
15. Zeigen Sie, dass das zweite Kommen Christi ein persönliches Kommen ist.
16. Woraus wird gefolgert, dass Christus bei Seiner Wiederkunft leiblich erscheinen wird?
17. Vergleichen Sie, inwieweit die Welt Christus bei der Entrückung bzw. bei Seiner Wiederkunft zur Errichtung des Königreichs sehen wird.
18. Wieso steht das zweite Kommen Christi, im Gegensatz zur Entrückung, in engem Zusammenhang mit der Erde?
19. Von wem wird Christus bei Seiner Wiederkunft vom Himmel zur Erde begleitet werden?
20. Fassen Sie die Lehre zusammen, dass Christus die Erde bei Seiner Wiederkunft richten wird.
21. Unterscheiden Sie die Gerichte, die vor dem Tausendjährigen Reich geschehen werden, von denen, die danach kommen werden.

22. In welchem Zusammenhang steht das zweite Kommen Christi mit der Befreiung von Erlösten in der Großen Drangsal?
23. Inwiefern wird das zweite Kommen Christi einen neuen geistlichen Zustand einführen?
24. In welchem Zusammenhang steht das zweite Kommen Christi mit der Wiederaufrichtung des Königreichs Davids?
25. Fassen Sie die Faktoren zusammen, die die Wiederkunft Christi zu einem wichtigen Ereignis machen.

Kapitel 47

Die Auferstehungen

Viel Verwirrung ist bei der Auslegung der biblischen Prophetie durch die nicht haltbare Theorie entstanden, alle Menschen würden gleichzeitig auferstehen. Diese vereinfachende Auslegung ignoriert alle prophetischen Einzelheiten, die in der Schrift in Bezug auf die Auferstehung gegeben werden. Die Bibel spricht sogar von insgesamt sieben Auferstehungen. Einige davon sind bereits Vergangenheit, einige sind durch lange Zeiträume getrennt, wie die vor und nach dem Tausendjährigen Reich liegenden Auferstehungen. Die Bibel sagt ganz klar, dass alle Menschen zu ihrer Zeit auferweckt werden und dass der Mensch auf ewig existieren wird. Die Beschäftigung mit der Lehre der Auferstehung bietet einen wichtigen Abriss des prophetischen Plans im Zusammenhang mit diesem zentralen Inhalt des christlichen Glaubens und der Hoffnung.

A. Die Auferstehung Jesu Christi

Die erste Stelle in der Reihe der Auferstehungen nimmt die Auferstehung Jesu Christi ein, die in den Prophezeiungen des Alten Testaments angekündigt (Psalm 16,9-10), in den vier Evangelien historisch belegt und anfangend mit der Apostelgeschichte im ganzen Neuen Testament theologisch behandelt wird. Zweifellos ist die Auferstehung des Herrn Jesus Christus eine Lehre von zentraler Wichtigkeit, auf der der christliche Glaube und die Hoffnung der Christen beruhen, wie Paulus in 1. Korinther 15 ausführlich darlegt. In Anbetracht der Tatsache, dass es mehrere Auferstehungen gibt, ist es wichtig, dass alle Ausleger sich einig sind, dass die Auferstehung Christi ein Ereignis ist, das bereits stattgefunden hat.

B. Die Auferstehung der Heiligen in Jerusalem

Zur Zeit der Auferweckung Christi fand nach Matthäus 27,52-53 auch eine zeichensetzende Auferweckung statt. An dieser Stelle wird gesagt, dass sich zum Zeitpunkt des Todes und der Auferstehung Christi die Grüfte auftaten, „und viele Leiber der entschlafenen Heiligen wurden auferweckt, und sie gingen nach Seiner Auferweckung aus den Grüften und gingen in die heilige Stadt und erschienen vielen".

An keiner Stelle wird eine Erklärung gegeben für dieses ungewöhnliche Ereignis. Zwar taten sich die Gräber zum Zeitpunkt des Todes Christi auf, doch es hat den Anschein, dass die Heiligen selbst erst nach der Auferstehung Christi auferweckt wurden, da die Bibel auch klarmacht, dass Christus die Erstlingsfrucht ist, der Erste, der im Auferstehungsleib von den Toten auferweckt wird. Im Gegensatz dazu sind die anderen, die auferweckt wurden, wie Lazarus zum Beispiel, zweifellos wieder gestorben und begraben worden.

Eine Erklärung für die Auferweckung der Heiligen zur Zeit der Auferstehung Christi, von der offensichtlich nur eine relativ kleine Zahl betroffen war, ist vorbildhaft in dem Erstlingsopfer zu finden, das den Israeliten aufgetragen war. Zu dem dritten der Feste des HERRN (siehe 3Mo 23,9-14) gehörte eine Zeremonie, in der die Israeliten zu Beginn der Ernte eine Handvoll ungedroschenes Korn brachten, um es vor dem Herrn zu weben und angemessene Opfer in Erwartung der kommenden Ernte zu bringen. Die Auferstehung der Heiligen in Jerusalem zur Zeit der Auferstehung Christi stellte die Erstlingsfrucht dar und zeigte, dass Christus nicht allein war in Seiner Auferstehung, sondern dass Er der Vorläufer der größeren, noch ausstehenden Ernte ist.

Obwohl einige Ausleger die Hinweise im Matthäusevangelium als reine Wiederherstellung des Lebens ähnlich wie bei Lazarus gedeutet haben, lässt die Tatsache, dass die Auferweckungen zum selben Zeitpunkt wie die Auferstehung Christi geschahen, darauf schließen, dass es sich um eine bleibende Auferstehung handeln und diese Heiligen in den Himmel aufgenommen worden sein könnten, nachdem sie ihren Auftrag erfüllt hatten. Auf jeden Fall ist es eine historische Auferstehung, die belegt, dass nicht alle Auferstehungen zu einem großen, zukünftigen Ereignis zusammengefasst werden können.

C. Die Auferstehung der Gemeinde

Wie schon bei der Beschäftigung mit der Wiederkunft Christi für Seine Heiligen und der Entrückung herausgearbeitet, werden die Toten in Christus bei der Wiederkunft Christi auferweckt werden und zusammen mit den lebenden, umgestalteten Christen dem Herrn in der Luft begegnen und in den Himmel einziehen. Nach 1. Thessalonicher 4,13-18 und 1. Korinther 15,51-58 werden sowohl die auferweckten als auch die umgestalteten Heiligen einen Auferstehungsleib bekommen, der dem Auferstehungsleib Christi gleich sein wird (1Jo 3,2). Die Auferstehung der Gemeinde ist die erste große Auferstehung und der Vorläufer von anderen nachfolgenden.

D. Die Auferstehung der alttestamentlichen Heiligen

Obwohl auch im Alten Testament von Auferstehung die Rede ist, wie in Hiob 19,25-26, ist sie doch nicht Gegenstand ausgedehnter Prophetie. Die vorhandenen Bibelstellen scheinen die Auferstehung der alttestamentlichen Heiligen jedoch in die Zeit der Wiederkunft Christi auf die Erde einzuordnen und nicht in die Zeit der Entrückung der Gemeinde.

Daniel 12 beschreibt die Große Drangsal in Vers 1 und die Auferstehung in Vers 2 als ein nachfolgendes Ereignis; hier wird deutlich, dass die alttestamentlichen Heiligen nicht bei der Entrückung auferweckt werden, sondern vielmehr wenn Christus Sein Reich aufrichtet. Dasselbe besagt die Stelle aus Hiob, wo die Auferstehung in Verbindung gebracht wird mit dem Zeitpunkt, wenn der Erlöser auf der Erde stehen wird.

Ähnlich wird die Auferstehung in Jesaja 26,19-21, die Auferweckung der Toten aus dem Staub der Erde, in Zusammenhang gebracht mit der Zeit, wenn Christus kommt, um die Welt zu richten. Es ist in dem Zusammenhang von Bedeutung, dass die Menschen, die bei der Entrückung auferweckt werden, die besondere Bezeichnung „die Toten in Christus" erhalten (1Thes 4,16). Der Ausdruck „in Christus" beschreibt die gegenwärtige Stellung des Gläubigen in Christus, in die er durch die Taufe des Geistes gekommen ist. Die Taufe des Geistes geschah in Apostelgeschichte 2 zum ersten Mal und gilt nicht für die alttestamentlichen Heiligen. Während die Schriftausleger auch weiterhin unterschiedlicher Meinung sind und einige auch die alttestamentlichen Heiligen in die Entrückung miteinschließen, scheint alles doch eher darauf hinzudeuten, dass sie erst bei der Wiederkunft Christi auferstehen werden. In jedem Fall werden alle Heiligen des Alten Testaments und die Gemeinde vor dem Tausendjährigen Reich auferstehen.

E. Die Auferstehung der Heiligen aus der Zeit der Großen Drangsal

Besondere Erwähnung findet die Auferweckung derjenigen, die als Märtyrer in der Zeit der Großen Drangsal gestorben sind. Sie werden auferweckt werden, wenn Christus wiederkommt, um Sein Reich aufzurichten. In Offenbarung 20,4 schreibt Johannes, dass er die Seelen derer sah, „die um des Zeugnisses Jesu und um des Wortes Gottes willen enthauptet worden waren, und die, welche das Tier und sein Bild nicht angebetet und das Malzeichen nicht an ihre Stirn und an ihre Hand angenommen hatten, und sie wurden lebendig und herrschten mit dem Christus tausend Jahre".

Dieser Vers macht deutlich, dass die Märtyrer aus der Zeit der Großen Drangsal auferweckt werden, wenn Christus kommt, um Sein Reich aufzurichten. In Offenbarung 20,5 heißt es weiter: „Die Übrigen der Toten wurden nicht lebendig, bis die tausend Jahre vollendet waren." Die Frage ist nun, wieso diese Auferstehung die erste sein kann, wo ihr doch schon andere vorausgegangen sind, wie die Auferstehung Christi, die Auferstehung der Gemeinde und die Auferstehung der alttestamentlichen Heiligen.

Die Antwort besteht darin, dass der Ausdruck „erste Auferstehung" sich auf alle Auferstehungen der Gerechten bezieht, auch wenn sie zeitlich weit auseinanderliegen. Sie sind alle „erste Auferstehungen", was bedeutet, sie liegen vor der endgültigen Auferstehung der Ungerechten. Folglich lässt sich der Begriff „erste Auferstehung" auf alle Auferstehungen der Heiligen anwenden einschließlich der Auferstehung Christi ungeachtet des Zeitpunkts, wann sie geschehen.

F. Die Auferstehung der Heiligen des Tausendjährigen Reiches

An keiner Stelle sagt die Schrift etwas Eindeutiges über die Auferstehung der Heiligen des Tausendjährigen Reiches aus, und daraus haben einige geschlossen, dass die Heiligen, die ins Tausendjährige Reich kommen, niemals sterben werden. Auch sagt die Schrift nichts von einer Entrückung der lebenden Heiligen am Ende des Tausendjährigen Reiches. Doch diese beiden Fragen der Prophetie sind nicht von unmittelbarer Bedeutung für die Heiligen der heutigen Zeit, und die Wahrheit darüber werden wir wohl erst erfahren, wenn Christus wiedergekommen sein wird, um Sein Reich aufzurichten.

Es wird jedoch angenommen, dass einige Heilige, die die Zeit der Großen Drangsal überleben, schon ziemlich alt sein werden, und es ist in jedem Fall zweifelhaft, ob irgendjemand die ganzen tausend Jahre leben wird. Nicht einmal Adam und die frühen Menschen wurden tausend Jahre alt. Folglich könnte angenommen werden, dass auch die Erlösten im Tausendjährigen Reich sterben werden, obwohl ihr Leben um vieles länger sein dürfte als jetzt.

In Jesaja 65,20 heißt es: „Und es wird dort keinen Säugling mehr geben, der nur wenige Tage alt wird und keinen Greis, der seine Tage nicht erfüllte. Denn der Jüngste wird im Alter von hundert Jahren sterben, und wer das Alter von hundert Jahren nicht erreicht, wird als verflucht gelten." Diese Aussage deutet einerseits darauf hin, dass das Leben sehr verlängert wird; ein Mensch wird mit 100 Jahren immer noch jung sein. Im Tausendjährigen Reich werden alte Menschen ihre Tage erfüllen, das heißt, sie werden ein reifes Alter erreichen. Auf der anderen Seite besagt dies nicht, dass sie nicht sterben werden. Im Gegensatz dazu wird ein Mensch aufgrund von Sünde im Alter von 100 Jahren sterben. Der Tod wird eine Form des Gerichtes sein.

Also gibt es durchaus Hinweise, dass auch im Tausendjährigen Reich Heilige sterben, die am Ende dieses Reiches auferweckt werden. Diese Lehre gründet sich zwar nicht auf ausdrückliche Bibelstellen, aber sie ist vermutlich die beste Erklärung. Zur selben Zeit, wie die Heiligen des Tausendjährigen Reiches auferweckt werden, werden die noch lebenden Heiligen des Tausendjährigen Reiches entrückt oder von der Erde genommen werden, ähnlich der Entrückung der

Gemeinde. Dies wird im Rahmen der Vorbereitung auf die Zerstörung der gegenwärtigen Erde und der Himmel stattfinden.

G. Die Auferstehung der Ungerechten

Die letzte Auferstehung gilt offensichtlich nur für die Ungerechten. Nach Offenbarung 20,11-15 werden im Zusammenhang mit dem Gericht vor dem großen weißen Thron alle anderen Toten auferweckt, um vor Gott zu stehen und gerichtet zu werden. Dies ist die letzte Auferstehung vor der Schaffung des neuen Himmels und der neuen Erde. Die Einzelheiten dieses Gerichts werden in einem späteren Kapitel behandelt werden.

Die Bibel sagt ausdrücklich, dass alle Menschen auferstehen werden. Daniel fasst dies zusammen in dem Vers: „Und viele von denen, die im Land des Staubes schlafen, werden aufwachen; die einen zu ewigem Leben, und die anderen zur Schande, zu ewigem Abscheu" (Dan 12,2). Obwohl die Menschen sterben müssen, werden sie doch alle wieder auferweckt; allerdings sind nicht alle Auferstehungen gleich. Die Auferstehung des Lebens ist eine herrliche Auferstehung, bei der die Leiber der Gläubigen in den Auferstehungsleib Christi umgewandelt werden.

Die Auferstehung zur Verdammnis ist jedoch ein schreckliches Ereignis. Die Menschen werden einen ewigen Leib erhalten, doch dieser Leib ist sündig und Schmerz und Leiden unterworfen. Wie der Teufel und seine Engel werden sie auf ewig im Feuersee leben. Diese abschreckende Tatsache hat Menschen getrieben, das Evangelium bis ans Ende der Welt zu tragen, damit viele aus dem Feuer gerissen (Jud 23) und vom Zorn Gottes befreit werden, der ganz sicher auf alle Ungerechten kommen wird. Für die Gerechten ist die Auferstehung jedoch der Grund ihrer Hoffnung.

? Fragen

1. Werden alle Menschen, die sterben, einmal von den Toten auferweckt werden?
2. Wer ist der Erste, der von den Toten auferweckt worden ist?
3. Erklären Sie die Auferstehung, die in Matthäus 27,52-53 erwähnt ist.
4. Beschreiben Sie die Auferstehung der Gemeinde.
5. Wodurch ist die Annahme gestützt, dass die Auferstehung der alttestamentlichen Heiligen zur Zeit des zweiten Kommens Christi auf die Erde stattfinden wird?
6. Was sagt die Schrift über die Auferweckung der Heiligen aus, die in der Zeit der Großen Drangsal gestorben sind?
7. Werden Heilige im Tausendjährigen Reich sterben?
8. Was wird mit den lebenden Heiligen am Ende des Tausendjährigen Reiches geschehen?
9. Beschreiben Sie die Auferstehung der nicht erretteten Toten.
10. Vergleichen Sie den Auferstehungsleib der Erlösten mit dem der Verlorenen.
11. Warum ist die Lehre der ewigen Verdammnis ein Ansporn, allen Menschen das Evangelium zu bringen?

Kapitel 48

Das Gericht über Israel und die Nationen

Nach der Wiederkunft Christi werden Gerichte sowohl über Israel als auch über die Nationen gehalten werden. Diese Gerichte beginnen offensichtlich mit dem Gericht über die alttestamentlichen Heiligen, Israeliten wie auch Heiden, und die auferweckten Heiligen aus der Zeit der Großen Drangsal. Auch wird Gericht gehalten werden über die noch auf der Erde lebenden Israeliten und Nationen. Diese Gerichte haben zu tun mit der Trennung jener, die würdig erachtet werden, ins Reich zu kommen, von jenen, die unwürdig sind und ausgeschlossen werden.

A. Das Gericht über die auferstandenen Israeliten und Heiden

Von der Auferstehung ist auch im Alten Testament schon die Rede, wie wir im vorhergehenden Kapitel gesehen haben. Neben der Auferstehung, die bei der Entrückung der Gemeinde stattfinden wird, wird es eine Auferstehung der gerechten Toten in Verbindung mit der Wiederkunft Christi geben. Davon ist die Rede in Daniel 12,2, Jesaja 26,19 und Hiob 19,25-26. Die Auferstehung Israels wird auch in Verbindung mit seiner Wiederherstellung als Nation zur Zeit der Wiederkunft Christi gesehen. In Hesekiel 37 erfahren wir durch die Vision des Tales der verdorrten Gebeine, dass, obwohl die Wiederherstellung der verdorrten Gebeine zu einem lebendigen Körper symbolisch ist für die Wiederherstellung des Volkes Israel, dies auch die Zeit ist, wo Israel aus seinen Gräbern auferstehen wird (37,12-14). Hier scheinen die symbolische und wirkliche Bedeutung ineinander überzugehen. In demselben Kapitel wird David als ein auferstandener Mensch gezeigt, der als ein König über Israel unter Christus herrscht. An vielen Stellen im Alten Testament ist die Rede von der Auferstehung der Toten.

In Offenbarung 20 wird gesagt, dass die Auferstehung der gestorbenen Märtyrer aus der Zeit der Großen Drangsal in Verbindung mit der Wiederkunft Christi stattfindet. Wahrscheinlich fällt sie zusammen mit der Auferstehung der alttestamentlichen Heiligen. Diese Auferstandenen sollen mit Christus 1000 Jahre leben und herrschen (Offb 20,4) und werden vor dem Richterstuhl Christi offensichtlich genauso belohnt werden wie die Gemeinde. Ihre Treue Gott gegenüber selbst bis zum Tod und ihr Dienst werden anerkannt dadurch, dass sie mit Christus herrschen werden.

Einige Verwirrung ist entstanden wegen der Tatsache, dass auch die Gemeinde mit Christus herrschen wird. Anscheinend werden alle vor dem Tausendjährigen Reich auferstandenen Gerechten mit Christus herrschen, jeder an seinem Platz und in seiner Ordnung und nach der souveränen Absicht Gottes. Die Gemeinde wird herrschen als die Braut Christi; die auferstandenen Heiligen werden – nach ihren jeweiligen Fähigkeiten – als erlöste Israeliten oder erlöste Heiden herrschen. Ein Beispiel wird uns im Buch Ester gegeben, wo Ester als Königin herrschte und Mordechai als der erste Minister des Königs. Sowohl Ester als auch Mordechai herrschten, doch auf unterschiedliche Weise. So wird es auch im Tausendjährigen Reich sein.

Folglich kann geschlossen werden, dass bei der Wiederkunft Christi die gerechten Toten sowohl aus Israel als auch aus den Nationen auferstehen werden, und diese Auferstehung wird für alle sein, die nicht in die Auferstehung und Verwandlung der Gemeinde eingeschlossen sind.

B. Das Gericht über die lebenden Israeliten

Wenn Christus wiederkommen wird, wird Er Sein Volk Israel von seinen Verfolgern befreien. Viele werden bereits getötet worden sein (Sach 13,8), doch jene, die überleben, werden von Christus befreit werden, wenn Er kommt (Röm 11,26). Jedoch sind nicht alle überlebenden Israeliten würdig, in das Reich zu kommen, da einige von ihnen nicht errettet sind. Sie werden vor dem Herrn versammelt und gerichtet werden (Hes 39,28). Doch zuerst werden alle Israeliten aus der ganzen Welt gesammelt werden (Hes 39,28). In Hesekiel 20,35-38 sagt der Herr: „Und ich werde euch in die Wüste der Völker bringen und dort mit euch ins Gericht gehen von Angesicht zu Angesicht; wie ich mit euren Vätern ins Gericht gegangen bin in der Wüste des Landes

Ägypten, ebenso werde ich mit euch ins Gericht gehen, spricht der Herr, HERR. Und ich werde euch unter dem Hirtenstab hindurchziehen lassen und euch abgezählt hineinbringen. Und ich werde von euch ausscheiden, die sich empörten und mit mir brachen; ich werde sie aus dem Land ihrer Fremdlingschaft herausführen, aber in das Land Israel sollen sie nicht kommen. Und ihr werdet erkennen, dass ich der HERR bin."

Nach diesem Text wird das wieder gesammelte Israel in zwei Gruppen eingeteilt werden – jene, die Christus als ihren Messias und Erlöser angenommen haben, sind würdig, ins Reich zu kommen, und jene, die immer noch rebellieren und nicht glauben, werden ausgeschlossen und dem Tode überantwortet werden. Zwar ist Israel als Volk immer noch begünstigt, und Gott gibt ihnen immer noch besonderen Segen, doch die persönliche Erlösung hängt ab vom Glauben des Einzelnen und seiner Beziehung zu Gott.

Wie in den vergangenen Zeitaltern gibt es jene, die das „wahre Israel" (das heißt, gerettet) sind, und jene, die nur dem Namen nach Israel (also nicht erlöst) sind. Wie Paulus in Römer 9,6 sagt: „Denn nicht alle, die aus Israel sind, die sind Israeliten." In Römer 9,8 beschreibt er die nicht Erretteten als die „Kinder des Fleisches", die nicht die „Kinder Gottes" sind. Die Reinigung von den Aufrührerischen wird in Israel nur die wirklich Erlösten übriglassen, und es wird ihr Vorrecht sein, das Land zu betreten und es zu besitzen, im Gegensatz zu den Unerretteten, von denen Gott sagt: „Aber in das Land Israel sollen sie nicht kommen" (Hes 20,38).

C. Das Gericht über die lebenden Nationen

Das Gericht über die Nationen betrifft Gottes individuelles Gericht über die Heiden im Gegensatz zu Seinem Gericht über Israel. Dieses Gericht wird von unserem Herrn in Matthäus 25,31-46 beschrieben als ein Gericht, das unmittelbar auf Seine Wiederkunft folgen wird. In Vers 31 wird Folgendes gesagt: „Wenn aber der Sohn des Menschen kommen wird in seiner Herrlichkeit und alle Engel mit ihm, dann wird er auf seinem Thron der Herrlichkeit sitzen."

In der anschließenden Darstellung werden die Nationen beschrieben als Schafe und Böcke, die sich vor ihrem Hirten versammeln. Sie werden voneinander geschieden werden, die Schafe zur Rechten des Königs und die Böcke zur Linken. Dann lädt der König die Schafe ein, in Sein Reich einzutreten. Zu ihnen sagt Er: „Kommt her, Gesegnete meines Vaters, erbt das Reich, das euch bereitet ist von Grundlegung der Welt an! Denn mich hungerte, und ihr gabt mir zu essen; mich dürstete, und ihr gabt mir zu trinken; ich war Fremdling, und ihr nahmt mich auf; nackt, und ihr bekleidetet mich; ich war krank, und ihr besuchtet mich; ich war im Gefängnis, und ihr kamt zu mir. Dann werden die Gerechten ihm antworten und sagen: Herr, wann sahen wir dich hungrig und speisten dich? Oder durstig und gaben dir zu trinken?“ (V. 34-37).

Wenn die Schafe diese Frage stellen, antwortet der König in Matthäus 25,40: „Wahrlich, ich sage euch, was ihr einem dieser meiner geringsten Brüder getan habt, habt ihr mir getan.“

Dann wendet sich der König an jene zu seiner Linken und sagt zu ihnen: „Geht von mir, Verfluchte, in das ewige Feuer, das bereitet ist dem Teufel und seinen Engeln“ (V. 41). Denn diese haben nicht dieselben Taten der Gerechtigkeit getan wie die Schafe. Die Böcke erwidern: „Herr, wann sahen wir dich hungrig oder durstig oder als Fremdling oder nackt oder krank oder im Gefängnis und haben dir nicht gedient?“ (V. 44). Der König antwortet darauf: „Wahrlich, ich sage euch, was ihr einem dieser Geringsten nicht getan habt, habt ihr auch mir nicht getan“ (V. 45). Von den Böcken wird dann gesagt, dass sie in ewige Feuer geworfen werden, doch die Gerechten werden das ewige Leben ererben.

Diese Stelle hat viele Missverständnisse hervorgerufen, weil die Betonung auf den Werken liegt. Eine oberflächliche Beschäftigung damit würde darauf schließen lassen, dass die Schafe aufgrund ihrer Werke gerettet werden und die Böcke, weil sie diese Werke eben nicht getan haben, verloren gehen. Die Bibel macht jedoch deutlich, dass die Erlösung in keinem Zeitalter abhängig ist von Werken. Nicht einmal im mosaischen Gesetz, in dem eine sehr starke Betonung auf den Werken liegt, ist die Rede davon, dass die Erlösung die Belohnung für treue Werke ist. Vielmehr gilt für alle Zeitalter, was in Epheser 2,8-9 gesagt wird: „Denn aus Gnade seid ihr gerettet, durch den Glauben; und das nicht aus euch, Gottes Gabe ist es; nicht aus Werken, damit niemand sich rühmt.“

Wegen der dem Menschen innewohnenden Sündhaftigkeit, weil er mit einem sündigen Wesen geboren ist und aufgrund seiner Stellung in Adam, seinem Vorfahr, der gegen Gott sündigte, sind alle Menschen verloren geboren und in sich selbst ohne Hoffnung. Nur auf der Basis des Opfers Christi können die Menschen sowohl im Alten als auch im Neuen Testament erlöst werden (Röm 3,25-26). Das Gesetz der Werke ist nur eine Straße in die Verdammnis, während das Gesetz des Glaubens der Weg zur Erlösung ist (Röm 3,27-28). Wenn dies durch andere Bibelstellen klar belegt ist, wie kann dann die Stelle mit den Schafen und Böcken ausgelegt werden?

Hierbei geht es um die Werke als eine *Folge* der Errettung und nicht um Werke als die *Grundlage* der Errettung. Nur der Glaube allein kann retten, doch es gilt auch, dass Glaube ohne Werke tot ist (Jak 2,26).

Die Werke der Schafe sind besonders bedeutsam im Zusammenhang mit der Großen Drangsal, die diese Menschen durchgemacht haben. In dieser Zeit wird es weltweiten Antisemitismus geben, und viele Israeliten werden getötet werden. Unter solchen Umständen ist es für einen Heiden schon von großer Bedeutung, freundschaftliche Verbindung zu einem Juden zu haben, zu „einem dieser meiner geringsten Brüder" (Mt 25,40).

Tatsächlich wird die Tatsache, dass ein Mensch mit einem Juden befreundet ist in einer Zeit, wo Juden zusammengetrieben und zu Tode gebracht werden, dessen eigenes Leben und seine Freiheit in Gefahr bringen. Der einzig mögliche Grund für solche Freundlichkeit in einer Zeit der satanischen Täuschung und des Hasses auf die Juden würde sein, dass der Heide ein an Christus und die Bibel gläubiger Mensch ist und die besondere Stellung Israels als das auserwählte Volk Gottes anerkennt.

Folglich wird Freundlichkeit einem Juden gegenüber in einer Zeit der Judenverfolgung zum sicheren Kennzeichen der wirklichen Erlösung in Christus. Die Schafe werden nicht aufgrund ihrer Werke gerettet, sondern an ihren Werken ist zu erkennen, dass sie erlöst sind.

In diesem Gericht wird den gerechten Heiden gestattet, ins Reich einzutreten. Ihnen wird nicht das Verheißene Land gegeben, das nur Israel gehört, sondern sie dürfen auf der Erde im Tausendjährigen Reich leben, in einer Zeit der nie dagewesenen Segnung sowohl für Israel als auch für die Nationen.

Die Böcke dagegen werden ins ewige Feuer geworfen werden. Ob dies nun bedeutet, dass sie in den Hades kommen, um später auferweckt und in den Feuersee geworfen zu werden, ist nicht ganz klar; in jedem Fall gehen sie in ein immerwährendes Gericht und dürfen nicht am Tausendjährigen Reich teilhaben.

Das Gericht Gottes über die Nationen ist eine weitere Erinnerung daran, dass Gott unsere Werke beobachtet und dass unser Glaube sich in unseren Werken widerspiegeln sollte. Auch kleine Taten bleiben nicht unbemerkt von einem liebenden Gott, der um Sein Volk besorgt ist. Diese Stelle soll uns auch erinnern an die Not um uns herum und daran, dass wir unseren Mitmenschen freundlich und mit Güte begegnen. All dies sind Zeichen eines umgestalteten Herzens durch den Glauben an Jesus Christus. Der Gott, der nicht zulässt, dass ein Spatz ohne Seinen Willen zu Boden fällt, sorgt sich auch um all die kleinen und großen Nöte Seiner Geschöpfe. Ein Mensch, der das Herz Christi hat, wird auch ein Herz haben für das Volk Gottes.

Insgesamt gesehen macht die Schrift deutlich, dass bei der Wiederkunft Christi alle Gerechten auferweckt und vor dem Tausendjährigen Reich gerichtet werden. Nur die Ungerechten bleiben im Grab und erwarten ihr Gericht vor dem großen weißen Thron am Ende des Tausendjährigen Reiches.

? Fragen

1. Welche Gerichte werden in Verbindung mit dem zweiten Kommen Christi stattfinden?
2. Welche Auferstehungen werden in Verbindung mit den Gerichten bei der Wiederkunft Christi geschehen?
3. Welche Belohnung werden jene bekommen, die gerichtet werden?
4. Welche Erklärung gibt es dafür, dass sowohl die Gemeinde als auch andere Heilige mit Christus herrschen werden?
5. Welches ist das besondere Gericht über Israel zur Zeit der Wiederkunft Christi?
6. Beschreiben Sie das Richten der Schafe und Böcke.

7. Lässt dieses Gericht darauf schließen, dass die Erlösung durch Werke geschieht?
8. Erklären Sie den Unterschied zwischen Werken als Folge der Erlösung und Werken als Grundlage der Erlösung.
9. Warum sind die Werke, die die Schafe getan haben, besonders bedeutsam angesichts der Zeit der Großen Drangsal?
10. Welche praktische Anwendung kann aus der Tatsache gezogen werden, dass kleine Taten der Freundlichkeit in Gottes Augen wichtig sind?
11. Welche Toten werden nach dem Beginn des Tausendjährigen Reiches im Grab bleiben?

Kapitel 49

Das Tausendjährige Reich

A. Der Begriff des Reiches Gottes

In der Schrift bezieht sich das Reich Gottes im Allgemeinen auf den Bereich der Herrschaft Gottes im Universum. Weil Gott von Ewigkeit her souverän und allmächtig ist, ist Gottes Reich in gewissem Sinn ewig. Nebukadnezar, der König von Babylon, der von Gott gedemütigt wurde, gab Zeugnis davon, indem er sagte: „Und ich pries den Höchsten, und ich rühmte und verherrlichte den ewig Lebenden, dessen Herrschaft eine ewige Herrschaft ist und dessen Reich von Generation zu Generation währt. Und alle Bewohner der Erde sind wie nichts gerechnet, und nach seinem Willen verfährt er mit dem Heer des Himmels und den Bewohnern der Erde. Und da ist niemand, der seiner Hand wehren und zu ihm sagen könnte: Was tust du?“ (Dan 4,31-32).

Die Herrschaft Gottes wurde jedoch vor ewigen Zeiten von Satan und den Engelwesen, die sich ihm in der Rebellion gegen Gott angeschlossen hatten, infrage gestellt. Obwohl Gott Seine Souveränität bewies, indem Er die Rebellen richtete, hatte der Eingang der Sünde in die Welt den göttlichen Plan eingeleitet, mit dem Gott Seine Souveränität in der Menschheitsgeschichte offenbaren wollte. Dies beinhaltet ein theokratisches Reich, das heißt ein Reich, in dem Gott der höchste Herrscher ist, obwohl er durch Seine Geschöpfe wirkt.

Adam wurde bei seiner Schöpfung die Herrschaft über die Erde übertragen (1Mo 1,26.28). Adam und Eva waren Gott jedoch ungehorsam und nahmen von der verbotenen Frucht. Durch seinen Sündenfall verlor Adam das Recht zu herrschen, und danach ging die Souveränität Gottes, soweit sie Menschen übertragen worden war, an bestimmte Menschen über, denen Gott gestattete oder die Er auserwählte, Herrscher zu sein. Daniel zum Beispiel erinnerte Belsazar daran, als er davon spricht, dass Gott Nebukadnezar züchtigte, „bis er erkannte, dass der höchste Gott Macht hat über das Königtum der Menschen und dass er darüber einsetzt, wen er will“ (Dan 5,21).

Im Alten Testament war das Königreich Israel unter Saul, David und Salomo eine wichtige Erscheinungsform des theokratischen Reiches Gottes. In den souveränen Absichten Gottes bekamen auch heidnische Herrscher das Recht, über ein bestimmtes Gebiet zu herrschen. Dieser allgemeine Gedanke der Herrschaft unter der Erlaubnis und Führung Gottes ist in Römer 13,1 gemeint, wenn Paulus schreibt: „Jede Seele unterwerfe sich den übergeordneten, staatlichen Mächten! Denn es ist keine staatliche Macht außer von Gott, und die bestehenden sind von Gott verordnet."

Neben der Souveränität Gottes, die sich in den politischen Herrschaftssystemen und ihren Herrschern manifestiert, gibt es nach der Schrift auch ein geistliches Reich, in dem Gott in den Herzen der Menschen regiert. Dies ist seit dem Beginn der Menschheit so, und zu dem geistlichen Reich gehören alle, die bereit sind, sich Gott zu unterwerfen, ob Menschen oder Engel. Paulus nimmt in Römer 14,17 darauf Bezug, wenn er schreibt: „Denn das Reich Gottes ist nicht Essen und Trinken, sondern Gerechtigkeit und Friede und Freude im Heiligen Geist."

Im Matthäusevangelium wird noch deutlicher unterschieden durch den Gebrauch der Ausdrücke „das Himmelreich" und „das Reich Gottes". Viele Ausleger sehen diese Ausdrücke synonym, da Matthäus häufig den Ausdruck „Himmelreich" gebraucht, während die anderen Evangelien in ähnlichen Versen den Begriff „das Reich Gottes" verwenden. Zwar haben die beiden Begriffe eine ähnliche Bedeutung, ihre Verwendung scheint jedoch anzudeuten, dass das Himmelreich ein viel weiterer Begriff ist als das Reich Gottes, da es den Bereich des bloßen christlichen Bekenntnisses mit einschließt – wie in dem Gleichnis vom Weizen und dem Unkraut, wo zum Himmelreich offensichtlich auch das Unkraut gehört, und in dem Gleichnis vom Netz, wo der gute vom schlechten Fisch geschieden wird (vgl. Mt 13,24-30.36-43.47-50).

Das Reich Gottes dagegen wird nicht als eine Sphäre des Bekenntnisses gesehen, sondern als eine Sphäre der Realität, wie in Johannes 3,5 gezeigt wird, wo Christus zu Nikodemus sagt: „Wahrlich, wahrlich, ich sage dir: Wenn jemand nicht aus Wasser und Geist geboren wird, kann er nicht in das Reich Gottes hineingehen." Die meisten Ausleger bevorzugen jedoch die Ansicht, dass es keinen wesentlichen Unterschied zwischen diesen beiden Reichen gibt.

Eine noch wichtigere Unterscheidung gibt es jedoch zwischen dem Reich im gegenwärtigen Heilszeitalter und dem Tausendjährigen Reich. Die Merkmale des Reiches im gegenwärtigen Zeitalter sind „Geheimnisse“, das heißt, die Offenbarungen werden im Alten Testament nicht gegeben (vgl. Mt 13); doch das Tausendjährige Reich wird sich nach der Wiederkunft Christi erfüllen und ist kein Geheimnis.

Hier spielt auch die Unterscheidung zwischen dem unsichtbaren Reich – der Herrschaft Gottes in den Herzen der Gläubigen im gegenwärtigen Zeitalter – und dem sichtbaren und herrlichen Reich eine Rolle, das alle auf der Erde nach der Wiederkunft Christi sehen werden. Diese Unterscheidung ist wichtig und wesentlich, um das gegenwärtige Zeitalter als eine Sphäre der göttlichen Herrschaft dem gegenüberzustellen, was im Tausendjährigen Reich sein wird.

Es gibt drei wichtige Auslegungen, die den Reichsgedanken unterschiedlich auf das Tausendjährige Reich beziehen. Die eine ist die prämillennialistische Sichtweise. Danach wird auf die Wiederkunft Christi eine tausendjährige Herrschaft Christi auf der Erde folgen, bevor es einen neuen Himmel und eine neue Erde gibt. Man nennt diese Ansicht Prämillennialismus, weil nach dieser Schriftauslegung die Wiederkunft Christi vor dem Tausendjährigen Reich stattfindet.

Die zweite Anschauung, der Amillennialismus, leugnet eine reale tausendjährige Herrschaft Christi auf der Erde. Die Vertreter dieser Ansicht sind der Meinung, dass Christus direkt nach Seiner Wiederkunft den neuen Himmel und die neue Erde schaffen wird, ohne das Zwischenglied einer tausendjährigen Herrschaft auf der Erde. Diese Ansicht deutet viele Abschnitte im Alten und Neuen Testament, die vom Tausendjährigen Reich sprechen, im Sinn einer nichtwörtlichen Erfüllung, sei es in der gegenwärtigen Erfahrung der Gemeinde oder in der Erfahrung der Gemeinde im Himmel.

Die dritte Ansicht, der Postmillennialismus, geht davon aus, das Evangelium würde im gegenwärtigen Zeitalter in der Welt triumphieren und eine goldene Zeit einläuten, die in gewissem Maß den Frieden und die Gerechtigkeit erfüllen, die für das Tausendjährige Reich vorausgesagt werden. Es wird deshalb postmillennialistisch genannt, weil die Wiederkunft Christi als der Höhepunkt dieses Zeitalters, als das Ende des Tausendjährigen Reiches gesehen wird. Der konservative Postmillennialismus vertritt oft die Ansicht, Christus herrsche genau

1000 Jahre im Herzen der Menschen. Der liberalere Postmillennialismus ähnelt der Evolutionslehre und sieht einen immer größeren Fortschritt in der Welt zum Guten hin, der in einem goldenen Zeitalter seinen Höhepunkt findet. Da die Entwicklung der Geschichte im 20. Jahrhundert wenig Anlass zu der Annahme gegeben hat, dass Gottes Sache in dieser Welt durch menschliche Mittel gefördert wird, haben sich die meisten Ausleger heutzutage dem Amillennialismus oder dem Prämillennialismus angeschlossen.

Zwar gibt es viele Argumente für und gegen die Vorstellung eines tatsächlichen Tausendjährigen Reiches, doch die Lösung des Problems hängt davon ab, in welchem Maß die Prophetien der Schrift wörtlich ausgelegt werden. Bei dieser Abhandlung wird davon ausgegangen, dass die Prophezeiungen genauso wörtlich ausgelegt werden sollten wie jede andere göttliche Offenbarung. Folglich werden viele Vorhersagen des Alten Testaments und auch das Kapitel 20 der Offenbarung im Neuen Testament in ihren Feststellungen wörtlich genommen: dass Christus nach Seiner Wiederkunft tatsächlich 1000 Jahre auf der Erde herrschen wird, und zwar bevor ein neuer Himmel und eine neue Erde geschaffen werden.

B. Das Tausendjährige Reich, eine Herrschaft Gottes auf der Erde

Im Gegensatz zur amillennialistischen Sichtweise, die das Reich Gottes als eine vorwiegende geistliche Herrschaft in den Herzen der Menschen sieht, lassen viele Bibelstellen darauf schließen, dass das Reich ein tatsächliches Reich auf der Erde ist, in dem Christus tatsächlich der oberste politische Herrscher, aber auch der geistliche Führer sein wird, der von den Menschen angebetet wird. Diese Auffassung wird ausführlich sowohl im Alten als auch im Neuen Testament dargestellt.

In Psalm 2, wo von der Auflehnung der Nationen gegen Gott die Rede ist, wird dem Sohn Gottes gesagt: „Fordere von mir, und ich will dir die Nationen zum Erbteil geben und zu deinem Besitz die Enden der Erde" (V. 8, SLT). Dass damit keine geistliche, sondern eine reale politische Herrschaft gemeint ist, wird im folgenden Vers deutlich: „Mit eisernem Stab magst du sie zerschmettern, wie Töpfergeschirr sie zerschmeißen“ (V. 9). Dies kann sich ganz bestimmt nicht auf die Gemeinde oder auf eine geistliche Herrschaft im Himmel beziehen, sondern es zeichnet das Bild eines absoluten Herrschers, der die verderbten Menschen zerschlagen und unterwerfen wird.

Eine weitere Stelle, die den irdischen Charakter des Reiches betont, ist Jesaja 11, wo Jesus Christus als Nachkomme Davids beschrieben wird, der ein gerechtes Gericht auf die Erde bringt und die gesetzlosen Menschen bestraft. In Jesaja 11,4 heißt es: „Und er wird die Geringen richten in Gerechtigkeit, und den Demütigen des Landes Recht sprechen in Geradheit. Und er wird die Erde schlagen mit der Rute seines Mundes und mit dem Hauche seiner Lippen den Gesetzlosen töten.“ Häufig wird in dieser Stelle die *Erde* erwähnt (wie in Jesaja 11,9), und beschrieben wird Gottes Handeln mit den Nationen bei der Sammlung Israels aus allen Ländern der Erde.

Beinahe unzählige andere Verse sagen aus oder deuten an, dass das Reich auf der Erde sein wird (vgl. Jes 42,4; Jer 23,3-6; Dan 2,35-45; Sach 14,1-9). Die Beschreibung der Herrschaft Christi auf der Erde im Tausendjährigen Reich in diesen Stellen kennzeichnet ganz sicher nicht die Gegenwart oder den Himmel. Eine Erfüllung dieser Prophezeiungen würde ein tatsächliches Königreich auf der Erde nach der Wiederkunft Christi erforderlich machen.

C. Christus als der König der Könige im Tausendjährigen Reich

Viele alttestamentliche und neutestamentliche Stellen sagen übereinstimmend aus, dass Jesus Christus der höchste Herrscher über die Erde sein wird. Christus als Sohn Davids wird auf dem Thron Davids sitzen (2Sam 7,16; Ps 89,20-37; Jes 11; Jer 33,19-21). Als der Herr Jesus Christus geboren wurde, kam Er als ein König, wie Maria durch den Engel Gabriel angekündigt wurde (Lk 1,32-33). Als König wurde Er zurückgewiesen (Mk 15,12-13; Lk 19,14). Als Er gekreuzigt wurde, starb Er als König der Juden (Mt 27,37). Bei Seiner Wiederkunft wird Er beschrieben als „König der Könige und Herr der Herren“ (Offb 19,16). Hunderte von Versen im Alten Testament belegen, dass Christus auf der Erde herrschen wird. Einige der wichtigeren Textstellen sind besonders eindeutig (Jes 2,1-4; 9,6-7; 11,1-10; 16,5; 24,23; 32,1; 40,1-11; 42,1-4; 52,7-15; 55,4; Dan 2,44; 7,27; Mi 4,1-8; 5,2-5; Sach 9,9; 14,16-17).

Eines der Merkmale des Tausendjährigen Reiches ist, dass David auferstehen und als Fürst unter Christus herrschen wird (Jer 30,9; 33,15-17; Hes 34,23-24; 37,24-25; Hos 3,5). Ganz sicher ist dies nicht die Situation in der Gemeinde heute. Die Wiederkunft Christi und die Auferstehung der alttestamentlichen Heiligen sind notwendig, bevor diese Prophetie erfüllt werden kann.

D. Die wichtigsten Merkmale der Herrschaft im Tausendjährigen Reich

Nach den Schriftstellen zum zukünftigen Reich auf der Erde gibt es mindestens drei wichtige Merkmale der Herrschaft Christi in Seinem Tausendjährigen Reich.

1. Viele Stellen sprechen davon, dass Christus über den ganzen Erdkreis herrschen wird, ein Herrschaftsgebiet, das viel größer ist als jedes frühere Königreich oder das Reich Davids. Mit der Errichtung dieser weltweiten Herrschaft erfüllt Gott Seine Absicht, dass der Mensch über die Erde herrschen sollte. Zwar wurde Adam verworfen, doch Christus als der letzte Adam kann dieses Ziel erfüllen, wie in Psalm 2,6-9 gesagt wird. Nach Daniel 7,14 wurde dem Menschensohn Herrschaft, Herrlichkeit und Königtum gegeben, „und alle Völker, Völkerschaften und Sprachen dienten ihm; seine Herrschaft ist eine ewige Herrschaft, die nicht vergehen, und sein Königtum ein solches, das nie zerstört werden wird". Derselbe Gedanke findet sich in Daniel 2,44; 4,34; 7,27. Die Universalität der Herrschaft Christi auf der Erde wird auch in Psalm 72,8, Micha 4,1-2 und Sacharja 9,10 erwähnt.

2. Christus wird mit absoluter Autorität und Macht herrschen. Er wird regieren mit „eisernem Zepter" (Ps 2,9; Offb 19,15). Alle, die sich Ihm widersetzen, werden vernichtet werden (Ps 2,9; 72,9-11; Jes 11,4). Die Herrschaft Christi über Seine Gemeinde oder über die Welt im gegenwärtigen Zeitalter wird nicht durch eine solche absolute Herrschaft charakterisiert. Diese Aussagen können sich erst erfüllen, wenn Christus tatsächlich nach Seiner Wiederkunft auf der Erde herrscht.

3. Im Tausendjährigen Reich wird Christus in Gerechtigkeit und Frieden herrschen. Dies wird in klassischen Stellen wie Jesaja 11 und Psalm 72 zum Ausdruck gebracht.

Diese ungewöhnlichen Merkmale des Reiches werden möglich gemacht durch die einleitenden Gerichte über Israel und die Nationen (siehe vorhergehendes Kapitel) und durch die Tatsache, dass Satan gebunden und handlungsunfähig gemacht worden ist. Die einzige Quelle des Bösen in der Welt wird die sündige Natur der Menschen sein, die noch in ihrem menschlichen Fleisch sind. Die Trennung des Unkrauts vom Weizen (Mt 13,24-30) und die Trennung des guten vom schlechten Fisch (Mt 13,47-50) ist das Vorspiel für die Herrschaft Christi. Das Tausendjährige Reich wird beginnen mit Erwachsenen, die alle wirklich an Christus gläubig sind. Kinder, die im Tausendjährigen Reich geboren werden, sind dann der gerechten Herrschaft Christi untertan und werden bestraft, sogar mit der Todesstrafe, wenn sie sich gegen den König auflehnen (Jes 65,17-20; Sach 14,16-19). Offene Sünde wird bestraft werden, und es wird im Tausendjährigen Reich niemandem gestattet sein, gegen den König zu rebellieren.

E. Die besondere Stellung Israels im Tausendjährigen Reich

Während der tausendjährigen Herrschaft Christi wird Israel eine bevorzugte Stellung einnehmen und besonderen Segen empfangen. Im Gegensatz zum gegenwärtigen Zeitalter der Gemeinde, wo Juden und Nationen dieselben Vorrechte haben, wird das Volk Israel im Tausendjährigen Reich das Verheißene Land erben und Gottes besondere Gunst erfahren. Es wird die Zeit der Sammlung Israels, seiner Wiederherstellung als Volk und der Erneuerung des Königreichs Davids sein. Endlich wird Israel das ganze Land auf Dauer besitzen.

Viele Bibelstellen beschäftigen sich mit diesem Thema. Im Tausendjährigen Reich werden die Israeliten in dem ihnen verheißenen Land gesammelt werden (Jer 30,3; 31,8-9; Hes 39,25-29; Am 9,11-15). Nachdem sie in ihr Land zurückgebracht worden sind, werden die Israeliten Untertanen im Reich des wiedererweckten Davids sein (Jes 9,6-7; 33,17.22; 44,6; Jer 23,5; Dan 4,3; 7,14.22.27; Mi 4,2-3.7). Die geteilten Königreiche Israel und Juda werden wiedervereint werden

(Jer 3,18; 33,14; Hes 20,40; 37,15-22; 39,25; Hos 1,11). Israel als die Ehefrau des HERRN (Jes 54; 62,2-5; Hos 2,14-23) wird in einer bevorzugten Stellung über den heidnischen Gläubigen stehen (Jes 14,1-2; 49,22-23; 60,14-17; 61,6-7). Viele Stellen sprechen auch von der Tatsache, dass Israel eine geistliche Erneuerung erfahren wird (Jes 2,3; 44,22-24; 45,17; Jer 23,3-6; 50,20; Hes 36,25-26; Sach 13,9; Mal 3,2-3). Viele andere Stellen geben zusätzliche Information in Bezug auf die Segnungen, die Israel erfahren wird, über seine geistliche Erweckung und seine Freude an der Gemeinschaft mit seinem Gott.

Obwohl die Nationen keinen Anspruch auf das Verheißene Land haben, werden auch sie überreichen Segen erfahren, wie in vielen alttestamentlichen Stellen gesagt wird (Jes 2,2-4; 19,24-25; 49,6.22; 60,1-3; 62,2; 66,18-19; Jer 3,17; 16,19). Die Herrlichkeit des Königreiches sowohl für Israel als auch für die Nationen wird alles übersteigen, was die Welt jemals zuvor erlebt hat.

F. Geistliche Segnungen im Tausendjährigen Reich

Obwohl das Tausendjährige Reich richtigerweise beschrieben wird als die politische Herrschaft Christi auf Erden, wird in diesem Reich überfließendes geistliches Leben möglich sein wie in keinem Zeitalter zuvor. Der Grund hierfür ist, dass der Satan gebunden ist, offene Sünde gerichtet wird und alle den Herrn kennen. In Jesaja 11,9 heißt es: „Man wird nichts Böses tun noch verderblich handeln auf meinem ganzen heiligen Berg. Denn das Land wird voll von Erkenntnis des HERRN sein, wie von Wasser, das das Meer bedeckt."

Viele Verheißungen werden gegeben, die von den inneren geistlichen Segnungen sprechen, die der Neue Bund bietet. In Jeremia 31,33-34 heißt es: „Sondern das ist der Bund, den ich mit dem Haus Israel nach jenen Tagen schließen werde, spricht der HERR: Ich werde mein Gesetz in ihr Inneres legen und werde es auf ihr Herz schreiben. Und ich werde ihr Gott sein, und sie werden mein Volk sein. Dann wird nicht mehr einer seinen Nächsten oder einer seinen Bruder lehren und sagen: Erkennt den HERRN! Denn sie alle werden mich erkennen von ihrem Kleinsten bis zu ihrem Größten, spricht der HERR. Denn ich werde ihre Schuld vergeben und an ihre Sünde nicht mehr denken."

Es wird eine Zeit der Gerechtigkeit sein (Ps 72,7; Jes 11,3-5) und des Friedens (Ps 72,7; Jes 2,4). Ungewöhnliche Freude und Segen werden für das Volk Gottes herrschen (Jes 12,3-4; 61,3.7).

Obwohl es keinen Hinweis darauf gibt, dass der Geist Gottes die Gläubigen in eine geistliche Einheit hineintaufen wird, wie es bei der Gemeinde heute der Fall ist, wird es trotzdem die innewohnende Kraft und Gegenwart des Geistes bei den Gläubigen des Tausendjährigen Reiches geben (Jes 32,15; 44,3; Hes 39,29; Joe 2,28-29). Wegen der außergewöhnlichen Situation wird es im Tausendjährigen Reich zweifellos größere geistliche Segnung in der Welt insgesamt geben als in jedem vorhergehenden Zeitalter.

Als Mittelpunkt der Anbetung wird in Hesekiel 40–46 der Tempel des Tausendjährigen Reiches beschrieben. In diesem Tempel werden Opfer dargebracht, die sich von den Opfern zur Zeit Moses unterscheiden. Die Bibelausleger sind sich nicht darüber einig, ob sie wörtlich genommen werden sollen oder anders erklärt werden können. Es gibt jedoch keinen Grund, den Tempel und das Opfersystem nicht als wörtliche Prophetie anzunehmen.

Da der Tod Christi das mosaische Gesetz und sein Opfersystem außer Kraft gesetzt hat, scheinen die in Hesekiel erwähnten Opfer Erinnerungscharakter zu haben. Sie schauen zurück auf das Kreuz, so wie die alttestamentlichen Opfer vorausschauten auf das Kreuz. Im Tausendjährigen Reich mit seinen ungewöhnlichen geistlichen Segnungen mögen die Schrecklichkeit der Sünde und die Notwendigkeit des Opfers Christi noch schwieriger zu verstehen sein als in jedem vorhergehenden Zeitalter. Folglich scheint das Opferungssystem eingeführt zu werden als Erinnerung daran, dass das eine Opfer Christi notwendig war, um die Sünde auszulöschen. Wenn das alttestamentliche Opfer eine angemessene Vorwegnahme des Todes Christi war, kann im Tausendjährigen Reich ein ähnliches Mittel als Erinnerung eingesetzt werden.

In jedem Fall wird in der Bibel klar belegt, dass das Tausendjährige Reich eine Zeit der ungewöhnlich großen geistlichen Segnung sein wird und eine Zeit, in der Gerechtigkeit, Freude und Friede auf der Erde herrschen werden.

Diese geistlichen Segnungen werden der Welt auch enorme soziale und wirtschaftliche Fortschritte bringen, mehr als in jedem vorhergehenden Zeitalter. Die Tatsache, dass allen Gerechtigkeit widerfahren wird, dass die Schwachen geschützt sein werden, wird soziale und wirtschaftliche Gleichheit sicherstellen. Wahrscheinlich wird die Mehrheit der Menschheit den Herrn kennen. Der Fluch der Unfruchtbarkeit wird von der Erde genommen werden (Jes 35,1-2), und es wird genügend Regen geben (Jes 30,23; 35,7). Es wird Wohlstand, Gesundheit und sowohl körperliche als auch geistliche Segnungen geben, wie die Welt sie noch nie erlebt hat.

Im Tausendjährigen Reich wird es wichtige Veränderungen auf der Erde geben, einige davon hervorgerufen durch die großen Katastrophen während der Großen Drangsal und wieder andere im Zusammenhang mit der Wiederkunft Christi. Ein großes Tal wird sich vom Ölberg bis zum Osten Jerusalems erstrecken (Sach 14,4). Ein weiteres ungewöhnliches Merkmal wird sein, dass Jerusalem über das umliegende Gebiet erhöht sein wird (Sach 14,10). Das Verheißene Land wird wieder einmal der Garten der Welt sein, der Mittelpunkt des Reiches Gottes auf der Erde und ein Ort ungewöhnlicher Segnungen. In vieler Hinsicht wird das Tausendjährige Reich ein goldenes Zeitalter sein, der Höhepunkt in der Geschichte der Erde und die Erfüllung des Planes Gottes, Seinen Sohn als den höchsten Herrscher über das Universum einzusetzen.

? Fragen

1. Was bedeutet ganz allgemein das Reich Gottes?
2. In welchem Sinne ist das Reich Gottes ewig und universal?
3. Inwiefern machte die Sünde in der Welt ein theokratisches Reich notwendig?
4. Inwiefern machte Adams Sündenfall es notwendig, dass Gott bestimmten Menschen das Recht zu herrschen übertrug?
5. Inwiefern war das Königreich Israel eine besondere Verwirklichung des theokratischen Prinzips?
6. Inwiefern unterscheidet sich die Herrschaft Gottes im Herzen der Menschen von Seinem theokratischen Reich?
7. Welche Unterschiede erkennen einige Ausleger zwischen den Ausdrücken „Reich der Himmel“ und „Reich Gottes“?

8. Welche wichtigen Unterscheidungen sollten gemacht werden zwischen der gegenwärtigen Form des Reiches und dem zukünftigen Tausendjährigen Reich?
9. Was ist mit der prämillennialistischen Auslegung der Schrift gemeint?
10. Was ist mit der amillennialistischen Auslegung der Schrift gemeint?
11. Was ist mit der postmillennialistischen Auslegung der Schrift gemeint?
12. Welches Interpretationsprinzip liegt diesen verschiedenen Theorien zugrunde?
13. Was sagt Psalm 2 über ein tatsächliches Reich auf der Erde aus?
14. Was wird in Jesaja 11 über ein irdisches Reich gesagt?
15. Warum ist es unvernünftig zu denken, mit dem Wort „Erde" sei in diesen Stellen der Himmel gemeint?
16. Was sagt das Alte Testament über Christus als Sohn Davids und höchsten Herrscher über die Welt aus?
17. Wo in der Bibel wird gesagt, dass David auferweckt werden und als Fürst unter Christus im Tausendjährigen Reich herrschen wird, und warum macht dies ein zukünftiges Reich auf der Erde erforderlich?
18. Belegen Sie von der Schrift her die Tatsache, dass Christus über die ganze Welt herrschen wird, weit über die Grenzen des Königreiches Davids im Alten Testament hinaus.
19. Wodurch wird die Annahme gestützt, dass die Herrschaft Christi von absoluter Autorität und Macht sein wird?
20. Welche Belege sind in der Schrift zu finden, dass das Reich Gottes auf Erden von weltweiter Gerechtigkeit und Frieden bestimmt sein wird?
21. Inwiefern werden die Gerichte über Israel, die Nationen und Satan am Anfang des Tausendjährigen Reiches den Weg bereiten für ein Reich der Gerechtigkeit?
22. Welche besondere Stellung wird Israel im Tausendjährigen Reich eingeräumt werden, und welches werden die besonderen Segnungen sein, die ihm zuteilwerden?
23. Welche besonderen Segnungen werden den Nationen im Tausendjährigen Reich zuteilwerden?
24. Welche Belege gibt es für ungewöhnliche geistliche Segnungen für alle im Tausendjährigen Reich?

25. Welchen Dienst wird der Heilige Geist im Tausendjährigen Reich tun?
26. Was wird über den Tempel und das Opfersystem im Tausendjährigen Reich ausgesagt?
27. Wie können solche Opfer angesichts der Tatsache, dass Christus am Kreuz gestorben ist, erklärt werden?
28. Welche wichtigen sozialen und wirtschaftlichen Fortschritte wird es im Tausendjährigen Reich geben?
29. Inwiefern wird sich die Produktivität der Erde im Tausendjährigen Reich verändern?
30. Welche wichtigen Veränderungen in der Topografie der Erde wird es im Tausendjährigen Reich geben?
31. Fassen Sie die ungewöhnlichen Segnungen zusammen, die das Tausendjährige Reich charakterisieren werden.

Kapitel 50

Das Gericht über Satan und die gefallenen Engel

A. Das Gericht über Satan am Kreuz

Die Auseinandersetzung zwischen Satan und Gott begann damit, dass Satan aus seinem ursprünglichen, heiligen Zustand fiel, lange bevor Adam und Eva geschaffen wurden (siehe Kapitel 22). In der ganzen Menschheitsgeschichte sind verschiedene Urteile über Satan gefällt worden, auch das Urteil im Garten Eden, das der Schlange auferlegt wurde, und die Ankündigung des endgültigen Falls Satans in 1. Mose 3,15. Dort wird Satan gesagt, dass der Same der Frau ihm den Kopf zermalmen wird, „und du, du wirst ihm die Ferse zermalmen“. Diese Stelle bezieht sich auf die Auseinandersetzung zwischen Satan und Gott, die in der Kreuzigung Christi ihren Höhepunkt hatte. Obwohl Christus am Kreuz gestorben ist, wurde Er doch von den Toten auferweckt, und dies wird angedeutet in dem Satz: „Und du, du wirst ihm die Ferse zermalmen.“ Satan dagegen würde eine tödliche Wunde davontragen, die seinen endgültigen Fall zur Folge haben würde – ausgedrückt in dem Satz: „Er wird dir den Kopf zermalmen.“ Christus hat in Seinem Tod einen bleibenden Sieg über Satan davongetragen.

Auch in Johannes 16,11 wird darauf Bezug genommen, wo Christus andeutet, dass der Heilige Geist, wenn Er kommt, die Welt überzeugen würde vom Gericht, „weil der Fürst dieser Welt gerichtet ist“. Satans Urteil ist am Kreuz verkündet worden, und Satan wurde der Auflehnung gegen Gott schuldig befunden. Dadurch war das Opfer Christi nötig geworden, um die gefallenen Menschen zu retten.

Ein früheres Ereignis im Leben des Herrn nimmt auch schon Christi Sieg über Satan vorweg. Als die Siebzig, die ausgesandt worden waren, um zu predigen und Wunder zu tun, zurückkehrten, verkündeten sie in Lukas 10,17: „Die Siebzig aber kehrten mit Freuden zurück und sprachen: Herr, auch die Dämonen sind uns untertan in deinem Namen.“ Darauf erwidert Christus: „Ich schaute den Satan wie einen

Blitz vom Himmel fallen" (10,18). Dies war die prophetische Vorwegnahme des endgültigen Falles Satans.

B. Satan wird aus dem Himmel geworfen

Zu Beginn der Großen Drangsal, 42 Monate vor der Wiederkunft Christi, wird nach Offenbarung 12,7-9 ein Krieg stattfinden zwischen Michael, einem Führer der heiligen Engel, und Satan (beschrieben als „der Drache") und „seinen Engeln" (gemeint sind die gefallenen Engel). Satan und die gefallenen Engel werden geschlagen, „und es wurde geworfen der große Drache, die alte Schlange, der Teufel und Satan genannt wird, der den ganzen Erdkreis verführt, geworfen wurde er auf die Erde, und seine Engel wurden mit ihm geworfen" (Offb 12,9).

Wie in Offenbarung 12,10 gesagt wird, hatte Satan die Brüder Tag und Nacht vor Gott verklagt. Dieses Anklagen des Satans wird in der Schrift im Buch Hiob zum ersten Mal erwähnt und hier endlich zu einem Ende gebracht. Von diesem Zeitpunkt an wird es etwa noch 42 Monate bis zur Wiederkunft Christi dauern (vgl. Offb 12,6), und Satan und seine Engel werden auf Dauer aus dem Himmel ausgestoßen. Die Niederlage Satans, die mit der misslungenen Versuchung Christi begann und durch die Austreibung der Dämonen durch Christus und Seine Jünger sichtbar gemacht wurde, wurde durch den Tod Christi am Kreuz sichergestellt und nähert sich nun schnell ihrem Höhepunkt. Satan, der bereits gerichtet und schuldig gesprochen worden ist, steht vor der Ausführung des Urteilsspruchs.

C. Satan wird gebunden und in den Abgrund gestoßen

Mit der Wiederkunft Christi ist Gericht verbunden, nicht nur über eine verderbte Welt und ihre Herrscher, sondern auch über Satan und die gefallenen Engel. In Offenbarung 20,1-3 schreibt Johannes: „Und ich sah einen Engel aus dem Himmel herabkommen, der den Schlüssel des Abgrundes und eine große Kette in seiner Hand hatte. Und er griff den Drachen, die alte Schlange, die der Teufel und der Satan ist; und er band ihn tausend Jahre und warf ihn in den Abgrund und schloss zu und versiegelte über ihm, damit er nicht mehr die Nationen verführe, bis die tausend Jahre vollendet sind. Nach diesem muss er für kurze Zeit losgelassen werden.“ In dieser plastischen Darstellung wird ein weiterer Schritt im Gericht über Satan berichtet. Johannes sieht den Satan nicht nur gebunden, in den Abgrund geworfen und dort gefangen gehalten, sondern uns wird auch der Grund für diese Handlungsweise mitgeteilt. Es geschieht deshalb, damit Satan die Nationen nicht verführen kann, bis die tausend Jahre um sind.

Die Tatsache, dass Satan während des Tausendjährigen Reiches gebunden ist, ist ein weiterer Beweis dafür, dass das Tausendjährige Reich noch in der Zukunft liegt und nicht mit der gegenwärtigen Herrschaft Gottes gleichgesetzt werden darf. Es ist ganz offensichtlich, dass der Satan im gegenwärtigen Zeitalter noch nicht gebunden ist, wie im Kapitel 23 schon herausgearbeitet worden ist. Die wörtliche Erfüllung von Offenbarung 19–20 hat die Wiederkunft Christi zur Voraussetzung und das Binden des Satans, das unmittelbar darauf erfolgen wird. Sechsmal werden in Offenbarung 20 die tausendjährige Periode erwähnt und die Ereignisse, die ihr vorausgehen oder folgen. Das Binden des Satans erfolgt ganz klar am Anfang der 1000 Jahre.

Zwar wird in diesem Abschnitt nichts über die gefallenen Engel gesagt, doch es darf angenommen werden, dass auch sie an diesem Ort gefangen gehalten werden, da sie mit ihm zusammen aus dem Himmel geworfen wurden. Es gibt keine Hinweise auf eine Tätigkeit des Satans im Tausendjährigen Reich bis zum Ende, wenn er für eine kurze Zeit losgelassen wird.

D. Das endgültige Gericht über Satan

In Offenbarung 20,7-8 heißt es: „Und wenn die tausend Jahre vollendet sind, wird der Satan aus seinem Gefängnis losgelassen werden und wird hinausgehen, die Nationen zu verführen, die an den vier Ecken der Erde sind, den Gog und den Magog, um sie zum Krieg zu versammeln; deren Zahl ist wie der Sand des Meeres.“ Angeführt von Satan wird die Menge derer, die Christus nicht wirklich angenommen haben, nun ihr wahres Gesicht zeigen. Diese werden im Tausendjährigen

Reich geborene Kinder sein, die sich durch die Umstände gezwungen sahen, ihren Glauben an Christus zu bekennen, aber niemals wirklich wiedergeboren waren. Nun werden sie in offener Rebellion das „Heerlager der Heiligen“ umzingeln und die „geliebte Stadt“ Jerusalem. Sie werden unmittelbar dem Gericht zum Opfer fallen, und nach Offenbarung 20,9 kam „Feuer aus dem Himmel herab und verschlang sie“.

Unmittelbar darauf wird nach Vers 10 der Teufel, der sie verführte, „in den Feuer- und Schwefelsee geworfen, wo sowohl das Tier als auch der falsche Prophet sind; und sie werden Tag und Nacht gepeinigt werden von Ewigkeit zu Ewigkeit.“ Dies ist das endgültige Schicksal Satans, das ewige Feuer, das Gott für ihn und seine Engel bereitet hat (Mt 25,41).

Die gefallenen Engel werden auch gerichtet, weil sie Satans ursprünglicher Rebellion gegen Gott gefolgt sind (Jes 14,12-17; Hes 28,12-19). In 2. Petrus 2,4 heißt es: „Denn wenn Gott Engel, die gesündigt hatten, nicht verschonte, sondern sie in finsteren Höhlen des Abgrundes gehalten und zur Aufbewahrung für das Gericht überliefert hat ...“ „Abgrund“ bezieht sich hier auf Tartarus, einen Ort der ewigen Pein, und nicht auf den Hades, wo die gesetzlosen Toten hingehen, bevor sie in den Feuersee geworfen werden (Offb 20,13-14).

Das Gericht über die Engel wird auch in Judas 6 erwähnt: „Und Engel, die ihren Herrschaftsbereich nicht bewahrt, sondern ihre eigene Behausung verlassen haben, hat er zum Gericht des großen Tages mit ewigen Fesseln unter Finsternis verwahrt.“ Stellt man diese Stelle mit anderen Stellen in Zusammenhang, die sich auf den Fall und das Gericht Satans und der gefallenen Engel beziehen, wird klar, dass einige Engel gebunden sind, obwohl Satan und anderen Engeln gewisse Freiheiten eingeräumt werden, und dass darum die Auseinandersetzungen zwischen den heiligen Engeln und dem Volk Gottes einerseits und diesen gefallenen Engeln andererseits stattfinden. Alle sind jedoch bestimmt zum Gericht des großen Tages, womit das Gericht über Satan und alle gefallenen Engel gemeint ist. Dieses Gericht wird am Ende des Tausendjährigen Reiches stattfinden.

Obwohl in der Vorsehung Gottes Satan und die gefallenen Engel große Macht und großen Einfluss auf die Welt ausgeübt und sich unablässig gegen Gott aufgelehnt haben, ist ihre endgültige Niederlage sicher, und ihre ewige Verdammung wird folgen. Christen, die von

Satan versucht werden wie Hiob im Alten Testament, können sich über die Tatsache freuen, dass ihr endgültiger Sieg sichergestellt ist und die Feinde Gottes zu Seiner Zeit gerichtet werden. Dass ihre Strafe ewig ist, wird klar dadurch, dass das Tier und der falsche Prophet, die zu Beginn des Tausendjährigen Reiches in den Feuersee geworfen wurden, am Ende dieser Zeit immer noch dort sind. Die Schrift macht deutlich, dass es nur zwei Möglichkeiten gibt: entweder ewiges Glück im Himmel oder ewige Pein im Feuersee.

? Fragen

1. Welche Vorhersagen wurden im Garten Eden über Satans endgültigen Fall gemacht?
2. Was sagt Christus in Lukas 10,18 und Johannes 16,11 in Bezug auf Satans endgültigen Fall?
3. Beschreiben Sie den Krieg, der im Himmel zwischen Michael und Satan stattfinden wird. Was wird das Ergebnis sein?
4. Was hat Satan während der ganzen Menschheitsgeschichte im Himmel getan?
5. Beschreiben Sie den Fall Satans zu Beginn des Tausendjährigen Reiches.
6. Wie wörtlich sollten wir das Binden Satans nehmen, und welchen Einfluss wird es auf das Tausendjährige Reich haben?
7. Was wird geschehen, wenn Satan am Ende der 1000 Jahre losgelassen wird?
8. Wer wird sich am Ende des Tausendjährigen Reiches mit Satan gegen Christus verbünden?
9. Was ist das Ergebnis ihrer Rebellion?
10. Beschreiben Sie das endgültige Gericht über Satan und die gefallenen Engel.
11. Inwiefern können sich Christen inmitten ihrer geistlichen Anfechtungen des endgültigen Sieges sicher sein?

Kapitel 51

Das Gericht vor dem großen weißen Thron

A. Das letzte Gericht vor dem großen weißen Thron

Als endgültiger Höhepunkt der Menschheitsgeschichte am Ende des Tausendjährigen Reiches berichtet die Schrift von dem Gericht vor dem großen weißen Thron (Offb 20,11-15). Im Gegensatz zu den vorhergehenden Gerichten über die entrückten bzw. auferweckten Gerechten sowie über die auf Erden lebenden Israeliten und Heiden ist dies das endgültige Gericht; in seinem Zusammenhang scheint es sich nur auf die sündigen Menschen zu beziehen.

B. Die Zerstörung des Himmels und der Erde

Bevor das Gericht vor dem großen weißen Thron stattfindet, wird in Offenbarung 20,11 gesagt: „Die Erde entfloh und der Himmel, und keine Stätte wurde für sie gefunden." Nachdem die Menschheitsgeschichte ihre Erfüllung gefunden hat, wird die alte Schöpfung zerstört, wie in Offenbarung 21,1 gesagt wird: „Denn der erste Himmel und die erste Erde waren vergangen, und das Meer ist nicht mehr." 2. Petrus 3,10-12 bezieht sich auf dieses Ereignis und beschreibt die dramatische Zerstörung in den folgenden Worten: „An ihm werden die Himmel mit gewaltigem Geräusch vergehen, die Elemente aber werden im Brand aufgelöst und die Erde und die Werke auf ihr im Gericht erfunden werden" (V. 10). Im folgenden Vers wird gesagt, dass „dies alles aufgelöst wird" (V. 11), und Vers 12 schafft die Verbindung: „... um dessentwillen die Himmel in Feuer geraten und aufgelöst und die Elemente im Brand zerschmelzen werden!" Da die alte Erde und der alte Himmel zerstört werden, findet das Gericht vor dem großen weißen Thron offensichtlich im Weltall statt.

C. Die Auferstehung der gesetzlosen Toten

Nach Offenbarung 20,12 sah Johannes „die Toten, die Großen und die Kleinen, vor dem Thron stehen". Offenbarung 20,13 fügt hinzu: „Und das Meer gab die Toten, die in ihm waren, und der Tod und der Hades gaben die Toten, die in ihnen waren." Alle gesetzlosen Toten werden hier auferweckt und stehen vor Gott, um gerichtet zu werden. Dass der Richter Jesus Christus ist, wird deutlich aus Johannes 5,27, wo es heißt, dass der Vater ihm Gewalt gegeben hat, „Gericht zu halten, weil er des Menschen Sohn ist".

D. Die Bücher mit den Werken der Menschen werden geöffnet

In Offenbarung 20,12 lesen wir: „Und ich sah die Toten, die Großen und die Kleinen, vor dem Thron stehen, und Bücher wurden geöffnet; und ein anderes Buch wurde geöffnet, welches das des Lebens ist. Und die Toten wurden gerichtet nach dem, was in den Büchern geschrieben war, nach ihren Werken." Im nächsten Vers wird dieses Ereignis noch einmal bekräftigt: „Und sie wurden gerichtet, ein jeder nach seinen Werken." Hier werden in ernsten Worten die Konsequenzen für diejenigen deutlich gemacht, die die Gnade von sich gewiesen haben. Es gibt keine Vergebung außer durch Christus (Apg 4,12), und jene, die Seine Gnade abgelehnt haben, müssen unweigerlich wegen ihrer Sünden gerichtet werden.

Zusätzlich zur Prüfung ihrer Werke wird auch das Buch des Lebens aufgeschlagen, und es wird gesucht, ob ihr Name darin verzeichnet ist. Ob nun, wie einige glauben, das Buch des Lebens eine Aufzeichnung nur derer ist, die ewiges Leben haben, oder ob, wie andere meinen, alle Namen darin aufgezeichnet und die Namen der nicht Erretteten daraus getilgt worden sind, das Ergebnis ist dasselbe. Wessen Namen nicht gefunden wird, hat das ewige Leben nicht. Sein Urteil wird verkündet und ist in Offenbarung 20,14-15 zu finden: „Und der Tod und der Hades wurden in den Feuersee geworfen. Dies ist der zweite Tod, der Feuersee. Und wenn jemand nicht geschrieben gefunden wurde in dem Buch des Lebens, so wurde er in den Feuersee geworfen." Obwohl einige der hier Gerichteten relativ gut gewesen sind im Vergleich zu anderen, die relativ schlecht waren, lautet das Urteil bei allen gleich. Alle, die das ewige Leben nicht haben, werden auf der Grundlage ihrer Werke gerichtet und in den Feuersee geworfen. Die Tragödie ist, dass nach der Schrift Christus auch für sie gestorben ist.

In 2. Korinther 5,19 heißt es: „… nämlich dass Gott in Christus war und die Welt mit sich selbst versöhnte, ihnen ihre Übertretungen nicht zurechnete und in uns das Wort von der Versöhnung gelegt hat." In 1. Johannes 2,2 wird von Christus gesagt: „Und er ist die Sühnung für unsere Sünden, nicht allein aber für die unseren, sondern auch für die ganze Welt." Diejenigen, die in das ewige Feuer geworfen werden, hätten gerettet werden können, wenn sie sich Christus zugewandt hätten. Ihr hoffnungsloser Zustand ist nicht etwa einem Mangel der Liebe und Gnade Gottes zuzuschreiben, sondern der Tatsache, dass sie nicht glauben wollten. Diejenigen, die nie die Gelegenheit hatten, das Evangelium zu hören, werden verurteilt, weil sie das Zeugnis Gottes in der Natur verworfen haben (Röm 1,18-20). Auch sie haben das Licht zurückgewiesen, das sie hatten, und werden zu Recht aufgrund ihres Unglaubens verurteilt werden. Das Gericht vor dem großen weißen Thron ist das traurige Ende für alle, die Christus nicht als ihren Herrn und Erlöser angenommen haben.

? Fragen

1. Welchen großen Unterschied gibt es zwischen dem Gericht vor dem großen weißen Thron und anderen Gerichten?
2. Wo wird das Gericht vor dem großen weißen Thron stattfinden?
3. Beschreiben Sie die Zerstörung der alten Erde.
4. Was sagt die Schrift über die Auferweckung der sündigen Toten?
5. Welches ist die Grundlage des Gerichtes über die sündigen Toten?
6. Welches ist die Tragödie des Gerichtes über die sündigen Toten?
7. Inwiefern ist das in der Schrift geoffenbarte Schicksal der Verlorenen ein Antrieb für die Gläubigen, Seelen für Christus zu gewinnen?

Kapitel 52

Der neue Himmel und die neue Erde

A. Der neue Himmel und die neue Erde

In Offenbarung 21,1 schreibt Johannes nach der Schilderung des Gerichts vor dem großen weißen Thron und der Vernichtung des ersten Himmels und der ersten Erde: „Und ich sah einen neuen Himmel und eine neue Erde; denn der erste Himmel und die erste Erde waren vergangen." Der neue Himmel wird nicht näher beschrieben, und alles, was über die neue Erde gesagt wird, ist: „Und das Meer ist nicht mehr" (Offb 21,1). An keiner Stelle in der Bibel wird erklärt, warum über den neuen Himmel und die neue Erde nicht mehr ausgesagt wird. Vielmehr wird unsere Aufmerksamkeit unmittelbar auf die heilige Stadt, das neue Jerusalem, gelenkt.

B. Die allgemeine Beschreibung des neuen Jerusalem

Johannes berichtet in folgenden Worten, was er gesehen hat: „Und ich sah die heilige Stadt, das neue Jerusalem, aus dem Himmel von Gott herabkommen, bereitet wie eine für ihren Mann geschmückte Braut" (Offb 21,2). Die Bibelausleger stehen vor dem Problem der Deutung dieser Aussage des Johannes. Wenn man sie wörtlich nimmt, sah Johannes eine heilige Stadt, die beschrieben wird als das neue Jerusalem im Gegensatz zum alten, irdischen Jerusalem, das zerstört worden ist, als die Erde zerstört wurde. Von der Stadt wird gesagt, sie sei „aus dem Himmel von Gott herabkommen". Es ist äußerst bedeutsam, dass die Stadt nicht als geschaffen bezeichnet wird; offensichtlich existierte sie schon während des Tausendjährigen Reiches, möglicherweise als eine Stadt wie ein Satellit über der Erde; vielleicht war sie sogar die Wohnstatt der auferweckten und umgestalteten Heiligen. Aus der Beschreibung der Erde im Tausendjährigen Reich wird ganz deutlich, dass es in dieser Zeit auf der Erde keine Stadt wie das neue Jerusalem gegeben hat. Einige sind der Meinung, der Herr Jesus Christus würde sich auf das neue Jerusalem beziehen, wenn Er in Johannes 14,3 sagt: „Und wenn ich hingehe und euch eine Stätte bereite …" Hier in der Offenbarung sieht Johannes das neue Jerusalem aus dem Himmel kommen. Offensichtlich soll es auf der neuen Erde seinen Platz finden.

Weiter beschreibt Johannes die Stadt als „eine für ihren Mann geschmückte Braut". Einige sehen hierin einen Bezug zur Gemeinde als Braut. Wie eine spätere Stelle jedoch deutlich macht, gehören zum neuen Jerusalem die Heiligen aller Zeitalter, und daher ist es vorzuziehen, dies nur als Bild zu sehen und nicht als einen Bezug auf die Gemeinde. Das neue Jerusalem ist wunderschön, genau wie eine Braut, die sich für ihren Mann schmückt, aber es ist eine reale Stadt.

Obwohl sich vergleichsweise wenige Stellen in der Bibel mit dem neuen Himmel und der neuen Erde beschäftigen, wird nicht erst in der Offenbarung davon gesprochen. In Jesaja 65,17 sagt Gott: „Denn siehe, ich schaffe einen neuen Himmel und eine neue Erde. Und an das Frühere wird man nicht mehr denken, und es wird nicht mehr in den Sinn kommen." Dieser Vers steht im Zusammenhang mit dem Tausendjährigen Reich, und einige Ausleger sind der Meinung, er nehme Bezug auf ein erneuertes Jerusalem im Tausendjährigen Reich. Es ist jedoch eher ein Bezug auf das neue Jerusalem, das auf der neuen Erde stehen wird.

Eine weitere Stelle ist in Jesaja 66,22 zu finden, wo es heißt: „Denn wie der neue Himmel und die neue Erde, die ich mache, vor mir bestehen, spricht der HERR, so werden eure Nachkommen und euer Name bestehen." Während das irdische Jerusalem am Ende des Tausendjährigen Reiches zerstört wird, bleibt das neue Jerusalem auf ewig bestehen, genau wie der Same Israels.

In 2. Petrus 3,13 wird eine andere Vorhersage hinsichtlich des neuen Himmels und der neuen Erde gemacht. Dort werden sie beschrieben als ein Ort, „in welchem Gerechtigkeit wohnt". In der ganzen Bibel ist zu erkennen, dass der neue Himmel und die neue Erde das letztgültige Ziel der Geschichte und der endgültige Wohnort der Heiligen sind.

Nachdem Johannes den neuen Himmel, die neue Erde und das neue Jerusalem vorgestellt hat, beschreibt er in Offenbarung 21,3-8 ihre wichtigsten Merkmale. Dort wird Gott bei den Menschen wohnen, und Er wird bei ihnen sein, „ihr Gott“. Leid, Tod und Trauer wird es nicht mehr geben, wie Johannes sagt: „Denn das Erste ist vergangen“ (V. 4). Dies wird noch einmal bestätigt im Vers 5: „Siehe, ich mache alles neu.“

Im neuen Jerusalem verspricht der Herr Jesus Christus als das Alpha und das Omega: „Ich will dem Dürstenden aus der Quelle des Wassers des Lebens geben umsonst. Wer überwindet, wird dies erben, und ich werde ihm Gott sein, und er wird mir Sohn sein.“ (V. 6-7). Im Gegensatz dazu wird von den Unerretteten gesagt: „Ihr Teil ist in dem See, der mit Feuer und Schwefel brennt, das ist der zweite Tod“ (V. 8). Der erste Tod ist körperlich und geistlich, doch der zweite Tod ist die ewige Trennung von Gott.

C. Die Vision vom neuen Jerusalem

Johannes wird eingeladen, „die Braut, die Frau des Lammes“ zu betrachten und im Geiste hinweggeführt „auf einen großen und hohen Berg“ (Offb 21,9-10). Hier sieht Johannes das neue Jerusalem aus dem Himmel herniederkommen von Gott.

In der anschließenden Beschreibung wird vom neuen Jerusalem gesagt, dass es „die Herrlichkeit Gottes“ hat, die Stadt strahlt „gleich einem sehr kostbaren Edelstein, wie ein kristallheller Jaspisstein“ (V. 11). Obwohl ein Jaspis heutzutage in vielen verschiedenen Farben vorkommen kann und meistens nicht durchsichtig ist, wird von dem Stein hier gesagt, dass er wertvoll und klar wie Kristall ist. Die Vision muss von unglaublicher Schönheit und herrlichem Glanz gewesen sein.

Die nachfolgenden Verse beschreiben die Stadt. Sie ist umgeben von einer hohen Mauer mit zwölf Toren, an denen zwölf Engel stehen. Auf den Toren stehen die Namen der zwölf Stämme Israels geschrieben. Die Stadt ist rechteckig und nach Norden, Süden, Osten und Westen ausgerichtet, was darauf schließen lässt, dass es auf der neuen Erde Himmelsrichtungen wie auf der alten geben wird. Die Mauern stehen auf zwölf Fundamenten, auf denen nach Vers 14 die Namen der zwölf Apostel geschrieben stehen.

Die Länge, Breite und Höhe der Stadt beträgt mehr als 2200 Kilometer. Diese Angaben lassen vermuten, dass die Stadt vielleicht in

Form eines Würfels oder einer Pyramide gebaut ist. Viele Ausleger neigen zu der Ansicht, dass sie die Form einer Pyramide hat, da dies erklären würde, dass ein Fluss an ihren Seiten herunterfließt, wie Offenbarung 22,1-2 sagt.

Alle Materialien dieser Stadt sind durchsichtig und lassen das Licht ungehindert durchscheinen. Sogar das Gold ist wie klares Glas (21,18). Die Fundamente der Stadtmauer tragen die Namen der zwölf Apostel, die für die Gemeinde stehen und mit zwölf Edelsteinen in allen Farben des Regenbogens geschmückt sind, die im hellen Licht der Stadt funkeln und einen atemberaubenden Anblick bieten (V. 19-20).

Die Stadttore sind große, einzigartige Perlen, und die Straßen aus purem, durchsichtigem Gold (V. 21). Die Stadt hat keinen Tempel, weil Gott selbst darin wohnt (V. 22), und bedarf nicht der Sonne, des Mondes oder der Sterne, weil die Herrlichkeit Gottes und des Lammes sie erleuchtet (V. 23). Die Erlösten aus den Heiden („die Nationen") wandeln im Licht der Stadt und gehen ungehindert durch die Tore, die nie geschlossen werden, „denn Nacht wird daselbst nicht sein" (V. 25).

Die Einwohner dieser Stadt sind nach dieser Beschreibung die Heiligen aller Zeitalter. Nicht nur die Israeliten und die Heiden sind hier erwähnt, sondern auch die zwölf Apostel, die für die Gemeinde stehen. Dies ist in Übereinstimmung mit Hebräer 12,22-24, wo gesagt wird, dass zu den Einwohnern Jerusalems „Myriaden von Engeln" gehören, „die Versammlung der Erstgeborenen, die in den Himmeln angeschrieben sind", „Gott, der Richter aller", die „Geister der vollendeten Gerechten" und Jesus, der „Mittler eines neuen Bundes". Daraus kann geschlossen werden, dass die Gemeinde im neuen Jerusalem sein wird sowie die „Geister der vollendeten Gerechten" – womit alle Heiligen gemeint sind, die nicht zur Gemeinde gehören, sowohl Juden als auch Heiden –, die Engel und Jesus als der Mittler eines Neuen Bundes.

Weiter beschreibt Johannes einen „Strom von Wasser des Lebens, glänzend wie Kristall, der hervorging aus dem Thron Gottes und des Lammes" (Offb 22,1). Der Baum des Lebens, der zwölf verschiedene Früchte trägt, steht in der Mitte der Straße der Stadt und auf jeder Seite des Flusses. Seine Blätter sind zur Heilung oder Gesundheit der Nationen (Offb 22,2).

Wenn dies die Beschreibung eines ewigen Zustandes ist, so wurde die Frage erhoben, warum eine Heilung notwendig ist. Die

Schwierigkeiten können gelöst werden, wenn die Übersetzung „für die Gesundheit der Nationen“ akzeptiert wird. Es kann sein, dass die Furcht des Baumes des Lebens zusammen mit dem Wasser des Lebens die Erklärung für die ewige Existenz der Körper der Heiligen ist.

Weiter beschreibt Johannes die Stadt: „Und keinerlei Fluch wird mehr sein; und der Thron Gottes und des Lammes wird in ihr sein; und seine Knechte werden ihm dienen“ (V. 3). Sie werden Gott von Angesicht zu Angesicht sehen und Seinen Namen an ihrer Stirn geschrieben haben (V. 4). Johannes wiederholt die Tatsache, dass die neue Stadt strahlt und kein Licht mehr nötig ist, und er schließt mit dem Wort Gottes: „Und siehe, ich komme bald. Glückselig, der die Worte der Weissagung dieses Buches bewahrt“ (V. 7).

In Anbetracht der Tatsache, dass der neue Himmel und die neue Erde die ewige Wohnstätte der Heiligen sein werden, ist es bemerkenswert, dass in der Schrift relativ wenig darüber geschrieben steht. Doch die Bibel will in erster Linie Licht für unseren gegenwärtigen Weg sein. Gleichzeitig dürfen wir einen Blick tun in die Herrlichkeit, die uns erwartet, damit wir in unserem Glaubensleben gestärkt werden. Zweifellos wird einmal noch viel mehr offenbart werden als das Wenige, das hier in den letzten Kapiteln der Offenbarung zu finden ist.

Obwohl Gott bis zu einem gewissen Grad Seinem Volk offenbart hat, „was kein Auge gesehen und kein Ohr gehört hat und in keines Menschen Herz gekommen ist“ (1Kor 2,9), wird Gott zweifellos dem Menschen in der Ewigkeit noch viel mehr offenbaren. Die Hälfte ist uns noch nicht gesagt worden, und unserem Gott wird es eine große Freude sein, allen jenen Seine Liebe und Gnade zu erweisen, die Jesus Christus als ihren Herrn und Heiland angenommen haben.

Die Bibel, die allein die Wunder des Himmels ans Licht bringt, spricht ganz deutlich davon, wie die Sünder dieser gefallenen Menschheit in den Himmel kommen können. Trotzdem sind so viele Menschen der Meinung, sie würden in den Himmel kommen, auch ohne den Weg Gottes zu gehen, der nach Seiner Aussage der einzige Weg zur Errettung ist. Nicht alle Menschen kommen in den Himmel; seine Herrlichkeit und sein Glück sind nur für die Erretteten bestimmt. Die Erlösung wiederum ist absolut abhängig von einer persönlichen Annahme des Erlösers. Den Herrn Jesus Christus anzunehmen ist eine ganz einfache Sache und doch so entscheidend. Denn Jesus Christus ist der einzige Weg zur Errettung.

? Fragen

1. Was wird über den neuen Himmel und die neue Erde geoffenbart?
2. Warum wird das neue Jerusalem beschrieben als eine für ihren Mann geschmückte Braut?
3. Es wird nicht gesagt, dass das neue Jerusalem geschaffen wurde. Was bedeutet das?
4. Kann es sein, dass das neue Jerusalem die Wohnstatt der auferweckten und umgestalteten Heiligen während des Tausendjährigen Reiches ist?
5. Was sagen die Stellen aus Jesaja 65,17 und 66,22 über den neuen Himmel und die neue Erde aus?
6. Was wird in 2. Petrus 3,13 von dem neuen Himmel und der neuen Erde gesagt?
7. Was sind nach Offenbarung 21,3-8 geistlich gesehen einige der wichtigsten Merkmale des neuen Himmels und der neuen Erde?
8. Wie sieht Johannes das neue Jerusalem in Offenbarung 21,11?
9. Beschreiben Sie die Form, die Mauern und die Tore des neuen Jerusalem, wie Johannes sie gesehen hat.
10. Welchen Beleg gibt es dafür, dass Israel und die Engel im neuen Jerusalem sein werden?
11. Welche Länge, Breite und Höhe hat die Stadt?
12. Welche mögliche Erklärung kann für die Form der Stadt gefunden werden?
13. Was charakterisiert das Material der Stadt, und in welchem Zusammenhang steht dies mit ihrem Glanz?
14. Beschreiben Sie die atemberaubende Schönheit der kostbaren Steine auf den Fundamenten der Stadt.
15. Warum stehen die Namen der zwölf Apostel auf den Fundamenten der Stadt geschrieben?
16. Warum hat die Stadt keinen Tempel, und warum braucht sie kein Licht der Sonne, des Mondes oder der Sterne?

17. Gibt es in der Stadt auch erlöste Heiden (aus den Nationen)?
18. Wodurch kann belegt werden, dass die Heiligen aller Zeitalter im neuen Jerusalem sein werden?
19. Was sagt Hebräer 12,22-24 über die Einwohner der Stadt aus?
20. In welchem Zusammenhang stehen möglicherweise das Wasser des Lebens und der Baum des Lebens mit der ewigen Existenz der Körper der Heiligen im neuen Jerusalem?
21. Was werden die Heiligen im neuen Jerusalem tun?
22. Wie erklären Sie die Tatsache, dass außer in diesen letzten Kapiteln im Buch der Offenbarung in der Bibel wenig über die Ewigkeit gesagt wird?
23. Warum ist es angesichts dieser Schriftstellen so wichtig, ganz sicher zu sein, dass man durch den Glauben an Christus errettet ist?

Verzeichnis der Abkürzungen der biblischen Bücher

Altes Testament

1Mo	1. Mose
2Mo	2. Mose
3Mo	3. Mose
4Mo	4. Mose
5Mo	5. Mose
Jos	Josua
Ri	Richter
Rt	Rut
1Sam	1. Samuel
2Sam	2. Samuel
1Kö	1. Könige
2Kö	2. Könige
1Chr	1. Chronik
2Chr	2. Chronik
Esr	Esra
Neh	Nehemia
Est	Ester
Hi	Hiob
Ps	Psalmen
Spr	Sprüche
Pred	Prediger
Hl	Hoheslied
Jes	Jesaja
Jer	Jeremia
Kla	Klagelieder
Hes	Hesekiel
Dan	Daniel
Hos	Hosea
Joe	Joel
Am	Amos
Ob	Obadja
Jon	Jona
Mi	Micha
Nah	Nahum
Hab	Habakuk
Zef	Zefanja
Hag	Haggai
Sach	Sacharja
Mal	Maleachi

Neues Testament

Mt	Matthäus
Mk	Markus
Lk	Lukas
Joh	Johannes
Apg	Apostelgeschichte
Röm	Römer
1Kor	1. Korinther
1Tim	1. Timotheus
2Tim	2. Timotheus
Tit	Titus
Phim	Philemon
Hebr	Hebräer
Jak	Jakobus
1Petr	1. Petrus

2Kor	2. Korinther
Gal	Galater
Eph	Epheser
Phil	Philipper
Kol	Kolosser
1Thes	1. Thessalonicher
2Thes	2. Thessalonicher
2Petr	2. Petrus
1Jo	1. Johannes
2Jo	2. Johannes
3Jo	3. Johannes
Jud	Judas
Offb	Offenbarung

Stichwortverzeichnis

Mal Couch (Hg.)
Lexikon zur Endzeit

In diesem einzigartigen Nachschlagewerk hat der Herausgeber in über 200 Artikeln das Fachwissen kompetenter Gelehrter, Autoren und Bibellehrer zu dem komplexen Thema biblischer Studien zu Prophetie und Endzeit zusammengetragen.

Die Beiträge decken zahlreiche theologische Begriffe und Konzepte des Studiums der Prophetie ab, die Eschatologie sämtlicher biblischen Bücher sowie besonderer Textabschnitte der Bibel und diverser außerkanonischer Schriften. Die geschichtliche Entwicklung verschiedener Sichtweisen der biblischen Eschatologie wird dargestellt und im Gegenüber zu zeitgenössischen Positionen einschließlich des Prämillennialismus und Dispensationalismus diskutiert.

Das Lexikon enthält auch umfangreiche Informationen über zahlreiche Persönlichkeiten des Studiums biblischer Prophetie und Heilsgeschichte darunter C. I. Scofield, L. S. Chafer, H. A. Ironside, J. D. Pentecost, C. C. Ryrie, J. F. Walvoord, Jonathan Edwards, John Nelson Darby, den Kirchenvätern u. v. a. m.

Malcom Couch (1938–2013) war Gründer und erster Präsident des *Tyndale Theological Seminary* in Fort Worth, Texas. Er war Pastor, Autor vieler Bücher und schrieb 40 Abhandlungen über biblische Prophezeiungen und biblische Fragen. Er war auch Mitglied der *Pre-Trib Research Centers*, einer von Tim LaHaye und Thomas Ice gegründeten Organisation, die sich der detaillierten Erforschung biblischer Prophetie widmet.

Gb., 564 S.
Best.-Nr. 271 618
ISBN 978-3-86353-618-3

Scofield-Bibel
1632 S. + 16 Farbtafeln, 16 x 23,5 cm

Die Scofield-Bibel hat seit Jahrzehnten einen Kreis begeisterter Nutzer. Die Kommentare in der neuen Auflage wurden sprachlich behutsam aktualisiert, und diese Ausgabe enthält nun auch den neuesten Textstand der Elberfelder Bibel. Charakteristisch für diese Bibel ist die heilsgeschichtliche Herangehensweise.

Cyrus I. Scofield hat eine sich fortschreitend entfaltende Offenbarung Gottes in der Bibel entdeckt und daraus verschiedene Zeitabschnitte abgeleitet. So ergibt sich eine besondere Gliederung der Geschichte. Nützlich sind auch die Kettenverweise zu 72 verschiedenen Themen durch die ganze Bibel und zahlreiche weitere Anmerkungen. Der Ertrag der Auslegung wird durch ein ausführliches Stichwortverzeichnis erschlossen.

Leder
Best.-Nr. 271 210
ISBN 978-3-86353-210-9

Kunstleder
Best.-Nr. 271 200
ISBN 978-3-86353-200-0

Charles C. Ryrie
Die Bibel verstehen
Das Handbuch systematischer Theologie für jedermann

Der Autor erklärt die grundlegenden Themen systematischer Theologie im Kontext der Heiligen Schrift (Gott, Bibel, Engel, Teufel, Mensch, Sünde, Gemeinde usw.). Für Bibelleser, Gemeindemitarbeiter, Bibelschüler u. a.

Dr. Charles Ryrie (1925–2016) ist in der ganzen Welt bekannt wegen seiner fundierten Schriftkenntnis und wegen der Klarheit, mit der er die Wahrheiten des Wortes Gottes zu formulieren versteht. Von 1962–1983 war er Professor für Systematische Theologie am *Dallas Theological Seminary*. Er war außerdem Autor zahlreicher Bücher und Artikel, von denen viele auch in deutscher Sprache erschienen sind.

Gb., 608 S., 15 x 22,5 cm
Best.-Nr. 271 340
ISBN 978-3-86353-340-3

Benjamin Lange
Die Bibel verstehen: Die Zehn Gebote
Neue Entdeckungen in Gottes Gesetz

Kann man etwas über die Zehn Gebote lesen, was man nicht schon kennt? Und in welcher Form sind sie heute noch relevant? Dieses Buch lädt zu einer kleinen Reise durch die Zehn Gebote ein, die einen neuen Blick auf die alten Gebote bietet und zeigt, welche erstaunlichen Schätze sich darin verbergen.

Gb., 176 S., 13,5 x 20,5 cm
Best.-Nr. 271 747
ISBN 978-3-86353-747-0